D1269891

GÜTERSLOHER
VERLAGSHAUS

Ökumenischer Taschenbuchkommentar
zum Neuen Testament
Band 13/1
Herausgegeben von
Rudolf Hoppe und Michael Wolter

MIX
Papier aus verantwortungsvollen Quellen
Paper from responsible sources
FSC® C105338

Stefan Schreiber

Der erste Brief an die Thessalonicher

Gütersloher Verlagshaus

Bibliografische Information der Deutschen Nationalbibliothek

Die Deutsche Nationalbibliothek verzeichnet diese Publikation in der Deutschen Nationalbibliografie; detaillierte bibliografische Daten sind im Internet über https://portal.dnb.de abrufbar.

Entdecken Sie mehr auf
www.gtvh.de

1. Auflage

Copyright © 2014 by Gütersloher Verlagshaus, Gütersloh,
in der Verlagsgruppe Random House GmbH, München

Umschlaggestaltung: Dieter Rehder, Aachen
Satz: SatzWeise, Föhren
Druck und Einband: Books on Demand GmbH, Norderstedt
Printed in Germany
ISBN 978-3-579-00523-2

www.gtvh.de

In Erinnerung an
Herbert Leroy
1936 – 2005

Inhalt

Kommentar

Vorwort

Als ich während meines Studiums wieder einmal an einer neutestamentlichen Arbeit schrieb und mir ausmalte, wie es wäre, selbst einmal Neutestamentler zu werden, dachte ich auch über meinen Ort in dieser Disziplin nach. Einen Kommentar wollte ich schreiben, und die virtuelle Wahl fiel immer wieder auf den 1. Thessalonicherbrief. Paulus sollte es schon sein, aber keiner der großen, theologisch so gewichtigen Briefe (das traute ich mir nicht zu). Gesprochen habe ich darüber mit niemandem.

Nun ist es dank der Anfrage der ÖTK-Herausgeber so gekommen. Nur sehe ich die Berechtigung einer solchen Kommentierung angesichts der Flut an Publikationen zum Neuen Testament heute sehr viel nüchterner. Viel Forschungsarbeit zu diesem kleinen Brief wurde in den vergangenen fünfzehn Jahren geleistet, so dass eine Aufgabe des Kommentars darin besteht, den aktuellen Stand der Diskussion zu repräsentieren. Darüber hinaus erhält die Kommentierung ihr Profil durch die konsequente Lektüre des Briefes im Rahmen seiner geschichtlichen Gesprächssituation, der Situation einer jungen Konvertitengruppe innerhalb einer distanzierten, tendenziell ablehnenden hellenistisch-römischen Großstadt. Damit verbunden ist einerseits die bleibende Bedeutung der Beziehung zwischen der Gemeinde und ihren Gründern, die den Brief in erster Linie als Medium der Beziehungspflege einsetzen, und andererseits die Betonung des eschatologischen Charakters der christlichen Existenz, der wesentlich zur neuen Identität beiträgt. Besondere Aufmerksamkeit richte ich bei diesem ältesten christlichen Schreiben auf die Anfänge christlicher Sprache und die frühe christliche Sprachentwicklung, die darin Spuren hinterlassen hat.

Was die Phantasie des Studenten nicht bedachte, waren die Mühe, der Aufwand und die Durststrecken der Kommentierung. Daher danke ich allen, die mich begleitet, unterstützt und ermutigt haben, sehr herzlich. Den Herausgebern des ÖTK, den Kollegen Rudolf Hoppe und Michael Wolter, und dem Verlagslektor Diedrich Steen danke ich für ihr Vertrauen, ihre Geduld und ihre Ermutigung. Meinem Augsburger Team Sabine Fartash, Hanna Mehring, Sonja Meitinger und Dr. Thomas Schumacher danke ich für alle Unterstützung, für Gespräche, Ideen und Kritik, speziell »Sonni« für konstante und zuverlässige Versorgung mit Literatur. Beim neutestamentlichen Oberseminar bedanke ich mich für manche Diskussion und Anregung. Eva Rünker gilt mein Dank für ihre Begleitung. Ich widme den Kommentar der Erinnerung an meinen Lehrer Prof. Dr. Herbert Leroy, bei dem ich eine Atmosphäre wissenschaftlicher Offenheit und intellektueller Freiheit kennen lernte.

Augsburg, im Frühjahr 2014   *Stefan Schreiber*

Literatur

Textausgaben, Quellen und Hilfsmittel werden, wie angegeben, abgekürzt bzw. mit Kurztitel zitiert. Die unter 2. und 3. angeführten Kommentare werden nur mit Nachname des Verfassers, wo nötig Bandangabe, und Seitenzahl genannt; bei Uneindeutigkeiten erfolgt der abgekürzte Zusatz des kommentierten biblischen Buches (1 Thess, Apg). Die unter 4. gelisteten Titel zitiere ich im Kommentar mit abgekürztem Vornamen des Autors, Nachnamen, Titelstichwort; als Hinweis auf dieses Literaturverzeichnis setze ich davor einen Asteriskus (*). Die Abkürzungen der biblischen Bücher richten sich nach den Loccumer Richtlinien, die der Werke antiker Autoren nach DNP 1 (1996), XXXIX-XLVII; Philo und Josephus habe ich daran angeglichen. Die Abkürzungen der wissenschaftlichen Monographien, Sammelwerke und Zeitschriften folgt *S. M. Schwertner*, Internationales Abkürzungsverzeichnis für Theologie und Grenzgebiete, Berlin/New York ²1992.

1. Textausgaben, Quellen, Hilfsmittel

W. Bauer, Wörterbuch = *W. Bauer*, Griechisch-deutsches Wörterbuch zu den Schriften des Neuen Testaments und der frühchristlichen Literatur, hg. von *K. Aland* und *B. Aland*, Berlin/New York ⁶1988.

BDR = *F. Blass/A. Debrunner*, Grammatik des neutestamentlichen Griechisch, bearbeitet von *F. Rehkopf*, Göttingen ¹⁶1984.

Bill. = *P. Billerbeck(/H. L. Strack)*, Kommentar zum Neuen Testament aus Talmud und Midrasch. 4 Bde., München 1922-1928 (Nachdrucke).

CIG = Corpus Inscriptionum Graecarum. 4 Bde., 1828-1877.

CIJ = Corpus Inscriptionum Judaicarum. Recueil des inscriptions juives qui vont du IIIe siècle avant Jésus-Christ au VIIe siècle de notre ère. 2 Bde. (SSAC 1/3), hg. von *J.-B. Frey*, Rom 1936.1952.

A. Deissmann, Licht = *A. Deissmann*, Licht vom Osten. Das Neue Testament und die neuentdeckten Texte der hellenistisch-römischen Welt, Tübingen ⁴1923.

EpThess = *P. M. Nigdelis, Epigraphika Thessalonikeia. Symboli stin politiki kai koinoniki historia tis archaias Thessalonikis*, Thessaloniki 2006 (auf Neugriechisch; deutsche Zusammenfassung 501-508).

EWNT = Exegetisches Wörterbuch zum Neuen Testament. 3 Bde., hg. von *H. Balz/G. Schneider*, Stuttgart ²1992.

IG X 2/1 = *C. Edson*, Inscriptiones Graecae Epiri, Macedoniae, Thraciae, Scythiae. Pars II: Inscriptiones Macedoniae. Fasciculus I: Inscriptiones Thessalonicae et viciniae, Berlin 1972.

B. M. Metzger, Commentary = *B. M. Metzger*, A Textual Commentary on the Greek New Testament, London/New York ²1995.

NA²⁸ = Nestle-Aland, Novum Testamentum Graece, hg. vom Institut für Neutestamentliche Textforschung Münster/Westfalen, Stuttgart ²⁸2012.

New Docs = New Documents Illustrating Early Christianity, hg. von *G. H. R. Horsley* (Bd. 1-5); *S. R. Llewelyn* (Bd. 6-10), Macquarie University/Grand Rapids 1981-2012.

NTAK = Neues Testament und Antike Kultur. 5 Bde., hg. von *K. Erlemann* u. a., Neukirchen-Vluyn 2004-2008.

NW = Neuer Wettstein. Texte zum Neuen Testament aus Griechentum und Hellenismus. Bd. II: Texte zur Briefliteratur und zur Johannesapokalypse. 2 Teilbde., hg. von *G. Strecker/U. Schnelle*, Berlin/New York 1996.

F. Passow, Handwörterbuch = *F. Passow*, Handwörterbuch der Griechischen Sprache. 2 Doppelbde., Neu bearbeitet von *V. C. F. Rost, F. Palm, O. Kreussler, K. Keil, F. Peter* und *G. E. Benseler*, Leipzig ⁵1841-1857, Nachdruck Darmstadt 2008.

RIC = The Roman Imperial Coinage. Bd. I, hg. von *C. H. Sutherland*, London ²1984.

RICIS = *L. Bricault*, Recueil des Inscriptions concernant les Cultes Isiaques. 3 Bde., Paris 2005 (zu Thessaloniki Bd. 2, 136-166).

SB = Sammelbuch griechischer Urkunden aus Ägypten (Inschriften und Papyri), hg. von *F. Preisigke*, 1913-1922 (Bd. 1-2), *F. Bilabel*, 1926-1934 (Bd. 3-5).

SEG = Supplementum Epigraphicum Graecum, 1923 ff.

ThWNT = Theologisches Wörterbuch zum Neuen Testament. 10 Bde., hg. von *G. Kittel/G. Friedrich*, Stuttgart 1933-1979.

2. Kommentare zum 1. Thessalonicherbrief

F. Bassin, Les Épîtres de Paul aux Thessaloniciens (CEB 13), Vaux-sur-Seine 1991.

G. K. Beale, 1-2 Thessalonians (The IVP New Testament Commentary Series), Downers Grove/Leicester 2003.

E. A. Best, A Commentary on the First and Second Epistles to the Thessalonians (BNTC), London ²1977 (1972).

F. F. Bruce, 1 & 2 Thessalonians (WBC 45), Waco 1982.

M. Dibelius, An die Thessalonicher I.II. An die Philipper (HNT 11), Tübingen ³1937.

E. von Dobschütz, Die Thessalonicherbriefe (KEK 10), Göttingen 1909 (Nachdruck 1974).

G. D. Fee, The First and Second Letters to the Thessalonians (NICNT), Grand Rapids 2009.

J. E. Frame, A Critical and Exegetical Commentary on the Epistles of St. Paul to the Thessalonians (ICC), Edinburgh ⁵1960 (1912).

G. *Friedrich*, Der erste Brief an die Thessalonicher, in: J. Becker/H. Conzelmann/G. Friedrich, Die Briefe an die Galater, Epheser, Philipper, Kolosser, Thessalonicher und Philemon (NTD 8), Göttingen ⁴1990 (1976), 203-251.

G. L. *Green*, The Letters to the Thessalonians (The Pillar New Testament Commentary), Grand Rapids/Cambridge 2002.

G. *Haufe*, Der erste Brief des Paulus an die Thessalonicher (ThHK 12/I), Leipzig 1999.

T. *Holtz*, Der erste Brief an die Thessalonicher (EKK XIII), Zürich/Neukirchen-Vluyn ³1998 (1986).

I. H. *Jones*, The Epistles to the Thessalonians (Epworth Commentaries), Peterborough 2005.

F. *Laub*, 1. und 2. Thessalonicherbrief (NEB 13), Würzburg ³2000 (1985).

S. *Légasse*, Les épîtres de Paul aux Thessaloniciens (LecDiv.C 7), Paris 1999.

A. J. *Malherbe*, The Letters to the Thessalonians (AncB 32B), New York 2000.

I. H. *Marshall*, 1 and 2 Thessalonians (NCeB), London 1983.

D. M. *Martin*, 1-2 Thessalonians (New American Commentary 33), Nashville 1995.

W. *Marxsen*, Der erste Brief an die Thessalonicher (ZBK 11/1), Zürich 1979.

L. *Morris*, The First and Second Epistle to the Thessalonians (NIC), Grand Rapids ⁹1979.

P.-G. *Müller*, Der Erste und Zweite Brief an die Thessalonicher (RNT), Regensburg 2001.

E. *Reinmuth*, Die Briefe an die Thessalonicher, in: N. Walter/E. Reinmuth/P. Lampe, Die Briefe an die Philipper, Thessalonicher und an Philemon (NTD 8/2), Göttingen 1998, 103-202.

E. J. *Richard*, First and Second Thessalonians (SP 11), Collegeville 1995.

B. *Rigaux*, Saint Paul. Les Épîtres aux Thessaloniciens (EtB), Paris/Gembloux 1956.

A. *Schlatter*, Die Briefe an die Thessalonicher, Philipper, Timotheus und Titus, Berlin 1953.

C. A. *Wanamaker*, The Epistles to the Thessalonians. A Commentary on the Greek Text (NIGTC), Grand Rapids 1990.

D. J. *Williams*, 1 and 2 Thessalonians (NIBC 12), Peabody 1992.

B. *Witherington* III, 1 and 2 Thessalonians. A Socio-Rhetorical Commentary, Grand Rapids 2006.

3. Weitere Kommentare

H. *Conzelmann*, Die Apostelgeschichte (HNT 7), Tübingen ²1972.

J. *Jervell*, Die Apostelgeschichte (KEK III), Göttingen 1998.

G. *Lüdemann*, Das frühe Christentum nach den Traditionen der Apostelgeschichte. Ein Kommentar, Göttingen 1987.

R. I. *Pervo*, Acts. A Commentary (Hermeneia), Minneapolis 2009.

A. *Weiser*, Die Apostelgeschichte. Bd. 2: Kapitel 13-28 (ÖTK 5/2), Gütersloh/Würzburg 1985.

4. Literatur zum 1. Thessalonicherbrief

R. *Aasgaard*, »My Beloved Brothers and Sisters!« Christian Siblingship in Paul (JSNT.S 265), London 2004.

R. S. *Ascough*, Paul's Macedonian Associations. The Social Context of Philippians and 1 Thessalonians (WUNT II/161), Tübingen 2003.

J. *Bickmann*, Kommunikation gegen den Tod. Studien zur paulinischen Briefpragmatik am Beispiel des Ersten Thessalonicherbriefes (fzb 86), Würzburg 1998.

F. *Blischke*, Die Begründung und die Durchsetzung der Ethik bei Paulus (ABG 25), Leipzig 2007.

R. *Börschel*, Die Konstruktion einer christlichen Identität. Paulus und die Gemeinde von Thessalonich in ihrer hellenistisch-römischen Umwelt (BBB 128), Berlin 2001.

M. *Bohlen*, Sanctorum Communio. Die Christen als »Heilige« bei Paulus (BZNW 183), Berlin/New York 2011.

C. *vom Brocke*, Thessaloniki – Stadt des Kassander und Gemeinde des Paulus. Eine frühe christliche Gemeinde in ihrer heidnischen Umwelt (WUNT II/125), Tübingen 2001.

T. J. *Burke*, Family Matters. A Social-Historical Study of Kinship Metaphors in 1 Thessalonians (JSNT.S 247), London/New York 2003.

M. *Crüsemann*, Die pseudepigraphen Briefe an die Gemeinde in Thessaloniki (BWANT 191), Stuttgart 2010.

K. P. *Donfried*, The Cults of Thessalonica and the Thessalonian Correspondence (1985), in: ders., Paul, Thessalonica, and Early Christianity, London/New York 2002, 21-48.

C. *Gerber*, Paulus und seine »Kinder«. Studien zur Beziehungsmetaphorik der paulinischen Briefe (BZNW 136), Berlin/New York 2005.

J. R. *Harrison*, Paul and the Imperial Gospel at Thessalonica (2002), in: ders., Paul and the Imperial Authorities at Thessalonica and Rome. A Study in the Conflict of Ideology (WUNT 273), Tübingen 2011, 47-69.

J. M. F. *Heath*, Absent Presences of Paul and Christ: *Enargeia* in 1 Thessalonians 1-3, JSNT 32 (2009) 3-38.

T. *Holtz*, Thessalonicherbriefe, in: TRE 33 (2002), 412-421.

R. *Hoppe*, Verkündiger – Botschaft – Gemeinde. Überlegungen zu 1 Thess 2,1-12.13-16 (2002), in: ders., Apostel – Gemeinde – Kirche. Beiträge zu Paulus und den Spuren seiner Verkündigung (SBA 47), Stuttgart 2010, 26-45.

F. W. *Horn*, Das Angeld des Geistes. Studien zur paulinischen Pneumatologie (FRLANT 154), Göttingen 1992.

T. *Jantsch*, »Gott alles in allem« (1 Kor 15,28). Studien zum Gottesverständnis des Paulus im 1. Thessalonicherbrief und in der korinthischen Korrespondenz (WMANT 129), Neukirchen-Vluyn 2011.

R. *Jewett*, The Thessalonian Correspondence. Pauline Rhetoric and Millenarian Piety (Foundation and Facets), Philadelphia 1986.

S. *Kim*, Paul's Common Paraenesis (1 Thess. 4-5; Phil. 2-4; and Rom. 12-13): The Correspondence between Romans 1:18-32 and 12:1-2, and the Unity of Romans 12-13, TynB 62 (2011) 109-139.

H.-J. *Klauck*, Die antike Briefliteratur und das Neue Testament (UTB 2022), Paderborn 1998.

M. *Konradt*, Gericht und Gemeinde. Eine Studie zur Bedeutung und Funktion von Gerichtsaussagen im Rahmen der paulinischen Ekklesiologie und Ethik im 1 Thess und 1 Kor (BZNW 117), Berlin/New York 2003.

W. *Kraus*, Das Volk Gottes. Zur Grundlegung der Ekklesiologie bei Paulus (WUNT 85), Tübingen 1996.

D. *Luckensmeyer*, The Eschatology of First Thessalonians (NTOA 71), Göttingen 2009.

G. *Lyons*, Pauline Autobiography. Toward a New Understanding (SBLDS 73), Atlanta 1985.

A. J. *Malherbe*, Paul and the Thessalonians. The Philosophic Tradition of Pastoral Care, Philadelphia 1987.

C. R. *Nicholl*, From Hope to Despair in Thessalonica. Situating 1 and 2 Thessalonians (MSSNTS 126), Cambridge 2004.

R. *Pesch*, Die Entdeckung des ältesten Paulus-Briefes, Freiburg i. Br. 1984.

R. *Riesner*, Die Frühzeit des Apostels Paulus. Studien zur Chronologie, Missionsstrategie und Theologie (WUNT 71), Tübingen 1994.

F. W. *Röcker*, Belial und Katechon. Eine Untersuchung zu 2 Thess 2,1-12 und 1 Thess 4,13-5,11 (WUNT II/262), Tübingen 2009.

E. D. *Schmidt*, Heilig ins Eschaton. Heiligung und Heiligkeit als eschatologische Konzeption im 1. Thessalonicherbrief (BZNW 167), Berlin/New York 2010.

J. *Schoon-Janßen*, Umstrittene »Apologien« in den Paulusbriefen. Studien zur rhetorischen Situation des 1. Thessalonicherbriefes, des Galaterbriefes und des Philipperbriefes (GTA 45), Göttingen 1991.

S. *Schreiber*, Begleiter durch das Neue Testament, Ostfildern ³2014.

T. *Söding*, Die Trias Glaube, Hoffnung, Liebe bei Paulus. Eine exegetische Studie (SBS 150), Stuttgart 1992.

T. D. *Still*, Conflict at Thessalonica. A Pauline Church and its Neighbours (JSNT.S 183), Sheffield 1999.

M. *Tellbe*, Paul between Synagogue and State. Christians, Jews, and Civic Authorities in 1 Thessalonians, Romans, and Philippians (CB.NT 34), Stockholm 2001.

M. *Vahrenhorst*, Kultische Sprache in den Paulusbriefen (WUNT 230), Tübingen 2008.

C. S. de Vos, Church and Community Conflicts. The Relationships of the Thessalonian, Corinthian, and Philippian Churches with Their Wider Civic Communities (SBL.DS 168), Atlanta 1999.

M. Wolter, Jesus bei Paulus, in: C. K. Rothschild/J. Schröter (Hg.), The Rise and Expansion of Christianity in the First Three Centuries of the Common Era (WUNT 301), Tübingen 2013, 205-232.

J. Woyke, Götter, ›Götzen‹, Götterbilder. Aspekte einer paulinischen ›Theologie der Religionen‹ (BZNW 132), Berlin/New York 2005.

5. Forschungsüberblicke und Bibliographie

W. Trilling, Die beiden Briefe des Apostels Paulus an die Thessalonicher. Eine Forschungsübersicht, in: ANRW 25/4 (1987), 3365-3403.

E. J. Richard, Contemporary Research on 1 and 2 Thess, BTB 20 (1990) 107-115.

S. Schreiber, Früher Paulus mit Spätfolgen. Eine Bilanz zur neuesten Thessalonicherbrief-Forschung, ThRv 103 (2007) 267-284.

J. A. D. Weima/S. E. Porter, An Annotated Bibliography of 1 and 2 Thessalonians (NTTS 26), Leiden/Boston/Köln 1998.

Einleitung

Paulus und seine Mitabsender Silvanus und Timotheus schrieben
den 1. Thessalonicherbrief an eine kleine Christen-Gruppe in der
makedonischen Großstadt Thessaloniki zu Beginn der 50er Jahre
des 1. Jh. n. Chr. Damit stellt der Brief ein geschichtliches Dokument dar, das in eine spezifische Gesprächssituation der Antike gehört. Seine bleibende Bedeutung besteht darin, dass es sich um das
älteste schriftliche Dokument der christlichen Bewegung überhaupt
handelt, das uns erhalten ist, dazu, soweit wir wissen, um den ersten
Gemeindebrief des Paulus – vielleicht entdecken und erproben Paulus und seine Mitabsender dabei erst die Form des Briefes als Instrument der Kontaktpflege mit einer räumlich getrennten Gemeinde,
mit der sie aber durch die gemeinsame Gründungszeit denkbar intensiv verbunden sind.
Die vorliegende Kommentierung folgt daher dem Ziel, den 1 Thess
in seiner historischen Gesprächssituation zu verstehen. Dabei ist die
biographische Situation der Verfasser zur Zeit der Abfassung ebenso zu berücksichtigen wie die der Adressaten. Bei diesen handelt es
sich um eine noch sehr junge Konvertitengruppe, deren spezifische
Lebenslage nur innerhalb der städtischen Gesellschaft von Thessaloniki, innerhalb ihrer sozialen, politischen und religiösen Umwelt
zu verstehen ist. Denn in diesem Lebenskontext einer griechischen
Großstadt in der frühen römischen Kaiserzeit hat die junge Gemeinde in Thessaloniki gerade begonnen, ihre eigene Identität zu
entwickeln, und manche Faktoren dieses Prozesses können wir –
im Spiegel der Wahrnehmung der Briefverfasser – am 1 Thess able-
sen. Wir stoßen dabei auf eine innere Verbindung von theologischer
Überzeugung und Lebenskontext: Die Theologie des Briefes ist
deswegen relevant, weil sie existentielle Auswirkungen auf das persönliche und soziale Leben ihrer Adressaten zeigen will.
Dementsprechend möchte dieser Kommentar durch geschichtliche
»Rückblenden« die Gesprächssituation des 1 Thess für Leser/innen
des 21. Jh. wieder anschaulich machen. Freilich bewegt sich auch
eine solche historische Exegese immer in einem hermeneutischen
Zirkel: Unsere Lektüre ist immer schon von bestimmten Voraussetzungen wie persönlichen Erfahrungen, religiösen Überzeugungen
und erworbenem Vorwissen geprägt. Wir bringen in aller Regel unser Geschichts- oder Paulusbild bereits mit und verstehen in diesem
Rahmen den Brief. Diese Voraussetzungen sind dann entscheidend
mitverantwortlich für das interpretierende Übertragen dessen, was
wir im 1 Thess lesen, in unsere Gegenwart. Insofern gibt es keine
einfache »Applikation« der Gedanken des 1 Thess in die Gegenwart, als müssten wir nur einen gegebenen Textsinn für heute an-

wenden. Denn dieser ist keine feststehende Größe, sondern wird selbst erst durch unsere Interpretationsarbeit gewonnen. Eine hermeneutisch reflektierte Lektüre muss also bei uns selbst beginnen: Warum lesen wir eigentlich 1 Thess? Wollen wir von Paulus lediglich unsere Überzeugungen bestätigt sehen? Sind wir bereit, auf Fremdes zu hören und uns davon vielleicht sogar verändern zu lassen? Erst wenn wir uns unserer Voraussetzungen bewusst sind, können wir versuchen, Paulus und seine historische Zeit zu verstehen. Und erst dann können wir den Versuch wagen, Gedanken aus der Gesprächssituation des Paulus in unsere eigene Lebenswelt zu »übertragen«.

Eine *historische* Lektüre stellt bei diesem komplexen Leseprozess einen wesentlichen Faktor dar, denn sie kann sich der antiken Sprache und Denkwelt des Briefes annähern. Damit übernimmt sie für uns als Lesende eine Orientierungs- und Korrekturfunktion, indem sie aufzuspüren sucht, wie die Worte des Briefes zu seiner Zeit verstanden werden konnten, und dabei Verstehensweisen als mehr oder weniger plausibel differenziert. Hier beginnt das Hören auf die Verstehensmöglichkeiten einer anderen Zeit, einer anderen Wahrnehmung von Welt und Mensch, die wir erst in einem zweiten Schritt mit unseren Wahrnehmungen verbinden bzw. konfrontieren können.

Daher beginnt die Einleitung damit, unsere Kenntnisse über die Stadt Thessaloniki im 1. Jh. in einem Überblick zu bündeln. Thessaloniki bildete die städtische Lebenswelt der Briefadressaten und war auch den Briefverfassern bestens bekannt; in diesem historischen Kontext ist dann auch der Brief zu verstehen.

1. Die Stadt Thessaloniki

Literatur zu 1. insgesamt: M. Bommas, Heiligtum und Mysterium. Griechenland und seine ägyptischen Gottheiten (Sonderbände der Antiken Welt), Mainz 2005; *C. vom Brocke*, Thessaloniki, in: NTAK 2 (2005), 171-174; *W. Elliger*, Paulus in Griechenland. Philippi, Thessaloniki, Athen, Korinth (SBS 92/93), Stuttgart 1978 (Nachdruck 1987); *R. M. Errington*, Thessaloniki I. Lage, Klassische Zeit, in: DNP 12/1 (2002), 451-453; *D. V. Grammenos* (Hg.), Roman Thessaloniki (Thessaloniki Archaeological Museum Publications 1), Thessaloniki 2003; *C. Steimle*, Religion im römischen Thessaloniki. Sakraltopographie, Kult und Gesellschaft 168 v. Chr. – 324 n. Chr. (STAC 47), Tübingen 2008.

Thessaloniki – oder kurz Saloniki – ist heute die zweitgrößte Stadt Griechenlands und weist, bezieht man den Ballungsraum um die Stadt mit ein, fast eine Million Einwohner auf. Die dichte Bebauung lässt freilich nur selten einen Blick frei auf die steinernen Überreste Thessalonikis zur Zeit des Paulus.

Ein beredtes Beispiel bietet der Tempel für den Kult der ägyptischen Gottheiten Isis, Serapis und Harpokrates, der offenbar für das kultische Leben im antiken Thessaloniki über Jahrhunderte große Bedeutung besaß (*M. Bommas*, Heiligtum 48 f.). Nach den Grabungen von 1920 und 1939, die auf die Grundmauern und einige Lagen des Mauerwerks stießen, verschwand der antike Tempelbezirk wieder unter der Bebauung der modernen Stadt – heute ist nicht einmal der genaue Fundort bekannt; die wenigen Hinweise deuten auf eine Lage im Verlauf der heutigen Straße *Karaoli kai Dimitriou tōn Kypriōn* (*C. Steimle*, Religion 81-83).

Erhalten sind wenige Reste der Stadtmauer im Nordosten und Südosten der Stadt, die in ihrer Substanz auf die hellenistisch-frührömische Zeit zurückgehen, und Bebauungsreste aus hellenistischer Zeit, die sich v. a. im nördlichen Teil der Altstadt und im Südosten in der Nähe des Meeres finden; bei Letzteren handelt es sich um Gebäude, die wohl wirtschaftlichen Zwecken dienten. Erkennbar ist auch das rektanguläre antike Straßennetz aus römischer Zeit, das noch heute das Bild des Straßenverlaufs in der Innenstadt von Thessaloniki prägt. Die erhaltenen Gebäude der römischen Agora hingegen stammen bereits aus der Zeit des späten 2. bis zum 4. Jh. Insgesamt ist die Quellenlage aus der Zeit des frühen Prinzipats als spärlich zu bezeichnen, was sowohl archäologische Funde als auch literarische Zeugnisse betrifft. Mehr Material steht aus dem 2./3. Jh. n. Chr. zur Verfügung, doch lassen sich daraus nur mit größter Vorsicht – wenn überhaupt – Rückschlüsse auf Verhältnisse des 1. Jh. ziehen. Wichtige Einblicke in das Alltagsleben im antiken Thessaloniki gibt die epigraphische Überlieferung. Die grundlegende Sammlung von Inschriften aus Thessaloniki und Umgebung stellt die in der Reihe *Inscriptiones Graecae* erschienene Ausgabe von *C. Edson* aus dem Jahr 1972 dar (IG X 2/1). Seitdem wurden bei den andauernden Grabungsarbeiten in Thessaloniki zahlreiche weitere Inschriften gefunden, von denen einige bereits im *Supplementum Epigraphicum Graecum* (SEG) veröffentlicht wurden; geplant ist ein Supplementband zu IG X 2/1 (**C. vom Brocke*, Thessaloniki 6). Auf Neugriechisch erschien 2006 eine von *P. M. Nigdelis* bearbeitete Sammlung von Inschriften (EpThess), die freilich zumeist ins 2./3. Jh. datieren.

1.1 Geschichte

Literatur: W. Eck, Rom und Judaea. Fünf Vorträge zur römischen Herrschaft in Palaestina (Tria Corda 2), Tübingen 2007; *I. Touratsoglou*, Makedonien. Geschichte, Monumente, Museen, Athen 1995; *ders.*, Die Münzstätte von Thessaloniki in der römischen Kaiserzeit (32/31 v. Chr. bis 268
n. Chr.), Berlin/New York 1988; *ders.*, Macedonia, in: A. M. Burnett/
M. H. Crawford (Hg.), The Coinage of the Roman World in the Late Re-
public (BAR 326), Oxford 1987, 53-92; *A. E. Vacalopoulos*, A History of
Thessaloniki, übers. T. F. Carney, Thessaloniki 1993; *E. Vutyras*, Thessaloniki unter römischer Herrschaft, in: N. Eideneier/H. Eideneier (Hg.),
Thessaloniki. Bilder einer Stadt, Köln 1992, 28-32.

Die Stadt Thessaloniki wurde im Jahr 316/315 v. Chr. von dem Dia-
dochen Kassander, dem Sieger in den Nachfolgekriegen nach dem
Tod Alexanders des Großen (323 v. Chr.) in Makedonien am Thermäischen Golf gegründet und zeichnete sich durch eine hervor-
ragende militärische und wirtschaftliche Lage aus. Der von der Natur begünstigte Hafen eröffnete den Zugang zur Ägäis, und die
Landwege ins Landesinnere schufen gute Verbindungen ins Hinterland. Vorgängerbesiedlungen, u. a. wohl die bedeutende Stadt Ther-
me, wurden in die Neugründung integriert. Kassander gab der Stadt
zu Ehren seiner Frau, einer Halbschwester Alexanders des Großen,
den gleichlautenden Namen *Thessalonikē*. Im Jahr 148 v. Chr. wurde Makedonien römische Provinz *(provincia Macedonia)* und Thessaloniki zur Hauptstadt mit Sitz des römischen Statthalters und der
Provinzialverwaltung. Dies wurde als Wendepunkt in der Stadt-
geschichte inszeniert, indem mit dem Jahr 148 eine neue Zeitrechnung in der Stadt begonnen wurde.
Dennoch blieb ganz Makedonien bis in die Zeit des Augustus von
Kriegshandlungen gezeichnet, die zum einen auf ständige Einfälle
der Nachbarvölker zurückgehen. Zum anderen wurde auch Thessaloniki von den Wirren der römischen Bürgerkriege des 1. Jh.
v. Chr. voll erfasst. Pompeius machte die Stadt 49 v. Chr. zu seinem
politischen und militärischen Hauptquartier und damit zur Gegen-
Metropole im Gegenüber zu Rom. In der sich bald anschließenden
Auseinandersetzung zwischen Caesars Anhängern unter Antonius
und Octavian (dem späteren *Imperator Caesar Augustus*) und der
Gegenpartei unter den »Caesarmördern« Cassius und Brutus entschied sich Thessaloniki offenkundig für die Caesarianer. Damit
hatte man auf die Richtigen gesetzt: Nach der entscheidenden
Schlacht beim nahe gelegenen Philippi 42 v. Chr., die den Sieg der
Caesarianer brachte, erhielt Thessaloniki von den Siegern als Zei-

chen des Dankes für die erwiesene Loyalität den Status einer »Freistadt« (*civitas libera*; Plinius d. Ä., nat. 4,36), was gewisse wirtschaftliche Privilegien und eine größere administrative Eigenständigkeit implizierte. So war eine *civitas libera* wohl von den direkten Steuern (Kopf- und Grundsteuer) und Tributzahlungen an Rom befreit (vgl. *W. Eck*, Rom 217 mit Anm. 42), vielleicht auch von Dienstleistungen an Rom wie die partielle Versorgung von im Land stehenden Truppeneinheiten. Münzprägungen verkündeten die »Freiheit« der Stadt (*I. Touratsoglou*, Macedonia 56).

Mit der faktischen Alleinherrschaft Octavians seit dem Seesieg von Actium 31 v. Chr. trat für Makedonien eine Zeit innenpolitischer Ruhe und gesellschaftlicher Stabilität ein. Wieder wurde zur Veranschaulichung der politischen Wende zur Ära des Augustus eine neue Zeitrechnung eingeführt. Durch die Sicherung bzw. Einrichtung weiterer römischer Provinzen an den Rändern der *Macedonia* – Illyricum/Dalmatien (9 n. Chr.), Moesien (16 n. Chr.), Thrakien (45/46 n. Chr.) – verlor Makedonien seinen Grenzstatus, der immer wieder zu Einfällen angrenzender Volksstämme geführt hatte. Wurde die Stadt unter Kaiser Tiberius im Jahr 15 n. Chr. Teil der kaiserlichen Provinz Moesien (Tacitus, ann. 1,76,2; 1,80,1), so unterstellte Kaiser Claudius im Jahr 44 die Provinz *Macedonia* wieder dem Senat (Sueton, Claudius 25,5; Cassius Dio 60,24,1), und Thessaloniki wurde erneut Provinzhauptstadt mit Sitz des römischen Statthalters. Unter der militärischen Schutzmacht Roms entwickelte sich Thessaloniki in politischer, wirtschaftlicher und kultureller Hinsicht zu einer der bedeutendsten Städte im Raum der Ägäis. Diese aufblühende Stadt besuchten Paulus und sein Missionsteam in der Mitte des 1. Jh. und gründeten dort eine Hausgemeinde von Jesus-Anhänger/innen.

1.2 Baubestand

Literatur: V. *Allamani-Souri*, The Province of Macedonia in the Roman Imperium, in: D. V. Grammenos (Hg.), Roman Thessaloniki, Thessaloniki 2003, 67-119; P. *Adam-Veleni*, Thessaloniki: History and Town Planning, ebd. 121-176; M.-H. *Blanchaud*, Un relief Thessalonicien d'Isis Pelagia, BCH 108 (1984) 709-711; H. *Koester*, Egyptian Religion in Thessalonikē: Regulation for the Cult, in: L. Nasrallah/C. Bakirtzis/S. J. Friesen (Hg.), From Roman to Early Christian Thessalonikē (HThS 64), Cambridge 2010, 133-150; R. *Salditt-Trappmann*, Tempel der ägyptischen Götter in Griechenland und an der Westküste Kleinasiens (EPRO 15), Leiden 1970; T. *Stefanidou-Tiveriou*, Ein Tropaion für den Sieg bei Actium. Ein Frag-

ment einer Kolossalstatue in Thessaloniki, AM 116 (2001) 159-188; *E. Trakosopoulou-Salakidou*, Apo tēn koinōnia tēs Thessalonikēs tōn autokrato-
rikōn chronōn, in: Ancient Macedonia V/3 (Institute for Balkan Studies
240), Thessaloniki 1993, 1539-1591.

Das Bild einer Stadt wird nicht unwesentlich durch repräsentative
öffentliche Bauten geprägt. Politische und kulturelle Dominanzen
finden darin eine architektonische Sprache, die wiederum Auswirkungen auf das Selbstverständnis der Bewohner hatte. Was das
Stadtbild von Thessaloniki zur Zeit des Paulus betrifft, sind wir
weithin auf konstruierende Vermutungen auf der Basis verschiedener archäologischer, epigraphischer und literarischer Quellen angewiesen. Ein erster Überblick muss hier genügen (dazu v. a. **C. vom
Brocke*, Thessaloniki 21-71; *P. Adam-Veleni*, Thessaloniki).
(1) Noch aus hellenistischer Zeit besaß die Stadt eine Akropolis, die
wohl im Nordosten der Stadtbefestigung gelegen war (und damit
nicht mit der noch heute sichtbaren Akropolis aus byzantinischer
Zeit identisch ist). Ebenso wie diese hellenistische Akropolis ist
auch die Hafenanlage nicht erhalten, die für das wirtschaftliche Leben der Stadt zentral war; erst wieder für die Zeit Konstantins wird
ein Hafen explizit literarisch bezeugt, doch war ein solcher sicher
auch in der Zeit davor existent. Im Blick auf das religiöse Leben
der Stadtbevölkerung ist ein sog. Serapeion interessant, ein heiliger
Bezirk für die ägyptischen Götter, der im Westen der Stadt gelegen
war. Dessen Grundbestand geht in hellenistische Zeit zurück, wobei bis in spätrömische Zeit eine kontinuierliche Nutzung und Aus-
bauten stattfanden (*M. Bommas*, Heiligtum 48 f.68.85.89 f.98 f.;
C. Steimle, Religion 88-128; *H. Koester*, Religion 134-142). Entdeckt wurden u. a. ein 11 × 8 m großer Naiskos (eine Tempelhalle
mit Nische für eine Statue der verehrten Gottheit) und unter dem
Vorraum eine Krypta (4 × 1,6 m) mit Gewölben, die über einen
schmalen Gang erreichbar war und auf mystische Verehrungshand-
lungen schließen lässt. Die in diesem Bezirk gefundenen Köpfe von
Götterstatuen (Serapis und wahrscheinlich Isis) bezeugen zusammen mit etlichen Inschriften die Existenz eines Kultes für die
ägyptischen Götter, der im 2. Jh. eine Blüte und umfassende bau-
liche Erneuerung erfuhr und bis ins 3. Jh. bestand (zu den Funden
R. Salditt-Trappmann, Tempel 48-52 mit Abb. 42-46); zu ergänzen
ist das Relief einer Isis Pelagia (*M.-H. Blanchaud*, relief). Im Zentrum der Verehrung stand die Göttin Isis, wie deren inschriftliche
Dominanz belegt, mit der zusammen häufig Serapis und seltener
Harpokrates bzw. Anubis genannt werden. Eine eigenständige Ver-

ehrung erfuhr Osiris. Dass daneben auch der *theos hypsistos* oder Dionysos epigraphisch begegnen, deutet auf einen (durchaus üblichen) Verschmelzungsprozess dieser Gottheiten mit den ägyptischen Göttern (*C. Steimle*, Religion 111-113).

Bekannt geworden ist die Inschrift IG X 2/1, 3 aus dem Jahr 187 v. Chr., die die frühe Existenz des Serapeions bezeugt: Der makedonische König Philipp V. regelt in einem Erlass die Verwendung von Vermögenswerten aus dem Tempelschatz, die nicht für kultfremde Zwecke verwendet werden dürfen und unter der Aufsicht königlicher Beamter stehen; über einen gewissen Andronikos wurde der Erlass in Thessaloniki bekannt gemacht (*W. Elliger*, Paulus 84-86). Einige Weihinschriften belegen weitere Bautätigkeiten am Heiligtum in den Jahren nach der Schlacht von Philippi 42 v. Chr. (IG X 2/1, 97, 109, 124) (wobei der Umfang unklar ist: *C. Steimle*, Religion 106-109; *°C. vom Brocke*, Thessaloniki 40). Eine erst 1993 veröffentlichte Inschrift aus augusteischer Zeit, die zweisprachig abgefasst war (Latein und Griechisch), erinnert an eine Posilla Avia, die den Isis-Tempel renovieren und ein Pronaion errichten ließ (SEG 43, 1993, 458 = *E. Trakosopoulou-Salakidou*, koinonia 1540-1545).

Ein Gebäudekomplex an der *Kyprion Agoniston* Straße (*Plateia Dioikitiriou*) könnte als frührömisches Prätorium (Verwaltungssitz) fungiert haben; an der Südostecke der archäologischen Stätte der Agora sind Überreste einer Badanlage aus der Zeit vor Vespasian erhalten (*P. Adam-Veleni*, Thessaloniki 137 f. 140-142).
(2) In römischer Zeit entstanden in Folge des umfangreichen Bevölkerungszuzugs in die Provinzhauptstadt neue Stadtviertel, besonders im Bereich zwischen der bisherigen Südmauer der Stadt und dem Hafen mit Ausdehnungen nach Südwesten und Südosten. Darin setzte man das typisch römische Straßensystem um, das rechtwinklig ausgerichtet und an den Hauptstraßen *cardo* und *decumanus* orientiert war. Die Stadtmauern hat man freilich nicht entsprechend erweitert (dies geschah erst im 3./4. Jh.; vgl. *°C. vom Brocke*, Thessaloniki 47-52). Neu angelegt wurde eine römische Agora als Zentrum des öffentlichen Lebens in der Stadt (*°C. vom Brocke*, Thessaloniki 52-59).

Bei den noch andauernden Grabungen wurde ein etwa 100 × 200 m großer Komplex im Zentrum der Altstadt freigelegt, dessen noch sichtbare Bebauung auf die Zeit ab dem 2. Jh. n. Chr. zurückgeht: Ein großer Zentralhof war auf drei Seiten von doppelten Säulengängen (Stoen) umgeben, deren Böden mit sorgfältig ausgeführten Mosaiken ausgelegt waren (Peristyl-Agora). Ein gut erhaltenes (und heute wieder genutztes) Odeon auf dem Ostflügel der Agora wurde erst Ende des 2./Anfang des 3. Jh.

errichtet und später erweitert. Etwa zeitgleich dürfte unter der Südstoa ein *cryptoporticus* (eine tiefer gelegene, mit Gewölben bedeckte Stoa) angelegt worden sein, der u. a. als Lagerraum diente. Die noch sichtbare architektonische Anlage der Agora datiert also frühestens auf Mitte/Ende 2. Jh.

Damit bleibt die *Gestalt* der Agora im 1. Jh. für uns nicht mehr rekonstruierbar – möglicherweise gab es Vorgängerbauten des Odeons, vielleicht auch der Stoen –, doch die *Existenz* einer Agora scheint gesichert durch Bebauungsreste aus frührömischer Zeit, durch die sichtbare stratigraphische Strukturierung zur Zeit des Augustus und durch Inschriften (IG X 2/1, 5: Ehreninschrift zur Aufstellung auf der Agora, 60 v. Chr.; SEG 24 (1969) 570: Odeon erwähnt, 1. Jh. n. Chr.). Als Ort städtischer Öffentlichkeit, an dem Versammlungen einberufen, Gerichtstermine abgehalten, Urkunden verwahrt, Münzen geprägt, verdiente Persönlichkeiten geehrt und Kontakte gepflegt wurden, war die Agora jedenfalls schon Paulus, Silvanus und Timotheus und der neu gegründeten christlichen Hausgemeinde bekannt.

Dass freilich Paulus auf der Agora gepredigt und damit eine größere Zuhörerschaft erreicht habe (so *C. vom Brocke*, Thessaloniki 59), ist ein moderner Mythos. Was Apg 17,17 für Athen erzählt, verdankt sich der lukanischen Darstellungsabsicht, Paulus auf dem Stand der öffentlichen philosophischen Diskussion zu präsentieren. In Wirklichkeit knüpften die Missionare in kleineren, wohl meist jüdisch geprägten Kreisen, in die sie durch persönliche Bekanntschaften oder zumindest durch die gemeinsame religiöse Identität Eingang fanden, an. Die Zahlenverhältnisse neuer Jesus-Anhänger/innen blieben sehr überschaubar.

Der an der Einmündung der *Krystalli* Straße in die *Dioikitiriou* Straße ausgegrabene Kaisertempel stammt aus augusteischer Zeit und wurde wohl in bewusster Nähe zum oben erwähnten Prätorium errichtet (und zwar mittels Translozierung eines älteren Heiligtums). Durch die damit gegebene kultische Repräsentation des Imperators in der Stadt wurde eine sichtbare Verbindung zum politischen Zentrum des Imperium Romanum geschaffen. Vielleicht steht die frühkaiserzeitliche Bauinschrift eines *kaisaros naos*/Kaisertempels (IG X 2/1, 31) mit diesem Gebäude in Verbindung (dazu *C. Steimle*, Religion 21-54; *V. Allamani-Souri*, Province 103-106). Im Kontext der mittelbaren Präsenz des Augustus in der Stadt ist auch das Fragment einer Statuenstütze erwähnenswert, das auf ein frühes Kolossalbildnis des Oktavian/Augustus mit einer Höhe von über drei Metern schließen lässt (*T. Stefanidou-Tiveriou*, Tropaion;

C. Steimle, Religion 55 f.). Ein großes Theater bzw. Stadion könnte bereits um die Mitte des 1. Jh. existiert haben oder im Bau befindlich gewesen sein; es ist wohl im Südosten der Altstadt (in der *Apellou* Straße), wo Teile von Zuschauertribünen gefunden wurden, zu lokalisieren. Ein großer Marmorbogen im Westen der Stadt, der im 19. Jh. noch betrachtet (und beschrieben) werden konnte, heute jedoch in der Stadtbebauung versunken ist, markierte den Eintritt in die Stadt für Reisende, die sich auf der *Via Egnatia* aus der Richtung von Pella her näherten. Es dürfte sich um einen Triumphbogen aus der Zeit nach der Schlacht von Philippi (42 v. Chr.) handeln, der zu Ehren der Sieger Antonius und Octavian errichtet wurde, vielleicht im Zusammenhang mit der dankbaren Erinnerung an die damals erfolgte Privilegierung der Stadt als *civitas libera*.

1.3 Städtische Organisation und Wirtschaft

Literatur: G. H. R. Horsley, The Politarchs, in: The Book of Acts in its First Century Settings. Bd. 2: The Book of Acts in its Graeco-Roman Setting, hg. I. H. Marshall/D. W. J. Gill, Grand Rapids 1994, 419-431; *P. M. Nigdelis*, Voluntary Associations in Roman Thessalonikē: In Search of Identity and Support in a Cosmopolitan Society, in: L. Nasrallah/C. Bakirtzis/S. J. Friesen (Hg.), From Roman to Early Christian Thessalonikē (HThS 64), Cambridge 2010, 13-47; *E. Voutiras*, Berufs- und Kultverein. Ein DOUMOS in Thessalonike, ZPE 90 (1992) 87-96.

Wie die meisten Städte im Osten des Imperium Romanum war auch Thessaloniki nach dem Modell der griechischen Polis organisiert: mit Volksversammlung *(dēmos)*, Rat *(boulē)* und Magistraten *(archontes)*. Für die Magistrate war in Thessaloniki sowie in ganz Makedonien offenbar die Amtsbezeichnung *politarchai* spezifisch (*G. H. R. Horsley*, The Politarchs).

Diese politischen Strukturen baut auch Lukas in seine Thessaloniki-Erzählung in Apg 17,1-9 ein und verleiht ihr auf diese Weise Lokalkolorit (dazu *C. vom Brocke*, Thessaloniki 251-265). Der Demos (Apg 17,5), dem die Missionare vorgeführt werden sollen, fungierte als städtische Entscheidungsinstanz in öffentlichen Angelegenheiten; seine Kompetenzen betrafen Fragen der Stadtverwaltung und werden in Thessaloniki als *civitas libera* weitreichend gewesen sein (Cicero, Flacc. 16 f. z. B. nennt als Kompetenz von Volksversammlungen in Kleinasien die Ausweisung von Bürgern). Die Politarchen (17,6.8) sind als oberste Stadtbeamte in Thessaloniki auch inschriftlich bezeugt; sie übten exekutive und administrative Funktionen aus.

In wirtschaftlicher Hinsicht bot die günstige geographische Lage der Stadt in Verbindung mit ihrer Eingliederung in das römische Reich beste Voraussetzungen für einen florierenden Handel (Einzelheiten bei *C. vom Brocke*, Thessaloniki 74-85.106-112.188-199). Der stadtnahe natürliche Hafen am Thermäischen Golf diente der Seeverbindung, auch für die Orte aus dem Hinterland. Nimmt man die Lage an der *Via Egnatia* hinzu, der römischen Hauptverkehrsachse zwischen Rom und dem Osten des Imperium Romanum, bildete Thessaloniki einen Verkehrsknotenpunkt: Man konnte sich hier einerseits für verschiedene Ziele im ägäischen Raum einschiffen, andererseits führten Straßen in Richtung Norden (Balkan, Donauraum). Als Provinzhauptstadt – Strabon (7,1,21) nennt Thessaloniki »Metropolis« – besaß die Stadt vielfältige Vernetzungen innerhalb der Provinz *Macedonia*. Mit diesen Verbindungen lässt sich auch die von Paulus in 1 Thess 1,7; 4,10 angesprochene Ausstrahlung der thessalonikischen Gemeinde in ganz Makedonien logistisch als durchaus möglich erweisen.

Der Bevölkerungszuwachs in der Provinzhauptstadt begünstigte generell das wirtschaftliche Wachstum. Für die berufliche Zusammenarbeit konnte es förderlich sein, sich in Berufsvereinen zusammenzuschließen. Diese hatten als soziale Netzwerke große gesellschaftliche Bedeutung, denn sie boten eine Plattform, um Geschäftsbeziehungen zu knüpfen und Preise und Leistungen abzustimmen. Aus Inschriften sind einige Berufsvereine in Thessaloniki bekannt.

Für das 1. Jh. ist ein Verein römischer Geschäftsleute in Thessaloniki belegt, Händler und Kaufleute, die römische Bürger waren, sich angesichts gemeinsamer geschäftlicher Interessen zusammenschlossen und auf das öffentliche Leben Einfluss nahmen (IG X 2/1, 32, 33; SEG 46, 1996, 812); diese römischen *synpragmateuomenoi* (lateinisch *negotiatores*) pflegten ihre genuine Identität als Römer im Rahmen der städtischen Öffentlichkeit gerade auch durch die Vollzüge spezifisch römischer Religionsformen (*C. Steimle*, Religion 170-172). Eine weitere Inschrift aus dem Jahr 90/91 n. Chr. deutet – kaum überraschend – auf einen Berufsverein des Seehandels-Gewerbes, der sich zugleich der kultischen Verehrung der Aphrodite Epiteuxidia (»die zum Gelingen hilft«) widmete (Edition: *E. Voutiras*, Berufs- und Kultverein 87-90 = SEG 42, 1992, 625); bei solchen seefahrenden Kaufleuten handelte es sich häufig um wirtschaftlich abhängige Einzelunternehmer, die mit einem eigenen Schiff Transportaufträge ausführten und Verkäufe vornahmen (sog. *navicularii*). Dieser Berufsverein spiegelt die Bedeutung des Seehandels für die Stadt (vgl. noch die Weihinschrift des Römers Gaius Iulius Horius an den *theos hypsistos* für Rettung aus

Seenot: IG X 2/1, 67; 74/75 n. Chr.). Reise- und Fuhrunternehmen dürften zum Erscheinungsbild der Stadt gezählt haben, wie ein epigraphisches Schlaglicht zeigt: Eine Grabinschrift (IG X 2/1, 379; 1./2. Jh.) bildet einen vierrädrigen, von vier Maultieren gezogenen Wagen ab, was auf den Beruf des Verstorbenen deutet (*C. vom Brocke*, Thessaloniki 78). Ferner ist mit IG X 2/1, 291 (2. Jh.) ein berufsspezifischer Verein *(synētheia)* der Purpurfärber bezeugt, mit IG X 2/1, 288 f. (154 n. Chr.) ein weiterer, nicht spezifizierter Handwerkerverein (einen Überblick über inschriftlich bezeugte Berufsvereine in Thessaloniki im 1. bis 3. Jh. gibt *P. M. Nigdelis*, Associations 19).

1.4 Die Einwohner Thessalonikis

Literatur: V. Allamani-Souri, The Province of Macedonia in the Roman Imperium, in: D. V. Grammenos (Hg.), Roman Thessaloniki, Thessaloniki 2003, 67-119, hier 92-97; *K. Christ*, Die römische Kaiserzeit. Von Augustus bis Diokletian (Beck'sche Reihe 2155), München ³2006; *H. Hendrix*, Benefactor/Patron Networks in the Urban Environment: Evidence from Thessalonica, Semeia 56 (1992) 39-58; *D.-A. Koch*, Die Christen als neue Randgruppe in Makedonien und Achaia im 1. Jahrhundert n. Chr., in: H.-P. Müller/F. Siegert (Hg.), Antike Randgesellschaften und Randgruppen im östlichen Mittelmeerraum, Münster 2000, 158-188; *I. Nielsen/E. Hollender*, Synagoge, in: DNP 11 (2001), 1142-1144; *P. M. Nigdelis*, Voluntary Associations in Roman Thessalonikē: In Search of Identity and Support in a Cosmopolitan Society, in: L. Nasrallah/C. Bakirtzis/S. J. Friesen (Hg.), From Roman to Early Christian Thessalonikē (HThS 64), Cambridge 2010, 13-47; *ders.*, Synagoge(n) und Gemeinde der Juden in Thessaloniki. Fragen aufgrund einer neuen jüdischen Grabinschrift der Kaiserzeit, ZPE 102 (1994) 297-306; *H.-J. Sellner*, Das Heil Gottes. Studien zur Soteriologie des lukanischen Doppelwerks (BZNW 152), Berlin/New York 2007.

Wenn man vom Baubestand und der Ausdehnung der Stadt auf die Einwohnerzahl im 1. Jh. zu schließen versucht, kann man bei einer vorsichtigen Schätzung von etwa 30.000 Einwohnern ausgehen (*C. vom Brocke*, Thessaloniki 71-73).

Das entspricht der Beobachtung von *K. Christ* (Kaiserzeit 77), dass in der römischen Kaiserzeit nur Rom, Alexandria, Antiochia und Karthago über 100.000 Einwohner zählten und nur wenige weitere Städte wie Lyon, Trier oder einige Städte an der Westküste Kleinasiens über 50.000 Einwohner aufwiesen, während Einheiten mittlerer Größe (zwischen 15.000 und 50.000 Einwohnern) zahlreich waren. Damit dürften frühere Schätzungen wie die von *T. Holtz* (Thessalonicherbriefe 413: über 50.000), *R. Riesner* (Frühzeit 301: bis zu 100.000) und *Malherbe* (14: 65.000-80.000) eindeutig zu hoch liegen.

Damit zählte Thessaloniki zu den größten und bedeutendsten Städten in der Ägäis. Innerhalb der Stadtbevölkerung (dazu *C. vom Brocke*, Thessaloniki 86-101) bestimmte eine *griechisch-makedonische Bevölkerungsmehrheit* das öffentliche Leben. Die griechische Kultur dominierte im Alltag der Stadt, was allein schon an der überwiegenden Verwendung der griechischen Sprache deutlich wird, die sich in Inschriften und Münzprägungen spiegelt. Eine Gruppe von *Römern* besetzte hingegen die Spitze der Provinzialverwaltung – Statthalter, Quaestoren und ein kleiner Verwaltungsapparat – und erwies sich so als politisch einflussreich. Eine lateinische (!) Grabinschrift aus dem 1. Jh., die an einen *arcarius* (Finanzbeamter) namens Pudens erinnert, zeigt Thessaloniki als Sitz des Finanzbüros, das die *vicesima hereditatium* (Erbschaftssteuer) eintrieb (EpThess 260-264). Die Verwaltung der Stadt als solcher blieb freilich im 1. Jh. nahezu vollständig in griechischer Hand. Auch unter den Händlern ist im 1. Jh. eine nicht unbeträchtliche Zahl von Römern anzunehmen; wir wissen von dem oben (↗ 1.3) erwähnten Verein römischer Händler und von römischer Präsenz im Kontext der Verehrung der ägyptischen Götter (IG X 2/1, 79, 80, 83, 84, 98, 109; SEG 43, 1993, 458; zum hohen Anteil römischer Bürger als Vereinsmitglieder vgl. *P. M. Nigdelis*, Associations 22-24). Zu bedenken ist dabei freilich, dass die ethnischen Grenzen zwischen griechischen und römischen Bevölkerungsteilen in der Stadt zunehmend verwischen; Abgrenzungs- und Differenzierungsversuche sind überwiegend an *sozialen* Gruppen orientiert (*C. Steimle*, Religion 218 f.). Daneben existierte im 1. Jh. eine kleine *thrakische Bevölkerungsgruppe*, die auf die alte Besiedelung des Gebietes durch thrakische Stämme zurückgeht; sie ist trotz eines langen Hellenisierungsprozesses durch eine eigene Sprache, bestimmte (inschriftlich bezeugte) Eigennamen und religiöse Vorstellungen (Verehrung des *eques thrax*, des thrakischen Reiters) unterscheidbar. Die Thraker gehörten weitgehend den unteren Bevölkerungsschichten an und waren in diesem Rahmen in das Leben der Stadt integriert.

Die für die hellenistisch-römische Gesellschaft typischen Ehrungen von öffentlichen Wohltätern bzw. Patronen bilden ein wichtiges Instrument sozialer Interaktion, durch das Verbindungen zwischen verschiedenen sozialen Statusgruppen entstehen und befestigt werden; in Thessaloniki bot nach Ausweis einiger Inschriften aus den

beiden Jahrhunderten um die Zeitenwende das Wohltäter- bzw. Patronatssystem die Möglichkeit der Anbindung an Politik und Gesellschaft der Führungsmacht Rom (*H. Hendrix*, Networks).
Es bleibt die Frage nach einer *jüdischen Bevölkerungsgruppe* in Thessaloniki im 1. Jh. Diese Frage ist von Bedeutung bei der Überlegung, wo das Missionsteam um Paulus Anschluss an die Stadtbevölkerung finden konnte.

In der Forschung ist die Frage angesichts der mageren Quellenlage bis heute umstritten. Befürworter sind z.B. *Jervell* 435; *W. Elliger*, Paulus 91 f.; *D.-A. Koch*, Christen 172. Ablehnend äußert sich *M. Bommas*, Heiligtum 125; für *Weiser* II 444 ist die Erwähnung der Synagoge in Apg 17,2 lukanische Redaktion. Eine ausführliche Diskussion der Quellenlage bietet *C. vom Brocke*, Thessaloniki 207-233, der selbst zu einem positiven Ergebnis gelangt.

In Apg 17,1 f. erzählt Lukas, dass das Missionsteam um Paulus nach Thessaloniki gelangte, »wo eine Synagoge der Juden war« (17,1). In dieser Synagoge habe Paulus seine Verkündigung in der Stadt begonnen. Nun kann man die historische Zuverlässigkeit dieser Notiz mit dem Hinweis auf das literarische Schema der paulinischen Mission in der Apg in Zweifel ziehen (z.B. *Lüdemann* 192). Dieses Schema besteht darin, dass der erzählte Paulus seine Verkündigung an einem neuen Ort meist in der dortigen Synagoge beginnt, so in Damaskus (Apg 9,20), Salamis (13,5), Antiochia (13,14), Ikonium (14,1), Thessaloniki (17,1 f.), Beröa (17,10), Athen (17,17), Korinth (18,4) und Ephesus (18,19; 19,8) (*Weiser* II 330). In diesem Schema findet die theologische Überzeugung narrativen Ausdruck, dass die neue Heilsbotschaft zuerst an Israel gerichtet ist, erst dann an die Heiden, wobei diese in die Geschichte und Tradition Israels einbezogen werden.

Es handelt sich dabei aber nicht um ein *heilsgeschichtliches* Schema bei Lukas, das die Ablehnung der Botschaft seitens der Juden, die Zuwendung zu den Heiden und deren positive Reaktion in eine soteriologische Kausalkette bringt (so für viele *Conzelmann* 85; *Weiser* II 339 f.; anders *Jervell* 363 f.; *H.-J. Sellner*, Heil 387-390). Es trifft zwar zu, dass die Mission in Antiochia in Apg 13,43-50 diesem Ablauf der Ereignisse folgt, und auch die Antwort der Missionare auf die aggressiv-ablehnende Haltung etlicher Juden in Antiochia (13,45) scheint in diese Richtung zu weisen: »Euch musste das Wort Gottes zuerst verkündet werden; da ihr es aber abweist […], siehe, so wenden wir uns zu den Heiden« (13,46; vgl. 18,6). Doch steht hinter der Heilsverkündigung an die Heiden als Grund nicht die Ablehnung vieler

Juden, sondern der Heilswille Gottes selbst, wie sogleich 13,47 mit einem Zitat aus Jes 49,6 deutlich macht. Eine Verallgemeinerung der Antiochia-Erzählung trifft den Plot der Apg nicht: Immer wieder nehmen Juden *und* Heiden die Botschaft an (Apg 13,43; 14,1; 17,4.11 f.; 18,7 f.; 19,10), und einer starken jüdischen Gegnerschaft (13,45.50; 14,5.19; 17,5.13; 18,6.12) steht doch immerhin auch eine heidnische gegenüber (14,5; 16,19-22; 17,5.32). Letztlich intendiert Lukas eine Verarbeitung der urchristlichen Erfahrung, dass ein Großteil der Juden die Jesus-Botschaft ablehnt, ohne dass Lukas dabei die wesentliche Bindung an das jüdische Sinnsystem aufgibt. Lukas kompensiert diese beunruhigende Erfahrung durch die positive Reaktion vieler Heiden, deren Begeisterung (vgl. 13,48) er zugleich als Provokation der ablehnenden Juden einsetzt.

Das Erzählschema des Lukas, das die paulinische Verkündigung in Synagogen beginnen lässt, reflektiert über eine literarisch-theologische Sinnzuschreibung hinaus eine tatsächliche urchristliche Praxis der Verkündigung, die – soziologisch naheliegend – bei den *jüdischen* Gruppen in einer fremden Stadt Anknüpfungspunkte fand. Dafür spricht auch, dass Lukas selbst das Schema nicht sklavisch verfolgt: In Philippi sprechen die Missionare zuerst an einer *proseuchē*, einer Gebetsstätte, mit (jüdischen und gottesfürchtigen) Frauen aus der Stadt (16,13).
Demnach ist die Aussage von Apg 17,1 f. nicht grundsätzlich als historische Erinnerung zu bestreiten. Wenn Lukas dabei von »Synagoge« (wörtlich übersetzt: »Versammlung«) spricht, benutzt er einen Begriff, der im 1. Jh. zwei verschiedene semantische Bereiche umfassen konnte: Damit wurde sowohl eine organisierte jüdische Gemeinde als auch ein Gebäude als Ort für deren Versammlung bezeichnet (*I. Nielsen/E. Hollender*, Synagoge; vgl. auch die Einträge bei *W. Bauer*, Wörterbuch 1562 f.). Es ist möglich, dass Lukas hier an ein öffentlich als Synagoge kenntliches Gebäude denkt. Historisch gesehen, kann sich eine kleine jüdische Gemeinde auch in einem nach außen unauffälligen Gebäude oder in einem größeren Raum eines Privathauses versammelt haben. Das würde jedenfalls das Fehlen eines inschriftlichen Beleges für eine thessalonikische Synagoge im 1. Jh. erklären.
Ein außerchristliches Zeugnis für die Existenz einer jüdischen Bevölkerungsgruppe in Thessaloniki im 1. Jh. liegt nur bei Philo, leg. Gai. 281 f. vor, und auch dort nur als indirekte Bezeugung. Philo gibt in diesem Textabschnitt die wesentlichen Inhalte eines Bittbriefes Agrippas I. (41-44 Klientelkönig über ganz Palästina) an Kaiser Gaius Caligula (37-41) wieder. In diesem Brief erscheint eine Aufzählung der Landschaften, in denen jüdische Kolonien zu finden

sind; dabei ist auch Makedonien genannt. Dass damit die Hauptstadt Thessaloniki eingeschlossen ist, liegt nahe und darf vorausgesetzt werden. Die Glaubwürdigkeit der Angabe ist schon deshalb
kaum zu bezweifeln, weil die Argumentationskraft des Briefes von
der Tatsachentreue des aufgefächerten Spektrums jüdischer Kolonien, das leicht nachprüfbar ist, abhängt.
Inschriftlich sind Juden in Thessaloniki frühestens ab dem 2. Jh.
n. Chr. belegt. Eine Inschrift auf einem Sarkophag, die in das dritte,
frühestens auf das Ende des 2. Jh. zu datieren ist, nennt einen Mann
mit Cognomen Jakob und dessen Frau Anna (oder Hanna) – eindeutig jüdische Namen (*P. M. Nigdelis*, Synagoge(n)); dabei ist von
»Synagogen« im Plural die Rede. Die Erwähnung von mindestens
zwei Synagogen zeigt, dass die jüdische Gemeinde in Thessaloniki
zu Beginn des 3. Jh. bereits eine beträchtliche Größe erreicht hatte.
Mit Rückschlüssen auf die Verhältnisse im 1. Jh. wird man freilich
vorsichtig sein müssen, brachten doch die Kriegsereignisse zwischen Römern und Juden in den Jahren 66-70/73 und in der ersten
Hälfte des 2. Jh. eine Vielzahl von Versklavungen und Migrations-
bewegungen von Juden mit sich; beides könnte erst zu einem starken Anwachsen der jüdischen Gemeinde in Thessaloniki beigetragen haben.

Unklar bleibt die Zuweisung einer Inschrift aus dem 2. Jh. (IG X 2/1, 431),
die an einen *presbyteros* Apollonius erinnert; doch weder die Bezeichnung
presbyteros noch der abgebildete Palmzweig weisen diese Inschrift hin-
länglich als jüdisch aus – sie könnte bereits christlichen Ursprungs sein. –
Eine weitere Inschrift, die vielleicht schon in das 1. Jh. datiert werden
kann, ist dem *theos hypsistos*, dem »höchsten Gott« gewidmet (IG X 2/1,
72); dies kann jüdische Gottesbezeichnung sein, aber eher noch auf eine
pagane Kultgottheit in Makedonien hindeuten (*C. vom Brocke*, Thessaloniki 217-222). – Die jüdische Inschrift CIJ I 504, die *Holtz* (10 Anm. 7)
anführt, stammt nicht aus Thessaloniki, sondern wohl aus Rom.

Fazit: Mit einer gewissen historischen Wahrscheinlichkeit lässt sich
eine jüdische Bevölkerungsgruppe im 1. Jh. in Thessaloniki annehmen. Diese wird allerdings zahlenmäßig klein und ohne öffentlichen Einfluss gewesen sein; damit könnte sich das (bisherige) Fehlen eines epigraphischen Zeugnisses erklären. Die Existenz eines
Synagogen*gebäudes* bleibt für diese frühe Zeit zweifelhaft (zuversichtlicher *C. vom Brocke*, Thessaloniki 231).

1.5 Weltanschauungen in Thessaloniki

1.5.1 Kulte und Götterverehrung

Literatur: *V. Allamani-Souri*, The Province of Macedonia in the Roman Imperium, in: D. V. Grammenos (Hg.), Roman Thessaloniki, Thessaloniki 2003, 67-119; *M. Bommas*, Apostel Paulus und die ägyptischen Heiligtümer Makedoniens, in: J. Assmann/ders. (Hg.), Ägyptische Mysterien?, München 2002, 127-141; *C. Edson*, Cults of Thessalonica, HThR 41 (1948) 153-204; *F. Graf*, Kabeiroi, in: DNP 6 (1999), 123-127; *B. Hemberg*, Die Kabiren, Uppsala 1950; *H.-J. Klauck*, Die religiöse Umwelt des Urchristentums I (KStTh 9/1), Stuttgart 1995; *H. Koester*, Egyptian Religion in Thessalonikē: Regulation for the Cult, in: L. Nasrallah/C. Bakirtzis/S. J. Friesen (Hg.), From Roman to Early Christian Thessalonikē (HThS 64), Cambridge 2010; *ders.*, Archäologie und Paulus in Thessalonike, in: Religious Propaganda and Missionary Competition in the New Testament World (FS D. Georgi), Leiden 1994, 393-404; *R. Merkelbach*, Isis regina – Zeus Sarapis. Die griechisch-ägyptische Religion nach den Quellen dargestellt, Stuttgart/Leipzig ²2001; *ders.*, Die Hirten des Dionysos. Die Dionysos-Mysterien der römischen Kaiserzeit und der bukolische Roman des Longus, Stuttgart 1988; *P. M. Nigdelis*, Voluntary Associations in Roman Thessalonikē: In Search of Identity and Support in a Cosmopolitan Society, in: L. Nasrallah/C. Bakirtzis/S. J. Friesen (Hg.), From Roman to Early Christian Thessalonikē (HThS 64), Cambridge 2010, 13-47; *G. P. Touratsoglou*, »Tou hagiōtatou patriou theou Kabeirou …«, Hē Thessalonikē 1 (1985) 71-83; *I. Touratsoglou*, Die Münzstätte von Thessaloniki in der römischen Kaiserzeit (32/31 v. Chr. bis 268 n. Chr.), Berlin/New York 1988; *K. Tzanavari*, The Worship of Gods and Heroes in Thessaloniki, in: D. V. Grammenos (Hg.), Roman Thessaloniki, Thessaloniki 2003, 177-262; *E. Voutiras*, Un culte domestique des Corybantes, Kernos 9 (1996) 243-256.

Soweit die Quellenlage erkennen lässt, spielten die Kulte des Gottes Dionysos und der ägyptischen Götter Isis, Serapis und Osiris für das religiöse Leben in Thessaloniki eine bedeutende Rolle. Auch der Kaiserkult war vertreten, während die häufig genannte Verehrung des Kabirus nur ein Randphänomen darstellte. Form und Gehalt dieser Kulte sollen im Folgenden näher beleuchtet werden. Daneben wurden sicher noch etliche andere Götter verehrt; inschriftlich erwähnt sind z. B. auch Apollon (IG X 2/1, 52, 54), Zeus bzw. der *theos hypsistos* (67-72 und EpThess 168-177) oder Aphrodite (IG X 2/1, 61, 807, 965). Von anderen Gottheiten wie Athena oder Aphrodite fand man plastische Darstellungen (zu den vielfältigen archäologischen Funden vgl. *K. Tzanavari*, Worship). Dabei ist stets die religiöse Pluralität der hellenistisch-römischen Kultur zu bedenken, die keine Exklusivverehrung *einer* Gottheit, wie sie für das Judentum (und die ersten Christen) charakteristisch war, kannte. Die Teilnahme an verschiedenen Kulten war keineswegs die Ausnahme.

Die Verehrung des Gottes *Dionysos* besaß große Bedeutung im öffentlichen Leben der Stadt (Material bei *C. vom Brocke*, Thessaloniki 122-124; vgl. *K. Tzanavari*, Worship 205-216). So wurde eine der städtischen Phylen (städtische Organisationseinheiten) nach Dionysos benannt (IG X 2/1, 185). Eine Inschrift dokumentiert die Verehrung des Gottes durch die ganze Stadt, ausgestellt im Namen der amtierenden Politarchen (IG X 2/1, 28). Auch städtische Dionysos-Feste sind belegt (IG X 2/1, 5 und 12).

Besondere Verehrung genoss Dionysos in Mysterienkulten, also in privaten Vereinen, deren Mitglieder sich zur Verehrung dieses Gottes zusammenschlossen (sog. *thiasoi*). Für Thessaloniki sind mehrere solcher Vereine in römischer Zeit inschriftlich bezeugt (*C. vom Brocke*, Thessaloniki 124-129; *C. Steimle*, Religion 172-184; *P. M. Nigdelis*, Associations 14-16.29). Interessant ist eine Inschrift aus dem 1. Jh. n. Chr. (IG X 2/1, 259; mit Korrekturen in SEG 30, 1980, 622), die eine Stiftung zugunsten der Mysten eines Vereins des Zeus Dionysos Gongylos (man hat an eine Mischgottheit zu denken) festhält: Ein Teil der Erträge aus der Stiftung sollte gemeinsamen Gastmählern dienen, die an drei festen Terminen im Jahr gefeiert wurden. Der Hinweis auf ein *mesanyktion artou*/»Mitternacht(s-mahl) des Brotes« lässt an nächtliche Vereinsmähler denken. Aus den inschriftlich erwähnten Namen kann man schließen, dass der größte Teil der (führenden) Vereinsmitglieder Männer (und Frauen!) *römischer* Herkunft waren (vgl. IG X 2/1, 244).

Allgemein gehörten regelmäßige nächtliche Feiern zu den zentralen Aktivitäten der dionysischen Kultvereine – entsprechend der Bestimmung des Dionysos als Gott des Weines. Man verkleidete sich, führte Teile des Dionysos-Mythos szenisch auf, feierte von Musik und Tanz begleitete Festmähler und Trinkgelage (dazu *H.-J. Klauck*, Umwelt I 96-104). Der ekstatisch-rauschhafte Charakter solcher Feste bedeutete eine Überschreitung der Alltagsgrenzen und darin eine Teilhabe an der göttlichen Lebensfülle. Schließlich zählt auch eine eher vage Hoffnung auf ein Leben nach dem Tod im Sinne einer natürlichen Erneuerung, eines Wiederentstehens des Lebens zu den existentiellen Erwartungen der Mysterien (vgl. *R. Merkelbach*, Hirten 123-132.199). Vielleicht lassen sich die Aufforderung des Paulus zu Wachheit und Nüchternheit und die markante Gegenüberstellung von Tag und Nacht in 1 Thess 5,5-8 auf der Folie der üppigen, rauschhaften Feste der Dionysos-Mysterien profilieren.

Die Verehrung des *Kabirus* (griech. *Kabeiros*) dürfte zur Zeit des Paulus bestenfalls eine untergeordnete Rolle gespielt haben. Bei den Kabiren handelt es sich um v. a. im nordägäischen Raum an einigen Orten verehrte göttliche Gestalten, die meist als (Zweier-) Gruppe begegnen und mancherorts mit anderen göttlichen Wesenheiten wie den Kureten, Korybanten, Daktylen oder Dioskuren identifiziert werden; die Verehrung prägt sich in verschiedenen lokalen Mysterien-Kulten aus (Übersicht: *F. Graf*, Kabeiroi; Material bei *B. Hemberg*, Kabiren). Die großen lokalen Unterschiede in der Kabiren-Verehrung, die mit verschiedenen kultätiologischen Mythen verbunden sind (*F. Graf*, Kabeiroi 124.127), lassen kaum Rückschlüsse auf spezifische Formen und Inhalte des Kultes und einen begründenden Mythos zu. Im Unterschied zu anderen Landesteilen Griechenlands wurde der Kabirus in Thessaloniki in der *Einz*ahl verehrt. Die Quellen für diese Verehrung konzentrieren sich jedoch eindeutig erst auf das 3. Jh.

Im Einzelnen: (1) Eine Inschrift vom Ende des 2. Jh. enthält die Schwurformel »beim Kabiros« (*G. P. Touratsoglou*, Tou hagiōtatou 75 mit Abb. IV); sie befindet sich auf einer Grabstele, die heute im Museum von Thessaloniki aufbewahrt wird (Inv. Nr. 11205). (2) Auf den römischen Reichsmünzen, die nach reichsrömischer Vorlage in Thessaloniki geprägt wurden und ein Kaiserportrait trugen, ist der Kabirus erst seit Septimius Severus am Ende des 2. Jh. belegt (*I. Touratsoglou*, Münzstätte 201-313). (3) In einer Inschrift aus der Mitte des 3. Jh. ist ein Kabirusheiligtum in Thessaloniki erwähnt (IG X 2/1, 199). Wenn der Kabirus dort als *hagiōtatos patrios theos* bezeichnet wird, drückt sich sowohl seine besondere Bedeutung in der Stadt als auch eine (fiktive) alte Tradition der Verehrung aus. (4) Zwei erst 1999 publizierte Inschriften aus den Jahren 259 und 260 n. Chr. (SEG 49, 1999, 816.817; vgl. EpThess 73-93; *C. Steimle*, Religion 158-163) stellen Einladungsplakate zu Spielen (sog. *Pythia*) in Thessaloniki im Zusammenhang mit Verleihungen des Ehrentitels *neokoros*, der in Verbindung mit dem Kaiserkult steht, dar; diese Spiele werden u. a. als Kabeiria bezeichnet, der Stifter als »Oberpriester des heiligsten Gottes Kabirus«. Auch durch etwa zeitgleiche Münzprägungen sind *Pythia Kabeiria* belegt (*I. Touratsoglou*, Münzstätte 71). (5) Auf einen Verschmelzungsprozess von Kabirus und Korybanten deuten die literarischen Belege: Clemens von Alexandrien (Ende 2./Anfang 3. Jh.) verbindet die Kabiren mit dem Korybanten-Mythos, der von drei Brüdern handelt; zwei von diesen ermorden den dritten, hüllen dessen Kopf in ein Purpurtuch, versehen ihn mit einer Krone und begraben ihn am Fuße des Olymp; daraufhin wird dieser als Gottheit verehrt (Protreptikos 2,19,1). Im 4. Jh. weiß der christliche Autor Firmicius Maternus von der Verehrung *eines* Kabirus in Thessaloniki (vgl. auch Lactanz, inst. 1,15,8) und bringt ihn ebenfalls mit dem Korybanten-Mythos in Verbindung; in christlicher Kritik spricht er von einem blutigen Ritus *(cruentis manibus)* (de errore profanarum religionum 11). – Offenbar diente die Kabirus-Verehrung im 3. Jh. der Stadt als religiöse Ausdrucksform städtischer Identität; der Kabirus avancierte zu *der* Stadtgottheit (*C. Steimle*, Religion 209 f.).

Für eine frühere Kabirus-Verehrung existieren dagegen nur ganz vereinzelte Belege.

Eine Inschrift aus dem 4. Jh. v. Chr. nennt die *Kyrbantes* (Korybanten), die offenbar in einem privaten Kult verehrt wurden (*E. Voutiras*, culte). Ins 1. Jh. führen einige Münzemissionen: Der größere Teil der sog. autonomen städtischen Münzen, d. h. der Münzen, die die Stadt eigenverantwortlich prägt, zeigen seit der Zeit Vespasians (69-79) immer wieder das Bildnis des Kabirus – eines jungen Mannes mit kurzem Chiton und Schmiedehammer, teilweise zusätzlich mit Trinkhorn (*I. Touratsoglou*, Münzstätte 82 f.93-96.325-337); erst unter Commodus erscheint das Bild in großer Regelmäßigkeit.

Keinesfalls also ist der Kabirus bereits zur Zeit des Paulus als »Stadtgott« anzusprechen (so aber z.B. **C. vom Brocke*, Thessaloniki 117-121; **K. P. Donfried*, Cults 25-27), mit dem sich Paulus konfrontiert sehen musste. Sollte es bereits um die Mitte des 1. Jh. eine Verehrung gegeben haben, was die Münzprägungen als möglich erscheinen lassen, so dürfte diese auf kleine Einzelgruppen beschränkt gewesen sein. Erst im Laufe der beiden folgenden Jahrhunderte entwickelte sich der Kabirus auf Grund seiner spezifischen Ausprägung zum identitätsstiftenden Stadtgott in Thessaloniki.

Die Verehrung der *ägyptischen Götter Isis, Osiris und Serapis* ist für Thessaloniki breit bezeugt durch die Existenz eines heiligen Bezirks mit verschiedenen Einzelgebäuden (Serapeion ↗ 1.2) und über 70 Inschriften, die größtenteils in diesem Serapeion gefunden wurden (Übersicht bei **C. vom Brocke*, Thessaloniki 132-138). Offenbar hatten die ägyptischen Kulte in Thessaloniki im 1. Jh. teil an der allgemeinen Entwicklung dieser Kulte in der Ägäis, die sich nach einer gewissen Stagnation im 1. Jh. v. Chr. nun stabilisierten und neue Bedeutung gewannen (*M. Bommas*, Heiligtum 48 f.68.86-90; *R. Merkelbach*, Isis 121-146; *K. Tzanavari*, Worship 237-252). In der römischen Kaiserzeit könnte es sich um den dominierenden Kult in Griechenland gehandelt haben (*M. Bommas*, Apostel 127 f.). Dabei

wurde der Isis-/Serapis-Kult in Thessaloniki nicht von Seiten der
offiziellen Magistrate der Stadt befördert, wie das völlige Fehlen
entsprechender Abbildungen auf den städtischen Münzprägungen
zeigt; auch keine städtische Inschrift dient der Isis-/Serapis-Ver-
ehrung. Umso intensiver wurde diese Verehrung in privaten Vereinen gepflegt (Übersicht bei *P. M. Nigdelis*, Associations 16 f.).
Als Mysterienkulte boten diese den Menschen unmittelbare, persönliche Begegnungen mit der Gottheit, die von mystischen Erfahrungen geprägt waren. Weil die Verehrung in privaten Kultvereinen
erfolgte, war die Zugehörigkeit je nach den individuellen Bedürfnissen frei wählbar. Da Isis als universelle Begründerin menschlicher Kultur und Zivilisation gedacht wurde, konnte man als Myste
in eine existentielle Beziehung zu ihr eintreten, die für den Einzelnen umfassenden Lebensgewinn bedeutete – in den Fragen und
Nöten des Alltags ebenso wie in der Hoffnung auf postmortales
Leben. Die Teilhabe am Leben der Göttin impliziert Befreiung aus
den Einschränkungen des Alltags. Rituelle Inszenierungen ließen
die Überzeugungen der Mysten erfahrbar werden, z.B. durch architektonische Anlagen wie unterirdische Gänge, die den Weg von
der Finsternis ins Licht, von der Unterwelt ins Leben nachvollzieh-
bar machen, oder durch Spielszenen aus dem Isis-Mythos. Die oben
erwähnte Krypta im Serapeion (↗ 1.2) könnte Ort solcher Inszenierungen gewesen sein. Natürlich spielten auch Gemeinschaftsmähler
eine wichtige Rolle; aus dem Bezirk Thessalonikis ist die Stele einer
Mahl-Vereinigung erhalten, die ein Relief des Anubis zeigt, über ein
Dutzend Namen aufführt und von *synklitai*/Tischgenossen spricht
(vgl. *H. Koester*, Religion 145-149). Die für die Isis-Mysterien typische Offenbarungsrede der Göttin, die man z.B. im kleinasiatischen
Ort Kyme und auf der Insel Ios entdeckt hat (Text: *R. Merkelbach*,
Isis 115-118; *M. Bommas*, Heiligtum 53), findet sich fragmentarisch
auch in einer thessalonikischen Inschrift (IG X 2/1, 254). Darin entfaltet Isis ihre universale kulturstiftende Kompetenz (zu Mythos
und Ritus *H.-J. Klauck*, Umwelt I 111-119; *R. Merkelbach*, Isis;
M. Bommas, Heiligtum). Ihre universelle Zuständigkeit bedingt
die situative, sich verändernden Bedürfnissen entsprechende Wand-
lungsfähigkeit der Göttin, die ihren dauerhaften Erfolg ermöglicht.
Phänomenologisch gerade auch als Analogie zu den ersten Christus-Gemeinden interessant ist die Sozialgestalt der Mysterienkulte
als zahlenmäßig kleine, private Vereine. Der Status des »Eingeweihten« war in der Lage, die besondere Beziehung der kleinen Gruppe
zu ihrer Gottheit umzusetzen. Damit konnte durchaus aktive Wer-
bung Außenstehender verbunden sein. Tatsächlich scheint die Ver-

ehrung der ägyptischen Götter in Thessaloniki so bedeutend gewesen zu sein, dass sie in das Umland ausstrahlte.

Eine Inschrift aus dem 1. Jh. (die auf einen wesentlich älteren Text zurückgehen könnte) beschreibt einen entsprechenden Vorgang (IG X 2/1, 255): Im Traum erhält ein gewisser Xenainetos den von wunderbaren Ereignissen begleiteten Auftrag, den Kult des Serapis und der Isis auch in seiner Heimatstadt Opus (in Lokrien/Mittelgriechenland) einzuführen. Im Haus einer Frau namens Sosineika findet das Götterpaar schließlich Aufnahme. Dies ist auch deshalb interessant, weil sich die Aufnahme eines neuen Kultes als Ergebnis einer Privatinitiative darstellt, die ihren Ort in privaten Häusern einzelner Stadtbewohner findet (*C. Steimle*, Religion 122 f.) – eine strukturelle Analogie zur Gründung neuer Christus-Gruppen im 1. Jh. Andere Hinweise deuten auf eine Ausstrahlung der ägyptischen Kulte aus Thessaloniki nach Herakleia in Nordmakedonien und in östlicher Richtung nach Stoboi (*M. Bommas*, Heiligtum 90; dagegen *C. Steimle*, Religion 128-130). – Dass das Serapeion auch die Funktion eines Orakels innehatte, legen inschriftliche Bezüge auf Träume und Traumdeutung nahe, hinter denen die Praxis des Tempelschlafes stehen könnte (*C. vom Brocke*, Thessaloniki 134). Dabei ist anzunehmen, dass das Serapeion als Stätte der Heilung von Krankheiten fungierte (*M. Bommas*, Heiligtum 102-104; *H. Koester*, Archäologie 403).

Erwähnt werden soll noch der *Kaiserkult* als ein im östlichen Mittelmeerraum übliches Phänomen. Die öffentliche Verehrung des vergöttlichten Herrschers ist zum einen ein Instrument politischer Loyalitätserklärung einer Stadt gegenüber dem römischen Princeps. Zum anderen kann sich damit seitens der Bevölkerung die durchaus persönlich relevante Hoffnung auf Wohlergehen der eigenen Person, Familie oder Statusgruppe verbinden, wofür vom Herrscher als Bindeglied zur Götterwelt die politischen Voraussetzungen wie Friede, Stabilität und Wohlstand erwartet werden.
Ein ausgebildeter *Kult* mit eigener Priesterschaft und Tempel ist im frühkaiserzeitlichen Thessaloniki freilich nur für Augustus sicher belegt, der als »Sohn eines Gottes«/*divi filius* verehrt wird (IG X 2/1, 31, 133; ferner 32, 33; SEG 46, 1996, 812). Als Ort der kultischen Verehrung könnte der oben (↗ 1.2) genannte Kaisertempel gedient haben. Für die Zeit nach Augustus fehlen auffälligerweise Zeugnisse, die einen Kult des regierenden Princeps belegen. Die mediale Präsenz verschiedener Kaiser in der Stadt ist hingegen durch Münzabbildungen gegeben.

Aus dem Jahr 41 datiert eine Münzprägung, die auf der Vorderseite den amtierenden Kaiser Claudius, auf der Rückseite Augustus mit dem Schriftzug *theos sebastos*/»erhabener Gott« abbildet (so auch in IG X 2/1, 32). Als Voraussetzung für den Kaiserkult lässt sich die Verehrung des vergöttlichten Alexander in Thessaloniki erwähnen, die über die Zeit des Paulus hinaus andauerte. Den Rahmen für die Kaiserverehrung stellt die ältere Verehrung der *dea Roma* (Göttin Roma) und der »römischen Wohltäter« dar. Eine Ehreninschrift für den römischen Feldherrn und ersten Prokonsul der römischen Provinz *Macedonia* Quintus Caecilius Metellus aus den Jahren 147/146 v. Chr. z. B. drückt in den Titeln, die diesem beigelegt werden, eine Erwartung aus: Er ist *sōtēr kai euergetēs*/»Retter und Wohltäter« des Gemeinwesens (IG X 2/1, 134, mit Ergänzungen). Ein politischer Gesamtzusammenhang wird in der Bedeutung des Kaiserkults für die Stellung der Stadt im Imperium Romanum sichtbar (zur Kaiserverehrung vgl. mit unterschiedlicher Gewichtung *C. Steimle*, Religion 132-142; **C. vom Brocke*, Thessaloniki 138-141; *V. Allamani-Souri*, Province 103-118).

Im Rückblick stellt man fest, dass die Stadt Thessaloniki zur Zeit des Paulus interessante, attraktive religiöse Möglichkeiten bot, die gesellschaftlich akzeptiert waren. In der römischen Kaiserzeit gewannen vor allem die Kultvereine als soziale Orte von Religionsausübung Bedeutung, während die klassischen (öffentlichen) Kulte an Einfluss verloren. Dabei besaßen die Kultvereine eine gesellschaftlich integrative Kraft, die sowohl für zugezogene Neubürger attraktiv war, erlaubten sie diesen doch den Ausdruck ihrer Zugehörigkeit zur Stadtkultur, als auch für etablierte Bevölkerungsteile, die darin soziale Differenzierungsmöglichkeiten fanden (*C. Steimle*, Religion 196.200.215). Als Mitglieder von Vereinen waren Menschen aktiv in das gesellschaftliche Leben der Stadt integriert, wie es für einen Einzelnen allein gar nicht möglich gewesen wäre. In der Gemeinschaftsform des Vereins wiesen Mysterienkulte, jüdische Gemeinde und Christus-Gruppe ein ähnliches soziales Erscheinungsbild auf. Die junge Christus-Gruppe musste dabei ihre eigene Identität finden.

1.5.2 Popularphilosophie

Literatur: *V. Allamani-Souri*, The Province of Macedonia in the Roman Imperium, in: D. V. Grammenos (Hg.), Roman Thessaloniki, Thessaloniki 2003, 67-119; *P. Adam-Veleni*, Entertainment and Arts in Thessaloniki, ebd. 263-281; *J. Hahn*, Der Philosoph und die Gesellschaft. Selbstverständnis, öffentliches Auftreten und populäre Erwartungen in der hohen Kaiserzeit (Heidelberger althistorische Beiträge und epigraphische Studien 7), Stuttgart 1989; *A. J. Malherbe*, Paul and the Popular Philosophers, Minneapolis 1989.

Eine antike Stadt wie Thessaloniki kann als lokales kulturelles Zentrum gelten, in dem Bildung, Kunst und Gelehrsamkeit gepflegt wurden. Dichter, Rhetoren und Philosophen siedelten sich zeitweise oder ganz in der Stadt an. Über Thessaloniki hinaus bekannt wurden die Dichter Damaios, Philippos und besonders – aus der Zeit des Augustus – Antipatros (dazu *V. Allamani-Souri*, Province 83 f.; **C. vom Brocke*, Thessaloniki 145-147; *P. Adam-Veleni*, Entertainment 270 f.).

Auf die religiösen und existentiellen Bedürfnisse der Bevölkerung reagierten speziell Wanderphilosophen, die sich am Modell der Kyniker (Vorbild: Diogenes) orientierten und in öffentlichen Auftritten Lehren verbreiteten, die zu einem heilvollen, geglückten Leben führen sollten. Diese Wanderphilosophen begleitete allerdings der zweifelhafte Ruf, sich nur an ihren Hörern bereichern zu wollen und die Menschen auszunutzen. Angesichts solcher Scharlatane in den eigenen Reihen wollten sich manche Wanderphilosophen selbst rechtfertigen, wie einige Reden des Dion von Prusa zeigen, der sich gegen Misstrauen in der Bevölkerung abgrenzt und seine Redlichkeit verteidigt (Dion Chrysostomos, or. 12; 32; 77/78). In satirischer Brechung setzt sich Lukian von Samosata in zwei Schriften mit je einem bekannten Wanderphilosophen auseinander: Alexander von Abonuteichos und Peregrinus Proteus, die beide die Gutgläubigkeit bestimmter Bevölkerungsgruppen zur persönlichen Bereicherung und zur Steigerung des eigenen Ansehens ausnutzten (Lukian, Alex.; Peregr.) (zum Erscheinungsbild der Wanderphilosophen vgl. zu 1 Thess 2,1-12 und *J. Hahn*, Philosoph 33-45; *A. J. Malherbe*, Paul 103 f.).

Angesichts des negativen Images solcher Wanderphilosophen, die in ihrem äußeren Erscheinungsbild einem umherziehenden Apostel nicht unähnlich waren, verwundert es nicht, dass das Missionsteam in 1 Thess 2,1-12 seine Glaubwürdigkeit herausstellt: Nicht das Streben nach Gewinn und Ehre, sondern die persönliche Zuneigung zur Gemeinde habe ihr Auftreten geprägt.

2. Geschichtliche Einordnung des 1. Thessalonicherbriefs

Literatur: D. Alvarez Cineira, Die Religionspolitik des Kaisers Claudius und die paulinische Mission (HBS 19), Freiburg i. Br. 1999; *K. P. Donfried*, Paul, Thessalonica, and Early Christianity, London/New York 2002; *ders.*, The Theology of 1 Thessalonians, in: ders./I. H. Marshall, The

Theology of the Shorter Pauline Letters, Cambridge 1993, 1-79; *J. W. van
Henten*, Gottesfürchtige, in: RGG⁴ 3 (2002), 1219; *R. Hoppe*, Apostel oh-
ne Gemeinde – Gemeinde ohne Apostel. Überlegungen zu Funktion und
Pragmatik von 1 Thess 2,17-3,10 (2001), in: ders., Apostel – Gemeinde –
Kirche. Beiträge zu Paulus und den Spuren seiner Verkündigung (SBA 47),
Stuttgart 2010, 75-91; *R. Jewett*, The Thessalonian Correspondence. Pau-
line Rhetoric and Millenarian Piety, Philadelphia 1986; *D.-A. Koch*, Die
Christen als neue Randgruppe in Makedonien und Achaia im 1. Jahrhun-
dert n. Chr., in: H.-P. Müller/F. Siegert (Hg.), Antike Randgesellschaften
und Randgruppen im östlichen Mittelmeerraum, Münster 2000, 158-188;
M. Konradt, Zur Datierung des sog. antiochenischen Zwischenfalls, ZNW
102 (2011) 19-39; *G. Lüdemann*, Paulus, der Heidenapostel I: Studien zur
Chronologie (FRLANT 123), Göttingen 1980; *S. Schreiber*, Chronologie:
Lebensdaten des Paulus, in: M. Ebner/S. Schreiber (Hg.), Einleitung in das
Neue Testament (KStTh 6), Stuttgart ²2013, 269-280; *A. Suhl*, Paulus und
seine Briefe. Ein Beitrag zur paulinischen Chronologie (StNT 11), Gütersloh 1975; *B. Wander*, Gottesfürchtige und Sympathisanten. Studien zum
heidnischen Umfeld von Diasporasynagogen (WUNT 104), Tübingen
1998.

2.1 Die Vorgeschichte

In den Jahren 48/49 fand in Jerusalem ein Zusammentreffen von
Vertretern der damals bedeutendsten christlichen Gemeinden statt.
Von der Gemeinde in Antiochia in Syrien zogen Barnabas und Paulus nach Jerusalem, wo sie Gespräche mit den führenden Vertretern
der Jerusalemer Gemeinde führten, mit dem Herrenbruder Jakobus, Petrus und dem Zebedaiden Johannes (Gal 2,1-10; Apg 15).
Bei diesem Jerusalemer Treffen (früher sprach man von Apostel-
konvent oder Apostelkonzil) suchte man nach einer Lösung für
den Problemkreis, der sich aus der Missionspraxis der antiochenischen Gemeinde unter Heiden ergab und der durch die etwa 13
Jahre dauernde Verkündigung des Barnabas und Paulus in Syrien
und Kleinasien im Auftrag dieser Gemeinde (nach Apg 13-14 die
erste Missionsreise; vgl. Gal 1,21; 2,1) virulent wurde: Es entstanden
Christus-Gemeinden, in denen Judenchristen *und* Heidenchristen
zusammen lebten, ohne dass die heidnischen Gemeindeglieder die
Beschneidung sowie Speise- und Reinheitsgebote des Judentums
praktizierten. Darf man aber für die jüdische Identität so wichtige
Tora-Gebote außer Acht lassen?
Eine theologisch fundierte Lösung des Problems wurde auch beim
Jerusalemer Treffen nicht erreicht, wohl aber ein Kompromiss ge-

funden, der eine schwerpunktmäßige Aufteilung der Mission nach
Gebieten mit jüdischer bzw. heidnischer Bevölkerungsmehrheit
vorsah: Jakobus, Petrus und Johannes sollten vorwiegend in jüdischen Gebieten, Barnabas und Paulus in heidnischen verkünden
(Gal 2,9). Eine prinzipielle Anerkennung unbeschnittener Heiden
als Vollmitglieder christlicher Gemeinden ist dabei impliziert. Paulus verstand die Absprache offensichtlich viel weitgehender: als volle Anerkennung seiner Missionspraxis unter Heiden, die auf einer
offenen Auslegung der Tora-Gebote, die die jüdische Identität besonders markieren, basiert. Er sieht sich im Einklang mit der Jerusalemer Gemeinde, wenn er seine bisherige Missionspraxis ohne
Einschränkung fortführt.

Dieses Bewusstsein des Paulus könnte auch erklären, warum die Frage
nach dem jüdischen Gesetz im 1 Thess nicht problematisiert wird. Darüber hinaus war die paulinische Praxis innerhalb der Gemeinde von Thessaloniki wahrscheinlich unumstritten. Wenige Jahre später dokumentieren
Galater- und Römerbrief eine ganz andere Diskussionslage, in der die umstrittene Gesetzesfrage in den Mittelpunkt der Auseinandersetzung tritt.

Wie schnell der beim Jerusalemer Treffen erzielte Kompromiss brüchig werden konnte, zeigt der sich kurz darauf in Antiochia ereig-
nende sog. antiochenische Zwischenfall (Gal 2,11-14). Petrus, der
sich in der Gemeinde von Antiochia aufhielt, nahm an der dort üblichen Tischgemeinschaft von Juden- und Heidenchristen teil, bis
eine von Paulus als »Leute von Jakobus« nur ungenau bestimmte
Gruppe eintraf, die offenbar die Absonderung des judenchristlichen
vom heidenchristlichen Gemeindeteil gemäß den Identitätsmerk-
malen der Tora (Speise-/Reinheitsgebote) einforderte (Gal 2,12).
Petrus distanziert sich vom gemeinsamen Mahl, und sogar Barnabas, der langjährige Missionskollege des Paulus, folgt seinem Beispiel. Es kommt zum Konflikt mit Paulus, der sich nicht von seiner
Praxis abbringen lässt, und zum offenen Bruch: Paulus trennt sich
von Barnabas und von der antiochenischen Gemeinde und missio-
niert fortan in eigener Verantwortung.
Ab dem Jahr 49 schließt sich die Griechenland-Mission des Paulus
an, die Apg 16,1-18,22 als zweite Missionsreise erzählt. Eine erste
Gemeindegründung findet in der makedonischen Stadt Philippi
statt. Dort scheint es zu Konflikten mit der Bevölkerung und den
städtischen Behörden gekommen zu sein, möglicherweise zu Gefangenschaft und Misshandlungen der Missionare (Apg 16,16-40;
1 Thess 2,2). Paulus verlässt Philippi und tritt die Reise über Am-

phipolis und Apollonia nach Thessaloniki an (Apg 17,1). Die Stre-
cke von etwa 150 Kilometern wird er auf der *Via Egnatia* (↗1.3)
relativ bequem zurückgelegt haben.

Die genannten Datierungen der einzelnen Ereignisse verdanken sich einer
zusammenhängenden Chronologie des Paulus, die verschiedene uns bekannte Stationen seines Wirkens in eine zeitliche Relation zueinander setzt
und, wo möglich, mit Daten aus der Weltgeschichte in Übereinstimmung
bringt (dazu *S. Schreiber*, Chronologie). Dabei sind etliche Daten umstritten. So schlägt z. B. *R. Jewett* (Correspondence 53-55.59 f.) eine Datierung
des Jerusalemer Treffens auf Oktober 51 vor, womit er u. a. das Fehlen der
Tora-Diskussion in 1 Thess erklärt, die eben erst später in Gang kam.
Doch finden sich für dieses Fehlen, wie gezeigt, auch andere Erklärungen,
und die Datierung des Jerusalemer Treffens auf das Jahr 48/49 fügt sich
m. E. stimmiger in den zeitlichen Gesamtrahmen. *M. Konradt* (Datierung)
trennt den antiochenischen Zwischenfall zeitlich weiter vom Jerusalemer
Treffen und setzt ihn im Jahr 52 an. Der 1 Thess kann dafür kein Indiz
bieten, und Gal 2,1-14 legt einen engeren Zusammenhang nahe.

Vielleicht konnte Paulus durch die Vermittlung eines Mitglieds der
Gemeinde bereits von Philippi aus Kontakte zu einem potentiellen
Gastgeber in Thessaloniki herstellen, bei dem das Missionsteam
dann Unterkunft finden konnte. Solche Gastfreundschaften bildeten einen wichtigen Bestandteil des Reisens in der Antike, und gerne griff man dabei auf die Netzwerke befreundeter Personen
zurück (z. B. durch Empfehlungsbriefe). Auch geschäftliche Verbindungen spielten dabei eine große Rolle.

Dass z. B. die in Apg 16,14 f. erwähnte Purpurhändlerin Lydia, die sich in
Philippi der Christus-Bewegung anschloss, Geschäftsverbindungen in die
makedonische Hauptstadt unterhielt, kann man vermuten, zumal in Thessaloniki die Existenz eines Vereins der Purpurfärber bezeugt ist (IG X 2/1,
291). Über solche Personen konnten konkrete Kontakte hergestellt werden.

2.2 Die Gemeindegründung in Thessaloniki

Über die Gründung einer Gemeinde in Thessaloniki wissen wir
zum einen von Paulus selbst aus einigen knappen Notizen im
1 Thess, zum anderen aus der »Sekundärquelle« Apg 17,1-9, die
zur literarischen Form der antiken *historia* gehört, einer Ge-
schichtserzählung, die historische Fakten in übergeordnete Sinn-
zusammenhänge einordnet und deutet. Die Apg bietet also ein an

der theologischen Wahrnehmung und am Erzählkonzept des Autors (»Lukas«) gespiegeltes Bild der Ereignisse.

In den Jahren 49/50 und damit nur wenige Monate vor der Abfassung des 1 Thess geschah die Verkündigung des Missionsteams um Paulus in Thessaloniki (1 Thess 1,5.9; 2,2.13; 3,2.6). Nach Apg 17,1 f. wandten sich die Missionare zuerst an eine »Synagoge der Juden«. Die Existenz einer kleinen jüdischen Gemeinde in Thessaloniki erscheint durchaus glaubhaft (↗1.4), und die Kontaktaufnahme mit der jüdischen Gemeinde in einer ansonsten fremden Stadt liegt für die Missionare, die ja selbst aus dem Judentum stammten, nahe. Dabei ist keineswegs nur an eine gottesdienstliche Versammlung zu denken, sondern an Kontakte im alltäglichen Lebensvollzug, wozu auch die Suche nach Erwerbsarbeit gehört haben dürfte (1 Thess 2,9).

Die Angabe von »drei Sabbaten«, an denen Paulus in der thessalonikischen Synagoge gesprochen habe, in Apg 17,2 wird als offene Zahlangabe, die eine Mehrzahl bezeichnet, zu verstehen sein. Wahrscheinlich lagen Lukas schlicht keine Angaben über die genaue Zeitdauer des Aufenthalts vor. 1 Thess setzt einen längeren Zeitraum von einigen Wochen oder Monaten voraus: Die Missionare lebten und wirkten einige Zeit in Thessaloniki (1 Thess 2,1-12); sie gehen dort einer Erwerbsarbeit nach (2,9); es entsteht eine Gemeinde von Christus-Anhänger/innen; zwei Mal erhalten sie Unterstützung von der Gemeinde in Philippi (Phil 4,16).

Das Missionsteam bestand aus Paulus, Silvanus und Timotheus (↗3.1). In 1 Thess 1,1 fungieren diese drei Personen als Absender des Briefes. Apg 17,4 nennt neben Paulus auch Silas als Missionar in Thessaloniki. Silas und Silvanus dürften denselben Namensträger meinen, weil sich der Namensunterschied verschiedenen Sprachsystemen verdankt: Bei Silas handelt es sich um die gräzisierte, bei Silvanus um die latinisierte Form des aramäischen *Scheila*, das dem hebräischen *Schaul* entspricht (dem Namen des ersten Königs Israels Saul; vgl. BDR § 125,6). Im Kontext von Apg 16,1-3; 17,14; 18,5 ist auch die Anwesenheit von Timotheus vorauszusetzen, auch wenn dieser in 17,1-9 nicht genannt ist. Vielleicht intendiert der Erzähler Lukas, das Bild eines Missionspaares in Analogie zur paarweisen Aussendung der 72 Schüler durch Jesus in Lk 10,1 zu zeichnen und fokussiert die Perspektive der Erzählung so auf Paulus und Silas.

Über einzelne Themen der Verkündigung in Thessaloniki erfahren wir fast nichts, denn aus 1 Thess lässt sich nicht unmittelbar die Anfangsverkündigung herauslesen (↗1,9f.). Paulus wiederholt diese

nicht, sondern spielt nur auf einzelne Gedanken an oder vertieft
Bekanntes. Sicher im Zentrum der Botschaft stand die Gestalt des
»Christus«. Als *der* Repräsentant Jʜwʜs vermittelt er direkten Zugang zu Jʜwʜ und führt so in eine neue Existenzweise. Die Identifizierung Jesu als Christus bringt eine eschatologische Grundstim-
mung und theologische Konsequenzen mit sich: Die endzeitliche
Herrscherfunktion des Christus ist in 1 Thess im Gedanken der
Parusie präsent (2,19; 3,13; 4,15; 5,23; vgl. 1,10), d. h. der Christus
bestimmt die Geschicke der begonnenen und bald vollendeten Endzeit – zum Heil der Gemeinde. Dieses Bewusstsein bildet einen
wichtigen Faktor für das neue Selbstverständnis der Gemeinde. Da
in diesem endzeitlichen Bewusstsein auch *Heiden* in die Christus-
Gruppe aufgenommen werden, ohne dass sie die typischen Identitätsmerkmale des Judeseins wie Beschneidung und Speisegebote
einzuhalten hätten, zeigt die paulinische Mission eine neue, endzeitlich »freie« Auslegung der Tora.

Apg 17,2 f. charakterisiert die Verkündigung knapp durch drei Elemente,
die sachlich eng zusammen gehören: (1) Formal geschieht Auslegung der
Schrift (d. h. der heiligen Schriften Israels: Tora, Propheten und weitere
Schriften); als inhaltliche Aspekte werden genannt (2) das notwendige Leiden und Auferstehen des Messias (»Christus«) aus Toten und (3) die Identität Jesu als des Messias. Dass damit Grundzüge der paulinischen Lehre
erfasst sind, steht außer Frage (vgl. nur 1 Kor 15,3 f. und 1 Thess 4,14).

Für die sich neu bildende Christus-Gruppe bedeutete die Hinwendung zur Verkündigung des Missionsteams eine folgenreiche Neu-
orientierung ihres Lebens; religionswissenschaftlich könnte man
von »Konversion« sprechen. 1 Thess 1,9 f. rekapituliert diesen Prozess als (1) Hinwendung *(epistrephein)* zu Gott, dem Gott Israels,
weg von den paganen Götterbildern, was eine einschneidende kulturelle Veränderung bedeutete, und (2) neue Lebensweise (dem »lebendigen und wahren Gott zu dienen«). Grundlegend ist dabei
(3) eine eschatologische Perspektive, die in Jesus, dem »Sohn«
(= machtvoller Repräsentant Gottes) und aus Toten Erwecktem
(= Auftakt der Endzeit) den Retter aus dem endzeitlichen Zorngericht über die Welt erwartet. Von entscheidender Bedeutung für die
Lebenswende war das überzeugende Auftreten der Missionare Paulus, Timotheus und Silvanus, an deren »Eingang« (1,9; 2,1) und
Verhalten (1,5) 1 Thess erinnert und deren persönliche Art und
Weise der Zuwendung der Brief noch einmal wachruft (2,7.8.11).
Die Botschaft hat ihre Wirksamkeit als Wort Gottes darin entfaltet,

dass die Konvertiten das Wort annahmen (1,5 f.; 2,13) und eine neue Existenz, eine neue Lebenspraxis begannen. In theologischer Sprache artikulieren die Modelle von Erwählung (1,4) und Berufung (2,12; 4,7; 5,24) durch Gott und des »Heiligseins« des Lebens (3,13; 4,3.4.7) diese existentielle Wende. Dass diese Wende auch gesellschaftlich sichtbar wurde, belegt indirekt der Hinweis auf die »Bedrängnisse« *(thlipseis)*, d.h. soziale Isolation und Marginalisierung, die die Konvertiten erfuhren (1,6; 2,14; 3,3). Als Reaktionen der Umwelt auf Konversionsereignisse sind Ablehnungserfahrungen offenbar typisch, so dass Paulus sie bereits beim Gründungsbesuch vorhersagen konnte (3,4).

Recht unbestimmt bleiben die sozialgeschichtlichen Angaben über die ersten Hörer/innen, die sich überzeugen ließen und dem Missionsteam anschlossen, in Apg 17,4: einige (wenige) Juden, überwiegend aber Gottesfürchtige, eine große Menge gottesfürchtiger Griechen und nicht wenige der »ersten Frauen«, also Frauen aus der städtischen Elite. Im Großen und Ganzen entspricht dies dem Bild des 1 Thess, der von der Gründung einer kleinen Gemeinde ausgeht (1 Thess 1,6 f.; 2,13) und dabei vorauszusetzen scheint, dass der Großteil der Gemeinde aus Heidenchristen bestand (1,9). Eine besondere Frauengruppe spricht der Brief hingegen nicht an.

Als Gottesfürchtige kann man Nichtjuden bezeichnen, die sich vom Judentum angezogen fühlten und in unterschiedlicher Intensität am Leben der jüdischen Gemeinden teilnahmen (vgl. *B. Wander*, Gottesfürchtige, bes. 233 f.; *J. W. van Henten*, Gottesfürchtige 1219). Für sie waren der Monotheismus Israels, eine hoch stehende Ethik, alte Traditionen und Schriftstudium sowie Bräuche und Rituale attraktiv. Gerade auch einige sozial bessergestellte Frauen sympathisierten mit dem Judentum (Belege bei *Weiser* II 338 f.). Den letzten Schritt der vollen Zugehörigkeit, d.h. durch Beschneidung zu Proselyten zu werden, vollzogen sie jedoch nicht, wohl weil sie die Bindung an ihre pagane gesellschaftliche Umwelt nicht verlieren wollten. So aber blieben ihre Partizipationsmöglichkeiten am jüdischen Leben begrenzt; sie konnten z.B. an Synagogengottesdiensten teilnehmen, nicht aber an gemeinschaftlichen Mählern – die Reinheitsgebote wahrten die Grenze zwischen Juden und Heiden. Genau an diesem Punkt konnten die christlichen Gruppen für Gottesfürchtige interessant sein: Ohne Beschneidung war ihnen die volle Gemeinschaft auch an Mählern und rituellen Vollzügen möglich.

Apg 17,5 nennt einen konkreten Namen: Jason, und dieser Jason besaß offenbar ein Haus, in dem sich christliche »Geschwister« (17,6) trafen. Sein Haus dürfte der Ort einer christlichen Hausgemeinde gewesen sein (vgl. auch 1 Kor 16,19; Phlm 2; Röm 16,5.23), und Jason erfüllte dann als Hausvater eine gewisse Repräsentations- und Vorsteherfunktion. Ohne Namen zu nennen, spricht auch 1 Thess 5,12 verschiedene Funktionen der Gemeindeleitung an. Der Besitz eines Hauses lässt eine grobe Zuordnung Jasons zum relativ wohlhabenden Teil der städtischen Unterschicht zu. Ob er jüdischer oder paganer Herkunft war, wissen wir nicht; den Namen »Jason« trugen sowohl Juden als auch Griechen (*C. vom Brocke*, Thessaloniki 239). Offenbar wurde er Christ und blieb in der historischen Erinnerung lebendig, auf die Lukas zurückgreifen konnte.

Der Grund für die Abreise der Missionare aus Thessaloniki wird nicht recht ersichtlich. Wenn sich Paulus in 1 Thess 2,17 als »verwaist« von der Gemeinde bezeichnet, könnte er eine unfreiwillige Trennung andeuten (eine solche nimmt der Großteil der Kommentatoren an, z.B. *Reinmuth* 105f.; *Holtz* 10; *Haufe* 11; *Müller* 35; *Malherbe* 61f.; *R. Hoppe*, Apostel 77-81). Da der Grund aber offen bleibt, könnte sich darin und in der anschließenden Betonung der Besuchsabsicht auch die Besorgnis des Paulus niederschlagen, wegen anderer missionarischer Ziele die Gemeinde so früh alleine gelassen zu haben (*A. Suhl*, Paulus 95: freiwillige Abreise).

Mehr weiß der Autor der Apg zu erzählen. Nach Apg 17,5-9 bewirken die Juden von Thessaloniki einen Aufruhr unter der Stadtbevölkerung; mit Hilfe von Agitatoren aus den untersten Volksschichten wollen sie Paulus und Silas vor den *dēmos* (die Bürgerversammlung) der Stadt bringen, treffen sie aber im Haus ihres Gastgebers Jason nicht an. Stattdessen bringen sie Jason und einige andere Brüder vor die Politarchen (die obersten Stadtbeamten) und formulieren eine politische Anklage gegen die Missionare und die Gemeinde. Gegen Stellung einer Kaution werden Jason und seine Begleiter jedoch freigelassen. Während Paulus und Silas in 17,5-9 nicht als Akteure auftreten und nur im Hintergrund des Geschehens stehen, erzählt 17,10 von ihrer sofortigen nächtlichen Flucht nach Beröa. Einige Beobachtungen warnen freilich davor, den Text unmittelbar als historischen Bericht zu lesen: Die Juden als Drahtzieher der Nachstellungen und die »Eifersucht« als Motiv ihres Handelns (Apg 17,5-7) könnten sich einer allgemeinen Einschätzung des Verhältnisses von christlichen und jüdischen Gruppen seitens des Autors Lukas verdanken (vgl. auch Apg 14,1-7.19f.) und würden dann keine spezifische Erinnerung an Verhältnisse in Thessaloniki darstellen. Einen Anhaltspunkt für die historische Beurteilung bietet die Beobachtung, dass Paulus und Silas bei der Szene vor den römischen Behörden gar nicht auftreten, sondern nicht zu finden sind (Apg 17,6), was konstruiert erscheint. Die ganze Anklage-Szene handelt von Jason und der Gemeinde, während die Missionare nur als indirekte Auslöser begegnen. Es wird schließlich nicht deutlich, für wen Jason die Kaution in 17,9 eigentlich stellt: als Sicherheitsleistung für sein eigenes »politisches Vergehen« oder für die Auslieferung der Missionare (zum Rechtshintergrund *C. vom Brocke*, Thessaloniki 265-267). An den entsprechenden Stellen in 1 Thess 2,17 und 3,1-5 wird jedenfalls von all diesen Ereignissen nichts erkennbar. Daher halte ich die Annahme für begründet, die Lukas vorliegende Tradition habe nur von Jason, seiner Hausgemeinde und vielleicht von sozialen Anfeindungen in der Zeit *nach* dem Weggang der Missionare erzählt (vgl. auch *Weiser* II 443.445; *Jervell* 435 f.). Lukas hätte dann in seiner Deutung die Verbindung zu den Gemeindegründern herausgestellt, indem er die Ereignisse zeitlich zusammenfallen ließ, und die Feindschaft in der Stadt gegenüber Paulus und die nächtliche Flucht eingearbeitet.

Anders folgt *D.-A. Koch*, Christen 172-174 der Darstellung von Apg 17,1-9 und nimmt eine Anklage vor den städtischen Behörden als Gegenreaktion der jüdischen Gemeinde auf die Missionserfolge des Teams um Paulus, v. a. bei den Gottesfürchtigen, an. *D. Alvarez Cineira*, Religionspolitik 268-270 geht noch einen Schritt weiter, indem er die »Dekrete« (*dogmata*) des Kaisers, gegen die nach Apg 17,7 die neue Bewegung agiert, auf das Claudius-Edikt aus dem Jahr 49 n. Chr., das die Vertreibung einzelner Juden und Judenchristen aus Rom anordnete, bezieht und den Juden als Anklägern die Motivation der Rache an den Christen unterstellt. Die Bildung einer neuen Gemeinde, die zwar in großer theologischer (und organisatorischer?) Nähe zur Synagoge stand, aber überwiegend Heiden unter Verzicht auf die Übernahme jüdischer Identitätsmerkmale (v. a. der Beschneidung) vereinte, dürfte durchaus Spannungen zur Synagogengemeinde ausgelöst haben. Inwieweit diese freilich in der Gründungszeit bereits zu offen ausgetragenen und gar vor die römischen Behörden gebrachten Konflikten führten, bleibt m. E. sehr zweifelhaft, schließlich war auch die Stellung einer kleinen jüdischen Gemeinde in der Stadt eher fragil. Für die Zeit des Paulus ist wohl ein misstrauisches Nebeneinander die wahrscheinlichere Option.

2.3 Die Abfassung des 1. Thessalonicherbriefs

Nach dem Gründungsaufenthalt in Thessaloniki reisten die Missionare über Beröa (Apg 17,10-15) nach Athen (17,16-34), von wo aus Paulus den Timotheus nach Thessaloniki sandte (1 Thess 3,1 f.). Mit guten Nachrichten kehrt dieser zurück (3,6); wahrscheinlich trafen sich die Missionare in Korinth wieder, wo sich Paulus in den Jahren 50-52 etwa 18 Monate aufhielt (Apg 18,1-17). Auf Timotheus' Bericht aus Thessaloniki, der Paulus und Silvanus über die Entwicklung und die Probleme der dortigen Gemeinde informierte, reagierten die Missionare mit einem Brief: dem 1 Thess. Sie verfassten 1 Thess also zu Beginn des Korinth-Aufenthalts Ende 50/Anfang 51.

Die Datierung des Korinth-Aufenthalts des Paulus gelingt über die Amtszeit des Statthalters Gallio, bei dem Paulus nach Apg 18,12-17 angezeigt wurde (Näheres bei *S. Schreiber*, Chronologie 270 f.).

Für Korinth als Abfassungsort spricht, dass dort alle drei Missionare wieder zusammen waren (Apg 18,5) und so als Absender in 1 Thess 1,1 fungieren konnten. Mit »Achaia« in 1,7.8 dürfte konkret Korinth gemeint sein (vgl. den Sprachgebrauch in 1 Kor 16,15; 2 Kor 9,2; 11,10; Röm 15,26). Die Abfassung erfolgte eher zu Beginn des Aufenthalts, weil aus 3,6-10 hervorgeht, dass Timotheus erst kürzlich aus Thessaloniki zurückgekehrt war, und weil am Briefende von 1 Thess keine Grüße stehen – es gab wohl noch keine Gemeinde in Korinth.

Lukas vereinfacht den Ablauf: In Beröa trennt sich das Missionsteam (Apg 17,14), Paulus zieht *allein* nach Athen (17,16-34). Erst in Korinth stoßen Silas und Timotheus wieder zu Paulus (17,15; 18,5). Damit bietet Lukas erneut ein anschauliches Beispiel für eine Geschichts*erzählung*.
A. Suhl (Paulus 92-96) und *Marxsen* (15 f.) zweifeln an der in Apg 17-18 beschriebenen Reiseroute und gehen unter Berufung auf Röm 15,19 (Paulus habe das Evangelium bis »Illyrien«, also bis zur griechischen Adriaküste, verkündet) davon aus, dass Paulus zunächst auf der Via Egnatia bis zur Adriaküste zog, geleitet von der Absicht, nach Italien überzusetzen und nach Rom zu gelangen; erst als er wegen des Claudius-Edikts diese Absicht aufgeben musste, sei er nach Korinth gezogen. Für diese Konstruktion fehlen freilich echte Anhaltspunkte, so dass eine Orientierung an der Apg die bessere Quellenlage aufweist. – Eine Frühdatierung des 1 Thess Anfang der 40er Jahre vertreten *G. Lüdemann* (Paulus 272.281) und *K. P. Donfried* (Theology 9-12; Paul 1-20.69-117); sie bauen dabei auf einem

kompletten Neuentwurf der Paulus-Chronologie auf, der insgesamt m. E. nicht plausibel ist (zur Diskussion *Haufe* 16; *S. Schreiber*, Chronologie 273-277; *Holtz* 21-23). Problematische exegetische Entscheidungen stützen den Entwurf; so wird z. b. die Aussage in Phil 4,15 (»am Anfang des Evangeliums, als ich wegging von Makedonien«) als Beleg für eine frühe Verkündigung in Makedonien (und damit in Thessaloniki) ganz zu Beginn der paulinischen Mission überhaupt herangezogen. Eher aber bezieht sich Paulus hier auf die Erstverkündigung in Philippi. Für eine Frühdatierung des 1 Thess lässt sich die Formulierung nicht als Beleg auswerten.

Kam Paulus später noch einmal nach Thessaloniki? Apg 20,1-6 (vgl. 19,21) erzählt, wie Paulus nach der längeren Ephesus-Mission nach »Griechenland« (gemeint ist wohl konkret Korinth) zog und bei der Durchreise durch Makedonien die dortigen Gemeinden besuchte, was sich auf Philippi und Thessaloniki beziehen muss; es handelt sich um die sog. Kollektenreise (vgl. 1 Kor 16,3-5; 2 Kor 2,13). Bei der Rückreise von Korinth schlägt Paulus denselben Weg in umgekehrter Richtung ein. Einzelheiten über die Aufenthalte in Thessaloniki erfahren wir nicht.

3. Absender und Adressaten

3.1 Absender

Literatur: S. A. Adams, Paul's Letter Opening and Greek Epistolography: A Matter of Relationship, in: S. E. Porter/S. A. Adams (Hg.), Paul and the Ancient Letter Form (Pauline Studies 6), Leiden/Boston 2010, 33-55; *S. Byrskog*, Co-Senders, Co-Authors and Paul's Use of the First Person Plural, ZNW 87 (1996) 230-250; *K. Ehrensperger*, Paul and the Dynamics of Power. Communication and Interaction in the Early Christ-Movement (LNTS 325), London 2007; *M. L. Stirewalt*, Paul, the Letter Writer, Grand Rapids 2003.

Auch wenn sein Name an erster Stelle steht, verantwortet Paulus den 1 Thess nicht allein: Paulus, Silvanus und Timotheus sind im Präskript als Absender genannt (1 Thess 1,1). Das Missionsteam aus der Anfangszeit der Gemeinde wendet sich jetzt brieflich an die Christ/innen in Thessaloniki.

Die paulinische Verfasserschaft ist nahezu unbestritten. Eine Ausnahme bildet in der neuesten Forschung M. Crüsemann, die dazu bei der anti-jüdischen Polemik in 1 Thess 2,14-16 ansetzt (*M. Crüsemann*, Briefe 29-

77). Sie überbetont die *paganen* judenfeindlichen Motive des Textes, den sie so antijüdisch versteht, und konstruiert auf dieser Basis eine Gesprächssituation, für die das Judentum eine gruppenfremde Größe darstelle (66). Dabei unterstellt sie dem Text die Pragmatik, Gründe für eine Judenverfolgung durch römische Behörden zu liefern und Juden als Staatsfeinde zu denunzieren (68.71.240). Das passe dann nicht zu Paulus als Verfasser, vielmehr sei der Brief eine pseudepigraphe Gründungsurkunde der späteren Gemeinde, mit der diese ihre Überlegenheit über andere griechische Gemeinden zeigen wolle (159). Beide Voraussetzungen sind jedoch falsch: Der Text gehört vielmehr in den Raum einer *inner*jüdischen Polemik, die im Kontext jüdischen Widerstands gegenüber der Mission des Paulus steht, und er richtet sich *allein* an die christliche Adressatengemeinde, nicht an römische Behörden. Und der in 1 Thess 2,16 erwähnte »Zorn« über Juden meint kaum das Endgericht und steht damit auch nicht für eine endgültige Trennung der Gemeinde vom Judentum (so aber **M. Crüsemann*, Briefe 75 f.). Auch weitere Argumente sind nicht stichhaltig. Dass im Brief keine zukünftigen Kontakte angezielt seien und die Briefsituation nur fingiert sei (110-115.124-128), widerlegt 3,10, wo ein Besuch als Anliegen für die Zukunft erwähnt wird. Eine amtstheologische Hierarchie, wie sie sich bei Ignatius von Antiochia findet (148-157), wird in 1 Thess gerade nicht sichtbar, denn die partizipialen Umschreibungen von Gemeindefunktionen in 5,12 zeigen, dass noch keine feste Amtsterminologie existiert. Die angebliche Nähe zur Popularphilosophie in 2,1-12 (141-148) muss differenziert beurteilt werden. Crüsemann verlagert die Last der Erklärung schwieriger Texte nur von Paulus auf eine spätere Generation, der sie offenbar weniger theologisches Gespür zutraut. Die dahinter stehende Hermeneutik eines guten Anfangs mit baldiger Degeneration erscheint äußerst fragwürdig. Die Kommentierung wird zeigen, dass sich der 1 Thess sowohl in der Lebenssituation einer jungen Konvertitengemeinde als auch aus der paulinischen Sorge um die Verkündigung in Thessaloniki stimmig erklären lässt.

Dabei werden die Mit*absender* des Briefes auch als Mit*verfasser* sichtbar. Aus der Überlieferung erhalten wir nur ein sehr fragmentarisches Bild der beiden Paulus-Begleiter. Wieder ist die Apg die Hauptquelle. *Silvanus* (Apg: Silas) gehörte nach Apg 15,22 zur Jerusalemer Gemeinde und genoss dort ein nicht unbedeutendes Ansehen; in Apg 15,32 wird er als »Prophet« bezeichnet. Nach dem Jerusalemer Treffen wurde er mit Barnabas und Paulus nach Antiochia gesandt. Er begleitete Paulus bei seiner Griechenlandmission bis Korinth (Apg 15,40; 16,19.25.29; 17,4; 18,5; 2 Kor 1,19). Hinter diesen Angaben sehen wir einen Judenchristen, der vielleicht aus der östlichen Diaspora stammte, seinen Weg zur Gemeinde in Antiochia fand und schließlich im Team mit Paulus in Griechenland missionierte. Möglicherweise entfaltete er nach den Gemeindegrün-

dungen in Thessaloniki und Korinth eine eigenständige apostolische Tätigkeit, denn eine weitere Zusammenarbeit mit Paulus erwähnen die Quellen nicht.

Timotheus, den Sohn einer jüdischen Mutter und eines griechischen
Vaters, hatte Paulus nach Apg 16,1 f. in Lystra getroffen. Für das
christliche Selbstverständnis des Timotheus dürfte die Beziehung
zu Paulus eine grundlegende Rolle gespielt haben, denn Paulus
kann Timotheus als »mein geliebtes und treues Kind im Herrn« bezeichnen (1 Kor 4,17) und seine Mitarbeit bei der Verkündigung
des Evangeliums mit einem Vater-Kind-Verhältnis vergleichen
(Phil 2,22). Auch Timotheus begleitete Paulus bei seiner Griechenlandmission bis nach Korinth (Apg 16,3; 17,14; 18,5) und folgte ihm
weiter bei den anschließenden Reisen nach Makedonien und
schließlich nach Jerusalem (19,22; 20,4). Bei Timotheus handelte es
sich um den Missionarskollegen des Paulus, der ihn lange Zeit begleitete, ihm vielleicht am nächsten stand und selbst große Verantwortung für die Verkündigung übernahm. Das geht einmal daraus
hervor, dass Timotheus im Präskript von vier Briefen als Mitabsender genannt wird (1 Thess, 2 Kor, Phil, Phlm); in Röm 16,21 übermittelt Paulus Grüße seines »Mitarbeiters« Timotheus. Zum anderen sandte Paulus gerade Timotheus zu Besuchen bei noch jungen
Gemeinden, die er nicht selbst aufsuchen konnte, wobei Timotheus
zwar im Auftrag und in Vertretung des Paulus, aber auch eigenständig als Verkündiger auftreten konnte (in Thessaloniki 1 Thess 3,1-6;
in Korinth 1 Kor 4,17; 16,10 f.; angekündigt für Philippi Phil 2,19-
22; verkündigte laut 2 Kor 1,19 in Korinth). Die spätere Paulus-
Tradition machte ihn zum fiktiven Adressaten zweier Briefe, des 1.
und 2. Timotheusbriefes.

Die Bedeutung der beiden Mitabsender und ihr missionarisches
Wirken in Thessaloniki im Team mit Paulus legen es nahe, dass es
sich auch um Mit*verfasser* des 1 Thess handelte. Das in 1 Thess (im
Vergleich mit späteren Paulusbriefen) auffallend dominierende
briefliche »Wir« wird in der Regel alle drei Absender umfassen.
Doch findet auch die 1. Pers. *Singular* Verwendung (1 Thess 2,18;
3,5; 5,27), in 3,1 f. kann das »Wir« Timotheus nicht einschließen,
und in 2,7.11 steht eine persönliche Aussage des Paulus. Da Paulus
an erster Stelle der Absender genannt ist, liegt es nahe, ihn als
Hauptabsender zu verstehen, der den Brief verfasste, d. h. diktierte.
Die beiden Missionskollegen Silvanus und Timotheus, die sich zur
Zeit der Abfassung des Briefes bei Paulus aufhalten, werden in den
Prozess des Planens und Verfassens des Briefes einbezogen gewesen

sein. Für das »Wir« kommen daher unterschiedliche Referenten in Betracht:

- Es erfüllt einerseits eine stilistisch-rhetorische Funktion: Paulus und die Mitabsender stehen in Gemeinschaft mit der Adressatengemeinde, das Gespräch findet auf der gleichen sozialen Ebene statt, der Ton baut mögliche Barrieren ab. Vergleichbar könnten der hinweisende (Seneca, epist. 22,2; 60; 74,11; 92,34) oder ermahnende (Seneca, epist. 18,8; 24,15) Gebrauch des brieflichen Plurals in Briefen Senecas sein (vgl. *Malherbe* 88).

- Andererseits sind die Mitabsender wesentlich in die inhaltliche und sprachliche Gestaltung des Briefes einbezogen: Mit ihnen hat Paulus den Brief besprochen, sie bildeten zusammen mit Paulus das Missionsteam des Anfangs und waren so mit der Situation der Gemeinde vertraut (dazu *S. Byrskog*, Co-Senders 238). Timotheus hatte darüber hinaus persönlichen Kontakt mit der Gemeinde durch seinen noch nicht lange zurückliegenden Besuch in Thessaloniki (3,2.5 f.). Wichtig ist, dass sowohl bei der Missionstätigkeit als auch bei der Abfassung und Sendung des Briefes die grundsätzliche Gleichrangigkeit der drei Missionare als Gesprächspartner der Gemeinde zum Ausdruck kommt, was eine gewisse Vorrangstellung des Paulus, der Timotheus z. B. zum Gemeindebesuch sandte, nicht ausschließt (vgl. *K. Ehrensperger*, Paul 38-41.50 f.). Dass antike Briefe auch gemeinsam verfasst werden konnten, belegt eine Notiz bei Cicero (Att. 11,5,1); aus behördlichen, geschäftlichen und privaten Briefen liegen Beispiele mehrerer Absender, die einen Brief gemeinsam verantworten, vor (z. B. 2 Makk 11,34-38; vgl. *M. L. Stirewalt*, Paul 38 f.; *S. A. Adams*, Opening 41 f.).

3.2 Adressaten

Literatur: C. Blumenthal, Was sagt 1 Thess 1,9b-10 über die Adressaten des 1 Thess? Literarische und historische Erwägungen, NTS 51 (2005) 96-105; *K. P. Donfried*, The Theology of 1 Thessalonians as a Reflection of Its Purpose (1989), in: ders., Paul, Thessalonica, and Early Christianity, London/New York 2002, 119-138; *D. G. Horrell*, Domestic Space and Christian Meetings at Corinth. Imagining New Contexts and the Buildings East of the Theatre, NTS 50 (2004) 349-369; *M. Johnson-DeBaufre*, »Gazing Upon the Invisible«: Archaeology, Historiography, and the Elusive Wo/men of 1 Thessalonians, in: L. Nasrallah/C. Bakirtzis/S. J. Friesen (Hg.), From Roman to Early Christian Thessalonikē (HThS 64), Cambridge 2010, 73-108; *R. Kessler/H. Omerzu*, Soziale Schichtungen, in:

Sozialgeschichtliches Wörterbuch zur Bibel, hg. von F. Crüsemann u.a., Gütersloh 2009, 533-537; *C. Rulmu*, Between Ambition and Quietism: the Socio-political Background of 1 Thessalonians 4,9-12, Bib. 91 (2010) 393-417; *E. W. Stegemann/W. Stegemann*, Urchristliche Sozialgeschichte. Die Anfänge im Judentum und die Christusgemeinden in der mediterranen Welt, Stuttgart ²1997; *B. W. Winter*, Seek the Welfare of the City. Christians as Benefactors and Citizens, Grand Rapids 1994.

Adressatin des Briefes ist die »Gemeinde der Thessaloniker« (1 Thess 1,1), wobei es sich um eine Hausgemeinde gehandelt haben dürfte (vgl. Apg 17,5; 1 Thess 5,27), die sich in *einem* Privathaus versammeln konnte. Sollte ein wohlhabenderes Gemeindeglied ein repräsentatives Haus besessen haben, konnte sich die Gemeinde dort z.B. im Atrium zusammenfinden. Bedenkt man die Zusammensetzung der Gemeinde v.a. aus kleinen Handwerkern und Händlern (siehe unten), könnten die Versammlungen auch in einer größeren Werkstatt oder in einem Wohnraum im Obergeschoss einer Werkstatt stattgefunden haben (*D. G. Horrell*, Domestic Space, mit Beispielen aus Korinth; *Jones* XXI); ein solches Szenario steht wohl hinter Apg 20,8f. Ein Atrium fasste etwa 30 bis 50 Personen, eine Werkstatt oder ein Wohnraum sicher nicht mehr, was einen Eindruck von den Größenverhältnissen der Gruppe vermittelt. Die Mehrzahl der Gemeindeglieder werden Nichtjuden gebildet haben, wie die in 1 Thess 1,9 erwähnte Abwendung »weg von den Götterbildern« vermuten lässt. Man wird einige oder sogar die meisten von ihnen wohl unter den sog. »Gottesfürchtigen« (Apg 17,4; ↗2.2), also heidnischen Sympathisanten der Synagoge, zu suchen haben (*C. Blumenthal*, Adressaten; *J. Woyke*, Götter 132-154). Da für diese eine *exklusive* Verehrung des Gottes Israels nicht zwingend war, sie also im Rahmen ihres gesellschaftlichen Lebens noch an kultischen Akten in Bezug auf ihre »alten« Götter im Rahmen polytheistischer Praxis teilnehmen konnten, trifft auf sie die Hinwendung zum Gott Israels unter gleichzeitiger Abwendung von den Götterbildern (1 Thess 1,9) durchaus zu. Auch einzelne Juden gehörten wahrscheinlich zur Gemeinde. Für einen jüdischen Hintergrund spricht, dass die Sprache in 1 Thess an mehreren Stellen deutlich jüdisch geprägt ist (z.B. 1,9f.; 4,13-5,11 apokalyptische Motive).

Manche Forscher schätzen den jüdischen Einfluss in der thessalonikischen Gemeinde freilich sehr gering ein und gehen unter Berufung auf 1,9 davon aus, dass (fast) ausschließlich Heiden zur Gemeinde zählten (z.B. *Haufe* 10f.; *Malherbe* 56.58-60; anders z.B. *R. Riesner*, Frühzeit 308f.).

Schwer einzuschätzen ist der gesellschaftliche Status der Gemeindeglieder. Der Hinweis auf Handarbeit (1 Thess 4,11 f.) lässt an Lohnarbeiter, Sklaven, aber auch an kleine »selbständige« Handwerker
denken; falls die Erwerbsarbeit in 4,6 auch Handelsgeschäfte umfasst, könnten (kleine) Kaufleute unter den Christen gewesen sein,
zumal Herstellung und Vertrieb in der Antike häufig zusammenfie-
len. Vage bleibt die Erwähnung von »nicht wenigen der ersten
Frauen« in Apg 17,4, die zumindest nahelegt, dass auch einige relativ Wohlhabende zur Gemeinde zählten (vielleicht ein oder zwei
wohlhabende Witwen?). Andererseits wirft auch die »tiefe Armut«
der makedonischen Gemeinden, von der Paulus in 2 Kor 8,2
spricht, bezeichnendes Licht auf die Lebensverhältnisse der Christen-Gruppe. Insgesamt handelte es sich wohl um eine sozial gemischte Gruppe, ein Bild, das für die paulinischen Gemeinden die
Regel gewesen zu sein scheint (vgl. 1 Kor 11,17-34; Phlm); ihre
wirtschaftliche Situation war zum großen Teil fragil. Wenn man
vom Urchristentum als einem »Unterschichtphänomen« sprechen
will, ist zu bedenken, dass antike Gesellschaften ein sehr ausdiffe-
renziertes Bild von »Unterschicht« boten, die weite Teile der Bevölkerung mit sehr unterschiedlichen Graden an Vermögen bzw. Armut umfasste; gemeinsam ist freilich die meist fehlende Möglichkeit
zur politischen Mitbestimmung (vgl. *R. Kessler/H. Omerzu*, Soziale Schichtungen; *E. W. Stegemann/W. Stegemann*, Sozialgeschichte
58-74.251-261, die sogar einzelne Mitglieder der Elite in den Gemeinden nicht ausschließen; hierfür finde ich jedoch keine Belege;
speziell zu 1 Thess *C. S. de Vos*, Church 147-154). Nach außen
wird die Gemeinde in ihrer Sozialgestalt wie ein städtischer Verein
erschienen sein.

Dass die Gemeinde freilich ein als ganzer zum Christsein konvertierter
Handwerkerverein mit nahezu ausschließlich männlichen Mitgliedern gewesen sei, wie jüngst *R. S. Ascough* (Associations, bes. 184-190) vermute-
te, lässt sich am 1 Thess nicht überzeugend nachweisen. Auch politische
Aktivitäten eines solchen Vereins (so *C. Rulmu*, Ambition) sind sozialgeschichtlich kaum vorstellbar und im Brief nicht deutlich. – Ebenso unwahrscheinlich ist die Vermutung von *B. W. Winter* (Welfare 41-60; vgl.
Witherington 43 f.), einige Gemeindeglieder hätten so hohen sozialen Status besessen, dass sie als Patrone für den Lebensunterhalt ihrer (christlichen) Klienten hätten sorgen können, die sich wiederum davon angeregt
dem Müßiggang hingegeben hätten; letztere habe Paulus in 1 Thess 4,11
zur Handarbeit aufgefordert. Mit dieser Deutung ist nicht nur die genannte Textstelle völlig überfordert, sondern auch eine soziale Schichtung der
Gemeinde entworfen, die keinen Rückhalt im Brief findet.

In Apg 17,4 erhalten wir nebenbei einen expliziten Hinweis auf die Präsenz von Frauen in der Gemeinde, wie er im Brief fehlt. Im Blick auf andere Paulusbriefe, die weibliche Gemeindeglieder teilweise namentlich nennen (z. B. 1 Kor 7,2-16; 16,19; Phil 4,2; Röm 16,1-15), ist dies aber auch für die Gemeinde in Thessaloniki vorauszusetzen. Die häufige Anrede *adelphoi* richtet sich selbstverständlich an Brüder *und* Schwestern (↗ 1,4). Weil direkte Bezugnahmen auf Frauen fehlen, muss man sich ihre Präsenz als Hörerinnen des Briefes immer wieder vergegenwärtigen (die Unsichtbarkeit von Frauen problematisiert *M. Johnson-DeBaufre*, Invisible).

Die Gründung der Gemeinde liegt zur Zeit des Briefes noch nicht lange zurück (↗ 2.2). Es handelt sich also um eine junge Gemeinde, deren Identität als Christen noch ungefestigt war und die ihre eigenen Überzeugungen erst anfanghaft durchdrungen hatte (↗ 1 Thess 4,13-18). Auch die Binnenstruktur der Gemeinde entwickelte sich erst. Die partizipialen Formulierungen in 5,12 »Sich Mühende, Vorstehende im Herrn, Anleitende« deuten auf noch nicht institutionalisierte, nicht-amtliche Strukturen, die sich sozialen Gruppenprozessen und vielleicht charismatischen Erfahrungen (vgl. 5,19-21 und 1 Kor 12; Röm 12) verdanken. So wird z. B. der Eigentümer eines Hauses ganz selbstverständlich auch als Gastgeber der Gemeindeversammlung vorgestanden haben.

Die Gemeinde stellte eine verschwindend kleine Minderheit in der hellenistischen Großstadt Thessaloniki dar. Vielleicht schon während der Zeit der Gemeindegründung, auf jeden Fall aber bald nach der Abreise der Missionare sah sich die junge Gemeinde in Thessaloniki sozialen Bedrängnissen gegenüber (1 Thess 1,6; 2,14; 3,3-5), die von ihrer städtischen Umwelt, ihren »Mitbewohnern« *(symphyletai)* ausgingen.

Wegen der geringen Bezeugung ist nicht klar, ob der Begriff *symphyletai* (2,14) in einem technischen Sinne die Mitglieder der gleichen Phyle (städtische Organisationseinheit) meint (so *C. vom Brocke*, Thessaloniki 155-162) oder in einem weiteren Sinne den Landsmann bzw. Stammesgenossen (*W. Bauer*, Wörterbuch 1558). Die parallele Gedankenstruktur in 2,14 – Gemeinde in Thessaloniki/*symphyletai* bzw. Gemeinden in Judäa/Juden – deutet auf ein weiteres Verständnis: die heidnischen Mitbewohner, die die Gesellschaft in Thessaloniki dominierten (was eine Beteiligung einzelner Juden freilich nicht grundsätzlich ausschließt) (vgl. *Holtz* 102; *D. Luckensmeyer*, Eschatology 139).

Die Gemeinde zeigte ein von der hellenistischen Kultur abweichendes Verhalten, das, um zwei hypothetische Beispiele zu nennen, durch die Entfernung der »Kultnische« für den Hausgott im eigenen Haus oder die Abwesenheit bei kultischen Feiern und Treffen des Berufsvereins augenfällig wurde. Sie distanzierte sich gegenüber der paganen Bevölkerung, gehörte aber auch nicht mehr eindeutig zur Synagoge. So bildete sie eine Minderheit, die zudem schnell politisch verdächtig werden konnte, wurde doch Christus als herrscherliche Gestalt verkündet (vgl. 1 Thess 4,15-17 und Apg 17,7). Daneben sind auch Anfeindungen durch die Synagoge denkbar, weil die Christus-Gruppe als Konkurrenz und latente politische Gefahr für die den Juden gewährten Privilegien wahrgenommen werden konnte (vgl. Apg 17,5), was für die im 1. Jh. wohl noch kleine Synagoge in Thessaloniki eine ernst zu nehmende Gefährdung darstellte.

Als Folge muss man sich Verdächtigungen, Diskriminierung, soziale Isolation und Marginalisierung denken. Konkret bedeutet dies z. B. den Ausschluss aus wichtigen sozialen Bezügen, wobei familiäre Bindungen ebenso betroffen waren wie wirtschaftliche Beziehungen. Weil die Gemeinden wirtschaftlich angewiesen waren, konnten sie durch soziale Isolation empfindlich getroffen werden. Nicht umsonst empfiehlt Paulus der Gemeinde in 1 Thess 4,11 f., ein sozial unauffälliges (»stilles«, »schickliches«) Leben zu führen. Soziale und wirtschaftliche Marginalisierung kann eine Bedrohung der eigenen Identität bedeuten. Es wäre in sozialer Hinsicht sicher einfacher, die junge Christus-Gruppe wieder zu verlassen.

Einige neuere Arbeiten stellen das Konfliktpotential zur Gesellschaft stark heraus (*C. S. de Vos*, Church 123-177.292-299; ferner *T. D. Still*, Conflict 208-267), nehmen aber auch jüdische Gegnerschaft und politische Konflikte mit den Behörden wahr (*M. Tellbe*, Paul 105-130). Politische *Verfolgungen* durch die Behörden, wie sie z. B. *K. P. Donfried* (Cults 40-43; im Zusammenhang mit den in 1 Thess 4,13 genannten Todesfällen; vgl. *ders.*, Theology; *Witherington* 41 f.; *Müller* 40) annimmt, sind dagegen nicht belegt und auch für diese frühe Zeit einer Christus-Gemeinde noch ausgesprochen unwahrscheinlich. Um gewaltsame behördliche Abwehrmechanismen im größeren Stil hervorzurufen, musste die Gemeinde an Öffentlichkeit, d. h. an Zahl und Bekanntheitsgrad deutlich zunehmen. – Die Probleme der Gemeinde losgelöst von ihrem schwierigen Verhältnis zur Umwelt lediglich als fehlende eschatologische Hoffnung, verbunden mit existentieller Angst vor dem »Tag des Herrn«, zu bestimmen (so *C. R. Nicholl*, Hope 17-112), wird dem komplexen Befund des 1 Thess nicht gerecht.

Für einige Gemeindeglieder wird die Zugehörigkeit zur Christus-Gemeinschaft den Abbruch oder die Störung der natürlichen Familienbeziehungen bedeutet haben. Umso wichtiger wurde die Erfahrung einer Resozialisation in die »Familie« der Gemeinde (dazu *T. J. Burke*, Family 163-175; *C. Gerber*, Paulus 338-343). Im Brief spiegelt sich dieser Prozess in der häufigen Rede von der Geschwisterschaft der Gemeinde. In zeitgeschichtlich auffallender Weise werden in der Gemeinde Status-Differenzen überbrückt, d. h. sie spielen im Umgang der Christen keine (entscheidende) Rolle mehr. Vielmehr ist das Verhältnis der Gemeindeglieder in idealer Weise durch gegenseitige Anerkennung, Wertschätzung und Ebenbürtigkeit gekennzeichnet.

4. Aufbau und Form des 1. Thessalonicherbriefs

Literatur: S. A. Adams, Paul's Letter Opening and Greek Epistolography: A Matter of Relationship, in: S. E. Porter/S. A. Adams (Hg.), Paul and the Ancient Letter Form (Pauline Studies 6), Leiden/Boston 2010, 33-55; *P. Arzt*, The »Epistolary Introductory Thanksgiving« in the Papyri and in Paul, NT 36 (1994) 29-46; *P. Arzt-Grabner*, Paul's Letter Thanksgiving, in: S. E. Porter/S. A. Adams (Hg.), Paul (s. o.), 129-158; *R. F. Collins*, A Significant Decade: The Trajectory of the Hellenistic Epistolary Thanksgiving, in: S. E. Porter/S. A. Adams (Hg.), Paul (s. o.), 159-184; *M. J. Debanné*, Enthymemes in the Letters of Paul (LNTS 303), New York/London 2006; *K. P. Donfried/J. Beutler* (Hg.), The Thessalonians Debate. Methodological Discord or Methodological Synthesis?, Grand Rapids 2000; *E. Ebel*, 1. Thessalonicherbrief, in: O. Wischmeyer (Hg.), Paulus. Leben – Umwelt – Werk – Briefe (UTB 2767), Tübingen 2006, 126-137; *R. Hoppe*, Der erste Thessalonicherbrief und die antike Rhetorik. Eine Problemskizze, BZ 41 (1997) 229-237; *B. C. Johanson*, To All the Brethren. A Text-Linguistic and Rhetorical Approach to I Thessalonians (CB.NT 16), Stockholm 1987; *J. Lambrecht*, Thanksgivings in 1 Thessalonians 1-3, in: K. P. Donfried/J. Beutler (Hg.), Debate (s. o.), 135-162; *C. Landmesser*, Erster Thessalonicherbrief, in: F. W. Horn (Hg.), Paulus Handbuch, Tübingen 2013, 165-172; *D. W. Pao*, Gospel Within the Constraints of an Epistolary Form: Pauline Introductory Thanksgivings and Paul's Theology of Thanksgiving, in: S. E. Porter/S. A. Adams (Hg.), Paul (s. o.), 101-127; *A. W. Pitts*, Philosophical and Epistolary Contexts for Pauline Paraenesis, in: S. E. Porter/S. A. Adams (Hg.), Paul (s. o.), 269-306; *J. Schoon-Janßen*, On the Use of Elements of Ancient Epistolography in 1 Thessalonians, in: K. P. Donfried/J. Beutler (Hg.), Debate (s. o.), 179-193; *S. Schreiber*, Briefliteratur im Neuen Testament, in: M. Ebner/S. Schreiber (Hg.), Einleitung in das Neue Testament (KStTh 6), Stuttgart

[2]2013, 254-268; *J. Starr*, Letter Openings in Paul and Plato, in: S. E. Porter/A. W. Pitts (Hg.), Christian Origins and Greco-Roman Culture. Social and Literary Contexts for the New Testament (TENTS 9), Leiden/Boston 2013, 515-549.

4.1 Der Briefrahmen

Anfang und Ende des Briefes sind stark von der Briefform geprägt. Der Briefeingang 1,1-10 beginnt in 1,1 mit dem Präskript, das in knapper Form *superscriptio* (Absender), *adscriptio* (Adressat) und *salutatio* (Gruß: »Gnade euch und Friede«) umfasst.

Es handelt sich um das kürzeste Präskript aller Paulusbriefe, da es kaum Erweiterungen beinhaltet. In den späteren Briefen erweitert Paulus die *salutatio* durch die Qualifizierung »von Gott unserem Vater und dem Herrn Jesus Christus«. Bei Absender und Adressat kann bereits die Problemlage angesprochen werden. Vielleicht entdecken Paulus und seine Mitverfasser mit 1 Thess erst den Brief und seine Möglichkeiten für das missionarische Anliegen.

Das Proömium (1,2-10) ist gestaltet als Danksagung (in der Form des Gebets zu Gott) für die sichtbare christliche Existenz der Thessaloniker als Reaktion auf das Auftreten des Verkündigerteams. Dabei werden schon wichtige Themen des Briefcorpus präludiert: Rückblick auf die Wirkung des Evangeliums (1,5); Ausblick auf die Parusie (1,10); ursächlicher Zusammenhang zwischen dem Wirken der Erstverkündiger und dem Leben als Gemeinde (1,7). Die rhetorische Funktion des Proömiums lässt sich als *captatio benevolentiae* beschreiben (vgl. **H.-J. Klauck*, Briefliteratur 272; *B. C. Johanson*, Brethren 158 f.), die aber in der Sache (der Annahme des Evangeliums) begründet ist und so zugleich die gemeinsame Gesprächsbasis bewusst macht. Die Danksagung fällt so ausführlich aus, weil sie diese Gemeinsamkeit und die gegenwärtige Beziehung als Grundlage der Briefkommunikation etabliert. Ihre spezifische Gestaltung ist durch die Briefsituation, den Kontakt der Missionare zu ihrer jungen Gemeinde und deren Existenz auf der Basis einer neuen Überzeugung, motiviert. In ihrer Ausführlichkeit unterscheidet sie sich von der Konvention brieflicher Danksagungen in der Antike, die nicht zum festen Standardrepertoire des Briefanfangs zählen, sondern konkreten Briefsituationen geschuldet sind (*P. Arzt*, Thanksgiving; *D. W. Pao*, Gospel 105-113; zum Dank an die Götter als Brieftopos vgl. *R. F. Collins*, Decade; *P. Arzt-Grabner*, Thanksgiving; **H.-J. Klauck*, Briefliteratur 37-39.54).

Die Danksagung in 1,2-10 erklärt sich also aus dem Situationsbezug des Briefes, für den die spezifische Beziehung der Missionare zu der von ihnen gegründeten Gemeinde grundlegend ist. Anders sieht *J. Starr*, Letter, in den Briefanfängen der neutestamentlichen Briefe ein christliches Weltbild umrissen, wobei drei Briefe Platos als formales Vorbild dienten und ein Rückgriff auf hellenistische Freundschaftsdiskurse und paränetische Praxis vorliege. Das bleibt freilich zu allgemein.

Umstritten ist, wo die Danksagung des 1 Thess endet. Da in 2,13 und 3,9 der Dank nochmals aufgegriffen wird, erklärt der Großteil der Ausleger die Danksagung als erst in 3,13 abgeschlossen (z. B. *Reinmuth* 111; *Holtz* 29-32; *Haufe* 7 f.; *Müller* 44-47 [1,2-3,13 als Proömium]; *Malherbe* 78 [Danksagung 1,2-3,10]; *J. Lambrecht*, Thanksgivings). Für ein Ende der Danksagung mit 1,10 spricht das Vorliegen eines formelhaften Abschlusses in 1,10 (Zusammenfassung von Gottes Handeln in Christus), die Aufnahme der Thematik des »Eingangs« (*eisodos* 1,9; 2,1) der Missionare in Thessaloniki als eigener Abschnitt in 2,1-12 und die sinnvolle Gewichtung der Briefteile, wonach 2,1-12 einen zentralen Abschnitt im ersten Themenblock des Briefcorpus darstellt. Der Dank in 2,13 und 3,9 entspricht dann der jeweiligen Sachaussage (**H.-J. Klauck*, Briefliteratur 271).

Eine Zäsur nach 1,10 erkennen auch *E. Ebel*, 1. Thessalonicherbrief 127.129; *C. Landmesser*, Thessalonicherbrief 167. – Eine rhetorisch inspirierte Gliederung kann 1,4-3,10 als *narratio* bezeichnen (z. B. *Witherington* 20.24-28; *Fee* 7 f.10 f.), zerreißt aber so das in sich geschlossene Proömium 1,2-10 und trägt formale Strukturen einer Rede ein, die nicht der Briefform entstammen (↗4.3).

Den Briefschluss kann man sachgemäß in 5,12-28 erkennen. Dabei besteht der Epilog aus abschließenden Mahnungen in 5,12-22, die in einer Reihe kurzer Imperativsätze ausmünden, und einem Segenswunsch (mit Treuespruch) in 5,23 f.; der Epilog korrespondiert der Danksagung im Proömium. Als Postskript lassen sich schließlich folgende Elemente fassen: die Bitte der Verfasser um das Gebet der Gemeinde (5,25), ein Grußauftrag (5,26), die dringliche Bitte um Verlesung des Briefs (5,27) und ein abschließender Gnadenwunsch (5,28).

4.2 Das Briefcorpus

Das Briefcorpus in 2,1-5,11 enthält die zentralen Anliegen und Argumentationen des Schreibens. Eine am antiken Briefformular (dazu *S. Schreiber*, Briefliteratur 257-259) orientierte Zuordnung der Briefteile kann eine thematische Zweiteilung plausibel machen:

- Thema 1 – Die Geschichte der gemeinsamen Beziehung 2,1-3,13: Hier geschieht eine Thematisierung und zugleich Aktualisierung der Beziehung zwischen den Missionaren und der jungen Gemeinde. Dabei rufen die Verfasser – dem chronologischen Gang der Ereignisse folgend zu Beginn – in 2,1-12 ihre persönliche Glaubwürdigkeit, ihr am Evangelium und am Wohl der Adressaten orientiertes Wirken beim Gründungsaufenthalt in Thessaloniki rückblickend in Erinnerung. Ziel dieser Ausführungen ist es, über die Verbindung zu ihren Gründern und die Erinnerung an deren Glaubwürdigkeit die Identität der jungen Gemeinde zu stärken, um sie zum Festhalten an der neuen christlichen Überzeugung zu gewinnen. Damit erfüllt der Abschnitt zugleich die Funktion einer *brieflichen Selbstempfehlung*.

Den Rückblick tragen Erinnerungsphrasen: »ihr selbst wisst« (2,1), »wie ihr wisst« (2,5), »ihr erinnert euch ja« (2,9), »ihr seid Zeugen« (2,10), »wie ihr wisst« (2,11). – Deutlich ist der Übergang zum folgenden Abschnitt: 2,12 endet mit einem allgemein formulierten Ausblick auf die Berufung durch Gott, 2,13 setzt einen neuen Auftakt mit einer wiederholten Danksagung.

Dann greift 2,13-16 mit der Sprache der Danksagung auch das Thema des Proömiums (1,2-10), das Leben der Thessaloniker gemäß der Evangeliums-Verkündigung trotz sozialer Marginalisierung und Diskriminierung, noch einmal auf. Der Abschnitt endet in einer damit zusammenhängenden (erklärungsbedürftigen) scharfen Judenpolemik (2,15 f.). Paulus beteuert in 2,17-20 seine Besuchsabsicht und seine Verbundenheit mit der Gemeinde, doch blieb ein persönlicher Besuch bislang unmöglich. Daher sandte er Timotheus, der bei der Gründung beteiligt war, nach Thessaloniki, um zu erfahren, ob die Gemeinde den Schwierigkeiten standhalten kann, und um die Gemeinde zu stärken (3,1-5). Nach dessen Rückkehr danken die Missionare für die guten Nachrichten aus der Stadt und die unvermindert intensive Verbindung zur Gemeinde (3,6-10). Ein zusammenfassender Gebetswunsch (3,11-13) schließt den Gedankengang des ersten Themas ab.

Er umfasst die Bitte an Gott sowohl um ein baldiges Gelingen der Besuchsabsicht als auch um Identitätsstärke und eine Praxis der Liebe unter den Thessalonikern. Der ganz am Ende formulierte Ausblick auf die Parusie des Herrn Jesus leitet zugleich über zum zweiten Hauptthema des Briefes, das das christliche Leben vor und angesichts der Parusie in den Blick nimmt.

- Thema 2 – Das Leben in der Endzeit 4,1-5,11: Der Briefteil beginnt in 4,1 mit sprachlichen Signalen, die auf einen Gedankenfortschritt aufmerksam machen: *loipon oun*/im Übrigen nun, Anrede *adelphoi*/Geschwister, verbaler Ausdruck von Bitte und Zuspruch (*erōtōmen*/wir bitten, *parakaloumen*/wir ermuntern). Ein erster Abschnitt 4,1-12 beschäftigt sich mit der Frage des christlichen, Gott gefallenden Lebenswandels, wobei zwischenmenschliche Verhaltensweisen und am Ende (4,11 f.) das Leben im Gegenüber zur städtischen Gesellschaft angesprochen werden. Mittels der Präposition *peri*/über, womit auf eine Anfrage oder Nachricht aus Thessaloniki Bezug genommen sein könnte, greifen die Verfasser in 4,13-18 eine spezielle Fragestellung auf: die Teilhabe der »Entschlafenen« bei der Parusie Christi. Mit *peri de* eingeleitet, führt 5,1-11 den Gedanken an die Parusie weiter, erörtert aber nun Auswirkungen des nicht bekannten Zeitpunkts der Parusie auf das gegenwärtige Leben, in dem Wachsamkeit und Aufmerksamkeit für die Vorgänge des Alltags entscheidend werden.

Für 4,1-5,11 lediglich von »Paränese« zu sprechen, wie dies in vielen Auslegungen geschieht, untergewichtet die Aussagen. Vielmehr stehen Fragen des grundlegenden Ethos und der Überzeugung der Gemeinde auf dem Spiel.

In einem Schema zusammengefasst, lässt sich die Struktur des 1 Thess wie folgt abbilden:

Der Briefeingang 1,1-10
Das Präskript 1,1
Das Proömium 1,2-10:
Danksagung für das neue Leben der Thessaloniker

Das Briefcorpus 2,1-5,11
Thema 1: Die Geschichte der gemeinsamen Beziehung 2,1-3,13
       Erinnerung an die Glaubwürdigkeit der Missionare 2,1-12
       Bedrohtes christliches Leben 2,13-16
       Besuchsabsicht und Verbundenheit mit der Gemeinde
       2,17-20
       Sendung und Rückkehr des Timotheus 3,1-10
       Zusammenfassender und überleitender Gebetswunsch
       3,11-13
Thema 2: Das Leben in der Endzeit 4,1-5,11
       Der neue Lebenswandel 4,1-12
       Tote, Lebende und die Parusie 4,13-18
       Wachsamkeit vor dem Ende 5,1-11

Der Briefschluss 5,12-28
Der Epilog 5,12-24: Schlussmahnungen und Segenswunsch
Das Postskript 5,25-28:
Bitte um Gebet, Grußauftrag, Verlesungsbitte, Gnadenwunsch

4.3 Fragen der literarischen Form

Den formalen Kriterien entsprechend gehört 1 Thess unzweifelhaft zur literarischen Form des Briefes. Im Grunde stellt der Brief einen Ersatz für ein direktes Gespräch dar, das aufgrund der fehlenden Möglichkeit eines direkten Kontakts nicht umgesetzt werden kann. Die Funktion der Vermittlung reflektiert auch die antike Brieftheorie: Im Brief findet eine Begegnung räumlich getrennter Gesprächspartner statt. Cicero z.B. beschrieb den Brief als »Gespräch voneinander getrennter Freunde« (*amicorum conloquia absentium; Phil.* 2,7) und sieht den Adressaten eines Briefes quasi vor sich: »mit dem Blick auf dich in der Ferne *(absentem)* und gleichsam vor dir sitzend *(quasi coram tecum)*« (fam. 2,9,2) (dazu *H.-J. Klauck,* Briefliteratur 155 f.). Entsprechend dient den Verfassern der 1 Thess dazu, die gegenseitige Präsenz von Gemeinde und Missionaren »im Herzen« (2,17) auch »lesbar« zum Ausdruck zu bringen. Diese Verbundenheit ist grundlegend, weil über die Personen der Missionare und ihr Wort des Evangeliums Christus in der Gemeinde präsent ist, auf dessen endgültige Wiederkunft die Hoffnung der Gemeinde gerichtet ist (2,19; 3,13; 4,15; 5,23).

Kein wirklich befriedigendes Ergebnis zeigen die Versuche, 1 Thess in brieftheoretisch beschriebene antike Brieftypen einzuordnen. Es bestehen zwar offenkundige Ähnlichkeiten zum Freundschaftsbrief (z. B. *J. Schoon-Janßen*, Use 182-190) und zum Trostbrief (z. B. **J. Bickmann*, Kommunikation 89-97), doch sind damit nur einzelne Passagen des Briefes formal beschrieben (zur Diskussion **H.-J. Klauck*, Briefliteratur 290 f.). Noch selektiver scheint die Einordnung als (philosophischer) paränetischer Brief (*Malherbe* 81-86: mit pastoraler Intention; dagegen *A. W. Pitts*, Contexts 286-300) oder als Dankbrief (**R. Jewett*, Correspondence 71 f.). Allgemeiner betrachtet, finden sich sowohl Elemente offizieller als auch persönlicher Briefe (*S. A. Adams*, Opening 35-38). Damit bleibt festzuhalten, dass Paulus die Briefform ganz entsprechend seiner Gesprächssituation mit der Gemeinde in Thessaloniki selbst ausgestaltet.
Zahlreiche Autoren haben den Aufbau des 1 Thess in Analogie zu einer *Rede* analysiert (rhetorische Analyse). Das Ergebnis sind sehr unterschiedliche Gliederungsvorschläge, die die grobe Argumentationsstruktur des Briefes mit rhetorischen Fachtermini wie *exordium*, *narratio* und *argumentatio* bzw. *probatio* wiederzugeben versuchen (Überblick bei **H.-J. Klauck*, Briefliteratur 286-290; jüngste, aber wenig überzeugende rhetorische Analyse bei *Witherington* x-xvi.16-29.63: epideiktische Rede). Doch fallen die Entscheidungen über den Briefaufbau auf der inhaltlichen Ebene, und mit der Anwendung rhetorischer Termini allein ist noch nicht viel erreicht. Mir scheint die Unterscheidung von *Brief* und *Rede* in der Antike hier wesentlich (vgl. **H.-J. Klauck*, Briefliteratur 166-168.179 f.; *S. Schreiber*, Briefliteratur 260 f.; *R. Hoppe*, Thessalonicherbrief; *Green* 71 f.; Aristoteles, rhet. 3,12,1 f. differenziert im Stil bei Schriftlichkeit bzw. Mündlichkeit einer Rede). Zudem gelingt auch eine Einordnung des 1 Thess in die antiken rhetorischen Genera (*genus iudiciale*/Gerichtsrede, *genus demonstrativum*/Festrede, *genus deliberativum*/politische Rede) nur unter Verzicht auf Trennschärfe (zur Diskussion um Rhetorik und Epistolographie vgl. *K. P. Donfried/J. Beutler* [Hg.], Debate; **C. Gerber*, Paulus 48-51). Daher bevorzuge ich eine *epistolographische* Analyse der Paulusbriefe. – Innerhalb der Makrostruktur des Briefes können Untersuchungen zur rhetorischen Gestaltung bestimmte Argumentationsmuster profilieren (z. B. *M. J. Debanné*, Enthymemes 53-84, der Enthymemen, d. h. syllogistischen Schlussfolgerungen mit unausgesprochenen Prämissen, nachgeht).

5. Einheitlichkeit und Traditionen

5.1 Einheitlichkeit

Die Strukturanalyse zeigte einen stringenten, geschlossenen Aufbau des Briefes, der keine Ansätze für Teilungshypothesen bietet. Angebliche »Doppelungen« (wie die dreifache Danksagung 1,2; 2,13; 3,9 oder die einander ähnelnden Fürsprache-Gebete 3,11-13; 5,23 f.) sind im Anliegen und der spezifischen Darstellung des Briefes begründet und legen Briefteilungen nicht nahe.

Einen der jüngsten Versuche einer Briefteilung legte *Richard* 1995 vor: Brief I: 1 Thess 2,13-4,2 (ohne 2,14-16), Brief II: 1 Thess 1,1-2,12 + 4,3-5,28 (ältere Literatur bei *Haufe* 5 f.). – Versuche, einzelne Passagen aus dem 1 Thess als Interpolationen auszuscheiden (v.a. die »Judenpolemik« 2,13-16 bzw. 2,15 f.), konnten sich zu Recht nicht durchsetzen (vgl. *Holtz* 25-28; *Haufe* 4 f.).

5.2 Traditionen

Literatur: E. E. Johnson, Paul's Reliance on Scripture in 1 Thessalonians, in: C. D. Stanley (Hg.), Paul and Scripture. Extending the Conversation (SBL.ECL 9), Atlanta 2012, 143-162; *J. A. D. Weima*, 1-2 Thessalonians, in: G. K. Beale/D. A. Carson (Hg.), Commentary on the New Testament Use of the Old Testament, Grand Rapids/Michigan 2007, 871-889.

In einzelnen Aussagen des Briefes ist die urchristliche Sprache der Verkündigung noch sichtbar, die Paulus seit seiner Berufung kennen lernte. Es handelt sich um die Anfänge der Bildung von Lehr- und Bekenntnistraditionen. Einen wichtigen Ort solcher Traditionsbildung stellte die Gemeinde von Antiochia (in Syrien) dar, in deren Auftrag Paulus selbst bis zum Jerusalemer Treffen über viele Jahre hinweg als Verkündiger tätig war (Gal 1,21-2,1; Apg 13,1-15,2). Urchristliche Traditionen und Sprechweisen liegen z.B. vor in den Begriffen »Vertrauen«, »Liebe«, »Erwartung« in 1,3; 5,8, in der Sterbens- und Auferstehungsformel 4,14, dem Sterben Christi »für uns« 5,10 (vgl. 1 Kor 15,3b-5), dem Herrenwort bzw. der apokalyptischen Tradition in 4,16 f., dem Bild vom Dieb und der Plötzlichkeit des Endes 5,2 f. (vgl. 2 Petr 3,10; Offb 3,3; 16,15; Mt 24,43/Lk 12,39).

Aus paganer (und jüdischer) Umwelt speist sich die Judenpolemik

2,15 f., aber auch die Rede von der Geschwisterliebe 4,9. Aus jüdischer Tradition stammen Sprachelemente der Bekehrung in 1,9, der Gegensatz Söhne des Lichts bzw. der Finsternis 5,5 (1QS 3,13-4,26) und zentrale Begriffe des ethischen Vorstellungszusammenhangs von 4,3-8.

Ein Befund ist auffällig: 1 Thess bringt kein einziges Zitat aus dem AT. Dies dürfte sich seiner Gesprächssituation mit Adressaten, die vorwiegend aus der paganen Kultur stammten, ebenso verdanken wie den Themen des Briefes, die den Blick v. a. auf die Identität und die Lebenspraxis der Gemeinde richten. Überinterpretieren sollte man diesen Befund freilich nicht, denn es begegnen durchaus einige wohl bewusste Anspielungen auf das AT (in der Form der LXX): das Geben des heiligen Geistes »in euch« in 4,8 (Ez 11,19; 36,27; 37,6.14); vielleicht das gegenseitige Lieben in 4,9 (Lev 19,18); die Adjektivbildung »gottgelehrt« 4,9 (Jes 54,13); die Rüstungsmetaphorik 5,8 (Jes 59,17 f.; Weish 5,17-22). Darüber hinaus greifen die Verfasser in 3,11-13 und 5,23 f. auf die Form eines Segensgebets zurück (Num 6,24-26 u. ö.). Häufiger finden sich Anklänge an alttestamentliche Motive: Gottes Liebe zu Israel und seine Erwählung 1,4 (Dtn 7,7 f. u. ö.); »Sohn« Gottes 1,10 (Ps 2,7; 2 Sam 7,14); Berufung durch Gott 1,12 (Jes 41,9 u. ö.); ein Leben, das Gott gefällt 4,1 (Gen 5,22.24 u. ö.); der »Tag des Herrn« 5,2 (Joel 1,15; Jes 13,6 u. ö.); Gottes Treue 5,24 (Dtn 7,9; 32,4 u. ö.). Welche Motive die Adressaten tatsächlich als Anklänge an die Schrift Israels wahrgenommen haben, bleibt uns verborgen. Wenn wir aber berechtigt annehmen, dass in Gemeindeversammlungen über den Brief und sein Verständnis gesprochen wurde, können Einzelne entsprechende Beobachtungen den anderen unschwer mitgeteilt haben, so dass sich ein vertieftes Verständnis entwickelt.

6. Der 1. Thessalonicherbrief und die Theologie des Paulus

Literatur: J. Becker, Paulus, der Apostel der Völker (UTB 2014), Tübingen [3]1998; *R. H. Bell*, The Irrevocable Call of God. An Inquiry into Paul's Theology of Israel (WUNT 184), Tübingen 2005; *G. Lüdemann*, Paulus, der Heidenapostel I: Studien zur Chronologie (FRLANT 123), Göttingen 1980; *U. Schnelle*, Einleitung in das Neue Testament (UTB 1830), Göttingen [8]2013; *ders.*, Wandlungen im paulinischen Denken (SBS 137), Stuttgart 1989; *ders.*, Gerechtigkeit und Christusgegenwart. Vorpaulinische und paulinische Tauftheologie (GTA 24), Göttingen [2]1986; *T. Söding*, Der Erste Thessalonicherbrief und die frühe paulinische Evangeliumsverkündigung. Zur Frage einer Entwicklung der paulinischen Theologie (1991), in: ders., Das Wort vom Kreuz. Studien zur paulinischen Theologie (WUNT 93), Tübingen 1997, 31-56; *M. Wolter*, Paulus. Ein Grundriss seiner Theologie, Neukirchen-Vluyn 2011.

Ohne Zweifel spielen Fragen der Eschatologie im 1 Thess eine herausragende Rolle, genauer die Vorstellungen vom Heilsgeschick der christlichen Toten (4,13-18) und vom Kommen des Weltendes und seiner Auswirkung auf die Gegenwart (5,1-11). Diese Vorstellungen scheinen bedeutende Faktoren bei der Ausprägung der neu gewonnenen Identität der Gemeinde in Thessaloniki gebildet zu haben (dazu *M. Konradt*, Gericht 23-196). Aber ebenso wichtig für die Identitätsbildung der Gemeinde war offenbar die Beziehung zu Paulus bzw. zum Missionsteam, die daher zum zweiten großen Thema im 1 Thess wird (2,1-3,13). Es ist ja durchaus naheliegend, dass die Verfasser in ihrem Schreiben gerade die Themen aufgreifen und vertiefen, die wesentlich zum Selbstverständnis und damit zur Existenzsicherung der Gemeinde beitragen (zur Gemeindeidentität vgl. differenziert *R. Börschel*, Konstruktion 65-336). Damit sind bereits die beiden theologischen Schwerpunkte des Briefes skizziert.

An die Beobachtung, dass 1 Thess den ältesten Paulusbrief darstellt, kann man Überlegungen anschließen, ob 1 Thess eine »Frühform« paulinischer Theologie repräsentiere. Dann würde sich eine Entwicklung und Wandlung des paulinischen Denkens aufzeigen lassen. So hat man eine Veränderung der eschatologischen Vorstellungen von einer apokalyptisch geprägten Wiederbelebung des Leibes in 1 Thess 4,13-17 hin zu einer Verwandlung in einen himmlischen bzw. geistlichen Leib in 1 Kor 15,50-57 bzw. 2 Kor 5,1-10 angenommen (z.B. *U. Schnelle*, Wandlungen 37-48; *G. Lüdemann*, Paulus 213-271). Ob damit die Aussage von 1 Thess 4,13-17 in ihrer Intention richtig erfasst ist, scheint mir fraglich – der Gedanke einer Verwandlung wird zwar in 1 Thess nicht thematisiert, ist aber eher impliziert als ausgeschlossen (↗ zur Stelle; auch *R. Riesner*, Frühzeit 347 f.).

Besonders die sog. Rechtfertigungslehre, genauer die Frage nach der *jüdischen* Identität der Christen aus den Heidenvölkern, damit nach einer christlichen Tora-Auslegung und der »Gerechtmachung« der Christen, die in Gal und Röm das zentrale Thema bilden, fehlt in 1 Thess. *J. Becker* (Paulus 112 f.138-148; vgl. *U. Schnelle*, Einleitung 73 f.; *ders.* Gerechtigkeit 33-103; *Haufe* 2) nimmt an, dass

Paulus in 1 Thess noch stark in der Gemeindetheologie seiner antiochenischen Heimatgemeinde (mit dem Schwerpunkt auf der Erwählungstheologie) verhaftet war und seine eigenständige Theologie noch nicht entwickelt hatte. Im Gegensatz dazu versteht *R. H. Bell* (Call 38-45; vgl. **R. Riesner*, Frühzeit 349-358; *T. Söding*, Thessalonicherbrief; **F. W. Horn*, Angeld 119-156; *Müller* 42 f.) die Berufung des Paulus als theologisch bleibende Grundlegung des gesetzeskritischen paulinischen Evangeliums; die für Paulus zentrale Rechtfertigungslehre entstehe vom Damaskuserlebnis aus. Beide Extreme lassen sich im Text des 1 Thess nur schwer verifizieren. Den historischen Abläufen dürfte es eher entsprechen, wenn man die Entstehung der paulinischen Rechtfertigungstheologie in der Kontroverse um die Dominanz der jüdischen Identität in der neuen Christus-Gemeinschaft verortet, wie sie bereits beim Jerusalemer Treffen und dem sich anschließenden antiochenischen Zwischenfall ausgetragen wurde und dann wieder den Konflikt mit den Gegnern des Paulus in Galatien bestimmte, bei dem sie auch ihre bekannte Formulierung erfuhr (vgl. *M. Wolter*, Paulus 345-348.404 f.). Im 1 Thess spielte dieser Konflikt offenbar keine Rolle. Angesichts des brieflichen Situationsbezugs von 1 Thess ist es allein angemessen, den Brief als eigenständiges Schreiben zu lesen und nicht von den späteren Paulusbriefen her zu verstehen. Die Einsicht in die Briefform zeigt, dass Paulus keine als System reflektierte Theologie entwirft, sondern mit theologischen Argumenten auf konkrete Situationen reagiert. Die spezifische Theologie des 1 Thess entsteht einerseits in der Begegnung mit der jungen Gemeinde in Thessaloniki, und sie findet andererseits ihre sprachliche Gestalt in der Zusammenarbeit des Paulus und der beiden Mitabsender und Mitmissionare Silvanus und Timotheus, ist also eine »Gemeinschaftsproduktion«. Aus der aktuellen Gesprächssituation erklären sich Spezifika und Unterschiede der einzelnen Paulus-Briefe, denen freilich gemeinsam die Überzeugung zugrunde liegt, dass der Gott Israels im Christus-Ereignis die heilvolle Beziehung zu den Menschen in neuer Weise aufnimmt. Die Zentralität des Christus-Ereignisses prägt denn auch bereits den ältesten Paulusbrief. Für die Fragen und Lebensumstände unterschiedlicher Gemeinden wird Paulus diese Überzeugung immer wieder anwenden und weiterdenken. Da alle erhaltenen Paulusbriefe aus einem engen Zeitkorridor stammen (wohl 50-56) und keiner dieser Briefe eine systematische Gesamtdarstellung einer paulinischen Theologie entfaltet, bleibt die Nachweisbarkeit theologischer Entwicklungen ohnehin beschränkt.

Kommentar

Der Briefeingang 1 Thess 1,1-10

Der Briefeingang nimmt den Kontakt mit den Adressaten des Briefes auf. Dem antiken Briefmuster folgend, enthält er zwei formale Elemente: ein Präskript (1,1) und ein Proömium (1,2-10). Das Präskript entspricht in seiner Funktion etwa dem Briefkopf heutiger Briefe. Man erfährt, zwischen welchen Gesprächspartnern die Kommunikation stattfindet: Absender und Adressaten werden genannt, ein Gruß formuliert. Dabei deutet sich zugleich an, in welchem Verhältnis Absender und Adressaten zueinander stehen. Die Struktur des Präskripts orientiert sich an antiken Gepflogenheiten, während die Eigenart der Beziehung in der Gestaltung der Einzelelemente sichtbar wird. Das Proömium ist als Danksagung an Gott und Anrede an die Adressaten gestaltet. Dabei werden die wesentlichen Themen des Briefes schon angespielt und so vorbereitet. Es fällt auch Licht auf die Gesprächssituation: Welche Aspekte aus dem Leben der Gemeinde in Thessaloniki die Briefverfasser wahrnehmen und wertschätzend hervorheben.

Das Präskript 1,1

Paulus und Silvanus und Timotheus an die Gemeinde der Thessaloniker in Gott, dem Vater, und dem Herrn Jesus Christus. Gnade sei mit euch und Friede.

Literatur: S. A. Adams, Paul's Letter Opening and Greek Epistolography: A Matter of Relationship, in: S. E. Porter/S. A. Adams (Hg.), Paul and the Ancient Letter Form (Pauline Studies 6), Leiden/Boston 2010, 33-55; *S. Schreiber*, Gesalbter und König. Titel und Konzeptionen der königlichen Gesalbtenerwartung in frühjüdischen und urchristlichen Schriften (BZNW 105), Berlin/New York 2000; *I. Taatz*, Frühjüdische Briefe. Die paulinischen Briefe im Rahmen der offiziellen religiösen Briefe des Frühjudentums (NTOA 16), Freiburg (Schw.)/Göttingen 1991.

1. Analyse

Die literarische Form des Präskripts besteht nach antiker Briefkonvention aus drei Teilen: Absenderangabe *(superscriptio)*, Adressaten *(adscriptio)* und einem Gruß *(salutatio)*, im Schema: A dem B, zum Gruß. Während in 1 Thess 1,1 als Absender lediglich drei Namen genannt werden, erhalten die Adressaten eine knappe, aber charakteristische Bestimmung. Ein typisch griechischer Briefgruß würde in dem einen Verb *chairein* (»zum Gruß!«) bestehen. Der an sich ungewöhnliche Infinitiv als verbaler Satzabschluss ist bereits feste Formsprache des Briefes; so erscheint ein typisches Präskript als ein einziger Satz, der Absender, Adressaten und Gruß zusammenbindet (*H.-J. Klauck*, Briefliteratur 36 f.; *S. A. Adams*, Opening 39 f.45 f.). Das Präskript in 1 Thess (und allen späteren Paulusbriefen) weicht von diesem Schema dadurch ab, dass es statt des *chairein* das stärker inhaltlich gefüllte und an biblische Sprache erinnernde Syntagma »Gnade *(charis)* euch und Friede *(eirēnē)*« als Gruß setzt (vgl. *S. A. Adams*, Opening 47). So entstehen syntaktisch zwei Nominalsätze (Absender und Adressaten; Grußformulierung). Die mit der griechischen Briefkultur vertrauten Adressaten werden beim Vorlesen des Briefes diese Eigenart sofort bemerkt haben. Der Anklang von *charis* an *chairein*, der etymologisch auf die gleiche Wurzel zurückgeht, zeigt, wie der neue Gruß aus der traditionellen Form entwickelt ist. Die Ergänzung durch »Frieden« verdankt sich jüdischer Briefpraxis.

In der *salutatio* frühjüdischer Briefe findet sich der Friedensgruß: *eirēnē* in 2 Makk 1,1 und Dan 3,98 Theod. (vgl. 2 Esdr 4,17; 5,7), in syrBar 78,2 verbunden mit *eleos*/Erbarmen (*I. Taatz*, Briefe 106). Erbarmen und Friede stellt auch der Segenswunsch in Tob 7,11 (Codex Sinaiticus) zusammen, Weish 3,9; 4,15 nennt die Hoffnung des Gerechten auf Gottes Gnade/*charis* und Erbarmen/*eleos*. Nur Paulus bietet freilich die Kombination *charis* und *eirēnē*. Vielleicht war der Wunsch den Adressaten als Begrüßungsformel aus der urchristlichen Sprache bereits vertraut (*Marxsen* 31). Ein spezifisch liturgischer Sitz im Leben lässt sich hingegen nicht erkennen (anders *Malherbe* 100). Das gilt auch für die Rede von »Gott, dem Vater, und dem Herrn Jesus Christus«, die zu allgemein ist, um sich als liturgische Formel verorten zu lassen (so aber *Müller* 85; *Haufe* 20; *Holtz* 39).

2. Kommentar

Die Absender

Die Dreizahl der Absender ist ernst zu nehmen und zeigt den Brief als Gemeinschaftsprodukt, das die Absender gemeinsam verantworten (zu den einzelnen Personen ↗Einleitung 3.1). Der Team-Charakter des Briefes fällt um so mehr auf, als in den erhaltenen antiken Briefen sehr selten eine gemeinschaftliche Abfassung eines Briefes gespiegelt ist (Ausnahme: Cicero, Att. 11,5,1). Das Missionsteam, das Monate zuvor in Thessaloniki eine kleine Gruppe von Menschen für die Botschaft von Jesus Christus gewinnen konnte, wendet sich nun von Korinth aus in einem Brief an die junge Gemeinschaft. Paulus, der Erstgenannte, dürfte das geistige Haupt des Teams gebildet und den Brief, wie in der Antike üblich, einem Schreiber diktiert haben. Die danach genannten Silvanus und Timotheus werden an der Entstehung des Schreibens wesentlichen Anteil gehabt haben. Vielleicht steht Timotheus als der Jüngere, den Paulus und Silas erst in Lystra auf die Reise mitnahmen (Apg 15,40-16,3), am Ende. Man kann sich vorstellen, dass das ganze Dreierteam Anliegen und Konzeption des Briefes entworfen und einzelne Formulierungen diskutiert hat. Den ersten Entwurf, den Paulus diktierte, können die anderen gegengelesen und korrigiert haben. Die christliche Wirkungsgeschichte hat Paulus als profilierten theologischen Vordenker der Heidenmission rezipiert – was er zweifellos auch war – und ihn aus der Schar der ersten Christen weit herausgehoben. Seine Biographie zeigt ihn jedoch nicht als genialen Einzelgänger, sondern als Teamworker, der in vielfacher sozialer Vernetzung lebte und wirkte. Auf jeden Fall müssen sich die Absender nicht weiter vorstellen: Sie sind den Adressaten gut bekannt. Erst im Vergleich mit den Präskripten der späteren Paulusbriefe fällt auf, dass sich Paulus hier nicht als Apostel bezeichnet und keine weiteren Charakterisierungen seiner Person anführt. Der Verzicht auf die Nennung von Titeln oder theologischen Auszeichnungen der Absender zeigt den Brief als offenes Gespräch, dessen Grundlage einzig die persönliche Beziehung zwischen Gemeinde und Missionsteam bildet.

Die Adressaten

Der Begriff *ekklēsia*, den die Briefautoren zur Anrede der Adressaten verwenden, hat bereits eine Geschichte. Das wird auch daran

deutlich, dass 2,14 Christus-Gemeinschaften in Judäa so bezeichnet: »*ekklēsiai* Gottes, die in Judäa im Christus Jesus sind«. Offensichtlich ist der Begriff gebräuchlich, um Christus-Gemeinschaften
an verschiedenen Orten und zu verschiedenen Zeiten zu identifizieren.

Exkurs 1: *Ekklēsia* – die »Bürgerversammlung« Gottes

Literatur: A. D. Clarke, Serve the Community of the Church. Christians
as Leaders and Ministers, Grand Rapids 2000; *K. P. Donfried*, The Assembly of the Thessalonians: Reflections on the Ecclesiology of the Earliest
Christian Letter (1996), in: ders., Paul, Thessalonica, and Early Christianity, London/New York 2002, 139-162; *J. D. G. Dunn*, Beginning from Jerusalem. Christianity in the Making. Bd. 2, Grand Rapids 2009; *H.-J.
Klauck*, Volk Gottes und Leib Christi, oder: Von der kommunikativen
Kraft der Bilder, in: ders., Alte Welt und neuer Glaube (NTOA 29), Freiburg (Schw.)/Göttingen 1994, 277-301; *J. S. Kloppenborg*, Edwin Hatch,
Churches and *Collegia*, in: Origins and Method. Towards a New Understanding of Judaism and Christianity (FS J. C. Hurd) (JSNT.S 86), Sheffield 1993, 212-238; *D.-A. Koch*, Crossing the Border: The »Hellenists«
and their Way to the Gentiles, Neotest. 39 (2005) 289-312; *W. O.
McCready*, Ekklēsia and Voluntary Associations, in: J. S. Kloppenborg/
S. G. Wilson (Hg.), Voluntary Associations in the Graeco-Roman World,
London 1996, 59-73; *S. Mitchell*, Anatolia. Land, Men, and Gods in Asia
Minor. Bd. 1, Oxford 1993; *P. Rhodes*, Ekklesia, in: DNP 3 (1997), 934-
936; *J. Roloff, ekklēsia*, in: EWNT I (²1992), 998-1011; *W. Schrage*, »Ek-
klesia« und »Synagoge«. Zum Ursprung des urchristlichen Kirchen-
begriffs, ZThK 60 (1963) 178-202; *E. W. Stegemann/W. Stegemann*, Ur-
christliche Sozialgeschichte, Stuttgart ²1997; *P. Trebilco*, Why Did the
Early Christians Call Themselves *hē ekklēsia?*, NTS 57 (2011) 440-460;
M. Zugmann, »Hellenisten« in der Apostelgeschichte. Historische und
exegetische Untersuchungen zu Apg 6,1; 9,29; 11,20 (WUNT II/264),
Tübingen 2009.

Ekklēsia bedeutet »Versammlung«. Im klassischen Griechenland
und in hellenistischer Zeit verstand man unter *ekklēsia* die Versammlung der männlichen erwachsenen Bürger eines griechischen
Stadtstaates, einer Polis, die frei und damit stimmberechtigt waren.
Als demokratisches Basisorgan bildete die *ekklēsia* die oberste Entscheidungsinstanz und übte legislative wie judikative Gewalt aus.
Damit besaß und realisierte die »Bürgerversammlung« eine Art de-
mokratischer Souveränität, die allerdings auch schnell an ihre Grenzen stieß: Frauen, Sklaven, Zugewanderte und teilweise auch weni-

ger Begüterte blieben ausgeschlossen. In römischer Zeit dominierte zunehmend die gesellschaftliche Elite.

Diesen Sprachgebrauch zeigen z. B. CIG I 1567 und Apg 19,39 (»ordentliche Versammlung«). Zu den historischen Hintergründen *P. Rhodes*, Ekklesia; *S. Mitchell*, Anatolia 200-204; *A. D. Clarke*, Community 11-33.

Der Begriff kann allgemein eine öffentliche Versammlung bezeichnen (z. B. Apg 19,32.40), selten auch die Vollversammlung eines *collegiums*, eines antiken Vereins, in dem sich gewisse demokratische Strukturen der alten griechischen Polis auch in der römischen Kaiserzeit erhalten haben (*J. S. Kloppenborg*, Edwin Hatch 215.231; *W. O. McCready*, *Ekklēsia* 62).

In der Septuaginta steht *ekklēsia* je nach Näherbestimmung für unterschiedliche Versammlungen (z. B. eine Truppenversammlung 1 Sam 17,47; 2 Chr 28,14), ist aber meist auf Israel als »Versammlung des Herrn« (Dtn 23,2-9) bezogen. Der »Tag der Versammlung« ist in Dtn 4,10 der für das Volk konstitutive Tag der Versammlung Israels am Sinai zur Gabe der Tora. Weitere Näherbestimmungen als Versammlung »Gottes«, »des Höchsten« oder »Israels« deuten auf dieselbe sozio-theologische Bestimmung (Belege bei *P. Trebilco*, Why 446 f.). Auch Philo verwendet *ekklēsia* bevorzugt zur Bezeichnung der Wüstengeneration Israels, ein Sprachgebrauch, der sich auch in Apg 7,38 spiegelt. Josephus hingegen zeigt einen weiter gefassten hellenistischen Gebrauch (zu Philo und Josephus *P. Trebilco*, Why 448).

Im konkreten Gebrauch des Begriffs entscheiden immer die semantischen Relationen über spezielle Bezugnahmen oder Prägungen. Wahrscheinlich wurde *ekklēsia* schon früh in der Jerusalemer Urgemeinde als Selbstbezeichnung verwendet. Die Initiatoren dieser Verwendung lassen sich noch genauer erkennen: Es dürfte sich um den griechischsprachigen Teil der Urgemeinde in Jerusalem – also Juden mit griechischer Muttersprache, die aus der Diaspora nach Jerusalem zurückgekehrt waren und dort Christus-Anhänger wurden – handeln, die in Apg 6,1, dem Sprachhintergrund geschuldet, unter dem Label »Hellenisten« auftreten (zu diesen *M. Zugmann*, »Hellenisten«; *J. D. G. Dunn*, Beginning 246-249; ferner *D.-A. Koch*, Crossing). Daher kann Paulus im Rückblick auf seine einstige Aggression gegen Christus-Anhänger davon sprechen, die »Versammlung (Gottes)/*hē ekklēsia (tou theou)*«, gemeint ist die Gemeinde von Jerusalem, verfolgt zu haben (Gal 1,13; 1 Kor 15,9; Phil 3,6); den »Versammlungen in Judäa, die in Christus sind« (Gal

1,22), blieb er persönlich unbekannt bis zum sog. Jerusalemer Treffen 48/49 n. Chr. Paulus kann dabei wohl direkt auf die Selbstbezeichnung der Gruppen zurückgreifen.

Die historische Rückschau der Apostelgeschichte bestätigt diese These, denn sie nennt die Jerusalemer Gemeinde bereits in ihren Anfängen *ekklēsia* (Apg 5,11; 8,1.3; 11,22; 12,1.5; 15,4.22; 18,22). Die Bezeichnung scheint dann für weitere Christus-Gemeinden gebräuchlich geworden zu sein: Apg 9,31 nennt die »*ekklēsia* in ganz Judäa und Galiläa und Samaria«; auch die Gemeinde im syrischen Antiochia, die wohl von einigen Hellenisten gegründet wurde, heißt in Apg 11,26; 13,1; 14,27; 15,3 *ekklēsia*. Die Hellenisten als Sprachbrücke erklären den Befund historisch plausibel. Da Paulus in und im Auftrag der Gemeinde von Antiochia wirkte, musste auch ihm die Gruppenbezeichnung vertraut sein (für paulinische Gemeinden Apg 16,5; 20,17).

Ob nun die Jerusalemer Hellenisten mit dem Begriff in Übersetzung eines hebräischen *qehal el* (»Versammlung Gottes«) in Anlehnung an den Sprachgebrauch von 1QSa 2,4 (endzeitliche Gemeinde) und 1QM 4,10 (endzeitliche »Kerntruppe« des Gottesvolkes) die Jerusalemer Christus-Anhänger als endzeitliches Gottesvolk kenntlich machen wollten (*J. Roloff*, ekklēsia 1000 f.; *Holtz* 38; *W. Kraus*, Volk 124 f.; *K. P. Donfried*, Assembly 156 f.), oder ob sich die Hellenisten (eher) durch diesen Sprachgebrauch von anderen jüdischen Gruppen, die sich üblicherweise als »Synagoge« bezeichneten, unterscheiden wollten (*P. Trebilco*, Why), müssen wir nicht entscheiden. Jedenfalls identifizieren sie sich mit diesem Begriff als eine spezielle Versammlung *innerhalb* Israels (*W. Kraus*, Volk 126), die sich dem Gott Israels auf die besondere Weise der Vermittlung durch den Messias Jesus zugehörig weiß und so unter eschatologischer Herrschaft lebt. Dafür ist der Sprachgebrauch der Septuaginta prägend.

Spätestens bei der Verwendung von *ekklēsia* für eine Christus-Gruppe, der neben Juden auch Menschen paganer Herkunft angehören, wird der griechisch-hellenistische Sprachgebrauch die Semantik mitbestimmt haben (*H.-J. Klauck*, Volk Gottes 290; *E. W. Stegemann/W. Stegemann*, Sozialgeschichte 228 f.; ferner *K. P. Donfried*, Assembly 140-145.150). Als »Vollversammlung freier Bürger« wird der besondere Stellenwert jeder einzelnen Gemeinde als Ort, an dem sich die endzeitliche Herrschaft Christi (anfanghaft) verwirklicht, wahrnehmbar. Die *ekklēsia* repräsentiert Christus in einer Stadt. Jede einzelne Gemeinde ist Vollgestalt, Bürgerversammlung, letztgültiger Entscheidungsträger für das Leben in der Nachfolge Christi vor Ort. Dass sie sich darin mit anderen »Ortsgemeinden« verbunden weiß (z. B. 1 Kor 1,1 f.), schmälert ihre Bedeutung gerade nicht. Das Selbstbewusstsein einer neuen religiösen Gruppierung findet Ausdruck, die sich zutraut, mit den bestehenden politischen und religiösen Strukturen ihrer Zeit zu konkurrieren.

Und als Konkurrenz mussten die Christus-Versammlungen in der Gesellschaft einer hellenistischen bzw. römischen Stadt unweigerlich wirken, da sie deren hierarchisch strukturiertes, Status-Unterschiede betonendes Gesellschaftsmodell in ihrer eigenen Sozialstruktur unterliefen: »Nicht mehr Juden und Griechen, Sklaven und Freie, Männer und Frauen« gibt es in der *ekklēsia*, wie Gal 3,28 programmatisch betont und damit typische Differenzierungen der Gesellschaft relativiert. Für das Zusammenleben in der Christus-Gemeinschaft sind die üblichen Status- und Rollenmuster nicht mehr ausschlaggebend. In der *ekklēsia* sind Juden, Sklaven und Frauen – und damit auch alle Fremden, Zugewanderten, Unvermögenden – »freie Bürger/innen« in grundsätzlicher Gleichwertigkeit!

Jede Rede von einem »neuen Volk Gottes« (so z. B. *Holtz* 38; mit Vorsicht *Müller* 84; *Malherbe* 99) ist dagegen irrtumsanfällig: Die Bezeichnung *ekklēsia* impliziert in keiner Weise, dass die Christus-Gemeinden das »alte« Volk Israel *ersetzen*.

T. Jantsch, Gott 136-139.146f. sieht die Gemeinde durch die Bezeichnung *ekklēsia* als »Volk Gottes« im Sinne des Volkes Israel konstituiert (vgl. schon *M. Tellbe*, Paul 132f.). Das Verhältnis zu Israel lässt er aber eigenartig offen (also doch »das wahre Israel«, 147?).

Auch ein kritisch-polemischer Unterton gegen das Tora-Verständnis der Synagoge (so *W. Schrage*, »Ekklesia«) ist in dem Begriff nicht zu hören. Die Christus-Anhänger stellen als *ekklēsia* eine neue Gruppierung dar, die sich auf dem gemeinsamen Boden der Geschichte Gottes mit seinem Volk Israel entfaltet, in die Geschichte Gottes mit Israel einbezogen ist und *darin* ihr Spezifikum gewinnt. Stärker als der Rückbezug zu Israel dürfte freilich für die überwiegend heidenchristlichen *ekklēsiai* die Verbindung zu den ersten christlichen *ekklēsiai* in Jerusalem und Judäa mitzuhören sein und damit die Verwurzelung in der *eigenen* Tradition (vgl. 1 Thess 2,14), die freilich auch wieder die grundlegende Rückbindung an Israel indirekt und vermittelt impliziert.

Es bleibt das Problem einer adäquaten Übersetzung. ›Gemeinde‹

und mehr noch ›Kirche‹ wecken anachronistische Assoziationen an
kirchliche Strukturen der Gegenwart. ›Versammlung‹ (oder
›Volks-/Bürgerversammlung‹) spiegelt den griechischen Sprachgebrauch mit seinen politischen Hintergründen, aber nicht die technische Konnotation, die *ekklēsia* für die Briefadressaten bereits
ansatzweise enthält, da sie die spezifische Verwendung des Begriffs
für die Christus-Gruppen kennen (1 Thess 2,14). Wenn ich mich
letztlich (mit vielen deutschen Versionen) für ›Gemeinde‹ entschei-
de, ist dies ein übersetzungstechnischer Kompromiss, der drei semantische Denotationen des Begriffs in der heutigen deutschen
Sprache anklingen lassen will: die politische Gemeinde als Verwal-
tungseinheit, die Heilsgemeinde Israel und die christliche Gemeinde vor Ort.

In den zwei Näherbestimmungen der *ekklēsia* sind die beiden
Schwerpunkte der Herkunft des Begriffs noch hörbar. Das Genitivattribut »der Thessaloniker« verwendet ein *nomen gentilicium*, das
sich auf die Stadtbevölkerung in Thessaloniki bezieht: Unter den
Thessalonikern ist die Gemeinde entstanden, und dort ist der Ort
ihrer sozialen Existenz. Die Bedeutung der konkreten »Orts-
gemeinde« als vollgültige und letztverantwortliche Instanz für das
Evangelium in Thessaloniki bleibt von der politischen Semantik des
Begriffs her prägend. Die kleine Hausgemeinde, um die es sich konkret gehandelt haben dürfte, besitzt als *ekklēsia* größte Vollmacht
und Eigenständigkeit. Paulus und das Missionsteam verfügen keineswegs über die oberste Leitungsgewalt in dieser Gemeinde, sondern über Gründungsautorität und haben damit bleibende Verantwortung, der sie jetzt mit einem Brief nachkommen. Die Gemeinde
bleibt eigenständig, »autonom«, die Gründungsväter können ihr
nur raten und zureden. Vor der Öffentlichkeit dieser Versammlung
wird der Brief auch vorgelesen worden sein (vgl. 5,27).
Die zweite Näherbestimmung durch die Präposition *en* zeigt die
spezifische Art und Weise (vgl. BDR § 219,4; 198,4), die das Leben
der angesprochenen Versammlung ausmacht: »in Gott, dem Vater,
und dem Herrn Jesus Christus«. Damit ist die besondere Beziehung
der Gemeinde zu Gott bzw. Jesus ausgesagt. Mit »Gott« ist JHWH,
der Gott Israels, bezeichnet. Das Epitheton »Vater« zeigt ihn als
Schöpfer und Herrn der Welt (Jes 64,7; Mal 2,10; Philo, cher. 44;
op. 45 f.; migr. 28.193; spec. leg. 1,41; 2,225; 1 Kor 8,6; Phil 2,11)
und damit in seiner sorgenden und helfenden Beziehung zu Israel
(Sir 51,10; Jub 1,24 f.28; 19,29; 1QH 17,35; Weish 2,16; vgl. das Va-
ter-Gebet Jesu Lk 11,2; Mt 6,9). Als »Vater« umgreift Gottes Macht

und Sorge alle Schöpfung, die ganze Welt – und damit auch die Existenz und das Geschick der kleinen Gemeinde in Thessaloniki (vgl. 1 Thess 1,3; 3,11). Die Rezeption dieses Gedankens könnte für Menschen aus dem griechisch-römischen Kulturkreis durch die Rede vom Weltschöpfer, d. h. von der Ursache alles Seienden, als »Vater« in der platonischen Philosophie erleichtert worden sein (Platon, Tim. 28c.37c; Beleg aus *Malherbe* 99 f.).

Mit *kai*/und wird das Syntagma »(im) Herrn Jesus Christus« parallel zu Gott gestellt und verdeutlicht so die Eigenart der Gottesbeziehung. Die Titel *kyrios* und *christos*, die in der hellenistischen bzw. frühjüdischen Sprachwelt geläufig sind, implizieren das Verhältnis Jesu zu Gott und zugleich seine Bedeutung für die Gemeinde (zu den Titeln **S. Schreiber*, Begleiter 27 f.30). *Kyrios* dient in der griechischsprachigen Welt allgemein als Anrede einer höhergestellten Autoritätsperson; speziell kann so auch eine Gottheit, der kultische Verehrung zu Teil wird, angeredet werden. Der christliche Gebrauch für Jesus von Nazaret wurzelt in der Ostererfahrung. Die Erweckung Jesu aus Toten wird als Aufnahme in eine himmlische Herrscherstellung bei Gott gedeutet (z. B. Röm 10,9). Ps 110,1 kann so interpretiert werden: Gott, der *kyrios*, setzt den königlich-davidischen *kyrios* in die Herrscherstellung zu seiner Rechten ein (1 Kor 15,25; Röm 8,34; Apg 2,34 f.); Jesus als *kyrios* erhält Vollmacht und Anteil an Gottes Herrschaft. Damit bildet der *kyrios* Jesus indirekt ein Gegenbild zum römischen Kaiser, der ebenfalls als *kyrios* tituliert wird, und zu paganen Göttern und Heroen. Nur den Herrn Jesus erkennen die Christus-Gruppen als ihren Herrn an (vgl. das Bekenntnis 1 Kor 12,3; Phil 2,11 »Herr [ist] Jesus«; den Ruf *marana tha*/»komm, Herr« in 1 Kor 16,22). Der Titel bedeutet freilich *keine* Übertragung der Gottesbezeichnung *kyrios*, wie sie die Septuaginta als griechische Version des hebräischen *adon/adonai* verwendet, auf Jesus (so aber *Müller* 87 f.; *Fee* 16). Der Gott Israels und Jesus bleiben deutlich unterschieden. Wie die subtile Verwendung der Präpositionen *(ek/eis* bzw. *dia)* in 1 Kor 8,6 zeigt, kann Jesus als *kyrios* Gott, dem Vater, so zugeordnet werden, dass er die Rolle des Mittlers bei Schöpfung und Erlösung übernimmt, dabei aber selbst ganz vom Wirken Gottes bei der Schöpfung und im Eschaton umgriffen wird. Israels Monotheismus bleibt in der Sprache des Juden Paulus gewahrt.

Das gilt auch für den Titel *christos*, der sich der frühjüdischen Konzeption eines Gesalbten, eines Messias verdankt (Texte bei *S. Schreiber*, Gesalbter). Er fungiert dort als endzeitlicher Repräsentant JHWHs, als königliche Gestalt mit einem politisch-nationalen Auftrag zugunsten Israels. Er partizipiert an Gottes Macht und Weisheit und richtet eine Friedensherrschaft für Israel auf, die in den aktuellen Zeitverhältnissen als Gegenbild zur Herrschaft des römischen Imperiums erscheint. Nach Ostern wurde der Titel auf Jesus angewendet, wozu der Tod Jesu am Kreuz und seine Erweckung, die der frühjüdischen Konzeption fremd waren, integriert wurden (1 Kor 15,3-5; Röm 5,6.8). Damit ist das Verhältnis Jesu zu Gott als das des endzeitlichen Repräsentanten, der in einzigartiger Nähe zu Gott steht und daher an Gottes Herrschaft Anteil besitzt, bestimmt. Dass »Christus« bereits wie ein Eigenname benutzt werden kann, zeigt die christliche Exklusivität der Verwendung für Jesus. Im Messias Jesus erkennt die Gemeinde den Repräsentanten Gottes, von dem sie in der Zukunft die endzeitliche Aufrichtung der Herrschaft Gottes in ihrer Lebenswelt erwartet (1 Thess 1,10).

Als Versammlung in Gott und Christus besitzen die Thessaloniker ein eigenes Selbstverständnis, eine eigene Identität. Ihre Lebensweise, ihr Ethos unterscheidet sie von städtischen Berufs- und Kultvereinen (↗ Einleitung 1.3; 1.5.1) und anderen Gruppierungen, vielleicht auch von einer lokalen jüdischen Synagoge. Innerhalb der Stadtgesellschaft ohne nennenswerten Einfluss oder Ansehen, dürfen sich die Thessaloniker ihrer besonderen Bedeutung angesichts ihres Lebens in Gott und Christus bewusst sein. Der Brief des einstigen Missionsteams kann sie in ihrer Eigenheit bestärken, indem er die Beziehung zu ihnen weiter pflegt.

Der Gruß

In charakteristischer Abwandlung typischer antiker Formulierungen des Briefgrußes wünschen die Absender den Adressaten Gottes umfassende, glückbringende Zuwendung. Dabei meint *charis* die Gnade, Güte, Barmherzigkeit Gottes, seine heilmachende Zuneigung und Zuwendung. *Eirēnē* entspricht dem hebräischen *schalom* und bezeichnet einen die politischen und sozialen ebenso wie die persönlichen Lebensverhältnisse umfassenden Frieden, also ganzheitliches Wohlergehen, Heilsein und Glück. Vielleicht konnten die Adressaten darin auch einen leisen politisch-kritischen Unterton mithören: Nicht die von den römischen Truppen garantierte *pax Romana*, die man als Garantie für Sicherheit und Wohlstand einerseits, als militärische Unterdrückung andererseits ambivalent erfahren hat, sondern allein Gottes Zuwendung kann letztlich Frieden und Wohlergehen wirken. Der Wunsch bemüht keine hohlen Floskeln, sondern bringt die Sehnsucht von Menschen, die sich in einer sozial gefährdeten Lebenssituation befinden, auf den Begriff (vgl. 1,2-10).

In diesem ältesten Paulus-Brief fällt der Gruß vergleichsweise knapp aus. In seinen späteren Briefen wird Paulus regelmäßig ergänzen: »von Gott, dem Vater, und dem Herrn Jesus Christus«. Diese Bestimmung charakterisierte hier schon die Versammlung der Thessaloniker. Im frühjüdischen Begriffsgebrauch von *charis* und *eirēnē* ist Gott als Ursache vorausgesetzt.

Das Präskript lässt erkennen, dass der Brief in einer Form von Beziehung gründet, in der die Persönlichkeiten des Missionsteams und der jungen Gemeinde die entscheidende Rolle spielen. Absender und Adressaten wissen sich in der gemeinsamen Beziehung zu Gott und Christus verankert. Keine institutionellen oder autoritativen Strukturen prägen in dieser frühen Phase christlicher Gemeindegeschichte die Kommunikation.

Das Proömium 1,2-10: Danksagung für das neue Leben der Thessaloniker

2 Wir danken Gott allezeit für euch alle, indem wir unablässig die Erinnerung pflegen in unseren Gebeten, 3 uns erinnern an euer Verhalten aus Vertrauen und Mühen aus Liebe und Durchhalten aus der Erwartung unseres Herrn Jesus Christus vor Gott, unserem Vater; 4 wir wissen, von Gott geliebte Geschwister, um eure Erwählung, 5 nämlich dass sich unser Evangelium bei euch nicht im Wort allein ereignete, sondern auch in Kraft und in heiligem Geist und [in] viel Gewissheit, ebenso wie ihr wisst, wie wir uns verhielten bei euch wegen euch. 6 Und ihr wurdet unsere Nachahmer – und des Herrn, indem ihr das Wort annahmt in viel Bedrängnis mit der Freude des heiligen Geistes, 7 so dass ihr ein Vorbild wurdet für alle Vertrauenden in der Makedonia und in der Achaia. 8 Denn von euch schallte das Wort des Herrn hinaus nicht allein in der Makedonia und Achaia, sondern an jeden Ort ging euer Vertrauen auf Gott hinaus, so dass wir darüber nichts zu sagen brauchen. 9 Denn sie selbst erzählen von uns, welchen Eingang wir bei euch hatten, und wie ihr euch hingewendet habt zu Gott, weg von den Götterbildern, um dem lebendigen und wahren Gott zu dienen 10 und seinen Sohn aus den

Himmeln zu erwarten, den er erweckte aus den Toten, Jesus, der uns aus dem kommenden Zorn rettet.

Literatur: P. Arzt, The »Epistolary Introductory Thanksgiving« in the Papyri and in Paul, NT 36 (1994) 29-46; *A. Bammer*, Erwählung inmitten einer multikulturellen Gemeindesituation. Zum papyrologischen Befund von *eklogē* in 1 Thess 1,4, Protokolle zur Bibel 16 (2007) 103-118; *C. Breytenbach*, Der Danksagungsbericht des Paulus über den Gottesglauben der Thessalonicher (1 Thess 1:2-10) (2003), in: ders., Grace, Reconciliation, Concord. The Death of Christ in Graeco-Roman Metaphors (NT.S 135), Leiden/Boston 2010, 149-169; *C. Burchard*, Satzbau und Übersetzung von 1 Thess 1,10, ZNW 96 (2005) 272 f.; *R. F. Collins*, Paul's Early Christology, in: ders., Studies on the First Letter to the Thessalonians (BEThL 66), Leuven 1984, 253-284; *E. Dickey*, Greek Forms of Address. From Herodotus to Lucian (OCM), Oxford 1996; *M. Ebner*, »Evangelium«, in: ders./S. Schreiber (Hg.), Einleitung in das Neue Testament (KStTh 6), Stuttgart ²2013, 113-125; *C. Eschner*, Gestorben und hingegeben »für« die Sünder. Die griechische Konzeption des Unheil abwendenden Sterbens und deren paulinische Aufnahme für die Deutung des Todes Jesu Christi. Bd. 1: Auslegung der paulinischen Formulierungen (WMANT 122), Neukirchen-Vluyn 2010; *S. Kim*, Jesus the Son of God as the Gospel (1 Thess 1:9-10 and Rom 1:3-4), in: M. F. Bird/J. Maston (Hg.), Earliest Christian History (WUNT II/320), Tübingen 2012, 117-141; *ders.*, Paul and the New Perspective. Second Thoughts on the Origin of Paul's Gospel (WUNT 140), Tübingen 2002; *A. Kolb/W. Popkes*, Transport und Verkehr, in: NTAK 2 (2005), 206-210; *H. Koskenniemi*, Studien zur Idee und Phraseologie des griechischen Briefes bis 400 n. Chr. (AASF.B 102,2), Helsinki 1956; *U. Mell*, Die Entstehungsgeschichte der Trias »Glaube Hoffnung Liebe« (1 Kor 13,13) (1999), in: ders., Biblische Anschläge. Ausgewählte Aufsätze (ABG 30), Leipzig 2009, 181-208; *O. Merk*, Nachahmung Christi. Zu ethischen Perspektiven in der paulinischen Theologie (1989), in: ders., Wissenschaftsgeschichte und Exegese (BZNW 95), Berlin/New York 1998, 302-336; *G. Nebe*, Die Kritik am *eidōla*-Kult in 1 Thessalonicher 1,9-10 im Rahmen der paulinischen Missionstätigkeit und Soteriologie, in: Das Gesetz im frühen Judentum und im Neuen Testament (FS C. Burchard) (NTOA 57), Göttingen/Freiburg (Schw.) 2006, 191-221; *V. Rabens*, The Holy Spirit and Ethics in Paul. Transformation and Empowering for Religious-Ethical Life (WUNT II/283), Tübingen 2010; *J. T. Reed*, Are Paul's Thanksgivings »Epistolary«?, JSNT 61 (1996) 87-99; *K. H. Rengstorf*, *doulos ktl.*, in: ThWNT 2 (1935), 264-283; *S. Schreiber*, Arbeit mit der Gemeinde (Röm 16,6.12). Zur versunkenen Möglichkeit der Gemeindeleitung durch Frauen, NTS 46 (2000) 204-226; *ders.*, Paulus als Wundertäter. Redaktionsgeschichtliche Untersuchungen zur Apostelgeschichte und den authentischen Paulusbriefen (BZNW 79), Berlin/New York 1996; *S. K. Stowers*, Letter Writing in Greco-Roman Antiquity (LEC 5), Philadelphia 1986; *K. F. Ulrichs*, Christusglaube. Studien zum Syntagma pistis Christou und zum paulinischen Verständnis von Glaube und Rechtfertigung (WUNT II/227), Tübingen 2007, 71-93; *C. Wanamaker*, »Like A Father Treats His Own Children«. Paul and the Conversion of the Thessalonians, JTSA 92 (1995) 46-55; *W. Weiß*, Glaube – Liebe – Hoffnung. Zu der Trias bei Paulus, ZNW 84 (1993) 196-217; *O. Wischmeyer*, Vorkommen und Bedeutung von Agape in der außerchristlichen Antike (1978), in: dies., Von Ben Sira zu Paulus (WUNT 173), Tübingen 2004, 91-115; *dies.*, Traditionsgeschichtliche Untersuchung der paulinischen Aussagen über die Liebe *(agapē)* (1983), in: dies., Von Ben Sira zu Paulus (s. o.), 116-130; *dies.*, Der höchste Weg. Das 13. Kapitel des 1. Korintherbriefes (StNT 13), Gütersloh 1981; *M. Zugmann*, Missionspredigt in nuce. Studien zu 1 Thess 1,9b-10, Linz 2012.

1. Textkritik

Da die ältesten Handschriften keine oder nur wenige Satzzeichen enthalten, ist der Bezug des Adverbs »unablässig« *(adialeiptōs*, im Griechischen am Ende von 1,2) nicht eindeutig. Das Adverb kann auf den vorangehenden *(Holtz* 42; *Malherbe* 107; *Green* 87; *Fee* 21) oder nachfolgenden (NA[28]; *Dobschütz* 64; *Müller* 98 f.) Satzteil bezogen werden. Die drei weiteren Belege in den Paulusbriefen verstärken diese Ambivalenz: 1 Thess 2,13 »wir danken Gott unablässig«; 5,17 »unablässig betet«; Röm 1,9 »unablässig pflege ich die Erinnerung an euch *(mneian poioumai)*«. Dabei stellt Röm 1,9 das Adverb voran, verbindet es aber wie in 1 Thess 1,2 mit dem Syntagma »Erinnerung pflegen«. Eine mit 1 Thess 1,2 f. vergleichbare Satzstruktur liegt in 1 Kor 15,58 vor: Partizip – Präpositionalausdruck – Adverb, dann erläuterndes Partizip (»überfließend im Werk des Herrn allezeit, wissend …«). Letztlich hängt der Bezug für die Hörer bei der Verlesung des Briefes von der Betonung des Vorlesers ab. Er könnte eine Parallelstruktur zum ersten Satzteil erkannt haben: »wir danken Gott allezeit« – »wir pflegen die Erinnerung unablässig«. Der (im Griechischen partizipiale) Neueinsatz mit »wir erinnern uns« in 1,3 legt dann den Akzent auf die *Inhalte* der Erinnerung (rhetorisch pointiert als Doppeltrias) – ein betont vorangestelltes Adverb würde diesen Akzent eher stören. Der hier vertretene Bezug von *adialeiptōs* auf den vorangehenden Partizipialausdruck ergibt eine sinnvolle Satzstruktur. – Unsicher ist die Präposition »in« *(en)* vor »viel Gewissheit« in v.5: Sehr gute Handschriften lassen sie aus (Codices Sinaiticus und Vaticanus, Minuskel 33) – ein Versehen? Fügen sie andere Handschriften um der Parallelität mit »in Kraft und in heiligem Geist« willen erst ein? Eine Entscheidung lässt sich kaum treffen, daher setze ich *en* mit NA[28] in eckige Klammern; ein inhaltlicher Unterschied liegt kaum vor (anders *Fee* 33.35, der aus dem Fehlen den Schluss zieht, dass »heiliger Geist« und »viel Gewissheit« nur »Kraft« näher erläutern). – In 1,10 (»aus dem kommenden Zorn«) verdient die Präposition *ek* den Vorzug vor der Variante *apo* (dazu *D. Luckensmeyer*, Eschatology 103 Anm. 182).

2. Analyse

Nach dem Präskript erfolgt in 1,2 ein Neueinsatz mit einer Danksagung, wobei die entscheidende Aussage (»wir danken Gott«)
pointiert an den Anfang gestellt ist. Die sogleich folgende Alliteration im griechischen Text *(pantote peri pantōn)* weckt die Aufmerksamkeit der Zuhörer beim Vorlesen des Briefes für den neuen Briefteil. Die feierlich formulierte eschatologische Perspektive in 1,10
besitzt Abschlussfunktion. Mit der neuerlichen Anrede der Adressaten in 2,1 (»Denn ihr wisst selbst, Geschwister«) beginnt dann das
Briefcorpus, das den »Eingang« des Missionsteams aus 1,9 aufgreift
und ausführt.

Struktur

Formal besteht 1,2-5 aus einem langen Satz, beginnend mit einem
finiten Verb in der 1. Pers. Pl. (»wir danken«), an das sich drei Par-
tizipialkonstruktionen anschließen, deren letzte durch einen *hoti*-
Satz erläutert wird. Innerhalb dieser Satzperiode steht mit der direkten Anrede der Adressaten in 1,4 ein weiteres Gliederungssignal.
In 1,6f. sind die Adressaten in der 2. Pers. Pl. angesprochen, verstärkt durch den Ansatz mit »Und ihr« zu Beginn von v.6, womit
eine Zäsur entsteht. Ab 1,8 stehen zwei Sätze im Berichtstil in der
3. Pers., deren Beginn jeweils mit der Partikel *gar* markiert ist (v.8
und v.9-10). Aus diesen Beobachtungen ergibt sich folgendes Glie-
derungsschema:

1,2f.	Dank an Gott im Gebet angesichts der Erinnerung an die christliche Lebensweise der Thessaloniker
1,4f.	Das Bewusstsein von deren Erwählung im Ereignis des Evangeliums
1,6f.	Die Annahme des Wortes in Bedrängnis als urchristliche Erfahrung
1,8	Die Ausstrahlung des Wortes und der Lebensweise der Thessaloniker
1,9f.	Der »Eingang« des Missionsteams und die Bekehrung der Thessaloniker

Als grundlegende Voraussetzung der angesprochenen Verhältnisse
durchzieht den ganzen Abschnitt der Gedanke der gegenseitigen
Beziehung zwischen Missionaren und Gemeinde: im Dank und in
der Erinnerung (1,2f.), im Evangelium und dem Auftreten der Mis-

sionare (1,5), in deren Nachahmung (1,6), im Eingang der Missionare (1,9).

Literarische Form

Die Stellung am Anfang des Briefes direkt nach dem Präskript erweist den Abschnitt 1,2-10 als Proömium. Es ist als Danksagung gestaltet, wobei der Dank an Gott (im Gebet) signalisiert, dass die gemeinsame Beziehung zu Gott die geistliche Basis bildet, auf der Absender und Adressaten miteinander im Gespräch stehen. Danksagung, (fürbittendes) Gebet und Rekapitulation der gemeinsamen Beziehung sind typische Elemente eines Proömiums (*H.-J. Klauck*, Briefliteratur 37-39.54.271 f.), wobei eine so ausgeprägte Danksagung wie die in 1 Thess 1,2-10 zwar antike Konventionen aufgreift, für antike Briefe aber untypisch ist (*P. Arzt*, Thanksgiving; vgl. aber *J. T. Reed*, Thanksgivings; ↗ Einleitung 4.1). Das Erinnern oder Gedenken an den abwesenden Briefadressaten im Sinne einer Vergegenwärtigung der Beziehung stellt einen Topos antiker Briefe, besonders des Freundschaftsbriefes, dar (*H. Koskenniemi*, Studien 123-126.145-148); es kann wiederum mit dem Gebet verbunden sein (*Dibelius* 2 f.). Paulus und seine Mitverfasser haben solche Formelemente breiter ausgestaltet, wie dies im Kontext des Frühjudentums z. B. auch im sog. zweiten Festbrief in 2 Makk 1,11-17 geschieht. Das Proömium erfüllt eine doppelte briefliche Funktion. Einmal fördert es die wohlwollende Aufnahme des Briefes bei den Adressaten *(captatio benevolentiae)*, indem es den guten Ruf der Gemeinde und die bleibend positive Beziehung zu den Absendern betont. Zum anderen stimmt es die Hörer auf die wesentlichen Sachthemen des Briefes ein: das Auftreten der Missionare und die gute gegenseitige Beziehung, das neue Leben der Thessaloniker als Christus-Gemeinde, die Perspektive auf das Eschaton.

Traditionsgeschichte

In 1,3 begegnet eine doppelte Dreierreihe von Begriffen (Doppeltrias): Verhalten aus Vertrauen – Mühen aus Liebe – Durchhalten aus der Erwartung unseres Herrn Jesus Christus *(to ergon tēs pisteōs – ho kopos tēs agapēs – hē hypomonē tēs elpidos)*. Die Dreierreihe Vertrauen – Liebe – Erwartung wurde in der Exegese häufig als festgefügte, traditionelle Formel, mit der die ersten Christen die Summe christlichen Lebens artikulierten, verstanden, die Paulus aufgreift und in seine Darstellung einbaut (*Dibelius* 3.29 f.; *Marxsen* 35; *Rigaux* 188 f.; *Haufe* 24). *U. Mell* (Entstehungsgeschichte) erklärt die gesamte Doppeltrias als älteste Traditionsstufe, die aus der hellenistischen Gemeinde in Antiochia stammte und dort der theologischen Abgrenzung vom Judentum diente; auf dieser Basis habe Paulus sowohl 1 Thess 5,8 als auch 1 Kor 13,13 formuliert. Der neutestamentliche Textbefund ist aber wesentlich komplexer.

Die drei Begriffe *pistis*, *agapē* und *elpis* begegnen zusammen auch noch in 1 Thess 5,8, kombiniert mit Rüstungs-Metaphorik und gruppiert: Zum Brustpanzer gehören *pistis* und *agapē*, zum Helm *elpis*. In anderer Reihenfolge nennt 1 Kor 13,13 *pistis* – *elpis* – *agapē* und hebt die *agapē* als höchsten Wert heraus. Zusammen mit *hypomonē* werden die drei Begriffe in Röm 5,1-8 in einen größeren Gedankengang eingebaut, wobei *agapē* hier *Gottes* Liebe bezeichnet. Gal 5,5 f. kombiniert die Begriffe zu Paaren: *pistis* und *elpis* bzw. *pistis* und *agapē* (zu *pistis* und *agapē* vgl. auch 1 Thess 3,6; 1 Kor 16,13 f.; 2 Kor 8,7; Phlm 5). Die Begriffe finden auch einzeln oder in verschiedenen Zusammenstellungen Verwendung, z. B. *agapē* in Verbindung mit *charis* und *koinōnia* in 2 Kor 13,13, *pistis* und »Schauen« in 2 Kor 5,7, *kopos* in 1 Thess 3,5; 1 Kor 3,8. Sie werden in unterschiedliche Kontexte eingebunden, z. B. *elpis* und *hypomonē* in Röm 8,20.24 f.; 15,4, oder in Tugendkatalogen aufgeführt, z. B. Gal 5,22 f. (u. a. *agapē*, *pistis*) oder 2 Kor 6,4-7 (u. a. *hypomonē*, *kopos*, *agapē*). In spezifischen Zusammenhängen können *erga nomou* und *pistis* zu Oppositionen werden (Gal 2,16; Röm 3,28). In späteren Schriften finden sich die Begriffe verschieden kombiniert und teilweise stark syntaktisch erweitert, vgl. Kol 1,3 f.; Barn 1,4; Hebr 6,10-12; 10,22-24 (*pistis, agapē, elpis*); Eph 1,15; 6,23; 2 Thess 1,3; 1 Tim 1,14 (*pistis, agapē*). Die Variabilität der Begriffe zeigen besonders deutlich die Sendschreiben in Offb 2-3. Offb 2,2 nennt *erga, kopos, hypomonē*, dann werden in 2,3-5 *hypomonē*, *agapē* und *erga* eingestreut, und in 2,19 begegnet die Reihe *erga* – *agapē* – *pistis* – *diakonia* – *hypomonē;* in der Offb fungiert *erga* als Oberbegriff für das christliche Leben der Gemeinden (vgl. 3,1.8.15).

Der Befund deutet darauf hin, dass die einzelnen Begriffe, aus denen die Doppeltrias in 1 Thess 1,3 zusammengestellt ist, in der Sprache der ersten Christen und speziell des Paulus eine zentrale Rolle bei der Selbstverständigung spielten. Die Erfahrung des Lebens als Christen konnte durch mehrere wichtige Begriffe in verschiedenen Kombinationen facettenreich beschrieben werden, um die Eigenart, das Selbstverständnis, die Identität der jungen Christus-Gruppe aussagbar zu machen. Paulus greift also auf bekannte Begriffe, nicht aber auf eine feste Formeltradition zurück (so auch *O. Wischmeyer*, Weg 147-153; *dies.*, Untersuchung 117-123;

T. Söding, Trias 40-45; *W. Weiß*, Glaube 202.212). Nach dem geläufigen rhetorischen Schema einer Dreierreihe formuliert er die Doppeltrias in 1 Thess 1,3.

Traditionsgeschichtlich interessant sind frühjüdische Sprachmuster, die das überzeugte Leben der Gerechten Israels mit der Erfahrung politisch-gesellschaftlichen Widerstands gegenüber ihrer Lebensweise verbinden. Weish 3,9-11 kontrastiert die Gerechten, die als *hoi pistoi*/die Getreuen bezeichnet werden und deren Haltung der *agapē* (und *elpis*, 3,4) hervorgehoben wird, mit den Gottlosen, deren *elpis*, *kopoi* und *erga* nichtig sind. Das selbstbewusste Durchhalten der Gerechten trotz sozialer Widrigkeiten ist das pragmatische Ziel. Schärfer zeichnet um 100 n. Chr. 4 Makk den Kontrast, der bis zum Martyrium gesteigert wird. Die Reflexion über die Bedeutung des Martyriums von sieben jungen Männern und ihrer Mutter hebt in 4 Makk 16,21-17,10 die Haltungen der *pistis* (16,22; 17,2), *elpis* (17,4) und *hypomonē* (17,4.12.17, verbal 16,21; 17,7.10) hervor. Für den Zusammenhang mit 1 Thess ist dabei bemerkenswert, dass 4 Makk 17,8 die *mneia*/Erinnerung an die Märtyrer betont (vgl. 1 Thess 1,2), und ihr Martyrium in 4 Makk 17,11-16 mit einem *agōn*/Wettkampf verglichen wird (vgl. 1 Thess 2,2). Es ist kein Zufall, dass die Begriffe *pistis*, *elpis* und *hypomonē* auch zur Reflexion frühjüdischer Martyriumsbereitschaft verwendet werden. Vergleichbar mit der Situation des 1 Thess ist das vom gesellschaftlichen Mainstream abweichende Verhalten einer überzeugten religiösen Gruppe und die Bedeutung, die das Festhalten an der eigenen Überzeugung auch gegen Widerstände für diese Gruppe besitzt.

In slHen 66,6 werden im Kontext der Zugehörigkeit zum Gott Israels – im Gegensatz zu den paganen Göttern (66,2) – u. a. Langmut, Vertrauen und gegenseitiges Lieben als Tugenden der Gerechten genannt. In syrBar 53,1-12 erfährt der Offenbarungsträger Baruch eine Vision, in der sich schwarze und helle (Regen-)Wasser abwechseln; die Vision wird in syrBar 56,1-74,4 auf den wechselvollen Lauf der Geschichte gedeutet, der viele sündige Menschen und wenige Gerechte kennt. Werke, Vertrauen und Hoffnung der Gerechten (zur Zeit Abrahams) werden in 57,2 hervorgehoben und mit der (damals noch ungeschriebenen) Tora in Verbindung gebracht (vgl. auch syrBar 51,7). Wieder sind politisch-soziale Erfahrungen einer devianten Minderheit ins Wort gefasst und theologisch gedeutet (zum Wortfeld »Vertrauen, Geduld« vgl. noch Jub 17,18, zu »Vertrauen, Liebe« Arist 270; Sir 2,13-16; Sib 3,376).

Paulus und den ersten Christen vor und neben ihm dürfte der so-zio-politische Verwendungskontext der Begrifflichkeiten im Früh-judentum bekannt gewesen sein. In der Lebenssituation der ersten Christen, deren Bekehrung gesellschaftliche Spannungen mit sich brachte (↗ Exkurs 3), wird er auch in der Doppeltrias von 1 Thess 1,3 durchaus mitgehört worden sein. Dadurch erfahren Begriffe, die in der Alltagssprache der hellenistisch-römischen Welt vertraut waren, eine gruppenspezifische semantische Konnotierung.

Für den Begriff *agapē* lässt sich noch ein eigener traditionsgeschichtlicher Hintergrund vermuten: das auf Jesus zurückgeführte Liebesgebot in Auf-nahme von Lev 19,18 (Mk 12,28-34 parr), auf das 1 Thess 4,9 anspielt und das Paulus in Gal 5,14 und Röm 13,8-10 explizit in seiner Argumentation zitiert. Ein Umgang in Liebe wird zum Markenzeichen des Zusammen-lebens in den Christus-Gemeinden.

Weitere Traditionselemente finden sich in 1 Thess 1,9b. Die Spra-che von 1,9b (»hinwenden zu Gott«, »weg von den Götterbildern«, »zu dienen dem lebendigen und wahren Gott«) reflektiert frühjü-dische Aussagen über die Bekehrung von Heiden und deren Ab-wendung von den paganen Göttern. Die genannten Syntagmen be-gegnen innerhalb einer Bekehrungserzählung auch in JosAs 11,7-11 (↗ Exkurs 3).

Zur jüdischen Polemik gegen pagane Götterbilder vgl. Weish 13 f.; Jes 10,11; 44,6-20; ferner Ps 115,4-8; Tob 14,6; Dan 5,23; 6,26 f.; zum »Um-kehren« der Völker zum Gott Israels Jes 19,22 LXX; Jer 18,8.11 LXX; Ps 21,28 LXX; Tob 14,6; dann auch Apg 3,19; 9,35; 14,15; 15,19; zur Rede vom »wahren Gott« im Kontext der Götterpolemik 1 Esdr 8,86; Jer 10,10; Weish 12,27; Sib 5,493.499; Sib fr. 1, 20 f.; fr. 3, 46; 3 Makk 6,18; JosAs 11,10; slHen 66,2; Philo, spec. leg. 1,332; »lebendiger Gott« Dtn 5,26; 32,37-40; Jos 3,10; Est 6,13 LXX; Jdt 13,16; Jes 37,4.17; Jer 10,10; 4 Reg 19,4.16; Hos 1,10 LXX; 3 Makk 6,28; Dan 5,23 LXX; 6,20.26 (Theod.); JosAs 8,5; 19,8; Jub 21,4; Sib 3,763; Bel kai Drakon (Theod.) 5 f.; auch 2 Kor 3,3; 6,16; Mt 16,16; Apg 14,15; 1 Tim 3,15; 4,10; Hebr 3,12; 9,14 u. ö. (vgl. die Belege bei *M. Konradt*, Gericht 41-43; *J. Woyke*, Götter 113-120; *T. Jantsch*, Gott 53-58; C. Breytenbach, Danksagungsbericht 158-162). – Das »Dienen« *(douleuein)* kann die exklusive und damit von anderen Göt-tern abgrenzende Ausrichtung des ganzen Lebens am Gott Israels be-zeichnen, vgl. Ri 10,16; Ps 2,11; 99,2; 101,23 LXX; Josephus, ant. 8,257 (da-zu K. H. Rengstorf, *doulos ktl.* 270 f.); dann Mt 6,24/Lk 16,13. – Einen geläufigen *terminus technicus* im Sinne von »bekehren« stellt *epistrephein* in 1 Thess 1,9 noch nicht dar, wenngleich sich in LXX (Jes 19,22; 45,22; Ps 21,28; Tob 14,6) und Frühjudentum (TestSeb 9,8; Sib 3,625; 5,492-500;

JosAs 11,11) einzelne Belege für diese Verwendung finden (vgl. *D. Lu-ckensmeyer*, Eschatology 81-89; zuversichtlicher *M. Zugmann*, Missions-predigt 45-58); offen lässt sich mit »hinwenden« übersetzen.

Mit der Erweckung Jesu und der Erwartung seines Kommens aus den Himmeln als Retter im endzeitlichen Gericht (»Zorn Gottes«) greift 1,10 wesentliche Elemente urchristlicher Überzeugung auf: Jesu Erweckung (vgl. 4,14; 1 Kor 15,3-5; Röm 4,24; 10,9; Apg 3,15; 4,10 u. ö.; ferner 1 Kor 6,14; 2 Kor 4,14; Gal 1,1; Röm 6,4.9; 8,11; zur traditionellen Erweckungs-Formel vgl. *D. Luckensmeyer*, Eschatology 98-100), Jesu Parusie (1 Thess 2,19; 3,13; 4,15; 5,23; ↗4,13-18), Zorngericht Gottes (Mt 3,7-10/Lk 3,7-9). So sehr sich in 1,9b-10 Themen angedeutet finden, die in der Verkündigung der ersten Christen und speziell der paulinischen Mission eine zentrale Rolle spielten (Bekehrung; der eine Gott Israels; Jesus als sein end-zeitlicher, aus Toten erweckter Repräsentant), so wenig liegt darin ein festes Schema oder geprägte Topik der Missionspredigt unter Heiden vor.

Das aber nehmen etliche Autoren an: *Witherington* 73; *Haufe* 24.30 f.; *G. Nebe*, Kritik: Missionskerygma; *R. F. Collins*, Christology 253-261; an ein Tauflied denkt *Friedrich* 215. Dagegen entscheiden sich mit guten Gründen *Holtz* 54-60; *M. Konradt*, Gericht 40-57; *J. Woyke*, Götter 131 f.155; *D. Luckensmeyer*, Eschatology 106-113; *T. Jantsch*, Gott 49-52. Viel jüdisches und urchristliches Vergleichsmaterial zu 1,9 f. bietet *M. Zugmann*, Missionspredigt.

Die Funktion des Textes besteht nicht darin, ein Summarium der paulinischen Missionspredigt zu geben, sondern in der Erinnerung an die Bekehrung der Gemeinde und ihre wesentliche Prägung durch die Erwartung des Parusie-Christus. Dabei verbindet er Vor-stellungsmuster aus frühjüdischen Bekehrungtraditionen (1,9) mit urchristlichen Überzeugungen (1,10). Mit vertrauten Sprachele-menten skizzieren die Verfasser das für die Adressaten wesentliche Ereignis ihrer Hinwendung zum Gott Israels und seinem »Sohn«.

S. Kim, Paul 95 will in 1 Thess 1,9 f. »the gospel of justification by grace« bereits angelegt finden, muss dazu jedoch Aussagen späterer Paulusbriefe hier einlesen (ebd. 90-96; vgl. *ders.*, Jesus: in 1 Thess 1,9 f. sei das gesamte Evangelium des Paulus angelegt).

3. Kommentar

1,2 **1,2** Das einleitende Verb stellt das Proömium unter das Thema Dank: Die Verfasser erklären, dass sie Gott allezeit für die Thessaloniker danken. Dieser Dank an Gott entspricht der Überzeugung, die in Gott Ursache und Grund für die Existenz der Gemeinde in Thessaloniki sieht. In den Dank fließen sowohl Erinnerungen an die gemeinsamen Monate in Thessaloniki als auch die aktuellen guten Nachrichten des Timotheus (3,6-8) über das christliche Leben der Gemeinde ein. Anlass des Dankes sind *alle* Briefadressaten, also die Gemeinde als ganze, ohne dass dabei übliche gesellschaftliche Binnendifferenzierungen nach Alter, Status oder Geschlecht eine Rolle spielen würden.

Die Erinnerung an die Gemeinde, die die Missionare pflegen, bedeutet eine Vergegenwärtigung der guten gemeinsamen Zeit und ist so selbst ein Teil der Beziehung zwischen den Missionaren und der Gemeinde. Wenn sie die Erinnerung speziell im beständigen Gebet zu Gott verorten (so auch in Phil 1,3f.; Phlm 4; Röm 1,9f.), öffnen sie die Beziehung zur Gemeinde auf Gott hin. Im Gebet – und dazu gehören Lob, Dank, Bitte, Frage und Klage – vollziehen die Beter ihre Beziehung zu Gott, und in diese Beziehung nehmen sie die Gemeinde hinein, darin bleiben sie mit ihr beständig und intensiv verbunden. Unter Verweis auf antike Brieftopik lässt sich das »Gedenken« speziell auf das Fürbittgebet der Missionare für die Gemeinde deuten (*H. Koskenniemi*, Studien 145-148; vgl. *Malherbe* 107), doch beschränkt sich die Erinnerung keineswegs darauf. Die große Bedeutung der Gemeinde als Beziehungspartner der Missionare wird hinter dem Text spürbar.

Im ganzen ersten Teil des Proömiums fällt die feierliche, gewichtige Sprache auf: ein einziger langer Satz in 1,2-5, durchsetzt mit stilistischen Gestaltungselementen (Alliteration *pantote peri pantōn* v.2; verstärkende Wiederholung des »Erinnerns« v.2.3; Doppeltrias v.3; feierliche Anrede v.4; Trias »in Kraft und in heiligem Geist und in viel Gewissheit« v.5). Die Stimmung, die der Text so vermittelt, unterstreicht die Bedeutung der thessalonikischen Gemeinde, ihrer Entstehung und Existenz, in der Sicht der Missionare und letztlich vor Gott – und gegenüber der städtischen Umwelt, in der die Gemeinde lediglich eine kleine, von politischem und gesellschaftlichem Einfluss weitgehend ausgeschlossene Minderheit darstellt. Eine »Rhetorik des Selbstbewusstseins« prägt diesen Textteil sowie das gesamte Proömium.

Wenn *Müller* 97 mit Bezug auf »alle« in v.2 von »mehrere(n) Hausgemeinden«, »über hundert Personen«, einer »Öffentlichkeit« oder gar »einer gewissen Volkskirche« spricht, verkennt er die Lebenssituation und Grö-
ßenordnung der ersten Gemeinden völlig.

3 Die Erinnerung des Missionsteams entfaltet v.3 inhaltlich. Positiv   **3**
blieb ihnen die Gemeinde angesichts ihrer neuen Lebensgestaltung
in Erinnerung. Die Doppeltrias »Verhalten aus Vertrauen – Mühen
aus Liebe – Durchhalten aus der Erwartung unseres Herrn Jesus
Christus« beschreibt das Ethos, d. h. die Haltung und das Verhalten
untereinander, das das neue Leben der Gemeinde in ihrer Beziehung zu Christus charakterisiert.

Syntaktisch bezieht sich das vorangestellte Personalpronomen *hymōn*/eu-
er auf alle drei Glieder der Doppeltrias. Der an das letzte Glied angeschlossene Genitivausdruck »unseres Herrn Jesus Christus« lässt sich als Näherbestimmung der »Erwartung« verstehen (Gen. obj.), während sich der
Präpositionalausdruck »vor Gott, unserem Vater«, auf alle drei in der Trias
genannten Verhaltenselemente rückbezieht und diese abschließend theologisch qualifiziert. Anders bezieht z. B. *W. Weiß*, Glaube 200 den Genitiv
»unseres Herrn Jesus Christus« auf die ganze Doppeltrias und versteht ihn
»gleichsam adjektivisch« (vgl. *Holtz* 43; *Müller* 99; *K. F. Ulrichs*, Christusglaube 88-91). Dagegen spricht, dass in 1 Thess gerade die Erwartung der
Parusie Christi eine herausragende Rolle besitzt (vgl. 2,19; 3,13; 4,15; 5,23).
Als Gen. obj. deuten *Reinmuth* 117; *Haufe* 25; *Malherbe* 108; **J. Bickmann*, Kommunikation 156. *Fee* 22 will das Syntagma »vor Gott, unserem
Vater« auf das Erinnern der Absender zu Beginn von v.3 rückbeziehen
(vgl. *Malherbe* 107; *Green* 88); die Stellung *nach* den Verhaltensweisen
der Thessaloniker und der Akzent auf diesem Verhalten stehen dagegen.

Zur Beschreibung des christlichen Ethos verwenden die Verfasser
Begriffe, die in der griechischen Sprachwelt geläufig sind, jedoch
noch keine festen christlichen Sprachmuster in einem technischen
Sinn (z. B. »Glaube«) darstellen (↗ Exkurs 2).

Exkurs 2: Zur Bildung urchristlicher Sprache – das Beispiel *pistis*

Literatur: R. F. Collins, The Faith of the Thessalonians, in: ders., Studies
on the First Letter to the Thessalonians (BEThL 66), Leuven 1984, 209-
229; *T. Schumacher*, Zur Entstehung christlicher Sprache. Eine Untersuchung der paulinischen Idiomatik und der Verwendung des Begriffes
pistis (BBB 168), Göttingen 2012; *T. Söding*, Die Trias Glaube, Hoffnung,
Liebe bei Paulus (SBS 150), Stuttgart 1992.

Die in der Doppeltrias von 1 Thess 1,3 verwendeten Begriffe und dabei besonders die Reihe *pistis – agapē – elpis* stellen uns vor ein Übersetzungs- und Verständnisproblem. Sie stammen alle (vielleicht mit Ausnahme von *agapē*) aus der Sprachwelt des antiken Lebensalltags, wo sie ein wesentlich offeneres Bedeutungsspektrum tragen als die christliche Sprachtradition von ›Glaube, Liebe, Hoffnung‹. Diese verdankt sich einer spezifisch christlichen Begriffsgeschichte und ruft geprägte Vorstellungen christlicher Identität und Lebensweise wach. Ein vergleichbarer Befund ließ sich bereits für den Begriff *ekklēsia* feststellen (↗ Exkurs 1).

Die Problematik wird am Begriff *pistis* deutlich, der in 1 Thess immerhin acht Mal begegnet, wozu noch fünf Vorkommen des Verbs *pisteuō* und einmal das Adjektiv *pistos* treten. Im 1. Jh. steht *pistis* bereits in einer langen griechischen Sprachgeschichte und bedeutet grundlegend Vertrauen, Treue, Zuverlässigkeit innerhalb von Beziehungen sowie Überzeugung (zur Bedeutungsbreite vgl. *F. Passow*, Handwörterbuch II/1, 928-930; *T. Schumacher*, Entstehung 199-209). Die Verwendung stammt aus dem zwischenmenschlichen Bereich, bezieht sich aber auch auf Abstrakta und wird ebenfalls im religiösen Kontext geläufig. *Pistis* bezeichnet somit eine Haltung bzw. eine Eigenschaft. In sozialen und politischen Kontexten findet der Begriff Verwendung für Kredite, für Bürgschaft, Unterpfand, Versprechen, für Schwur und Eid, für Bündnis und Vertrag, als römische *fides* auch für die bürgerliche Tugend der Treue oder Loyalität, d. h. des getreuen, zuverlässigen Handelns zugunsten des Gemeinwesens bzw. innerhalb einer Patronats-Beziehung (Horaz, carm. saec. 57). *Pistis* wird als Eigenschaft oder konkreter (Rechts-) Akt dann wichtig, wenn es gilt, Beziehungen verlässlich zu gestalten. Als Göttin der Treue ist die römische *Fides* für diesen gesellschaftlichen Bereich zuständig. Weiter gedacht, bezeichnet *pistis* auch das Glauben, Fürwahrhalten, Überzeugtsein, die Überzeugung, auch in religiösen Zusammenhängen (z. B. *pistis theōn*/Glauben an, Vertrauen auf die Götter bei Euripides, Med. 414 u. a.). Das Verb *pisteuō* meint entsprechend ›trauen, vertrauen, sich verlassen, Glauben schenken, glauben, für wahr halten‹.

Diese Bedeutungsbreite im Griechischen spiegelt sich auch in 1 Thess, wo die Häufigkeit der Vokabeln mit dem Wortstamm *pist*- einen für die Gemeinde wesentlichen Gesichtspunkt zum Ausdruck bringt. Eindeutig die Beziehung zu Gott ist gemeint, wenn in 1,8 *pistis* mit Objekt erscheint: »Vertrauen auf Gott«. Diese Beziehung ist ebenfalls deutlich in der Aussage von 5,24, dass Gott selbst »treu« (Adjektiv *pistos*) ist. Das in 1,3 und 5,8 (vgl. 3,6) ohne Objekt genannte »Vertrauen« dürfte ebenso primär auf die Gottesbeziehung abzielen. Für die zwischenmenschliche Beziehung zu den Missionaren offen sind die fünf Belege in 3,2-10, einem Textabschnitt, der genau das Fortbestehen dieser Beziehung trotz räumlicher Trennung zum Thema hat. Denn das Vertrauen, das die Gemeinde zum Herrn hat (vgl. das »Stehen im Herrn« in 3,8), ist ja zugleich Vertrauen in das Evangelium und seine Verkünder, die Missionare. Und so beziehen sich die guten Nachrichten aus Thessaloniki sowohl auf »Vertrauen und Liebe« als auch auf die gute Erinnerung, in der die Gemeinde die Missionare hält (3,7). Das Wissen um dieses Vertrauen der Gemeinde macht den Missionaren selbst neuen Mut (3,7), und dieses Vertrauen wollen sie bei einem erneuten Besuch stärken (3,10). Das Verb *pisteuō* wird in 2,4 von Gott her gedacht, der die Missionare mit dem Evangelium betraut, ihnen also Vertrauen schenkt. In 4,14 bezieht sich das Verb auf das Überzeugtsein von einem Glaubensinhalt, der mit einem *hoti*-Satz angeschlossen wird (vgl. Röm 6,8; 10,9).

Interessant ist die dreimalige Verwendung des substantivierten Partizips *hoi pisteuontes* ohne Angabe eines Objekts in 1,7; 2,10.13 (vgl. 1 Kor 14,22; Gal 3,22; Röm 3,22; 4,11). Damit ist die Haltung akzentuiert, die man als ›festes Vertrauen haben‹, ›sich auf jemanden verlassen‹ umschreiben könnte. Da das Partizip spezifisch zur Bezeichnung bestimmter Gruppen von Christus-Anhänger/innen verwendet wird, scheint sich ein technischer Sprachgebrauch innerhalb der ersten Christen zu entwickeln, der die Beziehung zu Gott und Christus als Wesensmerkmal der Gruppe enthält. Die »Vertrauenden« sind also diejenigen, die fest in der Beziehung zu Gott, zu Christus und untereinander stehen. Diese Vertrauenshaltung, die für die so bezeichnete Gruppe charakteristisch ist, soll die – für unsere Ohren ungewöhnliche – Übersetzung »die Vertrauenden« akzentuieren.

Diese Übersetzung trägt auch der Tatsache Rechnung, dass noch kein entwickelter technischer Sprachgebrauch, den der Begriff »Glaubende« enthalten würde, vorliegt. Denn das Partizip konnotiert noch keinen Glaubens*inhalt*, kein Glauben *an* Christus oder *an* Gott (oder den »Glauben der Kirche« im Sinne einer entwickelten Lehr- und Bekenntnistradition), sondern eine lebendige *Beziehung* des Vertrauens. Gänzlich in die Irre führt daher eine Übersetzung mit »die Gläubigen«, da der Begriff heute die Mitglieder einer Religionsgemeinschaft bezeichnet, ohne noch eine spezielle Vertrauenshaltung hörbar zu machen.

Auch das Substantiv *pistis* wird in 1,3; 3,2.5.6.7.10; 5,8 absolut gebraucht (vgl. auch Gal 1,23; 3,2; Röm 1,5 »Gehorsam des Glaubens«; Apg 6,7 »dem Glauben gehorchen«; auch die Denotation
›Überzeugung‹ in Röm 14,23 und ›Zuverlässigkeit, Verlässlichkeit‹
in Röm 12,3; dazu *T. Schumacher*, Entstehung 470). Darin deutet
sich eine gruppenspezifische Begriffsprägung an. Für die Adressaten dürfte aus dem jeweiligen Kontext schnell klar geworden sein,
wem jeweils die Haltung des »Vertrauens« gilt und für welche Personengruppe diese charakteristisch ist.
Insgesamt lässt sich beobachten, dass in 1 Thess noch keine geprägte, spezifisch christliche Semantik von *pistis* und *pisteuō* ausgebildet
ist (so aber z.B. *R. F. Collins*, Faith; **T. Söding*, Trias 78-86), sondern sich erst in Ansätzen entwickelt. Die Verwendung folgt dem
grundlegenden, gängigen griechischen Sprachgebrauch und bezieht
sich je nach Kontext auf die Beziehung zu Gott bzw. zu Christus
oder auf die zwischenmenschliche Beziehung zu den Missionaren,
die von Vertrauen und Zugehörigkeit bestimmt ist, wobei auch immer der Gedanke der Gegenseitigkeit der Beziehung mitschwingt.
Das entspricht auch dem Befund in den späteren Paulusbriefen (vgl.
das Ergebnis von *T. Schumacher*, Entstehung 299-303.469-473).

3 Den Konventionen antiker Alltagssprache möchte meine Übersetzung mit »Verhalten aus Vertrauen – Mühen aus Liebe – Durchhalten aus der Erwartung unseres Herrn Jesus Christus« gerecht werden. Die Semantik der einzelnen Begriffe und ihren Zusammenhang
gilt es nun näher zu erörtern.
Der griechische Begriff *ergon* bezeichnet ein Handeln, Verhalten,
eine Praxis, umfasst also das semantische Spektrum von Werk,
Handlung, Tat. In den Paulusbriefen ist die genaue Bedeutung stark
kontextabhängig. So meint *ergon* in Gal 6,4; Röm 2,6f.; 13,3 das
ethische Verhalten des Einzelnen, in 1 Thess 5,13; 1 Kor 3,13-15;
2 Kor 9,8 das Handeln, Verhalten innerhalb und zugunsten der Gemeinde in verschiedenen Bereichen, in Phil 1,6; Röm 14,20 genere-
ler das Leben bzw. in 1 Kor 9,1; 15,58; 16,10 den Aufbau der Gemeinde. Im Kontext der Diskussion um das neue Tora-Verständnis
spricht Paulus von *erga nomou*/Werken des Gesetzes (Gal 2,16; 3,2;
Röm 3,20.28), doch spielt dieser Kontext in 1 Thess keine Rolle. In
1 Thess 1,3 wird man bei *ergon* an das charakteristische Verhalten
der Gemeinde denken, das durch *pistis* qualifiziert ist. Speziell eine
Missionstätigkeit ist dabei nicht im Blick (so aber *Malherbe* 108f.).
Pistis meint eine christliche Grundhaltung des Vertrauens. Der Begriff wird hier absolut gebraucht und war den Adressaten im Kon-

text ihres neuen Lebens als Christus-Gemeinde wohl bereits bekannt. Sie werden dabei an ihr festes Vertrauen auf Gott, das ihre neue Überzeugung und damit ihr Selbstverständnis ausmacht, gedacht haben (vgl. v.8). Aus dieser vertrauensvollen, der Wahrhaftigkeit Gottes trauenden Beziehung resultiert ihre Beziehung innerhalb der Gemeinde: Der Zusammenhalt und die Verlässlichkeit der Gemeinde untereinander verwirklicht *pistis* in der zwischenmenschlichen Beziehung und trägt so zur Identität der Gruppe bei. Ihr »Vertrauen« dient im Bewusstsein der Gemeinde der Unterscheidung von anderen sozioreligiösen Gruppierungen in der Stadt Thessaloniki. Es ist freilich v.a. von der Gemeinde selbst wahrnehmbar, aber für das Zusammenleben einer Minderheit von größter Wichtigkeit.

Durch die Genitivkonstruktion *to ergon tēs pisteōs* sind die beiden Begriffe aufeinander bezogen, wobei der Genitiv hier und bei den beiden anderen Gliedern der Doppeltrias als *genitivus subjectivus* zu bestimmen ist (mit *W. Weiß*, Glaube 199; **T. Söding*, Trias 70; *Holtz* 43; BDR § 163,4; sachlich nicht weit entfernt ist die Bestimmung als epexegetischer Genitiv bei *K. F. Ulrichs*, Christusglaube 85). Es kommt darin eine enge Verbindung beider Begriffsgehalte zum Ausdruck: Die Genitive führen das aktive Verhalten und das Ethos der Gemeinde auf ihre neue Überzeugung, auf die Basis ihrer neuen Existenz in der Beziehung zu Gott (Vertrauen, Erwartung) und untereinander (Liebe) zurück und lassen die verwendeten Termini so zu Grundbegriffen christlichen Lebens werden (vgl. *pistis* in 1,7 f.; 2,10; 3,2.5-7.10; *agapē* in 4,9; 5,13; *elpis* in 4,13; alle drei in 5,8). Dass die Haltungen von Vertrauen, Liebe und Erwartung in Gott gründen, hält der abschließende Präpositionalausdruck »vor Gott« ausdrücklich fest.

Kopos, das Mühen, meint allgemein anstrengende Arbeit, Mühe, Müdigkeit. Bei Paulus kann damit die handwerkliche Erwerbsarbeit angesprochen sein (1 Thess 2,9; vgl. 1 Kor 4,12), meist aber die aufbauende, organisierende, wegweisende Arbeit in und an der Gemeinde in verschiedenen Funktionen (1 Thess 3,5; 5,12; 1 Kor 3,8; 4,12; 15,10.58; 16,16; 2 Kor 6,5; 10,15; 11,23.27; Röm 16,6.12; zum Wortfeld *S. Schreiber*, Arbeit). So dürfte auch hier ein Mühen um den anderen in der Gemeinde zu verstehen sein, das von *agapē* geprägt und geleitet ist. Für das Substantiv *agapē* finden sich nur sehr wenige pagane Belege, es begegnet v.a. in der Septuaginta und in anderen frühjüdischen Schriften. Es bezeichnet in seiner Grundbedeutung die erotisch-emotionale Liebe als menschliche Grundkraft; davon ausgehend findet eine Ethisierung im Sinne von

Nächsten- oder Bruderliebe und als Tugend statt (dazu *O. Wisch-meyer*, Vorkommen 91-108). Es geht also um die dem Aufbau und der Gestaltung von Gemeinde dienende engagierte Zuwendung zum anderen, um gegenseitige »Liebe« (so auch in 1 Thess 3,12; 5,12 f.; vgl. die »Geschwisterliebe« 4,9 f.), was die Übersetzung von *ho kopos tēs agapēs* mit »Mühen aus Liebe« nur andeuten kann. Dieses Verhalten umfasst das Interesse am anderen, das Engagement, ja die Leidenschaft für den anderen und impliziert auch Respekt und Anerkennung.

Der Begriff *hypomonē* trägt die Bedeutung Standhaftigkeit, Geduld. Für die Thessaloniker beschreibt er ihr Durchhalten trotz der »Bedrängnis« (1,6), die sie gegenwärtig als gesellschaftliche Randgruppe erfahren müssen. Gesellschaftlichen Gegenwind spüren sie in Unverständnis, Misstrauen und Ablehnung seitens ihrer städtischen Umwelt. Sie besitzen freilich *elpis*, eine bestimmte Hoffnung und Erwartung von etwas, das in Aussicht steht und das Durchhalten ermöglicht. »Durchhalten aus (einer bestimmten) Erwartung« bildet so das dritte Glied der Doppeltrias. Den Gegenstand der Erwartung stellt »unser Herr Jesus Christus« dar. Die Erwartung seiner Parusie, seiner Ankunft vom Himmel her, die die endzeitliche Verwirklichung der Herrschaft Gottes über die ganze Erde einleitet, gehört offensichtlich zu den wesentlichen Überzeugungselementen der Christus-Gemeinde in Thessaloniki (1,10; 2,19; 3,13; 4,15; 5,23). Diese Erwartung ist keine exklusiv zukünftige Perspektive, sondern prägt das Leben der Gemeinde bereits in der Gegenwart, indem es ihre Wahrnehmung der soziopolitischen Verhältnisse verändert: Die Welt erscheint in neuem, endzeitlichem Licht, weil die endzeitliche Wende unmittelbar bevorsteht – und die Gemeinde ist bereits jetzt Teil dieser neuen Wirklichkeit Gottes!

Durch den Bezug zur neuen Lebenswirklichkeit der Gemeinde gewinnen die Begriffe der Doppeltrias, die den Thessalonikern aus ihrer Alltagswelt vertraut waren, eine neue semantische Nuancierung. Sie werden zu einem Teil urchristlicher Sprache. So können sie das konkrete Verhalten, die spezifische Lebensweise, das Ethos der Gemeinde, das sie als solche ausmacht und qualifiziert, beschreiben. Dass sie dieses Ethos »vor unserem Gott und Vater« lebt, zeigt, dass die Gemeinde aus der Beziehung zu Gott lebt und ihre christliche Existenz aus der Gegenwart Gottes versteht, wobei das eschatologische Ziel – der kommende Christus – Licht auf diese Existenz wirft (vgl. die Formulierung mit *emprosthen* im Kontext der Parusie des Herrn in 2,19; 3,13; 2 Kor 5,10). Ein Hinweis auf Gottes Endgericht liegt nicht vor (vgl. aber zur forensischen Bedeu-

tung des *emprosthen* W. *Weiß*, Glaube 199.216). Die Doppeltrias
will also einer jungen Gemeinde, die weder gesellschaftliche Anerkennung noch festigende Traditionen oder Institutionen besitzt,
ihre spezifische Identität und Bedeutung bewusst machen.

4 Der mit dem Partizip *eidotes*/wissend an das Danken von v.2 an-   **4**
geschlossene Gedanke bringt die Überzeugung der Missionare von
der besonderen Erwählung der Gemeinde durch Gott zum Ausdruck. Dieses Partizip kann kausal verstanden werden und gibt
dann den Grund für den Dank der Missionare an (so *Malherbe* 109;
Fee 30). Meine Übersetzung »wir wissen« lässt dies offen. Die direkte Anrede als »von Gott geliebte Geschwister« hebt die gleichsam familiäre Verbindung der Gemeinde zu den Missionaren und
ihre besondere Stellung vor Gott hervor. Im Griechischen liegt in
dem grammatikalisch maskulinen Begriff *adelphoi* (»Brüder«) in-
klusiver Sprachgebrauch vor, der »Schwestern« einschließt und daher adäquat mit »Geschwister« übersetzt wird.

Die Anrede als »Geschwister« verwendet den Begriff metaphorisch
und signalisiert als wesentliches Bedeutungsmerkmal die enge emotionale und pragmatische Verbundenheit, die gemeinsame, nach
außen abgrenzende Gruppenzugehörigkeit und die gegenseitige
Verpflichtung der Angesprochenen. Diese Semantik geht aus zahlreichen antiken Texten hervor, die familiäre Geschwisterbeziehun-
gen reflektieren, die in der gemeinsamen biologischen Herkunft begründet sind (dazu *R. Aasgaard*, Beloved 34-116; *T. J. Burke*,
Family 97-127; zusammenfassend *C. Gerber*, Paulus 346-349; im
AT z.B. Ex 2,11; Dtn 3,18; Ps 22,23; Sach 7,9). Auch Metaphorisie-
rungen der Geschwisterbeziehung in gruppenspezifischen Kontexten begegnen vor und neben dem Gebrauch in den ersten christlichen Gemeinden, z.B. im Mithras-Kult, in Qumran-Schriften und
anderen frühjüdischen Werken, auch für Proselyten (JosAs 8,9;
12,11; 13,1; Philo, spec. leg. 1,52; virt. 103 f.179), sehr selten in hellenistisch-römischen Vereinen. Damit lässt sich die enge Zusammengehörigkeit innerhalb der Gruppe sprachlich prägnant umsetzen.
Das semantische Merkmal der Zusammengehörigkeit liegt auch
der kosmopolitischen Verwendung der Metaphorik in der Stoa zu
Grunde, die alle Menschen als Geschwister verstehen kann (prominent Epiktet, dissertationes 1,13,4). In der Funktion der *Anrede*
erscheint die Geschwister-Metaphorik in der antiken Literatur
ausgesprochen selten (wenige Belege bei *E. Dickey*, Forms
85.88 f.226 f.251.270 f.). Speziell in antiken Papyrusbriefen aus
Ägypten wird die Anrede als Geschwister (oder Eltern, Kinder)
häufig im übertragenen Sinne für andere nahestehende Personen

verwendet (*H. Koskenniemi*, Studien 105.119.121; *S. K. Stowers*, Letter Writing 72-74; vgl. aber auch frühjüdisch 2 Makk 1,1; syrBar 78,2 f.; 79,1; 80,1; 82,1).

Die Geschwister-Anrede in Christus-Gemeinden bedeutet nicht, dass sich die Gruppe völlig statushomogen und egalitär versteht (betont von *C. Gerber*, Paulus 344-349; *T. J. Burke*, Family 256; Paulus als Autorität: *R. Aasgaard*, Beloved 288 f.). Auch die antiken Überlegungen zur Beziehung leiblicher Geschwister spiegeln Unterschiede in Alter, Geschlecht, Einfluss und sozialen Rollen, doch besteht die gemeinsame Aufgabe in deren Überwindung. Bei Paulus und in den Gemeinden steht wie auch sonst in ihrer Lebenswelt die enge Zusammengehörigkeit als zentrales semantisches Merkmal der Geschwister-Anrede im Vordergrund. Dies impliziert die weitgehende Relativierung sozialer Status-Unterschiede und Hierarchien, die nach außen hin im gesellschaftlichen Leben bestehen bleiben. Nur so kann die enge Verbundenheit in der Gemeinde als Unterscheidungsmerkmal gegenüber der städtischen Gesellschaft wahrgenommen werden. Ein sprechendes Beispiel bietet Phlm 16: Der Sklave Onesimus soll nach seiner Bekehrung zum Christus-Anhänger im ebenfalls christlichen Haus seines Herrn Philemon mehr gelten als ein Sklave (ohne dass sein Sklavenstatus durch Freilassung aufgehoben würde!) – er ist ein »geliebter Bruder«, und das bedeutet vollgültige Zugehörigkeit zur Hausgemeinde und vorbehaltlose Anerkennung ohne gesellschaftliche Schranken.

Wenn die Verfasser die Adressaten als »Geschwister« ansprechen – und das geschieht an 14 Stellen in 1 Thess! –, betonen sie also die gegenseitige Verbundenheit und zugleich die Zusammengehörigkeit der Gemeinde untereinander. Diese Zusammengehörigkeit ist lebensnotwendig für die Existenz und das Selbstverständnis einer Gruppe, deren bisherige soziale Bindungen durch ihre Bekehrung brüchig wurden (↗Exkurs 3). In der Gemeinde finden sie eine neue Familie, die ihnen neue soziale Bindungsmöglichkeiten eröffnet. Soziologisch lässt sich von einer Resozialisierung nach der Konversion sprechen (vgl. *C. Wanamaker*, Father; *R. Börschel*, Konstruktion 110-125; *T. J. Burke*, Family 173 f.; *C. Gerber*, Paulus 339-343).

Der Zusatz »von Gott geliebte« hebt die besondere Zuwendung Gottes zur Gemeinde hervor. Aus Leidenschaft hat Gott ihnen die Beziehung zu sich eröffnet. Von Gottes Liebe zu Israel bzw. einzelnen Gestalten in Israel spricht bereits die Septuaginta (Dtn 7,7; 32,15; 33,5.26; Jes 44,2; Bar 3,37; 2 Esr 23,26 [= Neh 13,26]; Dan

3,35; Sir 45,1). Im Röm wird Paulus von der Liebe Gottes zu den Menschen, die sich im Christus-Ereignis gezeigt hat, schreiben (Röm 5,5.8; 8,39) und entsprechend die römische Gemeinde als Geliebte Gottes anreden (Röm 1,7). Als Gottes Geliebte besitzen auch die Christen in Thessaloniki besondere Bedeutung vor Gott; über den endzeitlichen Christus sind sie mit Israel verbunden. Vom unmittelbaren Kontext her, wo Gott als Vater bezeichnet wird (1 Thess 1,1.3), schwingt die Metaphorik von Gott als Vater der Gemeinde mit, was die Familien-Metaphorik der »Geschwister«-Anrede vertieft und in der Gottes-Beziehung verankert. Röm 8,29 ordnet auch Christus in das Bildfeld der Familie ein als »Erstgeborenen« unter vielen Geschwistern.

Der Hinweis auf die Erwählung *(eklogē)* durch Gott verweist auf das Selbstverständnis der Gruppe, in ihrer hellenistisch-römischen Lebenswelt eine Besonderheit darzustellen. Sie dürfen sich als von Gott ausgewählt verstehen und damit als Bestandteil des endzeitlichen Heilsplanes Gottes. Gott hat sich aus freiem Willen für die Gemeinde entschieden. In der Alltagssprache, die sich in zeitgenössischen Papyri niederschlägt, denotiert *eklogē* die Wahlfreiheit, die ein stärkerer Vertragspartner angesichts von Alternativen besitzt (Beispiele bei *A. Bammer*, Erwählung 110 f.). Der Bezug zur Heilsgeschichte Gottes mit seinem erwählten Volk Israel steht für die jüdischen Verfasser im Hintergrund des Begriffs (vgl. Dtn 7,7 f.; 14,2 und Röm 9,11; 11,5.7.28). Er setzt voraus, dass die junge Gemeinde, die überwiegend aus Heidenchristen bestand, durch die Erwählung zum Volk Gottes hinzutritt (vgl. **T. Jantsch*, Gott 86-90). So wichtig dieser Gedanke theologisch zu sein scheint, machen ihn die Verfasser hier aber nicht zum Thema. Entscheidend ist für sie, dass die Erwählung der Thessaloniker speziell im Evangelium geschah, das sich bei ihnen ereignete, wie der folgende Satz erläuternd ausführen wird: Im Evangelium ist die Gemeinde ein Teil der eschatologischen Heilsgeschichte des Gottes Israels.

5 Die Erwählung erklärt v.5 (mit epexegetischem *hoti; Malherbe* 110) mit dem Geschehen des Evangeliums in Thessaloniki. Der Begriff *euangelion* wird hier ohne Erläuterung verwendet und kann also als bekannt vorausgesetzt werden.   **5**

Die Begriffsgeschichte ist interessant (vgl. *M. Ebner*, »Evangelium« 118-121). Im klassischen Griechisch bis in die Zeit der späten römischen Republik bedeutet *euangelion* »Botenlohn«, wobei insbesondere Nachrichten vom Sieg in einer Schlacht die Botschaft bilden. Am Ausgang der Republik (die ersten Belege bietet Cicero) erhält der Begriff die Denotation »gute, schöne Botschaft«, die sich auf politische Entwicklungen bezieht. Im frühen römischen Prinzipat findet eine Konzentration der *euangelia* (im Plural) auf das Kaiserhaus statt: Geburtstag, Herrschaftsantritt oder besondere Ereignisse im Leben des Kaisers können so bezeichnet werden. Die berühmte Inschrift von Priene (OGIS 458) setzt 9 v. Chr. den Jahresanfang des kleinasiatischen Kalenders mit dem Geburtstag des Augustus gleich, weil dieser den Anfang der *euangelia* darstelle. Der Begriff wird zum Träger der politischen Rhetorik Roms: Der Kaiser garantiert Frieden, Ordnung und Wohlstand für das ganze Reich, da seine Herrschaft von den Göttern legitimiert und begleitet ist. Auch in Thessaloniki ist der Begriff bezeugt: Die stark zerstörte Inschrift IG X 2/1, 14 nennt *euangelia*, womit vielleicht kaiserliche Privilegien für die Stadt benannt sind; die Inschrift datiert freilich erst in die Zeit Hadrians (genauer 130-138 n. Chr.). In der Septuaginta dominiert ebenfalls der politische Kontext (meist »Siegesnachrichten«). Bei den Propheten tritt im Gebrauch des Verbs *euangelizomai* verstärkt eine theologische Dimension hinzu: Der *euangelizomenos*/ »Frohbotschafter« von Jes 52,7 (vgl. Nah 1,15) verkündet Frieden und Rettung, denn Gott als König setzt sich gegen Israels Feinde durch. In Jes 60,6 kündigt sich die Anerkennung von Gottes Königtum durch die Heiden an, in 61,1 steht die soziale Botschaft im Zentrum.

In der Sprache der ersten Christen, für uns v. a. in den Paulusbriefen greifbar, bleibt die politische Dimension grundlegend, freilich theologisch spezifisch beleuchtet. *Euangelion* fasst die Botschaft vom Beginn einer neuen Zeit, der endzeitlichen Herrschaft Gottes zusammen: Mit der Erweckung Jesu aus dem Tod durch Gott beginnt – apokalyptisch gedacht – die Endzeit Gottes, die im Gericht die Welt von allen widergöttlichen Mächten befreien wird (1 Kor 15,1-5.24-28). Weil Gott in Christus *endzeitlich* gehandelt hat, ist die Gemeinde der Anhänger Christi, zu der neben Juden auch Heiden (!) zählen, nun in die Geschichte Gottes mit Israel eingebunden. Damit steht Christus als endzeitlicher Herrscher (gemäß Ps 2,7 als »Sohn« Gottes gedacht) im Zentrum des Evangeliums (Röm 1,1-4), das als solches rettende Kraft besitzt (Röm 1,16). Die neue, universale Herrschaft Christi, die wirklich Rettung bringt, enthält ein politisches Kontrastbild zur Reichsideologie Roms – ein Herrschaftswechsel befindet sich bereits im Durchbruch. Als Ankündigung dieser Herrschaft Gottes besitzt das Evangelium weltgeschichtliche Bedeutung. Die Aufgabe seiner Verkündigung prägt das Selbstverständnis des Paulus (Röm 1,1.9.15).

Diesen Begriffsinhalt können die Missionare bei ihren Adressaten voraussetzen, weil sie ihn wohl selbst in Thessaloniki eingeführt haben. Daher können sie von »unserem Evangelium« sprechen (vgl. Röm 2,16 »mein Evangelium«). Hinter dieser einfachen Formulie-

rung verbirgt sich ein wesentlicher theologischer Sachverhalt. Das
Evangelium ist an seine Verkünder gebunden, es gibt kein »objekti-
ves«, kodifiziertes Evangelium, das man nur weiterreichen bräuch-
te. Vielmehr muss die theologische Grundaussage des Evangeliums
an jedem Ort, für jede Adressatengruppe, für jede Kultur und Situation neu aktualisiert werden. Die Offenbarung Gottes, die im Evangelium »geschieht« (die Verbform *egenēthē*/»es ereignete sich, geschah« erinnert an die biblisch-prophetische Sprache göttlicher
Offenbarung im Wort: Jer 1,2; 2,1; Mich 1,1; Joel 1,1; Zef 1,1; Lk
3,2), bedarf der Anwendung auf die Lebenssituation der Adressaten
durch die Verkünder. Daher sind diese mit ihrer Biographie, ihrem
Denken und ihrer Erfahrung wesentlich in den Prozess des Evan-
geliums-Geschehens eingebunden. Dieses Geschehen ist so an die
Beziehung zwischen Verkündern und Hörern gebunden. Daran erinnert das Missionsteam am Ende des Satzes, indem es mit »ebenso
wie ihr wisst« die eigene Erfahrung der Adressaten mit den Missionaren wachruft: Ihr Verhalten bei den Thessalonikern war an deren
Lebenssituation orientiert (»wegen euch«), ebenso aber am Anspruch und Sinngehalt des Evangeliums. Das glaubwürdige Auftreten der Missionare wird in 2,1-12 zum Thema.

Zum kulturgeschichtlichen Vergleich lässt sich an das Motiv des Einklangs
von Wort und Tat als Gemeinplatz in der Popularphilosophie erinnern,
womit v. a. Stoiker und Kyniker ihre Glaubwürdigkeit als Philosophen
belegen (Belege bei *Malherbe* 111).
Mit dem Verb *oida*, das im nächsten Abschnitt noch häufiger begegnet
(2,1.2.5.11), wird ein Wissen bezeichnet, das sich eigener Anschauung
und Erfahrung verdankt, im Unterschied zu mehr geistigen, kognitiven
oder spirituellen Formen von Wissen (vgl. griechisch *epistēme* oder *gnōsis*).

Doch zunächst liegt der Akzent auf der Wirkmächtigkeit, der
Überzeugungskraft des Evangeliums. Die Opposition »nicht allein – sondern auch« ist nicht antithetisch, sondern synthetisch
und damit den zweiten Teil intensivierend zu verstehen. Wieder in
der rhetorischen Form einer Trias wird die erfahrbare Wirkung, die
das Wort freisetzte, angesprochen: »in Kraft und in heiligem Geist
und in viel Gewissheit«. *Dynamis* meint hier die Kraft, die einer
Sache innewohnt, die ihr eigentümlich ist (z. B. »die Kräfte der
Pflanzen« Xenophon, Kyr. 8,8,14; dazu *F. Passow*, Handwörterbuch I/1, 728), die ihre eigene »Dynamik« ausmacht (*A. Bammer*,
Erwählung 112-114). Das Evangelium entfaltet Wirkung in denen,
die es annehmen, es ist lebendiges Beziehungsgeschehen, das ver-

wandelt und rettet. In Röm 1,16 ist es als »Kraft Gottes zur Rettung« beschrieben. Letztlich ist es Gott selbst, dessen Wirken im Evangelium Ausdruck findet und es *wirksam* macht. Denn im Evangelium wendet Gott seinen endzeitlichen Heilswillen den Menschen, die ihn annehmen, zu, was die unbedingte Annahme des Menschen (trotz Sünde und Sündigkeit), die Erwählung im Gegenüber zu den herrschenden politisch-gesellschaftlichen Weltverhältnissen und die Zusage endgültig-endzeitlicher Gerechtigkeit bedeutet. Die »Kraft« des Evangeliums hat die Gemeinde selbst erfahren, indem sie ihm vertrauen konnte und es angenommen hat. Der »heilige Geist« vermittelt als Wirkweise Gottes (vgl. Jes 63,10 f.; Ps 51,13; 139,7; 143,10) die Beziehung zu Gott, die im Evangelium gründet, und verwandelt so Menschen zu einem neuen Selbstverständnis (zum Geist als Vermittler von Erkenntnis und Beziehung in den Briefen des Paulus vgl. *V. Rabens*, Spirit 171-242). Nicht konkrete Geistesgaben sind im Blick (mit **E. D. Schmidt*, Heilig 330), sondern die Beziehungsaufnahme Gottes in seinem, dem »heiligen« Geist, der die Verkündigung bestätigt und glaubhaft macht. So geschieht das Evangelium in »viel Gewissheit«: Es weckt die volle persönliche Überzeugung, dass es wahr und wirkmächtig ist, d. h. dass es grundlegende Bedeutung für das Leben der Menschen besitzt. Für die Gemeinde bestand das Evangelium also nicht aus leeren Worten, sondern wurde in seiner Wirkkraft in Thessaloniki *erfahrbar*, weil es ihre Überzeugung und ihre Existenz verwandelte und das spezifische Zusammenleben als Ekklesia ermöglichte.

Die persönliche und damit auch »subjektive« Dimension der Erfahrungen mit dem Evangelium ist wesentlich für den Prozess religiöser Überzeugungsgewinnung seitens der Thessaloniker (*Malherbe* 112 f.125 betont die subjektive Überzeugung, bezogen freilich auf die Person des Paulus; vgl. **E. D. Schmidt*, Heilig 328). Sie stellt einen theologischen Wert an sich dar und lässt sich nicht unter Verweis auf die »Allgegenwart und Wirkmächtigkeit Gottes« ausschalten (so aber *Müller* 107; vgl. *Rigaux* 378). Entsprechend zielt der Begriff *dynamis* auch nicht auf Wunder im Sinne eines spektakulären Eingreifens Gottes in die Geschichte als Vergewisserung durch ungewöhnliche Erscheinungen (so jedoch *Holtz* 46 f.; ferner *Reinmuth* 119; *Fee* 35 f.; *Green* 95 f.). An den wenigen Stellen, an denen Paulus sein Auftreten mit wunderhaften Phänomenen verbindet, ist die Terminologie spezifisch (»Zeichen und Wunder« 2 Kor 12,12; Röm 15,18; vgl. 1 Kor 12,10.28 f.). 1 Thess 1,5 stellt (wie 1 Kor 2,4 f.) nicht eine äußere Beglaubigung, sondern die Wirkmacht und die Überzeugungskraft des Evangeliums selbst bei den Menschen ins Zentrum (*S. Schreiber*, Wundertäter 252-266; ferner *Malherbe* 112; *Haufe* 26; es geht auch nicht um die geisterfüllte Predigt des Paulus, so *Fee* 29-36).

6f. Die im Evangelium vermittelte Überzeugung führte zur Annah- **6f.** me des Wortes durch die Thessaloniker, die damit zugleich als »Nachahmer« *(mimētai)* der Missionare erscheinen. Der Anschluss des Satzes an das Vorhergehende mit *kai*/und stellt die Annahme des Wortes als unmittelbare Folge des Evangeliums dar.

Der Gedanke der Nachahmung *(mimēsis)* war in der hellenistischen und teilweise auch der frühjüdischen Ethik verbreitet (dazu *Malherbe* 126; *Green* 97f.). Das Verhalten des Einzelnen soll sich dabei an Vorbildern wie Helden, Heroen, Eltern oder Lehrern orientieren, die dazu als Ideal vorgestellt werden (z.B. Seneca, epist. 6,5f.; 11,8-10). 4 Makk 9,23; 13,9 zeichnet die Treue zum Gesetz bis ins Martyrium als Ideal, Arist 188.210.281 kennt die *imitatio* Gottes im Kontext eines Fürstenspiegels. Die *eigene Person* als Vorbild wird nur selten reklamiert (z.B. Seneca, epist. 8,1; 42,1; Paulus in seiner Funktion der Christus-Nachfolge: 1 Kor 4,16; 11,1; Phil 3,17).

Dass es bei der Nachahmung des Missionsteams jedoch nicht allgemein um die ethische Lebensführung geht (so aber **T. J. Burke*, Family 147f.; **A. J. Malherbe*, Paul 52-54; **R. Börschel*, Konstruktion 120 spricht von einer »Selbsttypisierung Pauli«; zur Forschung *O. Merk*, Nachahmung), sondern ein spezifischer Aspekt im Blick ist, signalisiert schon die syntaktisch nachklappende und somit betonte Anfügung »Nachahmer ... des Herrn« und erläutert dann der anschließende Partizipialsatz, wobei das Partizip *dexamenoi* epexegetisch aufzufassen ist. Die Annahme des Wortes geschah nämlich »in viel Bedrängnis« *(en thlipsei pollē)* und »mit der Freude des heiligen Geistes«. Weil die Annahme des Evangeliums zu sozialen Brüchen führt (↗Exkurs 3), erfährt die junge Gemeinde soziale Desintegration und Isolation, Unverständnis, Demütigung und Aggression seitens der städtischen Umwelt. Das wiederum kann bei ihr Sorgen, Verunsicherung und Angst vor den Folgen der Konversion wecken. Solche Erfahrungen sozialer Bedrängnis konnotiert der semantisch weite Begriff *thlipsis*. Gewaltsame Verfolgungen sind hier, wie aus dem Brief insgesamt hervorgeht, nicht im Blick (↗Einleitung 3.2; *Holtz* 49; die emotionale Verwirrung betont *Malherbe* 127-129).

Bedenkt man, dass das Syntagma *hēmera thlipseōs* (»Tag der Bedrängnis«) in Hab 3,16; Zef 1,15; Dan 12,1 den eschatologischen Gerichtstag Gottes bezeichnet und sich *thlipsis* auch in apokalyptisch geprägten Texten der ersten Christen auf die speziell mit der Endzeit verbundenen Bedrängnisse bezieht (Mk 13,19.24; Offb 7,14; vgl. Röm 5,3; 8,35; 12,12; vgl. *Reinmuth* 120), könnte der Begriff hier bereits eine Interpretation der damit verbundenen Negativerfahrungen in sich tragen: Sie sind Bestandteil der eschatologischen Existenz der Thessaloniker und finden eine Erklärung im Sinnzusammenhang eines christlich-apokalyptischen Weltbildes, was ihre Akzeptanz seitens der Gemeinde fördern kann.

In der Erfahrung massiven gesellschaftlichen Widerstands angesichts ihrer neuen Lebensweise aus dem Evangelium sind die Thessaloniker wirklich »Nachahmer« der Missionare und des Herrn; auch darin wird die gemeinsame Beziehung lebendig. Der Gedanke wird im Briefcorpus in 2,2.15 vertieft werden.
Auf Widerstände gegen das Ethos des Evangeliums treffen auch die Missionare (vgl. 2,2.16; 3,7), und Ablehnung und Tod gehören zu den heilsgeschichtlichen Basisaussagen über den »Herrn« Jesus (2,15), so dass die Nachahmung der Thessaloniker bei der Annahme des Wortes diese in die Schicksalsgemeinschaft mit den Missionaren und Jesus hineinnimmt.
Nachahmer sind sie aber auch in der spürbaren Kraft zum Durchhalten, in der Freude über ihre neue Überzeugung und Lebenswirklichkeit, die ihnen der Geist schenkt (*pneumatos* ist Gen. auctoris). Diese Freude resultiert aus dem für sie neuen Bewusstsein, bereits jetzt – und im Kontrast zu ihrer Umwelt – zur eschatologischen, universalen Herrschaft Gottes in Christus zu gehören, wie sie im Evangelium mittels des Geistes erfuhren. Der Topos von der eschatologisch motivierten Freude in und trotz Leiden und Versuchungen war frühjüdisch und urchristlich bekannt (1QH 17,24 f.; syrBar 52,6 f.; 2 Kor 6,10; 7,4; 8,2; Mt 5,11 f.; Apg 5,41; Jak 1,2; 1 Petr 1,6; 4,12 f.). Die eschatologische Freude überwiegt die Bedrängnis, und in der Folge *(hōste)* wurden die Thessaloniker in ihrer neuen Lebensweise selbst zum Vorbild für andere Christus-Anhänger in Griechenland (v.7). Die Bewertung als *typos*/Vorbild bedeutet eine große Auszeichnung für die Gemeinde, wird damit doch der prägende Eindruck, den sie hinterlässt, ihre Ausstrahlung hervorgehoben. Die Nachahmer werden selbst zu Vorbildern, und als vorbildlich erweist sich ihre Lebensweise im Sinne des Evangeliums und in der Freude des Geistes trotz aller Widrigkeiten. Es ist also keine Missionstätigkeit der Gemeinde angesprochen (wie *Malherbe* 116 meint), sondern ihr innerchristlicher Ruf. Vielleicht haben auch die Missionare selbst – aktuell z. B. in Korinth, von wo aus sie den Brief

senden – anderen Gemeinden das überzeugte Durchhalten der Thessaloniker vor Augen gestellt. Mit Makedonia und Achaia sind die beiden römischen Provinzen Griechenlands genannt, also ganz Griechenland umfasst, was die Weite der Ausstrahlung andeutet.

Sucht man nach konkreten Städten in Griechenland, in denen sich paulinische Gemeinden konstituierten, wird man – neben Thessaloniki – über Philippi und vielleicht Beröa (Makedonien) sowie Korinth (Achaia) nicht hinauskommen (Apg 16-18). Hinter der geographischen Übertreibung steht freilich die Überzeugung, dass die Präsenz einer Christus-Gemeinde in einer Metropole Bedeutung für die gesamte Provinz besitzt, da sie ins Umland ausstrahlt (vgl. 2 Kor 1,1; Gal 1,21; Röm 15,19.23-26).

Als *pisteuontes* werden die Christus-Anhänger/innen in ihrem Vertrauen auf Gott und sein Evangelium als wesentlicher Eigenschaft ihrer neuen Existenz angesprochen (↗ Exkurs 2). Das ohne Objekt gebrauchte Partizip »Vertrauende« bestimmt sie als klar abgegrenzte Gruppe, die aus der vertrauensvollen Beziehung zu Gott, zu Christus und untereinander lebt. Insofern zeigt das Partizip bereits Ansätze zu einer geprägten Begriffsverwendung.

8 V. 8 erläutert den Vorbildcharakter und die Ausstrahlung der Thessaloniker in überbietender Weise näher. Die Perfektform der griechischen Verben *exēchētai* (schallte hinaus) und *exelēlythen* (ging hinaus) verdeutlicht, dass das Ergebnis der Ausstrahlung bereits eingetreten ist: die Bekanntheit der Gemeinde. Der Satzbau ist auffällig, denn der erste Satzteil findet nicht die grammatikalisch nach »nicht allein … sondern« zu erwartende Fortsetzung. Vielmehr bilden ein neues Subjekt und Verb einen zweiten, in sich geschlossenen Satz (Anakoluth). Dadurch wird die rhetorische Steigerung, die der Satz enthält, noch deutlicher. Die Ausstrahlung der Gemeinde reicht demnach über Griechenland hinaus »an jeden Ort«. Hinter der in der antiken Literatur nicht unüblichen (vgl. Dion Chrysostomos, or. 51,3; Plutarch, Pyrros 19; 1 Kor 1,2; Röm 1,8) rhetorischen Übertreibung steht freilich ein aktives Kommunikationsnetz zwischen Christus-Gemeinden im gesamten Raum des östlichen Mittelmeers, für das die paulinischen Briefe beredtes Zeugnis ablegen. Die infrastrukturellen Reisebedingungen im östlichen Mittelmeerraum, die das Imperium Romanum bot, ermöglichten eine hohe Mobilität einzelner Mitglieder urchristlicher Gemeinden (vgl. *R. Riesner*, Frühzeit 273-281; *A. Kolb/W. Popkes*, Transport). Thessaloniki als Metropole der Provinz Makedonia stand dabei im Zentrum eines Netzes von Verkehrsadern (↗ Einlei-

8

tung 1.3; *C. vom Brocke, Thessaloniki 74-85.106-112.188-199).
Da man sich füreinander interessierte, konnte die Nachricht, dass
nun auch in der Großstadt Thessaloniki eine Christus-Gruppe existierte, durchaus Kreise gezogen haben. Solche Nachrichten wurden
wichtig für die Traditionsbildung unter den ersten Christen, wie
wir sie noch in manchen Erzählungen der Apostelgeschichte entdecken können.
Die Subjekte der beiden Satzteile »Wort des Herrn« und »euer Vertrauen auf Gott« stehen dabei parallel zueinander, was auf eine semantische Verbindung (linguistisch: eine paradigmatische Relation)
deutet. Von der Annahme des »Wortes« *(logos)* war schon in v.6 die
Rede, und dort war wiederum der Bezug zum »Evangelium« von
v.5, das sich als Wortgeschehen ereignete, hörbar. Somit schallte also das Evangelium als »Wort des Herrn« von den Thessalonikern
aus, aber in der spezifischen Form ihrer *pistis*, also ihres Vertrauens,
ihrer Treue, ihrer festen Beziehung zu Gott (↗ Exkurs 2). Die Formulierung »Vertrauen auf Gott« (mit der Präposition *pros*) ist sin-
gulär im NT, findet aber Parallelen im Frühjudentum (das Vertrau-
en der Märtyrer auf den Gott Israels in 4 Makk 15,24; 16,22; bzgl.
Abraham Philo, Abr. 268.271.273; her. 94; praem. 27; mut. 201) und
zeigt die theozentrische Grundlage des Evangeliums, das aus dem
Heilshandeln des Gottes Israels entspringt. *Ihm* vertrauen sich die
Thessaloniker in der Annahme des Evangeliums an, und dieses feste
Überzeugtsein und Vertrauen ist bemerkenswert angesichts einer
skeptischen und ablehnenden Umwelt. Die nachhaltige Existenz
der Christus-Gemeinde als solcher in einer Großstadt, die überwiegend an Christus uninteressiert ist, ist bereits Verbreitung und Verkündigung des Evangeliums! Darauf liegt hier der Akzent, nicht auf
einem materialen Glaubensinhalt. Es ist auch keine Missionsaktivi-
tät der Thessaloniker, sondern die Ausstrahlung ihrer christlichen
Existenz in weite Kreise christlicher Gemeinden im Blick (*Holtz*
52; *Reinmuth* 121; *Haufe* 28; *Fee* 43 f.; anders *Malherbe* 117 f.130 f.;
Green 101-105; *Beale* 59 f.). Die Pragmatik des Textes besteht darin,
der Gemeinde ihre außerordentliche, überregionale Bedeutung ins
Bewusstsein zu rufen.
Am Ende des Satzes steht die stilistische Figur einer *praeteritio:* der
betonte Hinweis darauf, dass über diese Sache nichts weiter gesagt
werden muss – womit das dann doch Gesagte (v.9 f.) nur umso stärker betont wird.

9 f. 9 f. Andere Christen können bereits von den Missionsereignissen in
Thessaloniki erzählen, diese haben sich also herumgesprochen.
Rhetorisch geschickt unterstreicht der Hinweis auf die Öffentlich-

keit christlicher Gemeinden, die die Ereignisse des Missionsbesuchs anerkennend weitergeben und so eine virtuelle Zeugenfunktion übernehmen, die Glaubwürdigkeit der Missionare und die Bedeutung der Lebenswende der Thessaloniker – diese beiden wesentlichen Inhalte der Erzählung werden ausgeführt: Zum einen erzählen sie »über uns«, also die Missionare (*peri* mit Gen. gibt bei Verben des Sprechens den Gegenstand an; BDR § 229), welchen »Eingang« *(eisodos)* sie bei den Thessalonikern hatten. Damit bezieht sich der »Eingang« in erster Linie auf das aktive Auftreten der Missionare (anders deutet *Müller* 115 passiv auf ihre Aufnahme; *Holtz* 54 sieht beide Momente). Gemeint ist die spezifische Art ihres Auftretens beim Gründungsbesuch, der offenbar so überzeugend verlief, dass eine kleine Gruppe von Menschen das Evangelium annahm. Der Gedanke der Glaubwürdigkeit der Missionare wird gleich anschließend im ersten Abschnitt des Briefcorpus (2,1-12) zum Thema.

Dass mit dem »Eingang« der Missionare zugleich auch die »Parusie« Christi partiell gegenwärtig werde (so **J. M. F. Heath*, Presences 19 f.), ist im Text nirgends angedeutet und verkennt den Charakter der Parusie als Ereignis der *Zukunft.*

Zum anderen erzählt man sich von der Lebenswende der Thessaloniker, die breiter ausgeführt wird und damit den Schlussakzent des Proömiums trägt. Diese Lebenswende wird als Bruch mit der bisherigen kulturellen Heimat charakterisiert: als Hinwendung *(epistrephein)* zu Gott, weg von den Götterbildern und den damit repräsentierten Göttern, die die pagane Kultur im öffentlichen und privaten Raum prägen. Der soziale und kulturelle Umbruch lässt sich als Bekehrung beschreiben, die für die Betroffenen einen echten Wirklichkeits- und Herrschaftswechsel in ihrem Leben bedeutete. Aus der Wende, der Bekehrung resultiert eine neue Lebensweise, die darin besteht, (1) dem lebendigen und wahren Gott zu dienen und (2) Jesus, den Sohn Gottes und aus Toten Erweckten, als Retter im Endgericht zu erwarten.
(1) Die Formulierung vom »lebendigen und wahren Gott« verdankt sich alttestamentlich-frühjüdischer Sprache (↗ Analyse) und meint den Gott Israels als den, der (schöpferisch) Leben zu schaffen vermag, also wirkmächtig ist und Einfluss nimmt, und der so anders als die Götterbilder wirklich, in Wahrheit Gott ist. Von den ihre Kultur dominierenden Götterbildern hat sich die Gemeinde abgewandt und zu dem einzigen, wahren und lebendigen Gott Israels hinge-

wandt. Unter dessen alleinige Herrschaft stellen sich die Bekehrten mit ihrem ganzen Leben nun (»dienen«, wörtlich: »Sklave sein«). In den Herrschaftsbereich dieses Gottes einzutreten betrifft die ganze Existenz und lässt sich keineswegs auf liturgisches Handeln einschränken. Wenn sich Heiden dem *Gott Israels* unterstellen, werden das Gottesbild und der Gottesbezug Israels das Koordinatensystem, in dem sich die Bekehrten verstehen: Weil der Gott Israels in Christus neu, endzeitlich gehandelt hat, ist die Gemeinde in Gottes Geschichte mit Israel hineingenommen. Daher können sich auch *Juden*christen von der Aussage angesprochen fühlen, deren Überzeugung ohnehin von der Hinwendung zum Gott Israels in Abgrenzung zu den paganen Göttern bestimmt ist (vgl. ähnlich 1 Kor 12,2; Gal 4,8 f.). Die Bekehrungsaussage schließt also nicht aus, dass auch Judenchristen zur Gemeinde in Thessaloniki zählten, wenngleich den Hauptanteil sicher Heiden bildeten, deren Bekehrungserfahrung hier ins Wort gefasst ist. Wenn etliche von ihnen bereits vor der Konversion als »Gottesfürchtige« eine besondere Nähe zur Synagoge pflegten (↗ Einleitung 2.2; 3.2), liegt der Israelbezug nahe.

(2) Den Israelbezug charakterisiert freilich ein christliches Spezifikum: Jesus, den erweckten Sohn, vom Himmel her als Retter im Endgericht zu erwarten. Die damit in Jesus bereits jetzt eröffnete Teilhabe an der eschatologischen Wirklichkeit Gottes bedeutet für die Gemeinde einen Qualitätssprung. Dies wird aber erst im Kontext eines apokalyptischen Weltbildes voll verständlich.

Zum religionsgeschichtlichen Hintergrund: Apokalyptisches Denken entstammt der Situation jüdischer Minderheiten, die sich in ihrer politischen und kulturellen Identität von der beherrschenden politischen Macht bedroht empfinden (Dan, Jub, äthHen, 4 Esr u. a.). Die gegenwärtige Geschichte wird als globales Unheilsgeschehen wahrgenommen, so dass eine Heilszeit nur noch als komplette Neuschöpfung durch Gott vorstellbar ist, als Abbruch der Geschichte (alter Äon) und neue Aufrichtung von Gottes Königsherrschaft (neuer Äon). Die Erweckung der Toten markiert den Beginn des neuen Äon (z. B. Dan 12,2). Im anschließenden endgültigen Gericht schafft Gott durch die Vernichtung alles Gottlosen und Bösen und die Entmachtung aller widrigen Mächte, auch des Todes, endgültig Gerechtigkeit. Entsprechend dem Denkmodell apokalyptischer Schriften bedeutet für die ersten Christen Jesu Erweckung den Beginn der Endzeit, der Äonenwende, was sich in Gal 1,1.4 spiegelt: Gott, »der ihn (Jesus) aus Toten erweckte […] auf dass er uns herausreiße aus dem gegenwärtigen bösen Äon«. Nach 1 Kor 15,20-28 bildet die Erweckung Jesu die Voraussetzung für die Erweckung aller Christen und die endgültige Herrschaft Gottes. Mit der Erweckung Jesu, die 1 Thess 1,10 anführt und die in 4,14 die argumentative Grundlage für die Erweckung aller Christen bildet, hat Gott bereits begonnen, unaufhaltsam seine Herrschaft aufzurichten, was die neue Überzeugung der ersten Christen, Teil der eschatologischen Wirklichkeit Gottes zu sein, begründet.

Als »Sohn«, der sich gegenwärtig im Himmel befindet, ist Jesus die entscheidende Gestalt dieser Herrschaftsaufrichtung. Der Titel stammt aus der Königstradition Israels (Ps 2,7; 89,27 f.; 2 Sam 7,14) und kann für den Messias, den königlichen Gesalbten verwendet werden (4Q174 3,10-13), um seine besondere Nähe zu Gott, seine Legitimation und Vollmacht zu bezeichnen (vgl. die Tradition in Röm 1,4: »eingesetzt als Sohn Gottes in Macht nach dem Geist der Heiligkeit aus der Erweckung der Toten«). Der Christus als endzeitlicher Repräsentant Gottes kann in Gottes Auftrag eine entscheidende Funktion beim umstürzenden endzeitlichen Gericht – das die Voraussetzungen schafft für die endgültige Aufrichtung von Gottes Gerechtigkeit – ausüben, wobei dieses Gericht für die Christus-Anhänger/innen bereits vorgängig positiv entschieden ist: Christus »rettet uns aus dem kommenden Zorn *(orgē)*«. Rettung kann er bewirken, weil er als »Sohn« an Gottes endzeitlicher Macht teilhat.

Jesu Unheil abwehrender Tod ist hier nicht impliziert (gegen *C. Eschner*, Gestorben 188-190). Theologiegeschichtlich ist die Vorstellung vom Heilstod Jesu nur auf dem Hintergrund des Heilshandelns Gottes an Jesus bei seiner Erweckung und Erhöhung zu begreifen; Ostern liegt also der soteriologischen Todesdeutung voraus. Die Vollmacht zur Rettung kommt Jesus hier durch seine Einsetzung als eschatologischer Mitherrscher Gottes – bei seiner Erweckung – zu und kann daher auch unabhängig vom Tod Jesu gedacht werden (vgl. Röm 1,3 f.; 10,9). In 1 Thess 5,10 kommt Jesu heilstiftender Tod in den Blick.

Das Verhältnis des Sohnes zu Gott besteht in dieser frühen christologischen Formulierung darin, dass der erhöhte Sohn als Gottes endzeitlicher Repräsentant in einzigartiger Weise an Gottes Vollmacht teilhat. Dass der Name »Jesus« eigens genannt und syntaktisch auffallend nachgestellt ist (anders *C. Burchard*, Satzbau), hebt die Identität des himmlischen »Sohnes« mit dem erweckten Menschen Jesus von Nazaret hervor und betont zugleich die christologische Fokussierung der traditionellen apokalyptischen Vorstellung: Mit *Jesu* Erweckung begann die eschatologische Heilszeit.

Damit tritt die einzigartige Bedeutung Jesu für die Gemeinde hervor, mit dem sie sich in einer verlässlichen Beziehung weiß, die über das Ende der Geschichte hinausreicht – sie rettet vor dem »Zorn«. Als »kommend« ist der Zorn noch Ereignis der Zukunft, zugleich aber bereits im Kommen begriffen; er rückt heran, steht nahe bevor. Der »kommende Zorn« bezieht sich hier auf das zukünftig-endzeitliche Gericht, das die Welt völlig umgestaltende Handeln Gottes.

Der Zorn der Götter konnte sich nach verbreiteter antiker Auffassung in Krankheiten, Naturkatastrophen und politischen Widerfahrnissen entladen, wenn Menschen den Göttern die schuldige Achtung und Verehrung verweigerten (dazu und zum Folgenden mit vielen Belegen *M. Konradt*, Gericht 57-65). Im alttestamentlich-frühjüdischen Denken wird Gottes Zorn von Untreue, Abwendung und Fehlverhalten Israels ausgelöst. Die Vorstellung vom vernichtenden Zorn Gottes wurzelt in anthropomorphen Zügen des Gottesbildes Israels, wo sich der Zorn gegen Verehrer fremder Götter, Sünder und gottlos Handelnde sowohl in Israel selbst (Num 11,10; 16,20-22; 17,11; Dtn 1,34-37) als auch bei den Völkern (Jes 30,27-30; 34,2-8; 59,17-20; Sib 3,545-572) richtet. Der Zorn ist also in erster Linie als innergeschichtliches Eingreifen Gottes gedacht. Nach Zef 1,14-18 entlädt sich Gottes Zorn am »Tag des Herrn«, dem Gerichtstag. Speziell in apokalyptisch geprägten Diskursen findet eine Fokussierung des Zorns auf ein endgültiges, die Sünder und gottfeindlichen Verhältnisse vernichtendes Gericht am Ende der Zeiten statt, mit dem Gott den neuen Äon, seine gerechte und gute Herrschaft, aufrichtet (äthHen 62,11-13; 91,1-10; AssMos 10,1-10; Sib 3,556-561). »Zorn« meint dann in apokalyptischen Schriften Gottes endzeitliches Straf- und Vernichtungsgericht an fremden, widergöttlichen Herrschern, Heiden und Sündern (vgl. in äthHen 55,3 »Zorn« und »Strafgericht« als Hendiadyoin; in AssMos 8,1 »Rache« und »Zorn«). Weil der Zorn der endgültigen Durchsetzung von Gottes Gerechtigkeit dient, kann von »Zorngericht« gesprochen werden (gegen *T. Jantsch*, Gott 115f.), das eine Umkehrung der als ungerecht erfahrenen Verhältnisse der Welt bedeutet (z.B. äthHen 62,3-16). Der Zorn Gottes wird von Paulus auch in Röm 1,18; 2,5 aktualisiert, wobei Gottes liebender Heilswille, der in Christus offenbar wurde, vor dem Zorngericht bewahrt (Röm 5,9). Ist in Jes 59,20 LXX Gott selbst der »Rettende« für Zion, übernimmt in 1 Thess 1,10 sein Repräsentant diese Funktion für die Gemeinde (beide Male mit dem Partizip *rhyomenos*). – Wenn die Verfasser hier in v.10 in die 1. Pers. Plural wechseln, beziehen sie sich selbst und letztlich alle Christen in die endgerichtliche Rettung mit ein – der endzeitliche Status als Gerettete wird wesentlich für das neue Weltbild und Bewusstsein der Christen.

Die eschatologische Perspektive prägt den ganzen Brief, indem neben Hinweisen auf die Parusie Christi die Teilhabe der verstorbenen Christen an der Parusie (4,13-18) und die eschatologische Existenz der Christen (5,1-11) thematisiert werden. Die Überzeugung, in der Erwartung der nahen Parusie Christi bereits jetzt als eschatologische Existenz zu leben, dürfte das Lebensgefühl und die Identität der jungen Gemeinde wesentlich bestimmt haben.

4. Rhetorische Strategie

Das Proömium spielt Themen an, die im Brief wichtig werden und die die Gemeinde in ihrem Selbstverständnis anfragen und bestärken können. Die Beziehung zwischen der Gemeinde und den Missionaren durchzieht direkt oder indirekt das ganze Proömium, und die Verlässlichkeit dieser Beziehung bleibt wichtig, weil das Evangelium an den Anfängen der Verkündigung untrennbar mit den Missionaren verbunden war und immer noch ist. Daher blicken die Verfasser im Proömium auf die derzeitige Situation der Gemeinde und heben deren neue Lebensweise und Überzeugung lobend hervor. Als Geliebte und Erwählte Gottes stehen die Mitglieder der Gemeinde in einem besonderen Verhältnis zu Gott, und als Geschwister erfahren sie untereinander und in der Beziehung zu den Missionaren die soziale Heimat, mit der sie durch die Konversion gebrochen haben. Die eschatologische Existenz der Gemeinde erscheint als entscheidendes Identitätsmerkmal, das sie gegenüber ihrer städtischen Umgebung, aber auch den größeren politischen Strukturen auszeichnet. Statt *euangelia* über den Kaiser besitzt sie ein eigenes, existentiell veränderndes *euangelion*, und an Stelle des Kaisers als ihres göttlich legitimierten Herrschers – der als *divi filius*, als Sohn eines vergöttlichten Vorgängers, bezeichnet wurde – steht sie unter der Herrschaft des Christus, des »Sohnes« und endzeitlichen Repräsentanten Gottes. Der apokalyptische Vorstellungen wachrufende Hinweis auf ihre Rettung aus dem Zorn Gottes durch Jesus dient der Vergewisserung des eigenen, neuen Weltbildes der Gemeinde, innerhalb dessen sie eschatologische Privilegierung erfährt (vgl. *M. Konradt*, Gericht 72 f.). Das apokalyptische Denken besitzt dabei eine organisierende Funktion für das Weltbild der Gemeinde, denn es teilt die Menschheit virtuell in zwei Gruppen ein, die »Erwählten« und den gottlosen Rest, und zieht so klare Grenzlinien nach außen, zum Rest der Gesellschaft (vgl. *T. D. Still*, Conflict 236). So lebt die Gemeinde unter einer neuen Herrschaft, und so ist ihre Nachahmung des Herrn nicht Verzicht und Selbstaufopferung für andere (moralisierend *Malherbe* 127: »Suffering for

others«, »to sacrifice everything for others«; vgl. *Haufe* 27: »Nachfolge in Verzicht und Leiden«), auch keine aktive Missionstätigkeit
(so *Malherbe* 124-131), sondern bedeutet die selbstbewusste Überzeugung im Angesicht gesellschaftlicher Widerstände. Erst durch
die theologische Interpretation, die der Gemeinde wohl schon vom
Gründungsbesuch der Missionare her bekannt ist und die der Brief
vertieft, erhalten die geschichtlichen Fakten – der sozio-religiöse
Ortswechsel der Thessaloniker und die damit verbundenen rezi-
proken Erfahrungen gesellschaftlicher Ablehnung und innergemeindlicher Resozialisation – eine Sinnzuschreibung im größeren
Zusammenhang eines neuen Weltbildes.

Exkurs 3: Bekehrungen und ihre sozialen Folgen

Literatur: J. M. G. Barclay, Jews in the Mediterranean Diaspora from Alexander to Trajan (323 BCE – 117 CE), Edinburgh 1996; *ders.*, Conflict in
Thessalonica, CBQ 55 (1993) 512-530; *R. D. Chesnutt*, From Death to
Life: Conversion in Joseph and Aseneth (JSP.S 16), Sheffield 1995; *T. Dorandi*, Epikureische Schule, in: DNP 3 (1997), 1126-1130; *P. Hadot*, Philosophisches Leben, in: DNP 9 (2000), 882-886; *C. E. Glad*, Paul and Philodemus. Adaptability in Epicurean and Early Christian Psychagogy (NT.
S 81), Leiden 1995; *M. Goodman*, Mission and Conversion. Proselytizing
in the Religious History of the Roman Empire, Oxford 1994; *I. Hadot*,
Philosophischer Unterricht, in: DNP 9 (2000), 877-882; *J. Hahn*, Der Philosoph und die Gesellschaft. Selbstverständnis, öffentliches Auftreten und
populäre Erwartungen in der hohen Kaiserzeit (HABES 7), Stuttgart 1989;
A. J. Malherbe, Conversion to Paul's Gospel, in: The Early Church in Its
Context (FS E. Ferguson) (NT.S 90), Leiden 1998, 231-244; *E. Pax*, Beobachtungen zur Konvertitensprache im ersten Thessalonicherbrief, SBFLA
21 (1971) 220-262; *ders.*, Konvertitenprobleme im ersten Thessalonicherbrief, BiLe 13 (1972) 24-37; *E. Reinmuth* (Hg.), Joseph und Aseneth
(SAPERE 15), Tübingen 2009; *S. Schreiber*, Aus der Geschichte einer Beziehung. Die Funktion der Erinnerung in 1 Thess 2,1-12, ZNW 103 (2012)
212-234.

Die Bekehrung zur Christus-Gemeinschaft bringt, wie 1 Thess
1,9 f. zeigt, eine deutliche Distanz zur religiösen Kultur Roms mit
sich. Religiöse Vollzüge stellten wichtige strukturierende und stabi-
lisierende Elemente des privaten, gesellschaftlichen und politischen
Alltagslebens der Bevölkerung in hellenistisch-römischer Zeit dar,
so dass deren programmatische Ablehnung Konsequenzen haben
und Gegenreaktionen provozieren musste. Die Folge sind »Bedrängnisse« (1,6; 3,3 f.), also Spannungen zur gesellschaftlichen

Umwelt, die Ablehnung, Demütigungen und Isolation der neuen Gruppe mit sich bringen können. Interpretiert man diese Textaussagen sozialgeschichtlich, lassen sie Rückschlüsse auf die konkrete Lebenssituation der Gemeinde zu. Dazu hilft ein Blick in andere antike Quellen, in denen der Zusammenhang von Konversion und sozialer Bedrängnis hervortritt.

Analogien zu den Bedrängnissen der Thessaloniker bieten die Erfahrungen von Proselyten, Menschen paganer Herkunft, die zum Judesein konvertierten und dabei mit ihren bisherigen Gemeinschaftsbindungen gebrochen haben. Einige Texte, die solche Erfahrungen spiegeln, verwenden eine ähnliche Terminologie wie 1 Thess 1,9 (dazu *S. Schreiber*, Geschichte 217-221; *E. Pax*, Beobachtungen; *ders.*, Konvertitenprobleme; **T. D. Still*, Conflict 230 f.; **C. Gerber*, Paulus 340-342). Das Verb *epistrephein* und die Bezeichnung »wahrer und lebendiger Gott« finden sich auch in dem frühjüdischen Roman *Josef und Asenet*, der die Konversion der jungen Ägypterin Asenet erzählt, die in der Begegnung mit dem Israeliten Josef, dem höchsten Minister des Pharao, vom Gott Israels überwältigt wird. Die Abwendung von den bisher verehrten Göttern bildet die Voraussetzung, wie die Protagonistin in JosAs 11,7-11 erkennt:

»Aber auch der Herr, der Gott Josefs, des Starken, der Höchste, hasst alle, die die Götterbilder verehren. Denn Gott ist ein Eiferer und furchtbar gegen alle, die fremde Götter verehren. Deswegen hasst er auch mich, denn auch ich habe tote und stumme Götterbilder verehrt [...]. Aber viele habe ich sagen hören, dass der Gott der Hebräer ein wahrhaftiger und lebendiger Gott ist, ein barmherziger, mitleidiger, großherziger, vielerbarmender und milder Gott [...]. Daher will auch ich es wagen, mich zu ihm hinwenden *(epistrepsō)*, mich zu ihm flüchten, ihm alle meine Sünden eingestehen und mein Gebet vor ihm ausgießen.«

In der Figurenperspektive der Asenet schildert die Erzählung dann die der Preisgabe der paganen Götter folgende familiäre Isolation der Konvertitin, drastisch fokussiert mit der Metapher der »Waise«:

»Rette mich, Herr, die Verlassene, denn mein Vater und meine Mutter haben mich verleugnet und gesagt: ›Wir haben keine Tochter Aseneth‹, denn ich zerstörte ihre Götter, ja, ich habe sie hassen gelernt. Und ich bin nun verwaist und verlassen, und ich habe keine andere Hoffnung als auf dich, Herr [...] Denn du bist der Vater der Waisen, der Beistand der Verfolgten und der Helfer der Betrübten« (JosAs 12,12 f.). »[...] Blicke auf meinen Waisenstand, und bemitleide mich. Denn siehe: Ich bin aus allem geflohen;

zu dir, Herr, bin ich geflohen« (JosAs 13,1; Übersetzung: *E. Reinmuth;* zur Bekehrung in JosAs vgl. *R. D. Chesnutt,* Death; *J. M. G. Barclay,* Jews 204-216).

Philo von Alexandrien reflektiert die einschneidende soziale Realität der Konversion. Die Proselyten haben »die mit Falschheiten und Erdichtetem angefüllten Sitten der Väter, in denen man sie erzogen hat, zurückgelassen« (spec. leg. 1,309), d. h. sie haben sich von den traditionellen Werten ihrer Gesellschaft abgewendet. Damit gaben sie aber auch ihre früheren Sozialbezüge auf, sie haben »Kinder, Eltern, Geschwister, Verwandte und beste Freunde zurückgelassen, um an Stelle des vergänglichen das unvergängliche Erbe zu finden« (sacr. 129). Weiter nennt Philo Freunde, Verwandte, Ehren, Götter und Vaterland und spricht damit alle wesentlichen Lebensbezüge in der hellenistischen und römischen Gesellschaft an: Familie, Gesellschaft, Religion und Politik. Diesen Verlust soll die besondere Sorge der jüdischen Gemeinschaft um die Proselyten kompensieren (spec. leg. 1,51-53; 4,178; somn. 2,273; virt. 102-104.179). Sogar Gott selbst wird zur Kompensation beansprucht: Gott spricht Recht für den Proselyten, »weil er sich seine Verwandten, von denen allein er Beistand im Lebenskampf erwarten konnte, zu unversöhnlichen Feinden machte« (spec. leg. 4,178). Die neue Lebensgemeinschaft muss den Verlust der gewohnten Sozialbezüge auffangen. Nicht immer hielten die Proselyten dem sozialen Druck stand, wie Josephus Flavius realistisch bemerkt: Heiden, die zu den jüdischen Gesetzen übertraten, wandten sich teilweise wieder ab, weil ihnen in den Schwierigkeiten die Ausdauer fehlte (c. Ap. 2,123).

Römische Autoren spiegeln diese sozialen Zusammenhänge unter negativen Vorzeichen. Tacitus nennt als erste Lektion der Neubekehrten die Abwendung von den Göttern, von Vaterland und Familie (hist. 5,5). Sie geben also gerade die Verhaltensmuster auf, die aus römischer Perspektive die Gesellschaft stabilisieren. Die aufgezählten Sozialbezüge decken sich weitgehend mit den schon bei Philo genannten. Cassius Dio berichtet, dass viele, die sich für die jüdische Lebensweise öffnen, von römischer Seite des Atheismus verdächtigt wurden (67,14,1-3). Juvenal spottet über die schrittweise Hinwendung einer Familie zum Judentum, die mit der Sabbatobservanz begann und in der Übernahme ritueller Tora-Gebote endete; ausdrücklich hebt er die wachsende Distanz zur römischen Lebensweise hervor (14,96-106). Diese negativen Einstellungen gegenüber Proselyten dürften repräsentativ für die Mehrheit der römischen Bevölkerung gewesen sein, was sich in Spott und teilweise drastischer Ablehnung der Proselyten ausgewirkt haben wird.

Nur eingeschränkt lässt sich die Hinwendung zur Philosophie als Analogie heranziehen. Zu groß war die Bandbreite der philosophischen Schulen in der frühen römischen Kaiserzeit, und zu unterschiedlich die Übernahme philosophischer Lebensmodelle durch einzelne Menschen (dazu *P. Hadot*, Philosophisches Leben; *I. Hadot*, Philosophischer Unterricht; *J. Hahn*, Philosoph; *M. Goodman*, Mission 32-37). Es handelt sich sicher um ein Idealbild, wenn Diogenes Laertios die Hinwendung zur Philosophie als radikale Lebenswende beschreibt, die totale Hingabe an die neue Lebensweise und lebenslange Zugehörigkeit zur eigenen philosophischen Schule fordert (4,16 f.). Denn die meisten Philosophenschulen waren gesellschaftlich anerkannt, und in der Kaiserzeit existierte sogar in einigen Städten neben den privaten Schulen ein von der Stadt bezahlter, von angestellten Lehrern durchgeführter Lehrbetrieb verschiedener philosophischer Schulen.

Zudem zielte die Botschaft der Philosophen zwar auf Veränderung der Haltung und Lebensweise der Hörer, forderte aber keineswegs den Anschluss an die eigene Gruppe. So provozierten die populären kynischen Wanderphilosophen ihre Hörer zur Kritik an traditionellen Werten und Normen, intendierten aber nicht die umfassende Übernahme der kynischen Lebensweise – was letztlich ihr Alleinstellungsmerkmal als Kyniker relativiert hätte. Dion von Prusa kritisiert Philosophen, die andere anstiften, alles »zurückzulassen: Eltern, Vaterland, Heiligtümer der Götter, Gräber der Vorfahren« (Dion Chrysostomos, or. 12,10). Wenn die Hinwendung zur Philosophie bei Einzelnen zu sichtbaren Distanzierungen von den üblichen gesellschaftlichen Werten und Verhaltensnormen führte, liegen auch hier soziale Brüche und die Erfahrung von Ablehnung und Isolation nahe (zur philosophischen »Konversion« *A. J. Malherbe*, Conversion 232-234.238; *ders.*, Paul 21-28.36-46). Für Epiktet bedeutet die Hinwendung zur Philosophie – er verwendet wie Paulus das Verb *epistrephein* – die Abkehr von allen gesellschaftlich vorgegebenen Werten und Meinungen und ein Kommen zu sich selbst, zum eigenen Wahrnehmen und Denken (dissertationes 3,16,15; 3,22,39; 3,23,16.37; 4,4,7). Er weiß auch um die daraus entstehenden Spannungen zu zentralen Werten der römischen Gesellschaft und nennt konkret Ansehen, Freundschaft (die Möglichkeit zu finanzieller Hilfe) und politischen Einfluss (Vaterland) (encheiridion 24). Wieder ist man an die Aufzählung der sozialen Problemfelder bei Philo erinnert. Aus diesen Spannungen können »bedrängende« *(thlibein)* Gedanken entstehen, die der Selbstvergewisserung des Philosophen bedürfen. Es handelte sich aber nur um Einzelfälle, bei denen das konsequente philosophische Leben zu radikalen gesellschaftlichen Abgrenzungen führte.

Lukian von Samosata beschreibt die Hinwendung zur Philosophie als tief greifenden Wandel der persönlichen Einstellung zu Werten und Lebensvollzügen (Nigr. 3-5). Auch er verbindet damit das Aufgeben von Familie und Vaterland (vit. auct. 9). Bekannt ist das Beispiel des Römers Quinctius Sextus, das Plutarch erzählt (mor. 77e): Er entsagte allen politischen Ämtern, um Stoiker zu werden, hatte jedoch deswegen mit so vielen gesellschaftlichen Anfechtungen zu kämpfen, dass er sich beinahe vom Dach seines Hauses herabgestürzt hätte. Der plakative Rückzug des Römers aus der politischen Öffentlichkeit desavouierte ihn in den Augen seiner Umwelt. Dass ein philosophisch motivierter Lebensstil die Kritik von Freunden und Fremden auf sich zieht, hält Plutarch weiter fest (mor. 78a-c). Die Epikureer pflegten ein ausgeprägtes Gemeinschaftsleben, das die Trennung des Einzelnen von seiner Familie voraussetzt und einen Bruch mit den bisherigen Lebensbezügen in der römischen Gesellschaft mit sich brachte (vgl. *C. E. Glad*, Paul 101-181; *T. Dorandi*, Epikureische Schule). Umso wichtiger wurde die Stärkung der epikureischen Gruppenidentität besonders durch die intensive Verehrung Epikurs als Identitätsfigur und die Selbstvergewisserung der eigenen Überzeugung in Briefen.

Im Ergebnis unterstützt die Auswertung antiker Texte die These, dass die Lebenswende und der damit einhergehende Rückzug aus den üblichen sozialen Bezügen zu Erfahrungen der Isolation und Ausgrenzung in der jungen Gemeinde in Thessaloniki führten. Die Gemeinde wird mit dem Verlust der Heimat in der Großfamilie, im Stadtviertel, in Vereinen, mit dem Ausschluss aus wichtigen wirtschaftlichen Bezügen, mit verbalen Angriffen und Demütigungen seitens ihrer Mitbewohner konfrontiert worden sein. Ihre »Bedrängnis« (1 Thess 1,6) lässt sich also als sozialer Druck verstehen.

Vgl. *T. J. Burke*, Family 169-173; *J. M. G. Barclay*, Conflict 514f., der dann jedoch eine angebliche öffentliche Verkündigung als Anstoß bestimmt (520-525); *politische* Konflikte erkennt *C. S. de Vos*, Church 155-170; verschiedene Konfliktbereiche *T. D. Still*, Conflict 208-266; anders akzentuiert *A. J. Malherbe*, Conversion 232-239; *ders.*, Paul 48 die *emotionale* Verunsicherung durch die Konversion.

Auf die Frage, ob der persönliche Gewinn des neuen Lebensweges die sozialen »Kosten« aufwiegt, gibt das Proömium des 1 Thess eine erste Antwort, die im weiteren Verlauf des Briefes vertieft wird.

Das Briefcorpus 1 Thess 2,1-5,11

Das Briefcorpus besteht aus zwei Hauptteilen, die sich thematisch differenzieren lassen. Das erste Thema blickt zurück auf die Geschichte der gemeinsamen Beziehung zwischen den Missionaren und den Adressaten des Briefes (1 Thess 2,1-3,13). Durch die Erinnerung an die gelungenen Anfänge und an die bleibend lebendigen Kontakte wird die Beziehung innerhalb der Form und den Möglichkeiten des Briefes weiter gepflegt. Das zweite Thema befasst sich mit der eschatologischen Qualität der neuen Überzeugung und Lebensweise der Gemeinde in Thessaloniki (4,1-5,11). Das damit verbundene neue Weltbild wird zum entscheidenden Faktor des Selbstverständnisses und der Identität der Gemeinde. Daher müssen Verständnisprobleme geklärt werden, und die entsprechende Lebensgestaltung erhält zentrale Bedeutung.

Thema 1:
Die Geschichte der gemeinsamen Beziehung
1 Thess 2,1-3,13

Literatur: Marcus Tullius Cicero: An seine Freunde, Lateinisch – deutsch (TuscBü), hg. von *H. Kasten*, München ⁴1989.

Eine wesentliche Funktion des Briefes in der Antike besteht darin, Kontakt zu halten angesichts einer räumlichen Trennung, die nicht wie heute durch moderne Kommunikationsmedien überbrückbar ist. Dies illustriert eine Aussage Ciceros, des großen Briefautors der Antike, die sich in einem Brief findet, den Cicero im Jahr 46 v. Chr. an seinen Freund Cn. Domitius Ahenobarbus schreibt: »trotzdem will ich Dir lieber einen nichtssagenden Brief schreiben als überhaupt keinen« *(tamen inanis esse meas litteras quam nullas malui;* Cicero, fam. 6,22,1; Übersetzung: *H. Kasten).* Der Freund befindet sich in einer politisch prekären Lage, weil er in der Schlacht bei Pharsalus gegen Caesar kämpfte, nach Caesars Sieg aber dennoch nach Rom zurückkehren durfte. Eine neue Information, einen Rat oder wenigstens ein Wort des Trostes in dieser schwierigen Situation weiß Cicero nicht zu sagen. Doch auch der »nichtssagende Brief« versichert den Freund der Freundschaft Ciceros, und damit ist er gar nicht so nichtssagend, da er selbst einen Akt lebendiger und verlässlicher Freundschaft darstellt. Cicero hält Kontakt, die Beziehung selbst wird zum Zuspruch: Cicero steht weiterhin hinter dem Freund und wird sich, wo dies möglich ist, für ihn einsetzen – auch wenn er sich zum Zeitpunkt des Briefdiktats völlig machtlos fühlt (22,3).

Durch die Erinnerung an vergangene Gemeinschaft kann sich im Brief die Beziehung zwischen Verfasser und Adressat aktuell realisieren. Wieder kann Cicero als Beispiel dienen, wenn er seinem Bruder Quintus im Juni 58 v. Chr. aus der Verbannung, also in einer Situation unfreiwilliger Trennung, schreibt – übrigens gerade aus Thessaloniki (Cicero, ad Q. fr. 1,3). Obwohl sich ihre Reiserouten fast kreuzten, sind sich die beiden Brüder nicht begegnet. Cicero schreibt daraufhin einen erklärenden Brief, in den er mehrmals eine Erinnerung an ihre alte Beziehung einspielt.

So schreibt er in der Eröffnung des Briefes: »Von Deiner Seite ist mir gewiss immer nur Ehre und Freude zuteil geworden«; »es wäre nicht Dein Bruder gewesen, den Du gesehen hättest, nicht der, den Du hinter Dir gelassen hast, nicht der, den Du kanntest« (ad Q. fr. 1,3,1; Übersetzung: H. Kasten). Und später hält er fest: »Du bist mir alles in einem: Bruder, mir fast gleich an Jahren, durch Dein liebreiches Wesen, Sohn durch Deine Willfährigkeit, Vater durch Deine Klugheit. Was hätte je mir ohne Dich, was je Dir ohne mich Freude machen können?« (1,3,3).

Cicero erklärt dann auch, dass ihm angesichts seiner Niedergeschlagenheit eine persönliche Begegnung emotional nicht möglich war (1,3,4). Die Beziehung zwischen beiden, fest gegründet in der gemeinsamen Erinnerung, besteht freilich weiter, und der Brief selbst wird zu einem Teil davon. Im Brief kann der Verfasser beim Adressaten virtuell gegenwärtig werden (vgl. Seneca, epist. 40,1; 75,1).

Ganz ähnlich thematisiert der erste Teil des Briefcorpus in 1 Thess 2,1-3,13 die Geschichte der Beziehung zwischen Missionsteam und Gemeinde und wird so selbst Teil dieser Beziehung in der Gegenwart der Lesenden. 2,1-12 stellt den ersten Teil dieser Beziehungsgeschichte dar: die gemeinsame Zeit der Missionare mit der Gemeinde in Thessaloniki. Das Ergebnis war die Annahme des Evangeliums seitens der Thessaloniker, wofür Paulus dankt, aber auch die Schattenseite anspricht: soziales »Leiden« durch die städtischen Mitbewohner. Doch genau in dieser Erfahrung des Widerstands ist die Gemeinde wieder mit ihren Missionaren verbunden (2,13-16). Die Beziehungsgeschichte setzt sich fort in der erklärten Besuchsabsicht der Missionare und ihrer bleibenden Verbundenheit mit der Gemeinde (2,17-20), der Sendung des Missionarskollegen Timotheus (3,1-5), der Freude des Paulus über die guten Nachrichten des Timotheus nach dessen Rückkehr und die unvermindert intensive Beziehung zur Gemeinde (3,6-10) und schließlich im Gebetswunsch 3,11-13, der um die Möglichkeit zu einem Besuch und das Gelingen fruchtbaren christlichen Lebens innerhalb der Gemeinde bittet und damit über Gott als »Dritten« die Beziehung fest verankert.

Erinnerung an die Glaubwürdigkeit der Missionare 2,1-12

1 Denn ihr selbst wisst, Geschwister, von unserem Eingang bei euch, dass er nicht grundlos geschah, 2 sondern obwohl wir in Philippi vorher gelitten hatten und misshandelt wurden, wie ihr wisst, begannen wir freimütig zu reden in unserem Gott, um bei euch das Evangelium Gottes zu sagen unter großem Kampf. 3 Denn unser Zureden war nicht aus einem Irrtum heraus, noch aus Unlauterkeit, noch in Hinterlist, 4 sondern wie wir geprüft wurden von Gott, um mit dem Evangelium betraut zu werden, so reden wir, nicht wie Leute, die Menschen gefallen, sondern Gott, der unsere Herzen prüft. 5 Zu keiner Zeit nämlich verfielen wir in Schmeichelrede, wie ihr wisst, noch in einen Vorwand der Habsucht, Gott ist Zeuge, 6 noch suchten wir Ansehen von Menschen, weder von euch, noch von anderen 7 – obwohl wir zur Last fallen hätten können wie die Apostel des Christus –, sondern wir verhielten uns unerfahren in eurer Mitte: Wie wenn eine Amme ihre eigenen Kinder hegt und pflegt, 8 so sehnten wir uns nach euch und waren damit zufrieden, euch Anteil zu geben nicht allein am Evangelium Gottes, sondern auch an unserem eigenen Leben; denn ihr seid uns Geliebte geworden. 9 Ihr erinnert euch doch, Geschwister, an unsere Arbeit und Anstrengung: Indem wir Tag und Nacht arbeiteten, um niemandem von euch zur Last zu fallen, verkündeten wir euch das Evangelium Gottes. 10 Ihr seid Zeugen und Gott, wie heilig und gerecht und tadellos wir uns ge-

genüber euch, den Vertrauenden, verhielten, 11 gleichwie ihr wisst, wie einem jeden einzelnen von euch – wie ein Vater seinen eigenen Kindern – 12 wir euch zugeredet und zugesprochen und Zeugnis gegeben haben, damit ihr euer Leben Gott entsprechend führt, der euch ruft in seine Königsherrschaft und Herrlichkeit.

Literatur: F. *Avemarie*, Jüdische Schriftgelehrsamkeit, in: NTAK 2 (2005), 244-248; J. M. G. *Barclay*, The Family as Bearer of Religion in Judaism and Early Christianity, in: H. Moxnes (Hg.), Constructing Early Christian Families: Family as Social Reality and Metaphor, London 1997, 66-80; N. *Baumert*, Omeiromenoi in 1 Thess 2,8, Bib. 68 (1987) 552-563; G. *Bertram*, Art. *pateō ktl.* B. *pateō* und Komposita in Septuaginta, in: ThWNT 5 (1954), 941-943; M. *Brändl*, Der Agon bei Paulus. Herkunft und Profil paulinischer Agonmetaphorik (WUNT II/222), Tübingen 2006; T. J. *Burke*, Paul's New Family in Thessalonica, NT 54 (2012) 269-287; J. *Christes*, Art. Erziehung, in: DNP 4 (1998), 110-120; Dion Chrysostomos. Sämtliche Reden (BAW), eingel., übers. und erl. von W. *Elliger*, Zürich/Stuttgart 1967; K. P. *Donfried*, The Epistolary and Rhetorical Context of 1 Thessalonians 2:1-12, in: ders./J. Beutler (Hg.), The Thessalonians Debate, Grand Rapids 2000, 31-60; F. G. *Downing*, Cynics, Paul and the Pauline Churches. Cynics and Christian Origins II, London 1998; K. *Ehrensperger*, Paul and the Dynamics of Power. Communication and Interaction in the Early Christ-Movement (LNTS 325), London 2007; P. F. *Esler*, »Keeping It in the Family«. Culture, Kinship and Identity in 1 Thessalonians and Galatians, in: J. W. van Henten/A. Brenner (Hg.), Families and Family Relations (STAR 2), Leiden 2000, 145-184; B. R. *Gaventa*, Our Mother Saint Paul, Louisville/London 2007; C. E. *Glad*, Paul and Philodemus. Adaptability in Epicurean and Early Christian Psychagogy (NT.S 81), Leiden 1995; J. *Hahn*, Der Philosoph und die Gesellschaft. Selbstverständnis, öffentliches Auftreten und populäre Erwartungen in der hohen Kaiserzeit (HABES 7), Stuttgart 1989; E. *Herrmann-Otto*, Oberschicht und Unterschicht, in: NTAK 2 (2005), 91-95; T. *Holtz*, On the Background of 1 Thessalonians 2:1-12, in: K. P. Donfried/J. Beutler (Hg.), The Thessalonians Debate, Grand Rapids 2000, 69-80; W. *Horbury*, Jews and Christians in Contact and Controversy, Edinburgh 1998; *ders.*, 1 Thessalonians ii.3 as Rebutting the Charge of False Prophecy, JThS 33 (1982) 492-508; S. *Kim*, Paul's Entry *(eisodos)* and the Thessalonians' Faith (1 Thessalonians 1-3), NTS 51 (2005) 519-542; A. J. *Malherbe*, »Gentle as a Nurse«: The Cynic Background to 1 Thessalonians 2 (1970), in: ders., Paul and the Popular Philosophers, Minneapolis 1989, 35-48; *ders.*, Exhortation in 1 Thessalonians, ebd. 49-66; D. *Marguerat*, Imitating the Apostle, Father and Mother of the Community (1 Thess 2:1-12), in: ders., Paul in Acts and Paul in His Letters (WUNT 310), Tübingen 2013, 220-243; O. *Merk*, 1 Thessalonians 2:1-12: An Exegetical-Theological Study, in:

K. P. Donfried/J. Beutler (Hg.), The Thessalonians Debate, Grand Rapids 2000, 89-113; *T. Nicklas*, Paulus – der Apostel als Prophet, in: J. Verheyden/K. Zamfir/ders. (Hg.), Prophets and Prophecy in Jewish and Early Christian Literature (WUNT II/286), Tübingen 2010, 77-104; *M. V. Novenson*, »God Is Witness«. A Classical Rhetorical Idiom in Its Pauline Usage, NT 52 (2010) 355-375; *U. Poplutz*, Athlet des Evangeliums. Eine motivgeschichtliche Studie zur Wettkampfmetaphorik bei Paulus (HBS 43), Freiburg i. Br. 2004; *W. M. Ramsay*, The Utilisation of Old Epigraphic Copies, JHS 38 (1918) 152-168; *T. B. Sailors*, Wedding Textual and Rhetorical Criticism to Understand the Text of 1 Thessalonians 2.7, JSNT 80 (2000) 81-98; *G. Schiemann*, Art. Pater familias, in: DNP 9 (2000), 394 f.; *U. Schmidt*, 1 Thess 2.7b, c: ›Kleinkinder, die wie eine Amme Kinder versorgen‹, NTS 55 (2009) 116-120; *J. Schoon-Janßen*, On the Use of Elements of Ancient Epistolography in 1 Thessalonians, in: K. P. Donfried/J. Beutler (Hg.), The Thessalonians Debate, Grand Rapids 2000, 179-193; *S. Schreiber*, Aus der Geschichte einer Beziehung. Die Funktion der Erinnerung in 1 Thess 2,1-12, ZNW 103 (2012) 212-234; *G. Schrenk*, Art. *baros ktl.*, in: ThWNT 1 (1933), 551-559; *W. Stegemann*, Anlaß und Hintergrund der Abfassung von 1Th 2,1-12, in: Theologische Brosamen (FS L. Steiger) (BDBAT 5), Heidelberg 1985, 397-416; *J. S. Vos*, On the Background of 1 Thessalonians 2:1-12: A Response to Traugott Holtz, in: K. P. Donfried/J. Beutler (Hg.), The Thessalonians Debate, Grand Rapids 2000, 81-88; *C. Wanamaker*, »Like A Father Treats His Own Children«. Paul and the Conversion of the Thessalonians, JTSA 92 (1995) 46-55; *J. A. D. Weima*, An Apology for the Apologetic Function of 1 Thessalonians 2.1-12, JSNT 68 (1997) 73-99; *ders.*, »But We Became Infants Among You«: The Case for *NĒPIOI* in 1 Thess 2.7, NTS 46 (2000) 547-564; *B. W. Winter*, The Entries and Ethics of Orators and Paul (1 Thessalonians 2:1-12), TynB 44 (1993) 55-74; *ders.*, Philo and Paul among the Sophists. Alexandrian and Corinthian Responses to a Julio-Claudian Movement, Grand Rapids [2]2002.

1. Textkritik

Stark umstritten ist das textkritische Problem in 2,7. Zu *nēpioi* (»jugendlich, unmündig, unerfahren«) im Text von NA[28] existiert die Variante *ēpioi* (»mild, freundlich«), die noch in NA[25] im Text stand und von etlichen Auslegern bevorzugt wird. Liest man den Text auf popularphilosophischem Hintergrund, würde *ēpioi* gut in den Kontext passen: Das »menschenfreundliche« Verhalten des Philosophen kann damit benannt werden (*Malherbe* 145 f.; *ders.*, Gentle 42 f.). Doch die handschriftliche Bezeugung spricht eher für *nēpioi* (P[65] Sinaiticus* B C* D* F G I *Ps**). Dieses stellt auch die lectio difficilior dar, wenn man es als »Unmündige« versteht: Die Bezeichnung als »Unmündige« passt schlecht zum Bild der Amme, ja scheint es genau umzudrehen. Der Begriff *nēpios* ist bei Paulus noch öfter bezeugt (Röm 2,20; 1 Kor 3,1; 13,11; Gal 4,1.3), während *ēpios* ein *hapax legomenon* in den authentischen Paulusbriefen wäre. Daher bevorzuge ich mit neueren Arbeiten *nēpioi (J. A. D. Weima*, Infants; *T. B. Sailors*, Criticism; vgl. *Fee* 69-71). Die Variante lässt sich dann entweder als bewusste semantische Anpassung an einen philosophischen Sprachgebrauch oder als technisches Versehen (Haplographie: Ausfall des *nun*) erklären. Die Kommentierung wird zeigen, dass *nēpioi* im Zusammenhang guten Sinn ergibt.

2. Analyse

Die Verfasser führen den Abschnitt 1 Thess 2,1-12 mit der erneuten Anrede der Adressaten *(adelphoi)* und der Angabe des Themas ein: Über die *eisodos*, den »Eingang« in Thessaloniki wollen sie sprechen, also über den Gründungsbesuch des Missionsteams Paulus, Silvanus und Timotheus. Dazu erinnern sie an den Anfang der gemeinsamen Beziehungsgeschichte und charakterisieren das Auftreten des Missionsteams. Auf die sprachliche Gestaltung verwenden die Verfasser einige Mühe, denn die Anfänge bilden die bleibende Basis der Beziehung. Der rhetorisch eindringlich gestaltete Text zählt zu den umstrittensten Passagen des 1 Thess, da seine geistige Herkunft und damit seine Intention sehr verschieden bestimmt werden. Das Ende des Textes markiert ein allgemein formulierter eschatologischer Ausblick auf die Berufung der Adressaten durch Gott (2,12), bevor in 2,13 ein neuer Auftakt mit wiederholter Danksagung den Gedankenfortschritt einleitet.

Struktur

1 Thess 2,1-12 lässt sich in drei Abschnitte gliedern, die in enger Kohärenz stehen. (1) In v.1a erfolgt die Angabe des *Themas:* die Erinnerung an den »Eingang« des Missionsteams, d.h. die Zeit der Verkündigung in Thessaloniki. Dieser wird in v.1b.2 als authentisch charakterisiert, weil trotz vorangegangener Widerstände das Auftreten in Freimut erfolgte. Mit der Nennung des »Evangeliums Gottes« wird sofort gesagt, worauf die gegenseitige Beziehung gründet. (2) Die *Entfaltung* des Themas geschieht in zwei antithetischen Oppositionen, deren syntaktisches Strukturprinzip in jeweils drei negativen Elementen, auf die eine ausführlichere positive Darstellung folgt, besteht. Dabei steht in v.3.4 die Aufrichtigkeit der Verkündigung, in v.5-8 die persönliche Zuwendung im Mittelpunkt. (3) Eine *Vertiefung* setzt in v.9 mit der Einladung zur Erin-

nerung und der erneuten Anrede *adelphoi* ein und bringt drei weitere Gesichtspunkte zur Sprache. Der Text erinnert in v.9 an die Erwerbsarbeit der Missionare, um die Verkündigung des Evangeliums von Unterhaltsfragen frei zu halten, in v.10 an den Selbstanspruch der Missionare und in v.11.12 mittels des Vergleichs mit einem Vater und seinen Kindern an die Unterweisung im christlichen Ethos. Ein Schema verdeutlicht die Struktur:

2,1 f.	Angabe des Themas
	1a Erinnerung an den »Eingang« des Missionsteams
	1b.2 Charakterisierung als authentisch
2,3-8	Entfaltung des Themas
	3 f. Die Aufrichtigkeit der Verkündigung
	5-8 Die persönliche Zuwendung
2,9-12	Vertiefung
	9 Die Erwerbsarbeit der Missionare
	10 Der Selbstanspruch der Missionare
	11 f. Unterweisung im christlichen Ethos

Kultureller Kontext

Seit jeher ist aufgefallen, dass der Textabschnitt 1 Thess 2,1-12, zumindest im ersten Teil 2,3-8, sprachlich von Oppositionen dominiert wird. Zurückgewiesen werden dabei Haltungen wie Betrügerei, Schmeichelei, Habgier und Ruhmsucht, betont die ganz an der Gemeinde orientierte und zu ihren Gunsten praktizierte persönliche Zuwendung des Missionsteams. Ähnliche Sprachmuster wurden auch in verschiedenen antiken Diskursen entdeckt, wobei der konkrete kulturelle Hintergrund in der Forschung umstritten ist. Es stehen sich hauptsächlich eine apologetische und eine paränetische Erklärung des Textbefundes gegenüber.

(1) Von den Anfängen bis in die jüngere Vergangenheit dominierte die Ansicht, 1 Thess 2,1-12 sei eine Apologie des Paulus gegen aktuelle Vorwürfe, die gegen seine Glaubwürdigkeit erhoben wurden. Die apologetische Funktion des Textes konnte als konsensfähig gelten, die Gegner ließen sich als heidnische Landsleute der Gemeinde, seltener auch als jüdische Opponenten bestimmen (*Holtz* 92-95; *ders.*, Background; *J. A. D. Weima*, Apology; vgl. **M. Tellbe*, Paul 97-99.107-112; **T. D. Still*, Conflict 137-149; *Fee* 52 f.55 f.; *S. Kim*, Entry; **W. Kraus*, Volk 131-134). Einwenden lässt sich, dass aus dem Brief selbst ein ungetrübtes, uneingeschränkt positives Ver-

hältnis der Gemeinde zu ihren Gründern hervorgeht (3,6), dass die
Gemeinde sich gut entwickelt hat (4,1.9f.; 5,11) und sogar selbst
Vorbildcharakter für andere Jesus-Anhänger besitzen kann (1,6-8).
Es wird keine Situation sichtbar, in der eine Apologie nötig wäre.
(2) Demgegenüber hat A. Malherbe auffällige Parallelen in Sprache
und Motivik zur Darstellung des idealen Philosophen, besonders
bei dem Redner und Kyniker Dion von Prusa (Dion Chrysostomos, or. 12; 32; 77/78), aufgewiesen (*A. J. Malherbe*, Gentle; vgl.
schon *Dibelius* 7f.10f.). Gerade die antithetische Sprache des Paulus
bediene sich zur Selbstbeschreibung traditioneller kynischer Topoi
und Begriffe. Wie sich der wahre Philosoph von Scharlatanen distanziert, ohne direkten Angriffen ausgesetzt zu sein, so besitze auch
1 Thess 2,1-12 keine apologetische Funktion (so auch *Witherington*
78). G. Downing lässt Paulus gar selbst als Kyniker erscheinen
(*F. G. Downing*, Cynics 174-184.189-194.199-202.307-310).

Die engsten sprachlichen Parallelen zu 1 Thess 2,1-12 bietet ein Abschnitt
aus einer Rede des Dion von Prusa, eines jüngeren Zeitgenossen des Paulus (etwa 40 n. Chr. bis nach 112), der als glänzender Redner bekannt wurde (»Chrysostomus«). In or. 32,9-11 brandmarkt Dion das Auftreten falscher Philosophen, wobei er vor allem umherziehende Kyniker (zu diesem
Phänomen *J. Hahn*, Philosoph 33-45) und Schauredner vor Augen hat,
und setzt den wahren Philosophen davon ab:
»(9) Dann gibt es in der Stadt eine nicht unbedeutende Zahl von sogenann-
ten Kynikern, und wie bei allem anderen ist auch bei ihnen der Zulauf
gewaltig – ein gemeines Bastardgeschlecht von Menschen, die sozusagen
nichts wissen und nichts zum Leben haben. An Kreuzungen, engen Win-
keln und Tempeltüren sammeln sie Straßenjungen, Seeleute und derglei-
chen Volk um sich und machen ihnen etwas vor, reißen eine Posse und
einen Witz nach dem anderen und tischen ihnen die bekannten Antworten
auf, die auf dem Markt zu haben sind. Etwas Gutes kommt dabei natürlich
nicht heraus, nur das größtmögliche Übel: Sie gewöhnen die urteilslose
Menge daran, über die Philosophen zu lachen, wie wenn jemand die Kinder daran gewöhnen wollte, ihre Lehrer zu verachten, und statt der Menge
ihre Einbildung zu nehmen, wird sie von ihnen darin noch bestärkt. (10)
Die Leute jedoch, die bei euch als Gebildete auftreten, halten geistlose
Prunkreden oder rezitieren aus selbstgefertigten Werken [...] Sind sie
Dichter oder Redner, mag das noch angehen; wenn sie es aber als Philosophen machen um des Gewinns und ihres eigenen Ansehens willen, nicht
für euer Bestes, darf das nicht mehr geduldet werden. Denn es wäre genau-
so, wie wenn ein Arzt Kranke besuchte und, anstatt sich um ihre Behandlung und Heilung zu kümmern, ihnen Kränze, Dirnen und Parfüm mit-
brächte. (11) Nur einige wenige sind es, die freimütig zu euch gesprochen
haben, knapp und nicht derart, dass sie euch die Ohren angefüllt oder eine

lange Rede gehalten hätten. Aber in den ein oder zwei Sätzen, die sie spra-
chen, beschimpften sie euch mehr, als dass sie euch belehrten, und traten
dann schleunigst ab, um durch euer Lärmen nicht unterbrochen und vor
die Tür gesetzt zu werden, kurz, sie machten es wie Leute, die im Winter
nur eine kleine, bescheidene Fahrt aufs Meer hinaus wagen. Aber einen
Mann zu finden, der in aller Offenheit klar und ohne Hintergedanken
spricht, der nicht um des Ruhmes und Gewinns willen so tut, sondern
aus Wohlwollen und Fürsorge für die anderen bereit ist, sich notfalls auch
auslachen zu lassen und das lärmende Durcheinander der Menge zu er-
tragen, ist nicht leicht; es wird nur einer außerordentlich glücklichen Stadt
zuteil: So selten sind edle, freigesonnene Menschen, so häufig Schmeichler,
Schwindler und Sophisten« (Übersetzung: W. Elliger).
In diesen und anderen Texten, die den wahren Philosophen von seinen
Karikaturen abheben (vgl. noch Dion Chrysostomos, or. 12,5.10.15 f.; 77/
78,40-42; Epiktet, dissertationes 3,22; weiteres Material bei A. J. Malherbe,
Gentle; ders. 134-163), werden Motive aufgenommen, an denen sich die
Glaubwürdigkeit von Personen, die mit dem Anspruch einer existentiell
bedeutsamen Botschaft auftreten, hauptsächlich entscheidet: Lauterkeit
der Intention statt Täuschung; freimütige Rede statt Schmeichelei; echte
Sorge um die Adressaten statt illusionärer Glücksversprechen, Verführung
oder Beleidigung; Uneigennützigkeit statt Streben nach materiellem Gewinn und Ruhm. So wichtig es ist, diese neuralgischen Bereiche antiker
Glaubwürdigkeitsdiskurse wahrzunehmen, so wenig wird man Paulus
und den anderen Missionaren eine gezielte Anleihe bei den Mustern eines
idealen Philosophen unterstellen dürfen. Zu groß sind die Unterschiede:
Wenden sich Kyniker und Rhetoren mit mündlich vorgetragenen Reden
an die städtische Öffentlichkeit und damit an weitgehend fremde Menschen, bleiben die Missionare im privaten Bereich und führen in einem
Brief einen innergemeindlichen Diskurs mit Menschen, die sie bereits gut
kennen. Muss sich ein Dion von Prusa von konkurrierenden Philosophen
abgrenzen, weil im Phänotyp des Auftretens tatsächlich Verwechslungs-
gefahr besteht, wird niemand Paulus mit einem Kyniker oder Rhetor ver-
wechselt haben. Die einzelnen Motive werden in durchaus unterschiedlichen Kontexten genannt: Bezieht sich z. B. der Freimut der Rede bei Dion
auf die rhetorische Strategie, den Hörern nicht oberflächlich schmeicheln
und ihnen gefallen zu wollen, verwenden die Missionare den Begriff im
Kontext gesellschaftlicher bzw. politischer Widerstände gegen ihr Auftreten.

Auf dem Hintergrund der philosophisch-kynischen Selbstabgren-
zung wird in der neuen, v. a. der englischsprachigen Literatur die
Funktion des Textstücks häufig als »Paränese« bestimmt. Im Sinne
der antiken Rhetorik stellen die Missionare sich selbst als Beispiel
oder Rollenmodell für das Ethos, für das Verhalten der Gemeinde
vor. Ziel der Paränese ist die Nachahmung dieses Modells durch die

Gemeinde (*Malherbe* 134.154-157; *Richard* 88 f.; *Wanamaker* 90 f.108; *G. Lyons*, Autobiography 185-201; *Haufe* 33.42; *D. Marguerat*, Imitating 242 f.). Paulus verstehe sich dabei nicht selbst als Philosoph, benutze aber vertraute Kategorien, die er aus der Sicht des Evangeliums neu mit Bedeutung füllt (*Malherbe* 156; vgl. *E. D. Schmidt*, Heilig 145-156; ferner *O. Merk*, 1 Thessalonians 100-104).

(3) Interessant ist nun, dass die Suche nach möglichen Hintergründen vereinzelt auch auf andere kulturelle Phänomene stieß. So lasse sich der »Eingang« des Paulus in Thessaloniki mit der Praxis professioneller Oratoren und Sophisten, beim Erstbesuch in einer Stadt eindrucksvolle Vorstellungsreden zu halten, vergleichen; Paulus distanziere sich davon (*B. W. Winter*, Entries; *ders.*, Philo 150-155).

Der Vergleich leidet jedoch darunter, dass es sich beim Auftreten von Sophisten und Rednern, aber auch des Dion von Prusa um ein Phänomen der städtischen Elite handelt (öffentliche Deklamationen, Rhetorik-Unterricht für Elite-Söhne, Einfluss auf das städtische Leben), zu der die Missionare und die Gemeinde nicht gehören, und dass substantielle Differenzen im Auftreten bestehen, z. B. suchen die Missionare keine städtische Öffentlichkeit.

Gegen eine Überbewertung kynischer Einflüsse bei Paulus sei festzustellen, dass die Gemeinschaftsbildung und die psychagogische Praxis in epikureischen Schulen Paulus näher stehen (so ohne speziellen Bezug zu 1 Thess 2,1-12 *C. E. Glad*, Paul). Auch Elemente des antiken Freundschaftsdiskurses lassen sich in 1 Thess 2,1-12 entdecken: Offenheit und Ehrlichkeit sind Voraussetzungen für eine Beziehung unter Freunden, Schmeichelei und Vorteilsnahme haben dort keinen Platz (*J. Schoon-Janßen*, Use 188, mit Verweis auf Cicero, Lael. 26-32.88b-100a). Demgegenüber wird auch ein ganz anderer kultureller Hintergrund geltend gemacht: Zu den meisten Motiven der Selbstempfehlung finden sich wörtliche oder sachliche Parallelen in den Schriften Israels oder der ersten Christen, was auf ein *prophetisches* Selbstverständnis des Paulus deuten könnte; auch die Propheten müssen sich gegenüber Vorwürfen der Unlauterkeit oder Unrechtmäßigkeit verteidigen (*R. Hoppe*, Verkündiger; *J. S. Vos*, Background 85 f.; *W. Horbury*, Jews 14-16.111-126; *ders.*, Rebutting; ferner *T. Nicklas*, Paulus 86-88).
Fazit: Die Vielzahl der ins Gespräch gebrachten Hintergründe macht die Annahme unwahrscheinlich, dass Paulus und seine Mitverfasser bewusst konkrete Anleihen bei einer bestimmten Grup-

pensprache nehmen, sei es die Sprache bestimmter Philosophenschulen oder der prophetischen Tradition. Eher scheinen sie auf
Problemfelder in den Beziehungen zwischen Verkündigern einer
»Heilsbotschaft« und ihren Empfängern, die in ihrer kulturellen
Enzyklopädie bekannt sind, und die damit kulturübergreifend verbundene Terminologie zurückzugreifen. Auf jeden Fall wird sichtbar, dass diese potentiellen Problemfelder viel mit Glaubwürdigkeit
zu tun haben. Das zentrale Anliegen des Textes 1 Thess 2,1-12
besteht dann darin, die Beziehung zwischen Missionaren und
Gemeinde zu vertiefen und zu festigen (vgl. auch *J. Bickmann*,
Kommunikation 169-176.210-212; *C. Gerber*, Paulus 313). Dazu
sprechen die Verfasser Gesichtspunkte an, die in der gesellschaftlichen Wahrnehmung die Glaubwürdigkeit von »Heilsvermittlern«
beeinträchtigen können. Worin sie dabei ihr eigenes Profil sehen,
wird die Interpretation des Textes zeigen.

3. Kommentar

2,1a Der Text beginnt mit einer Erinnerungsformel, die als Rezep-
tionssignal gelten kann: »Denn ihr selbst wisst«. Immer wieder wird
diese Sinnlinie aufgegriffen: »wie ihr wisst« in 2,2.5.11; »denn ihr
erinnert euch« in 2,9; »ihr seid Zeugen« in 2,10. Diese Formulierungen sind keine leeren Floskeln, sondern stets mit Tatsachen verbunden, die für die Adressaten verifizierbar sind: das erste Auftreten
der Missionare, Widerstände in Philippi, die Art der Rede, Erwerbsarbeit, der Selbstanspruch, Unterweisung. Wo die menschliche Kontrolle ausfällt, tritt Gott als Instanz ein (2,4.5.10). Damit
durchzieht den Text ein Netz an Beglaubigungen durch die Adressaten bzw. durch Gott. Es handelt sich nicht um ein erst noch ein-
zulösendes Programm (wie bei öffentlichen Rednern und Philosophen), sondern um konkrete Erinnerung, um Verhaltensweisen, die
bereits so geschehen sind. Weil sich die Verkündiger in der Vergangenheit bewährt haben, sind sie auch jetzt glaubwürdig. In der Erinnerung wird die Beziehung zu ihnen präsent und lebendig.

Als Thema des Abschnitts geben die Verfasser ihre *eisodos* bei den
Adressaten an. Ihren »Eingang« hatten sie bereits am Ende der
brieflichen Danksagung erwähnt und mit der Lebenswende, der
Konversion der jetzigen Jesus-Anhänger/innen in Verbindung gebracht (1,9f.). Sie bedeutete als Hinwendung zum Gott Israels und
Abwendung von den paganen Götterbildern einen sozialen Bruch
mit der bisherigen kulturellen Heimat (↗Exkurs 3). Die daraus ent-

2,1a

stehende soziale »Bedrängnis« (*thlipsis;* 1,6; 3,3 f.) verstärkt den Legitimationsdruck der Gemeinde, die sich fragen muss, ob ihre neue Lebensweise gut genug begründet ist. Unweigerlich kommt damit auch die Beziehung der jungen Gemeinde zu den Personen, von denen sie zum ersten Mal von der Christus-Botschaft hörte, in den Blick. Dass bei Konversionen die Verkünder der neuen Lebensweise für die Stiftung und Festigung der Identität der Konvertiten eine besondere, bleibende Rolle spielen, lässt sich durch Analogien aus der Antike bestätigen (↗ Exkurs 4).

Exkurs 4: Die Rolle der Verkünder für die Identität von Bekehrten

Literatur: Epiktet – Teles – Musonius, Ausgewählte Schriften. Griechisch – Deutsch, hg. und übers. von *R. Nickel* (Sammlung Tusculum), München/Zürich 1994; *S. Schreiber*, Aus der Geschichte einer Beziehung. Die Funktion der Erinnerung in 1 Thess 2,1-12, ZNW 103 (2012) 212-234; Lucius Annaeus Seneca, Philosophische Schriften: lateinisch und deutsch. Bd. 3: Ad Lucilium epistulae morales I-LXIX, übers., eingeleitet und mit Anm. vers. von *M. Rosenbach*, Sonderausgabe Darmstadt 1995.

Das notwendige Vertrauen von Proselyten, Konvertiten zum Judentum, zu ihrem Lehrer reflektiert Philo von Alexandrien anhand der Gestalt des Abraham, der »von der Einbildung zur Wahrheit überwechselte« (praem. 27) und so als Vorbild für die Proselyten dienen kann (virt. 219). Gott selbst ist sein Lehrer, daher gilt:

»In ihm wurde durch die Unterweisung (Gottes) das Vertrauen zur Vollendung gebracht, weil der Lernende dem Lehrenden in den Dingen vertrauen muss, in denen dieser ihn anleitet; denn schwierig, ja ganz unmöglich wäre es, einen, der kein Vertrauen hat, zu unterrichten« (praem. 49; Übersetzung: S. S.).

Der frühjüdische Roman *Josef und Asenet* spiegelt die herausragende Bedeutung Josefs für die Bekehrung der Asenet, indem er die Konversion literarisch als Liebesgeschichte stilisiert. Dabei bildet die persönliche Beziehung und Zuneigung der Protagonistin Asenet zu Josef die Grundlage für die Wahrnehmung Josefs als Repräsentanten Gottes. Beim Anblick Josefs ist Asenet von seiner Schönheit und seinem Glanz überwältigt, so dass sie ihn als einen »Sohn Gottes«, also eine königliche Gestalt, wahrnimmt (JosAs 6,1-4). Die persönliche Zuneigung zu Josef spielt eine entscheidende Rolle bei der Bekehrung Asenets (13,15; vgl. 19,10-20,5) und wird schließlich so »institutionalisiert«, dass Asenet zur Braut Josefs wird (15,6.9 f.; 19,5; 21,4-8). Auf der Basis dieser intensiven Beziehung gewinnt Josef Asenet für das Judentum, was in 19,11 narrativ besonders schön umgesetzt ist: Jeweils mit einem Kuss überträgt Josef an Asenet den Geist des Lebens, der Weisheit und der Wahrheit. Nicht nur der Anblick Josefs, sondern auch seine bei der ersten Begegnung gezeigte konsequente Treue zu seinem Gott und sein Segensgebet für Asenet beeindrucken diese tief und leiten ihre Bekehrung ein (8,5-9,2). Folgerichtig preist Asenet neben Josefs Schönheit auch seine »Weisheit, Tugend und Kraft« (13,14).

Der Psalm der Asenet, der rückblickend ihre Bekehrungsgeschichte resümiert, endet in 21,21 mit der Erinnerung an das Auftreten Josefs: Er lockte Asenet und konnte sie für den Gott Israels gewinnen, er führte sie zum Leben und zur Weisheit Gottes – und bleibt ihr für immer in der Ehe-Beziehung verbunden: »und ich wurde seine Braut auf ewige Zeit«.

Bei der Bekehrung des Königs Izates von Adiabene zum Judentum, die Josephus erzählt (ant. 20,34-48), spielt der jüdische Kaufmann Ananias eine entscheidende Rolle. Ananias konnte Izates nicht nur für das Judentum gewinnen und ihn darin unterrichten (20,34 f.), er war auch sein wichtigster Ratgeber, der ihn zunächst aus Vorsicht vor den sozialen Folgen von der Beschneidung abhielt (20,40-42). Als sich Izates dann doch dafür entschied, blieb Ananias mit seinem Geschick persönlich und emotional verbunden (20,46 f.).

Umgekehrt stellt die betrügerische Absicht von Verkündern das ganze Unternehmen der Bekehrung in Frage, wofür Josephus ebenfalls ein Beispiel zu berichten weiß (ant. 18,81-83): Vier jüdische Gesetzeslehrer bereicherten sich an der römischen Proselytin Fulvia, die zur gesellschaftlichen Elite Roms zählte, unter dem Vorwand, Geschenke an den Jerusalemer Tempel zu überbringen. Als Reaktion berichtet Josephus die Vertreibung aller Juden aus Rom durch Kaiser Tiberius.

Auch in der antiken Philosophie gewinnt die Lehrer-Schüler-Beziehung bisweilen besondere Bedeutung. So beschreibt der römische Stoiker Musonius Rufus die gemeinsame Landarbeit eines philosophischen Lehrers mit seinen Schülern als Chance dafür, dass der Lehrer in seiner Lebensführung seine Lehre selbst verkörpern kann:

»In Wirklichkeit liegt aber die Sache doch so, dass die Jünglinge weit mehr Nutzen davon haben, wenn sie nicht in der Stadt mit ihrem Lehrer zusammen sind und nicht seinen Vortrag in der Schule dort hören, sondern ihn sehen, wie er selber auf dem Acker arbeitet und so durch die Tat bewährt, was seine Lehre verkündet, dass man sich abmühen und lieber mit körperlicher Arbeit quälen muss, statt einen anderen Menschen zu beanspruchen, der einen ernährt« (Fr. 11; Übersetzung: *R. Nickel*).

Die gemeinsam verbrachte Lebenszeit und die Erfahrung der persönlichen Beziehung werden das Leben des Schülers nachhaltig prägen, denn, so Musonius, der Schüler darf hoffen,

»einen reichen Gewinn von diesem Aufenthalt zu haben, dadurch dass er mit seinem Lehrer bei Tag und Nacht zusammen ist, [...] und dort nicht unbeobachtet ist, wenn man einen guten oder schlechten Lebenswandel führt, was ja gerade ein großer Segen für die Studierenden ist. Und es ist auch sehr nützlich, wenn man unter den Augen eines tugendhaften Mannes isst, trinkt und schläft. Das alles entwickelt sich mit innerer Notwendigkeit bei dem Zusammenleben auf dem Lande.«

Als Anfänger im philosophischen Leben sind die Schüler auf die Führung durch ihren Lehrer angewiesen, der ihnen durch sein eigenes überzeugendes, glaubwürdiges Leben ein Vorbild sein soll (vgl. *A. J. Malherbe*, Paul 52-60). Die Bedeutung der persönlichen Beziehung des Schülers zu seinem Lehrer hält auch Seneca gegenüber Lucilius fest, dem er zwar Bücher sendet, dann aber hinzufügt:

»Mehr dennoch wird dir die lebendige Stimme und unser Zusammensein nützen als meine Ausführungen: an Ort und Stelle musst du kommen, erstens, weil die Menschen mehr den Augen als den Ohren trauen, zweitens, weil lang der Weg ist über Belehrung, kurz und wirksam über Beispiele« (Seneca, epist. 6,5; Übersetzung: *M. Rosenbach*).

Im Anschluss daran bringt Seneca das Beispiel des Kleanthes, der als Schüler Zenons dessen Lehre und Lebensführung schließlich selbst verkörpern konnte, weil er in einer unmittelbaren Beziehung zu ihm stand:

»an seinem Leben hatte er Anteil, in seine geheimen Gedanken hatte er Einblick, beobachtet hat er ihn, ob er nach seiner Regel lebe« (Seneca, epist. 6,6).

In der Weise der geistigen Präsenz Senecas bei Lucilius dauert die Lehrer-Schüler-Beziehung auch über eine räumliche Trennung hinweg an:

»Worte kannst du mir nicht vormachen: ich bin bei dir. So lebe, als ob ich, was du tust, hören könnte, nein, als ob ich es sehen könnte« (Seneca, epist. 32,1).

Lukian von Samosata berichtet von dem überwältigenden Eindruck, den die Persönlichkeit und die Worte des platonischen Philosophen Nigrinus auf ihn gemacht haben, so dass er durch die Hinwendung zur Philosophie einen völligen Sinneswandel erfuhr, den er gleichsam als Bekehrung zur Philosophie schildert (Lukian, Nigr. 3-5). Dabei bleibt ihm die Erinnerung an Nigrinus stets präsent. Mehrmals täglich erinnert er sich *(memnēsthai)* an dessen Rede, indem er sie für sich selbst wiederholt, aber mehr noch: Auch die persönliche Beziehung zu Nigrinus ist ihm weiterhin lebendig gegenwärtig (Nigr. 6-7), was Lukian mittels der Metapher der Verliebten beschreibt, deren lebendige Erinnerung *(mnēmē)* aneinander so präsent ist, dass sie bisweilen die Illusion der Gegenwart des Geliebten erwecken kann – »als ob ihre Geliebten bei ihnen wären« (Nigr. 7).

»Manche glauben tatsächlich sogar mit ihnen zu reden und haben Freude am einst Gehörten, als ob es ihnen jetzt gesagt würde« (Lukian, Nigr. 7; Übersetzung: S. S.).

Wie einem Seefahrer in finsterer Nacht der Leuchtturm beständig die Richtung weist – eine weitere Metapher –, so »wähnt er jenen Mann« in allen seinen Unternehmungen »gegenwärtig«; manchmal meint er gar dessen Gesicht vor sich zu sehen und seine Stimme zu hören (Nigr. 7).
Deutlicher kann man die Relevanz der bleibenden Beziehung zum philosophischen Lehrer, der den verwandelnden Kontakt zur Philosophie herstellte, kaum ausmalen. In der erinnernden Präsenz lebt die Beziehung fort. Das Ziel dieser Verbindung stellt bei Lukian ebenso wie bei Seneca oder Musonius das moralische Leben dar, für das der Lehrer ein erbauendes Vorbild bereitstellt.
Glaubwürdige Beziehung und Erinnerung sind die Stichworte, die 1 Thess 2,1-12 mit den dargestellten Zusammenhängen verbinden. Sowohl das glaubhafte Zusammenspiel von Lehre und Leben, das für den philosophischen Lehrer das Ideal bildet, als auch die persönliche Zuwendung, ja Liebe, die zwischen den Romanfiguren Josef und Asenet herrscht, vermag auch Paulus in seiner Erinnerung an den Gründungsbesuch in Thessaloniki einzuspielen. Die blei-

bende Bedeutung dieser Beziehung machen die Verfasser durch die
Erinnerung neu lebendig.

1b.2   **1b.2** Der Gedanke der Glaubwürdigkeit des Missionsteams durchzieht die Erinnerung an die gemeinsame Beziehung beim Erstbesuch wie ein roter Faden. Dabei wissen die Verfasser, dass Glaubwürdigkeit stets von der gesellschaftlichen Konvention, was als
glaubwürdig gilt, abhängt. Die neuralgischen Punkte, an denen sich
für die Adressaten aus dem griechisch-römischen Kulturkreis
Glaubwürdigkeit entscheidet, kennen sie aus ihrem kulturellen
Weltwissen. Daher greifen sie in 1 Thess 2,1b-12 auf Motive zurück, die sich in verschiedenen antiken Glaubwürdigkeitsdiskursen
finden: in der (kynischen) Philosophie, der Sophistik, der Freund-
schaftsethik und der jüdisch-christlichen Prophetie (↗ Analyse). Alle diese Diskurse wollen Menschen für Überzeugungen und soziale
Verhaltensweisen gewinnen, deren Verwirklichung einen spürbaren
persönlichen Einsatz verlangt (Zeit, Geld, kulturelle und soziale
Veränderung) und die daher durch Zweifel an der Aufrichtigkeit
ihrer Repräsentanten potentiell gefährdet ist. Das verbreitete Kul-
turgut der Glaubwürdigkeit spiegelt sich auch in dem vorliegenden
Text.

Den Charakter des »Eingangs« in Thessaloniki erläutert das Missionsteam in dem an die Themenangabe in v.1a anschließenden *hoti*-Satz, der antithetisch aufgebaut ist (*ou – alla*). Im Zentrum steht
die eigene Glaubwürdigkeit: »dass er (sc. der Eingang) nicht grund-
los/*kenē* geschah« (v.1b). Das Adjektiv *kenos* besitzt im Griechischen eine große semantische Bandbreite mit den Grundbedeu-
tungen ›leer, vergeblich, grundlos‹, gewinnt aber Eindeutigkeit im
Kontext der Antithese des *alla*-Satzes, der die Verkündigung der
Missionare trotz der bedrohlichen Erfahrung gewaltsamen Widerstands in Philippi in Erinnerung ruft: Die Verkündigung erfolgte
unter Einsatz des eigenen Lebens, der ganzen Existenz. »Leer« wäre eine Rede ohne Rückbindung an das eigene Leben. Solche Kritik
erfahren die Reden von Sophisten, denen ein echter Bezug zur Lebenssituation, über die gesprochen wird, fehle (vgl. Quintilian, inst.
12,16 f.73 f.; Plutarch, mor. 41b-d.59cd.1090a; Dion Chrysostomos,
or. 31,30; Seneca, epist. 52,8; 114,16; dazu *A. J. Malherbe*, Gentle
39; *ders.* 135 f.). Das Auftreten der Missionare war jedoch vom
eigenen Leben getragen und damit authentisch, begründet und
glaubwürdig (vgl. *W. Stegemann*, Anlaß 401-404; *K. P. Donfried*,
Context 47 f.). Weil sie auf der Grundlage voller Überzeugung auftraten, ließen sie sich von den Widerständen nicht entmutigen.

Diese Bedeutung von *kenos* bestätigt ein Blick auf 1 Kor 15,14-17, wo Paulus sprachlich zwischen Grundlage und Folge differenziert. Reflektiert *kenos* in 15,14 eine Verkündigung bzw. eine Überzeugung, die ohne verlässliche Grundlage, ohne glaubwürdigen Gehalt sind (»grundlos«), so zielt *mataios* in 15,17 auf die (fehlenden) Folgen der Überzeugung (»vergeblich«). Anders verstehen die meisten Ausleger *kenos* in 2,1 als »vergeblich, ins Leere laufend« und denken an die Wirkung der Verkündigung: die Gründung der Gemeinde; z. B. *Fee* 56 f.; *Holtz* 66; *Müller* 123 f.; *Green* 115.

Den Mut zur Verkündigung bezeichnet das Verb *parrēsiazomai:* Die Missionare redeten trotz Leiden und Misshandlungen in Philippi nach ihrer Ankunft in Thessaloniki freimütig, was ihre Authentizität unterstreicht. Die Verbform *eparrēsiasametha* hebt als ingressiver Aorist den entscheidenden Beginn ihres Auftretens heraus.

Bei der Gemeindegründung in der makedonischen Stadt Philippi scheint es zu Konflikten mit der Bevölkerung und den städtischen Behörden gekommen zu sein, möglicherweise zu Gefangenschaft und Misshandlungen der Missionare (Apg 16,16-40; vgl. Phil 1,29 f.), so dass sie Philippi verließen und nach Thessaloniki reisten (Apg 17,1).

Der Begriff *parrēsia* meint die öffentliche Redefreiheit und wurde in verschiedenen Kontexten verwendet, grundlegend für die politische Redefreiheit des Bürgers in der Stadtversammlung, dann z. B. in Diskussionen über die moralphilosophische Praxis und moralische Freiheit durch die Vernunft (Belege bei *A. J. Malherbe*, Gentle 39-45; *ders.*, 136 f.157 f.). Dion von Prusa stellt im Kontext der Frage nach der Glaubwürdigkeit öffentlich auftretender Philosophen die offene Rede *(parrēsia)* den betrügerischen, selbstsüchtigen und schmeichlerischen Worten gegenüber (or. 32,11; vgl. or. 3,2; 32,26 f.; 33,7; 51,4). In 1 Thess 2,2 prägt den Begriff jedoch eine politisch-gesellschaftliche Dimension, wie sie sich auch in frühjüdischen Schriften findet (Philo, somn. 2,83.85; Jos. 73.77; 4 Makk 10,5; Spr 1,20 f. LXX; Weish 5,1; dazu **R. Hoppe*, Verkündiger 35 f.). Weil das städtische Umfeld der Verkündigung ablehnend gegenübersteht, wie die Missionare in Philippi erleben mussten, braucht es dazu Mut, Freiheit. Charakteristisch ist die Bindung des »Freimuts« an Gott: Es ist *ihr* Gott (»in unserem Gott«), in dem die Missionare den nötigen Freimut fanden, es ist *sein* Evangelium, das sie verkündeten – aus der Beziehung, dem Vertrauen zu Gott heraus konnten sie die Beziehung zu den Thessalonikern aufnehmen. Was sie von allen anderen Verkündern einer Heilsbotschaft unterscheidet, ist der Inhalt ihrer Botschaft: das Evangelium.

Viermal begegnet in 2,1-12 das Substantiv »Evangelium« (zum Begriff *euangelion* ↗ 1,5). Es wird jeweils an Gott als seinen Ursprung rückgebunden und bildet so das theologische Rückgrat des Textes: »Evangelium Gottes« (2,2.8.9) bzw. »von Gott betraut mit dem Evangelium« (2,4). Im Evangelium besteht die Verbindung der Adressaten zu Gott und zugleich ihre Bindung an das Missionsteam, dem Gott sein Evangelium anvertraute.

Den Einsatz des eigenen Lebens betont am Ende von 2,2 die Metapher vom »Wettkampf« *(agōn)*. Die Realien sportlicher Wettkämpfe waren antiken Menschen aus eigener Anschauung vertraut und boten sich so für metaphorische Übertragungen in andere Kontexte an. Stoiker und Kyniker konnten sie auf das philosophische Leben beziehen und damit den inneren Kampf gegen die Leidenschaften und gegen Angst oder Hunger, aber auch gegen äußere Widernisse wie Exilierung ansprechen (*Malherbe* 138). Aber auch die biblisch-frühjüdische Tradition vom leidenden Gerechten verwendete die Metapher (*M. Brändl*, Agon 352-359; vgl. Sir 4,28; Weish 4,2; 10,12; 4 Makk 17,11-16). In 1 Kor 9,25-27 hebt Paulus seinen vollen Lebenseinsatz für den »Wettkampf« hervor und belegt so seine Glaubwürdigkeit als Verkünder. Nach Phil 1,30 haben die Philipper als Christus-Anhänger den gleichen Lebenskampf zu bestehen wie Paulus, wobei an Widerstände, Übergriffe und – speziell in Philippi – Gefangenschaft zu denken ist. Auch in 1 Thess 2,2 umfasst der *agōn* das von gesellschaftlichen Widerständen und den Anforderungen des Alltags (1 Thess 2,9) erschwerte Leben (mit *U. Poplutz*, Athlet 230-234; anders **A. J. Malherbe*, Paul 48: innerer Kampf der Missionare; *Haufe* 35: persönlicher Einsatz). Für die Beziehung des Missionsteams zur Gemeinde in Thessaloniki ist entscheidend, dass das als »Wettkampf« bewährte Leben der Missionare und ihre Botschaft eine glaubwürdige Einheit bildeten.

3   **3** Die *Entfaltung* dieses Leitgedankens und damit des Themas von v.1 f. geschieht in zwei antithetischen Satzkonstruktionen (v.3 f./ v.5-8). Auf der negativen Seite stehen jeweils drei Glieder, auf die dann eine ausführlichere positive Darstellung folgt. In v.3 grenzen die Verfasser ihre *paraklēsis*, ihr missionarisches Zureden, das zur Übernahme eines neuen Weltbildes, einer neuen Lebensweise einlädt, in einer rhetorischen Trias von Irrtum, Unlauterkeit und Hinterlist ab. Die griechischen Begriffe *planē*, *akatharsia* und *dolos* beziehen sich dabei auf Eigenschaften, die nach geläufigem antiken

Verständnis die Glaubwürdigkeit jedes Verkünders in Frage stellen würden. Dabei meint »Irrtum« nicht aktiv die Täuschungsabsicht, sondern das eigene Irren der Verkünder, also die unzureichende Durchdringung der eigenen Botschaft, die schlicht falsch sein könnte (passivische Bedeutung auch in Röm 1,27). »Unlauterkeit« und »Hinterlist« hingegen beschreiben betrügerische Motivationen.

Akatharsia bedeutet wörtlich »Unreinheit«, ist aber hier nicht sexuell konnotiert, sondern auf die Gesinnung bezogen (*Holtz* 71; *Malherbe* 140; *Haufe* 35; vgl. Dion Chrysostomos, or. 32,11 f.). Die LXX kennt die Täuschung durch falsche Propheten (Dtn 13,6; Mich 3,5; Jer 23,13.32; Ez 13,10; 14,11), spricht von Unreinheit im Blick auf Götzendienst (1 Makk 13,48; 14,7; Sach 13,2) und warnt vor betrügerischer List (Ps 31,2; 33,14; Jes 53,9) (vgl. insgesamt 1QH 12,7-19; *Reinmuth* 124).

4 Solche Mängel und Haltungen weisen die Verfasser zurück und **4** betonen im Gegenzug ihre Bindung an Gott. Sie verstehen sich als von Gott selbst geprüft und so mit dem Evangelium betraut. Die Hörer können bei dieser Prüfung, die hier nicht näher erläutert wird, an die Überzeugung und den Lebenseinsatz der Missionare gedacht haben. Sie bildet die Grundlage für die Beauftragung mit dem Evangelium. Den Missionaren ist das Evangelium von Gott »anvertraut« (*pisteuomai*; vgl. 1 Kor 9,17; Gal 2,7; Röm 3,2), d.h. Gott setzt in sie Vertrauen und traut ihnen etwas zu, und sie nehmen korrespondierend ihre Verantwortung wahr. Die syntaktische Konstruktion mit »wie – so« *(kathōs – houtōs)* drückt eine gelungene Entsprechung zwischen der Prüfung durch Gott und der Art der Verkündigung aus. Daher geht ihre Absicht auch weit über das Bemühen, bei Menschen Gefallen zu finden, hinaus: Sie wollen Gott gefallen, der die Herzen prüft, d.h. ihre wirklichen Intentionen, ihre innersten Triebkräfte kennt. Sie sind weder in materieller noch sozialer Hinsicht davon abhängig, Gefallen bei Menschen zu suchen. Wieder erkennt man im Hintergrund die Denkfigur, dass aus der Gottesbeziehung die gute Beziehung zu den Adressaten folgt.

Dass Gott die Herzen der Menschen (als Sitz des Geistes, des Verstandes, der Gefühle, also als Zentrum der Person) prüft bzw. kennt, ist ein biblischer Gedanke; vgl. LXX: Jer 11,20; 12,3; 17,10; Ps 16,3; 25,2; 65,10; 138,1; Spr 17,3. Das Motiv, Gott zu gefallen, findet sich auch in LXX Gen 5,22.24; 6,9; Ps 25,3; 68,32; 114,9; Weish 4,10 und in 1 Thess 4,1; Röm 8,8 (vgl. 1 Kor 7,32); zum Gefallen bei Menschen vgl. Ps 52,6 LXX; PsSal 4,7 f.

5f. 5f. Der zweite antithetische Satz in v.5-8 weitet die knappen Aussagen von v.3f. sachlich aus, worin man die rhetorische Figur der *augmentatio* – ein Anwachsen und Ausweiten paralleler Satzglieder – erkennen kann. Weder Schmeichelrede, noch versteckte finanzielle Interessen, noch die Suche nach Ansehen bei den Menschen leitete die Missionare. Die wiederum in einer rhetorischen Trias zusammengestellten Syntagmen *logos kolakeias, profasis pleonexias* und *zētountes ex anthrōpōn doxan* greifen weitere Motive potentieller gesellschaftlichen Misstrauens gegenüber Heilsvermittlern auf, die die Authentizität der Missionare und damit ihre Beziehung zur Gemeinde zerstören könnten. Schmeichelrede will die Gunst eines anderen zum eigenen Vorteil gewinnen und ist dabei nicht ehrlich (Cicero, Lael. 91f.; Dion Chrysostomos, or. 3,17; 32,11; Plutarch, mor. 13a.b). »Vorwand der Habgier« (*pleonexias* ist Gen. appositionis; vgl. BDR § 167,2) benennt die Möglichkeit, eine Heilsbotschaft mit der verborgenen Absicht, sich selbst zu bereichern, auszurichten. Habgier ist ein geläufiges Thema antiker Ethik (Dion Chrysostomos, or. 17; Plutarch, mor. 131a; Sir 14,9; Philo, praem. 121; weitere Beispiele für diese Motive bei *Malherbe* 142f.; *Green* 121-124). Unterstützt wird die Zurückweisung solchen Fehlverhaltens durch die Erinnerung an die eigene Erfahrung der Adressaten mit den Missionaren (»wie ihr wisst«) bzw. durch die Anrufung Gottes (»Gott ist Zeuge«). Die Anrufung Gottes als Zeugen für die eigene charakterliche Qualität war im paganen *und* jüdischen Weltwissen der hellenistisch-römischen Zeit bekannt (Material bei *M. V. Novenson,* God). Gott kennt die innersten Motivationen der Missionare, die den Adressaten notwendig unzugänglich bleiben, und weiß, dass sie keine persönliche Bereicherung suchten. In der städtischen Elite war es selbstverständlich, *doxa,* öffentliches Ansehen und Prestige, zu erstreben. Dazu unternahm man vielfältige finanzielle Anstrengungen, um sich im öffentlichen Raum z.B. durch die Stiftung von Gebäuden oder Statuen sichtbar zu machen, man sammelte als Patron eine Klientel wirtschaftlich Abhängiger um sich und übernahm städtische Ämter (vgl. *E. Herrmann-Otto,* Oberschicht). Auch öffentliche Redner strebten nach Ruhm und Ansehen (Dion Chrysostomos, or. 32,6.10f.; vgl. 12,5). Die Missionare grenzen sich von dieser gesellschaftlichen Praxis ab: Weder bei der Gemeinde, noch bei anderen Menschen suchten sie Ansehen, womit nicht die gesamte Öffentlichkeit der jeweiligen Städte gemeint ist, sondern nur die Christus-Anhänger in Thessaloniki und anderen Städten als tatsächliche Bezugspersonen.

7a 7a Bevor in v.7b der antithetische Satzteil beginnt, schieben die Verfasser in v.7a eine Parenthese ein, mit der sie im Anschluss an die gerade zurückgewiesenen Haltungen ein bestimmtes Verhalten grundsätzlich für durchaus legitim erklären: »obwohl wir zur Last fallen hätten können wie die Apostel des Christus«.

Die Übersetzung setzt einige sprachliche Entscheidungen voraus. Die Grundbedeutung des Substantivs *baros* ›Last, Schwere, Gewicht‹ hat zu zwei übertragenen Bedeutungen geführt: (1) Leiden und Beschwernis des Körpers und der Seele; (2) Würde, Macht, Ansehen (vgl. *G. Schrenk*, *baros* 551 f.). Für unseren Zusammenhang interessant ist die besonders in Papyri, die die Sprache des Alltags spiegeln, begegnende Verwendung für die Belastung durch Pacht oder Steuern. Die Forschung hat bei der Wendung *en barei einai* häufig an die Autorität, das gewichtige Auftreten der Apostel gedacht (*Dobschütz* 92; *Holtz* 78 f.; *T. J. Burke*, Family 140 f.; *Fee* 64; *Müller* 129; *Green* 125; anders *Malherbe* 144: die scharfe, harte Rede des Philosophen). Letztlich bestimmt der Kontext die semantische Entscheidung. Und hier wird man kaum annehmen dürfen, dass die Verfasser eine (positiv verstandene) Autorität als Apostel, als Boten des Evangeliums zurückweisen. In v.11 f. werden sie die Lehrautorität des Hausvaters, die sie gegenüber den Neubekehrten ausübten, positiv charakterisieren. Und dass die »Apostel Christi« grundsätzlich in negativ verstandener Wichtigtuerei auftraten, wird man als Behauptung den Verfassern kaum unterstellen dürfen. – Die Partikel *hōs* verbindet das Substantiv »Apostel« appositiv mit dem Subjekt (»wir«) und enthält eine nähere Bestimmung der Satzaussage: »wie die Apostel«, »nach Art der Apostel« (*F. Passow*, Handwörterbuch II/2, 2629 f.; BDR § 453,4; anders *Holtz* 78: »als« stehe »zur Bezeichnung der wirklichen Eigenschaft«). Damit ist die Zugehörigkeit zur Gruppe der Apostel nicht ausgeschlossen, aber ein bestimmter Aspekt extrapoliert, von dem sich die Verfasser distanzieren.

Die Parenthese spielt die professionelle Routine als Apostel ein. Die Missionare hätten, wie die anderen Apostel Christi, *en barei* sein können. Das Syntagma *en barei einai* meint hier »zur Last fallen« und umschreibt das Recht eines Apostels, gemäß der Praxis antiker Gastfreundschaft Unterkunft und Unterhalt für die Zeit seines Besuchs bei einer Gemeinde zu bekommen (*S. Schreiber*, Geschichte 230 f.; *W. Stegemann*, Anlaß 407 f.; *C. Gerber*, Paulus 279-281). Der Evangeliums-Profi hätte ein bereits in der Konvention der ersten Christen gründendes Recht darauf – so sagt es Paulus auch später in 1 Kor 9,1-18; 2 Kor 11,7-9 –, der Liebende aber, so lässt sich im Vorausblick auf v.7b.8 fortführen, verzichtet um des Evangeliums willen auf diese Belastung der Gemeinde (vgl. 2 Kor 11,11; 12,14-16). Sozialgeschichtlich betrachtet, berührt das »professionelle« Auftreten eines Apostels also durchaus die in v.5 f. angedeuteten

Bereiche der Finanzen und des Ansehens. Denn die »Autorität« eines unvermögenden, umherziehenden Verkünders steht stets auch mit den notwendigen Unterhaltsfragen in Verbindung.

Ein überzeichnetes Beispiel für den Zusammenhang von mittellosem Wanderprediger, gruppenspezifischem Ansehen und reicher Versorgung durch die Gruppe bietet die dramatische Vita des zeitweilig christlichen Philosophen Peregrinus Proteus, dessen Leben und spektakulären Tod durch Selbstverbrennung bei den olympischen Spielen im Jahr 165 n. Chr. Lukian von Samosata mit scharfer Feder karikiert. Das hohe Ansehen, das Proteus bei den Christen genoss, führte zu seiner Versorgung durch die als »einfache Leute« belächelte Gruppe und schließlich zu erheblichem Wohlstand (Lukian, Peregr. 11-13.16).

In 1 Thess 2,9 werden Unterhaltsfragen dann direkt angesprochen: Der Verzicht auf Unterhalt – vgl. das Verb *epibareomai* – erhält durch die Erwerbsarbeit der Missionare Konturen (vgl. auch 2 Kor 12,16; 1 Tim 5,16).

Dass sich auch die Briefverfasser zu den Aposteln zählen, wird ohne jeden Nachdruck vorausgesetzt. Der Begriff »Apostel« ist hier, wo sein urchristlicher Gebrauch zum ersten Mal bezeugt ist, sicher schon technisch verstanden, was aber noch keine klar abgrenzende Definition impliziert. Der eigentliche Wortsinn »Gesandter«, der seinen Herrn rechtmäßig vertritt (vgl. nur LXX 1 Reg 25,40 f.; 2 Reg 10,2-7), hier verstanden als Gesandter im Dienst des Evangeliums, dürfte semantisch prägend sein (vgl. 2 Kor 8,23; Phil 2,25; Apg 14,4.14 mit 13,1-4: Barnabas und Paulus als Gesandte der Gemeinde von Antiochia). »Apostel« sind die speziellen Gesandten im Dienst des erweckten Christus, die auf der Basis des Evangeliums neue Christus-Gemeinden gründen. Dann können auch Silvanus und sogar Timotheus problemlos unter diesen Begriff subsumiert werden.

Anders setzt *Holtz* 78-81 bereits einen technisch festen Apostel-Titel voraus, der Geltung und Autorität des paulinischen Apostolats im Gegenüber zu den von ihm gegründeten Gemeinden konnotiert und so auf Paulus allein (d. h. ohne Silvanus und Timotheus) beschränkt ist (vgl. *Müller* 130; *Fee* 64 f.). Doch Kriterien, die einen Apostel ausmachen, führt Paulus erst in 1 Kor 9,1 f. an (vgl. Gal 1,15 f.; 1 Kor 15,3-10): Ein Apostel hat eine Erscheinung des erweckten Jesus erfahren und er gründet im Auftrag Christi Gemeinden; die Existenz seiner Gemeinde legitimiert den Apostel. Damit ist die Gruppe der Apostel größer als die des Zwölferkreises, der auf Jesus selbst zurückgeht (differenziert in 1 Kor 15,5.7), und umfasst neben Paulus auch andere Christen der ersten Generation wie z. B. Andronikus und Junia – eine Frau! – laut Röm 16,7. Erst Lukas identifiziert die

Apostel und die Zwölf programmatisch (Apg 1,21 f.) und initiiert damit eine Sprachregelung, die bis heute einflussreich ist (die »zwölf Apostel«).

7b.8 In der nun folgenden Antithese des Satzes, eingeleitet mit *alla*, stellen die Verfasser der *professionellen* ihre *persönliche* Zuwendung gegenüber und vertiefen damit den Aspekt der Beziehung zur Gemeinde.   **7b.8**

Um die antithetische Struktur des Textes zu wahren, nehme ich eine andere syntaktische Abgrenzung vor als in NA[28]. Strukturell liegt es nahe, nach *apostoloi* ein Komma zu setzen, dann folgt der *alla*-Satz (als positiver Teil der Antithese) bis *hymōn*, dahinter kommt ein Doppelpunkt; der asyndetisch folgende *hōs-houtōs*-Satz ist ausführend und erweiternd angeschlossen (vgl. schon *Dibelius* 9; *Holtz* 81; *W. Stegemann*, Anlaß 406; auch *Fee* 66-68).

Die Verfasser machen klar, dass über alle Professionalität als Apostel, als Boten des Evangeliums hinaus der persönliche, in echter Anerkennung und Liebe wurzelnde Umgang mit der Gemeinde ihr Auftreten bestimmte. Das Adjektiv *nēpioi* kann ›unerfahren‹ bedeuten (*F. Passow*, Handwörterbuch 346). So charakterisiert z. B. Philo Benjamin, den jüngsten der Söhne Jakobs, als »unerfahren und ungeübt in fremden und heimischen politischen Angelegenheiten« (Jos. 225). Wenn die Missionare »unerfahren« auftraten, geschah ihre Verkündigung nicht aus professioneller Routine, sondern aus persönlicher Zuneigung (*S. Schreiber*, Geschichte 229 f.).

Im Kontext der Frage nach professionellem Verhalten gilt dieser Deutung der Vorzug. Lexikalisch ebenfalls möglich und in der Forschung meist favorisiert ist die Bedeutung von *nēpioi* als ›jugendlich, unmündig, schwach‹, was dann gerne als Unschuld oder Arglosigkeit der Missionare interpretiert wird (vgl. für viele *Fee* 71 f.; *B. R. Gaventa*, Mother 25-27; an Abhängigkeit von Gott denkt *U. Schmidt*, Kleinkinder).

Zur Deutung als Verzicht auf professionelles Auftreten passt dann auch der Vergleich mit der Amme *(trophos)*, die ihre *eigenen* Kinder *(ta heautēs tekna)* liebevoll versorgt, sehr gut, der sonst Schwierigkeiten bereitet.

Häufig wird ein Widerspruch zwischen den Bildfeldern von »unmündig« und »Amme« wahrgenommen, und es bleibt unklar, warum die *eigenen* Kinder betont werden. Im griechischen Lexikon denotiert *trophos* fast immer ›Amme‹; nur wenige Ausnahmen lassen sich mit ›Mutter‹ wiederge-

ben (aufgeführt bei *C. *Gerber*, Paulus 275 Anm. 93; zum Erscheinungsbild der Amme in der römischen Kaiserzeit ebd. 282-284).

Metapherntheoretisch betrachtet, leitet der unmittelbare literarische
Kontext die Rezeption, indem er Anhaltspunkte gibt, welche semantischen Spezifika aus dem antiken Bildfeld der »Amme« wachgerufen werden. Hier ist es die auffällige Verbindung mit den *eigenen* Kindern, für die die Amme sorgt. Qua Profession wendet sich
die Amme üblicherweise *anderen* Kindern zu und lässt ihnen alle
nötige Sorge zu Teil werden, doch nur den *eigenen* Kindern schenkt
sie darüber hinaus ihre persönliche Zuwendung ohne Lohn oder
Anstellung, aus mütterlicher Liebe (*S. Schreiber*, Geschichte 230;
an die Bezahlung der Amme denkt *C. *Gerber*, Paulus 291; vgl.
W. Stegemann, Anlaß 409; *Richard* 100f.; anders *A. J. Malherbe*,
Gentle 43-45; *ders.* 146.160: die Milde der Amme als Mittel philosophischer Pädagogik im Gegensatz zur harten, fordernden Rede).
Auch die Missionare hätten theoretisch rein professionell in Thessaloniki auftreten können, doch sie gaben der Gemeinde nicht nur
Anteil am Evangelium Gottes, sondern auch an ihrem eigenen Leben.
Diese persönliche Zuwendung macht v.8 stark, der vom Bild zum
tatsächlichen Verhalten führt. Zunächst wird die emotionale Verbundenheit hervorgehoben: »so sehnten wir uns nach euch«. Das
Verb *homeiromai* ist sehr selten bezeugt (Ijob 3,21 LXX; Ps 63,2
Sym.; Inschrift aus Ikonium, 4. Jh. [*W. M. Ramsay*, Utilisation])
und kann daher kaum semantisch exakt bestimmt werden (Texte
bei *N. Baumert*, *Omeiromenoi*, der selbst die Bedeutung ›teilen,
trennen‹ entwickelt). Es meint wohl ein Wünschen und Sehnen (sy-
nonym zu *himeiromai*, durch das manche Abschreiber von 1 Thess
2,8; Ijob 3,21; Ps 63,2 das seltene Verb ersetzen) und bezeichnet so
ein starkes emotionales Hingezogensein der Missionare zu den
Thessalonikern. Noch einmal deuten sie ihren Verzicht auf finanzielle oder eigensüchtige Interessen an: Sie »waren damit zufrieden,
euch Anteil zu geben nicht allein am Evangelium Gottes, sondern
auch an unserem eigenen Leben«. Die Bedeutungsbreite des Verbs
eudokeō umfasst auch ›einwilligen, beistimmen, zufrieden sein‹,
wobei letzteres gut den Kontext trifft. Sie wollten sich nicht bereichern oder wichtig tun, sondern mit den Adressaten eine auf dem
Evangelium basierende Beziehung eingehen – damit waren sie zufrieden. Mit *psychē*/Seele ist das ganze Selbst, das ganze Leben eines
Menschen umfasst. Die Missionare geben also Anteil an ihrem eigenen Leben, an ihrer eigenen Überzeugung. Ihre Motivation dafür ist

eindeutig: »denn ihr seid uns Geliebte geworden« (v.8). »Liebe« meint die engagierte, interessierte, leidenschaftliche Zuwendung zum anderen (↗1,3). Aus Liebe lassen sie die Thessaloniker am eigenen Leben teilhaben. Wieder wird Authentizität durch Einsatz des ganzen Lebens begründet.

In Aufrichtigkeit und Glaubwürdigkeit, im Bewusstsein ihrer Verantwortung vor Gott für das Evangelium, weniger mit professioneller Routine denn aus Zuneigung zu ihren Gesprächspartnern, so haben die Missionare die Beziehung zu den Thessalonikern aufgenommen. Mit einem uneingeschränkt positiven Gefühl können sich beide Seiten an diese Begegnung erinnern. In dieser Erinnerung lebt die Beziehung fort.

9 Die Vertiefung in v.9-12 stellt einen Zusammenhang her zwischen   **9** dem Unterhaltsverzicht der Missionare, ihrem Selbstverständnis und ihrer Art, Autorität auszuüben. Das erklärende *gar* schließt locker an das Vorhergehende an und kann so besser mit »doch« als mit dem streng begründenden »denn« übersetzt werden. In v.9 wird die Erwerbsarbeit der Missionare, die letztlich die Verkündigung des Evangeliums ermöglichen soll, als ausgesprochen kraft- und zeitintensiv dargestellt. Sie erinnern zuerst in einem Hendiadyoin an ihre »Arbeit und Anstrengung« *(kopos* und *mochthos)* und erklären diese dann mit der Hyperbel »Tag und Nacht« *(nyktos kai hēmeras)* als unermüdliches Arbeiten. Auch wenn die Genitivformen *nyktos kai hēmeras* darauf hinweisen, dass sie *während* der Nacht und des Tages (also nicht die ganze Nacht und den ganzen Tag hindurch) arbeiteten, bleibt die Semantik des Aufwandes und der Anstrengung prägend. Mit *pros to* geben sie die Intention dieser Anstrengung an: um der Gemeinde nicht durch Unterhaltsansprüche »zur Last zu fallen« *(epibareomai)* und die Verkündigung des Evangeliums von finanziellen Fragen frei zu halten, was einen sichtbaren Beweis für die Lauterkeit ihrer Intention darstellt.

Dabei geht es nicht um Handarbeit als Ideal, als Ausdruck einer bestimmten Lebensweise wie in philosophischen Betrachtungen z.B. bei Musonius Rufus (Fr. 11), sondern um die finanzielle Unabhängigkeit der Missionare. – Eine berufliche Spezifizierung ihrer Arbeit nehmen die Verfasser nicht vor, und es ist keineswegs sicher, dass Paulus in seinem Handwerk des »Zeltmachers« (Apg 18,3; Leder- und Leinenverarbeitung) tätig war. Es wird sich um unselbständige Arbeit, vielleicht eine Hilfstätigkeit, gehandelt haben, deren Lohn kein aufwändiges Leben erlaubte (das Bild einer finanziell und unternehmerisch groß angelegten Missions-Organisation, das *Müller* 133 f. zeichnet, ist anachronistisch). Dass die Gemeinde in *Philippi* Paulus beim Aufenthalt in Thessaloniki nicht nur einmal finanziell unterstützte (Phil 4,15 f.), belegt ein ungetrübtes, persönliches Verhältnis zu dieser Gemeinde. Man darf dabei freilich nicht an große Summen denken, die einen Verzicht auf die anstrengende Erwerbsarbeit erlaubt hätten. Damit ist auch keineswegs gesagt, dass der Arbeitsplatz den bevorzugten Ort für die Verkündigung des Missionsteams dargestellt hätte (so aber *R. S. Ascough*, Associations 174 f.; *Malherbe* 163). Wohl aber lässt sich von der körperlichen Arbeit her auf den sozialen Status sowohl der Missionare als auch der Gemeinde (vgl. 1 Thess 4,11 f.) schließen: Als Handwerker zählten sie weder zur gesellschaftlichen Elite, noch zur unter dem Existenzminimum lebenden Unterschicht, sondern fanden ein Auskommen, das freilich durchaus bescheiden sein konnte (*R. S. Ascough*, Associations 172 f.).

10 10 Die plerophoren Prädikate der Begriffstrias in v.10 fangen das Selbstverständnis und den Selbstanspruch der Missionare ein: »heilig, gerecht und untadelig« wissen sie sich in der Rückschau. Wieder greifen die Verfasser damit auf kulturell geläufige, verbreitete Sprachmuster zurück. Die Begriffe *hosiōs* und *dikaiōs* begegnen (wie auch »Reinheit« von v.3) in diversen Inschriften für gute Amts- und Lebensführung; auch *amemptōs* findet in solchen Kontexten Verwendung (*M. Vahrenhorst*, Sprache 118 f.; vgl. Platon, rep. 331a; Josephus, ant. 3,279; 6,87). Eine Grabinschrift aus Thessaloniki hält fest, dass eine Frau *amemptōs* gelebt hat (IG X 2/1, 623; *Dobschütz* 99 f.; *Haufe* 40). Als »untadelig« können die Missionare gelten, da ihr für alle Adressaten sichtbares Verhalten keinen Grund zum Tadel ihrer Redlichkeit bot. Es war das Ziel der Missionare, den Thessalonikern in uneingeschränkter Zuwendung zu begegnen, und diese selbst – und Gott, der auch die verborgenen Beweggründe kennt – können den Erfolg beurteilen. Als *pisteuontes*/Vertrauende bezeichnet Paulus die Adressaten, weil sie sich mit Vertrauen und Treue auf die Beziehung zu Gott im Evangelium und zu den Missionaren eingelassen haben (↗Exkurs 2).

11f. 11 f. Der Vergleich des Missionsteams mit einem Vater, der seine Kinder in der Lebensführung, im christlichen Ethos, unterweist, illustriert in v.11 f. abschließend die Rolle von Paulus, Silvanus und Timotheus als Autoritäten des Evangeliums, so wie sie sich selbst verstehen. Denn aus den Rollenmustern, die in der antiken Alltagswelt mit einem Hausvater verbunden sind, fokussiert der Kontext des Vergleichs die Erziehungs- und Bildungsfunktion. Die drei semantisch eng verwandten Partizipien *parakalountes, paramythoumenoi, martyromenoi* – zu übersetzen etwa als »zugeredet und zugesprochen und Zeugnis gegeben haben« (v.12; vgl. *F. Passow*, Handwörterbuch s. v.) – umschreiben in Form einer weiteren rhetorischen Trias diese Funktion. Die Erziehung der Kinder liegt in der Antike primär in den Händen der Familie und damit in der Verantwortung des Hausvaters als ihres Oberhauptes. Die Verfasser betonen dabei jedoch wieder die *intensive persönliche Zuwendung:* »jeden einzelnen«, »seine Kinder« (v.11). Sie geben sie nicht in die Hände von Erziehern, Hauslehrern oder Schulen (*S. Schreiber*, Geschichte 232).

Der *pater familias* einer Familie aus der römischen Elite wurde seiner Verantwortung für die Erziehung seiner Kinder, besonders der für gesellschaftliche Positionen vorgesehenen Söhne, in der Regel dadurch gerecht, dass er sie von geeigneten Hauslehrern, meist Sklaven, erziehen und unterrichten ließ. Darüber hinaus stand ein dreistufiges »Schulsystem« zur Verfügung, wobei die sog. Elementarschule auch weiteren Kreisen der Bevölkerung, die über gewisse finanzielle Möglichkeiten verfügten, die Teilhabe an grundlegender Bildung eröffnete (vgl. *J. Christes*, Erziehung 115-117; *G. Schiemann*, Pater familias; *R. Aasgaard*, Beloved 46 f.49-51). Die persönliche Übernahme der Bildung durch den *pater familias* dürfte dabei die Ausnahme gewesen sein. Anders liegen die Dinge in der jüdischen Familienkultur. Bleibende Bedeutung besitzt die im Pentateuch festgeschriebene Aufgabe des Vaters, seine Kinder/Söhne in den Geboten Gottes zu unterweisen (Dtn 4,9; 6,7.20-25; 11,19; 32,46). Gerade in weisheitlichen Schriften werden Lehre und Erziehung durch den Vater hervorgehoben (z.B. Spr 4,1-27; Sir 30,1-13; vgl. Philo, hypothetica 7,14; spec. leg. 2,228). Markant stellt 4 Makk 18,10-19 den Vater als Lehrer der identitätsstiftenden Tora-Tradition dar. Auch hier wird noch einmal der kulturelle Hintergrund sichtbar, auf dem der Jude Paulus in erster Linie denkt: Sein Idealbild des unterweisenden Vaters entstammt jüdischer Tradition (vgl. *C. Gerber*, Paulus 301-304; *J. M. G. Barclay*, Family; *F. Avemarie*, Schriftgelehrsamkeit 245; in welchem Umfang im 1. Jh. bereits »Elementarschulen« an den Synagogen existierten, ist unklar). Demgegenüber treten moralphilosophische Konzeptionen des Lehrers als Vater als Bildspender in den Hintergrund (so aber *Malherbe* 150 f.163; *ders.*, Exhortation 54-56).

Die Konversion brachte, wie wir gesehen haben (↗Exkurs 3), häufig den Verlust der Beziehung zur Familie als *der* Autorität, die gesellschaftliche Normen und Werte und damit soziale Identität vermittelt (*P. F. Esler*, Family), mit sich. Dann werden neue Autoritäten nötig, die sich aber nun nicht mehr, wie bei der Stellung des *pater familias*, auf Recht und Konvention stützen können, sondern neu begründet werden müssen. Durch die Art und Weise ihres Auftretens und durch ihre Botschaft haben die Missionare Autorität gewonnen. Gerade auch dadurch, dass sie auf professionelle Verhaltensmuster verzichteten, erlangten sie persönliche Autorität, die nicht im sozialen Status, sondern der Authentizität der Personen und der Überzeugungskraft des Evangeliums gründete (*S. Schreiber*, Geschichte 233).

Daher wird die Art und Weise der Autorität verkannt, wenn man von der »Überordnung des Vaters« (**C. Gerber*, Paulus 308) oder gar *hierarchischer* Autorität (**R. Aasgaard*, Beloved 288 f.; **T. J. Burke*, Family 135-137; *ders.*, Paul's New Family 273-278; *Wanamaker* 106) spricht.

Die Verfasser spielen ihre Autorität nicht als Machtposition um ihrer selbst willen aus, sondern verweisen am Ende des Textstücks auf das eigentliche Ziel ihrer »väterlichen« Unterweisung (*eis to* mit finaler Bedeutung). Sie wollen den Thessalonikern eine Anleitung geben zu einem Lebenswandel *(peripatein)*, der »Gott entsprechend« ist, mit anderen Worten: zu einem Ethos des Evangeliums. Die neue Überzeugung und die neue Gottes-Beziehung wirken sich in einer neuen Lebensweise aus.

Das Adverb *axiōs* drückt formal eine Entsprechung, ein Angemessensein aus, wobei die Qualität der Beziehung vom Bezugsobjekt abhängt. Das Verb *peripatein* findet sich in der Bedeutung ›wandeln, sein Leben führen‹ nur in LXX (z. B. 4 Reg 20,3; Jes 59,9; Spr 6,22; 28,6; Koh 11,9; dazu *G. Bertram*, *pateō* 942 f.) und bei Paulus (1 Thess 4,1; 1 Kor 7,17; 2 Kor 4,2; Phil 3,17 f.) (vgl. *Malherbe* 152), während es sonst im Griechischen meist ›herumgehen‹ oder speziell ›disputieren‹ bedeutet.

Unmissverständlich klar wird am Ende des Abschnitts, dass das neue Leben der Thessaloniker, so sehr es mit der Glaubwürdigkeit der Missionare zusammenhängt, letztlich in Gott selbst gründet. Die Thessaloniker sind von Gott selbst gerufen *(kaleō)* in seine eigene »Königsherrschaft und Herrlichkeit«. Dieses »Rufen« erhält seinen besonderen Klang auf dem Hintergrund alttestamentlicher bzw. frühjüdischer Schriften, wo es, häufig in Verbindung mit schöpfungstheologischen Motiven, die Erwählung oder Berufung zu einem neuen Leben mit Gott bezeichnet (Jes 41,9; 42,6; 43,1; 45,3; 48,12 f.15; 49,1; auch Hos 11,1 f.; JosAs 8,9; 14,4-6; syrBar 21,4; 48,8). Der Ruf in die Beziehung zu Gott bedeutet für die junge Gemeinde ein neues Leben in eschatologischer Qualität. Der apokalyptisch geprägte Gedanke, dass Gott seine Königsherrschaft neu aufrichten wird und die Gemeinde an dieser Heilserfahrung bereits in der Gegenwart teilhat, klang schon in den Motiven der Totenerweckung und des Zornes am Ende des Brief-Proömiums an

(↗1,9f.). Gottes *doxa*, seine »Herrlichkeit«, steht als eschatologisches Ziel der Vollendung in der Gemeinschaft mit Gott vor Augen (vgl. 1 Kor 15,43; Röm 5,2; 8,18-21; Phil 3,21). Die feste Hoffnung darauf leuchtet aber bereits jetzt in die neue Existenz der Gemeinde hinein, die sich diesem Gott zuwendet.

Die in apokalyptischen Schriften verbreitete Erwartung der endzeitlichen Durchsetzung von Gottes heilvoller Königsherrschaft für Israel ist seit den Propheten bekannt (Jes 40,11; 43,5; 52,1-12). Wenn sich Gott durchsetzt, wird seine Herrlichkeit unter den Völkern sichtbar (Jes 35,2; 66,18; Dan 3,45), doch nur in einigen Texten wird eine Teilhabe der Heidenvölker an Gottes Herrschaft und Herrlichkeit genannt (PsSal 17,31). Die Aussage in 1 Thess 2,12 impliziert, dass die aus den Völkern gerufene Gemeinde in Thessaloniki in die Endzeit Israels integriert ist (*W. Kraus*, Volk 134-138), ohne dass der Gedanke eigens thematisiert wird.

Von solcher Erwartung und Erfahrung ist die Identität der Gemeinde wesentlich bestimmt. Die damit begründete Beziehung zu Gott, der als Inhaber universaler endzeitlicher Herrschaft alle Macht und Autorität besitzt, weist zwar einerseits auch auf die daraus abgeleitete Autorität der Missionare zurück, eröffnet den Thessalonikern aber andererseits einen Raum der Freiheit in der letztgültigen Bindung an Gott. Darin können sie ihr Leben der neuen Überzeugung gemäß gestalten.

4. Rhetorische Strategie

Erinnerung bedeutet immer auch Interpretation. Sie rekapituliert nicht einfach historische Tatsachen, sondern stellt Geschehenes in sinn-gebende Zusammenhänge. So stellt die interpretierende Erinnerung an den Gründungsbesuch der Missionare in Thessaloniki zugleich eine Aktualisierung der gemeinsamen Beziehung dar. Herausgefordert wird die Tragfähigkeit dieser Beziehung durch die sozialen Spannungen der kleinen Konvertiten-Gruppe in Thessaloniki zu ihrer städtischen Umwelt. Vertraute soziale Bindungen wie die an die eigene Familie gehen mit der Konversion ganz oder teilweise verloren. Neue Bindungen werden für die Gewinnung der eigenen Identität notwendig, was 1 Thess in der Bildwelt einer neuen Familie reflektiert (*C. Wanamaker*, Father; **R. Börschel*, Konstruktion 110-125; **C. Gerber*, Paulus 339-343). Neben innergemeindlichen Beziehungen, die in der häufigen Anrede der Adressat/innen als *adelphoi* aufscheinen, ist die besondere Beziehung zu den Missionaren, die die Konversion auslösten, charakteristisch für den Text 1 Thess 2,1-12. Die Verfasser skizzieren sie als sehr persönliche und verlässliche Familien-Beziehung.

Dabei haben die Verfasser offenbar Grund anzunehmen, dass die Adressaten ihr Auftreten als glaubwürdig empfunden haben. Dadurch eignet ihnen persönliche Autorität als Missionare und Lehrer der jungen Gemeinde (vgl. *K. Ehrensperger*, Paul 131-136). Beim Thema Glaubwürdigkeit geht es (damals wie heute) um die neuralgischen Punkte, an denen Menschen sensibel sind für unehrliches und eigennütziges Verhalten von »Heilsverkündern«. Auch die Glaubwürdigkeit der Boten des Evangeliums entscheidet sich an kulturell etablierten Mustern authentischen Verhaltens. Solche Muster greifen die Verfasser auf, ohne sich in einen konkreten Diskurs wie den um den idealen Philosophen zu stellen. Sie entsprechen den anerkannten Mustern der Glaubwürdigkeit und zeigen doch ihr eigenes Profil als Boten des Evangeliums in der persönlichen, engagierten Zuwendung. Sie distanzieren sich nicht von konkreten Gegnern oder Anschuldigungen, schreiben also keine Apologie, und sie grenzen sich auch nicht von anderen »Heilslehrern« wie Philosophen oder Rednern ab. Das ist nicht nötig, da sie keiner der Adressaten mit Kynikern oder Sophisten verwechseln würde. Ebenso wenig liegt eine Paränese vor, mit der sich die Missionare selbst als nachzuahmendes Beispiel vorstellen. Die Thessaloniker müssen nichts *tun*, wenn sie den Text hören, sie sollen sich nur *erinnern* an die positive Erfahrung des Gründungsbesuchs und in dieser Erinnerung die Beziehung neu als lebendig erfahren.

Bedrohtes christliches Leben 2,13-16

13 Und daher danken wir auch Gott unablässig, dass ihr, als ihr das Wort der Kunde Gottes – von uns – übernommen habt, es annahmt nicht als Wort von Menschen, sondern – wie es in Wahrheit ist – als Wort Gottes, das sich auch als wirksam erwiesen hat bei euch, den Vertrauenden. 14 Denn ihr wurdet Nachahmer, Geschwister, der Gemeinden Gottes, die in Judäa in Christus Jesus sind, denn das gleiche erlittet auch ihr von den eigenen Mitbewohnern wie auch sie von den Juden, 15 die sowohl den Herrn töteten, Jesus, als auch die Propheten und uns verfolgten und Gott nicht gefallen und allen Menschen feindlich gesinnt sind, 16 indem sie uns hindern, zu den Heidenvölkern zu spre-

chen, damit sie gerettet werden, so dass sie ihre Sünden zu aller
Zeit voll machen. Doch am Ende ist über sie der Zorn gekommen.

Literatur: J. M. G. Barclay, Hostility to Jews as Cultural Construct. Egyptian, Hellenistic, and Early Christian Paradigms, in: ders., Pauline Churches and Diaspora Jews (WUNT 275), Tübingen 2011, 157-177; *R. H. Bell*, The Irrevocable Call of God. An Inquiry into Paul's Theology of Israel (WUNT 184), Tübingen 2005; *M. Bockmuehl*, 1 Thessalonians 2:14-16 and the Church in Jerusalem, TynB 52 (2001) 1-31; *G. Delling*, Art. *paralambanō*, in: ThWNT 4 (1942), 11-15; *W. Eck*, Rom und Judaea. Fünf Vorträge zur römischen Herrschaft in Palaestina (Tria Corda 2), Tübingen 2007; *J. Fichtner*, Art. *orgē ktl.* B.III., in: ThWNT 5 (1954), 395-410; *H. Giesen*, Kritik am Verhalten und Handeln von jüdischen und paganen Gegnern der paulinischen Heidenmission als Zuspruch an die Glaubenden in Thessalonich. Zu 1 Thess 2,13-16, SNTU 37 (2012) 5-47; *F. D. Gilliard*, Paul and the Killing of the Prophets in 1 Thess. 2:15, NT 36 (1994) 259-270; *K. Haacker*, Elemente des heidnischen Antijudaismus im Neuen Testament, EvTh 48 (1988) 404-418; *R. Hoppe*, Der Topos der Prophetenverfolgung bei Paulus (2004), in: ders., Apostel – Gemeinde – Kirche. Beiträge zu Paulus und den Spuren seiner Verkündigung (SBA 47), Stuttgart 2010, 59-74; *B. C. Johanson*, To All the Brethren. A Text-Linguistic and Rhetorical Approach to 1 Thessalonians (CB.NT 16), Stockholm 1987; *L. T. Johnson*, The New Testament's Anti-Jewish Slander and the Conventions of Ancient Polemic, JBL 108 (1989) 419-441; *M. de Jonge*, The Testaments of the Twelve Patriarchs. A Critical Edition of the Greek Text (PVTG I/2), Leiden 1978; *G. H. van Kooten*, Broadening the New Perspective on Paul: Paul and the Ethnographical Debate of His Time – The Criticism of Jewish and Pagan Ancestral Customs (1 Thess 2:13-16), in: M. Goodman/ders./J. T. van Ruiten (Hg.), Abraham, the Nations, and the Hagarites (TBN 13), Leiden/Boston 2010, 319-344; *J. Lambrecht*, Connection or Disjunction? A Note on 1 Thessalonians 2,13 Within 1,2-3,13, in: ders., Collected Studies on Pauline Literature and on the Book of Revelation (AnBib 147), Rom 2001, 267-277; *J. S. Lamp*, Is Paul Anti-Jewish? Testament of Levi 6 in the Interpretation of 1 Thessalonians 2:13-16, CBQ 65 (2003) 408-427; *B. A. Pearson*, 1 Thessalonians 2:13-16. A Deutero-Pauline Interpolation, HThR 64 (1971) 79-94; *D. Pollefeyt/D. J. Bolton*, Paul, Deicide, and the Wrath of God: Towards a Hermeneutical Reading of 1 Thess 2:14-16, in: T. G. Casey/J. Taylor (Hg.), Paul's Jewish Matrix, Rome 2011, 229-257; *G. Schlee*, Wie Feindbilder entstehen. Eine Theorie religiöser und ethnischer Konflikte, München 2006; *C. J. Schlueter*, Filling up the Measure. Polemical Hyperbole in 1 Thessalonians 2.14-16 (JSNT.S 98), Sheffield 1994; *L. Schottroff*, Antijudaismus im Neuen Testament (1984), in: dies., Befreiungserfahrungen. Studien zur Sozialgeschichte des Neuen Testaments (ThB 82), München 1990, 217-228; *H. Schreckenberg*, Die christlichen Adversus-Judaeos-Texte und ihr literarisches und historisches Umfeld (1.-11. Jh.) (EHS XXIII/172), Frankfurt

a. M. ⁴1999; *D. R. Schwartz*, Judeans, Jews, and their Neighbors. Jewish Identity in the Second Temple Period, in: R. Albertz/J. Wöhrle (Hg.), Between Cooperation and Hostility. Multiple Identities in Ancient Judaism and the Interaction with Foreign Powers (JAJ.S 11), Göttingen 2013, 13-31; *O. H. Steck*, Israel und das gewaltsame Geschick der Propheten (WMANT 23), Neukirchen-Vluyn 1967; *E. W. Stegemann*, Zur antijüdischen Polemik in 1 Thess 2,14-16 (1990), in: ders., Paulus und die Welt. Aufsätze, Zürich 2005, 59-72; *R. Stuhlmann*, Das eschatologische Maß im Neuen Testament (FRLANT 132), Göttingen 1983; *N. H. Taylor*, Who Persecuted the Thessalonian Christians?, HTS 58 (2002) 784-801; *G. Theißen*, Aporien im Umgang mit den Antijudaismen des Neuen Testaments, in: Die Hebräische Bibel und ihre zweifache Nachgeschichte (FS R. Rendtorff), Neukirchen-Vluyn 1990, 535-553; *P. G. de Villiers*, In the Presence of God. The Eschatology of 1 Thessalonians, in: J. G. van der Watt (Hg.), Eschatology of the New Testament and Some Related Documents (WUNT II/315), Tübingen 2011, 302-332; *S. Vollenweider*, Antijudaismus im Neuen Testament. Der Anfang einer unseligen Tradition (1999), in: ders., Horizonte neutestamentlicher Christologie. Studien zu Paulus und zur frühchristlichen Theologie (WUNT 144), Tübingen 2002, 125-140; *C. Weller*, Warum gibt es Feindbilder?, in: J. Hippler/A. Lueg (Hg.), Feindbild Islam oder Dialog der Kulturen, Hamburg 2002, 49-58; *ders.*, Feindbilder – zwischen politischen Absichten und wissenschaftlichen Einsichten, in: Neue Politische Literatur 54 (2009) 87-103; *P. Wick*, Ist I Thess 2,13-16 antijüdisch? Der rhetorische Gesamtzusammenhang des Briefes als Interpretationshilfe für eine einzelne Perikope, ThZ 50 (1994) 9-23; *A. Zick*, Vorurteile und Rassismus. Eine sozialpsychologische Analyse (Texte zur Sozialpsychologie 1), Münster 1997.

Der Text gilt vielen als eine der schärfsten anti-jüdischen Polemiken im Neuen Testament. Weil man dem Juden Paulus eine solche Polemik nicht zutrauen wollte, haben manche Exegeten versucht, den Text 2,13-16 (oder wenigstens 2,15 f.) als nach-paulinische Interpolation aus dem 1 Thess herauszulösen und einem unbekannten späteren Redaktor zuzuschreiben, dem man offenbar solchen Antijudaismus eher zutrauen konnte (einflussreich *B. A. Pearson*, Interpolation; zur Forschung vgl. *C. J. Schlueter*, Measure 13-53; *Fee* 90 f.; **D. Luckensmeyer*, Eschatology 161-167; **T. Jantsch*, Gott 125-129; *D. Pollefeyt/D. J. Bolton*, Paul 232-251). **M. Crüsemann* ging jüngst sogar so weit, den Text zum Anlass zu nehmen, den ganzen 1 Thess zum nach-paulinischen Schreiben zu erklären (Briefe 76 f.158 f.285 f.). Diese Versuche verschieben freilich das Problem nur zeitlich auf die nächste christliche Generation und personell in die Anonymität, bieten aber keine wirkliche Erklärung. Sachgerecht scheint mir die Einsicht zu sein, dass das Problem nicht bei

Paulus als dem Autor der fraglichen Worte liegt, sondern bei *unserer heutigen* Wahrnehmung des Textes, die gar nicht anders kann, als den Text auf dem Hintergrund einer jahrhundertelangen Verwerfungsgeschichte zwischen jüdischen Gemeinden und christlichen Kirchen, von Ghettoisierung, Ausweisung und Ermordung von Juden durch Christen und der Erinnerung an die Shoa, den Völkermord an den europäischen Juden durch das Nazi-Regime in Deutschland zu lesen. Der Text stellt uns also mit geschichtlicher und theologischer Notwendigkeit vor ein hermeneutisches Problem. Diesem Befund versuche ich dadurch gerecht zu werden, dass ich eine geschichtliche Erklärung des Textes von einer hermeneutischen Problematisierung heuristisch trenne. Den Kommentar leitet so die Frage, wie sich die Aussagen vor dem antiken Hintergrund der zeitgeschichtlichen Situation und des kulturellen Wissens der Thessaloniker und des Paulus erklären lassen. Von dieser geschichtlichen Konstruktion der Erstlesesituation fällt dann auch neues Licht auf unsere heutige Lektüre des Textes. Wir wissen, dass wir heute so nicht mehr über und mit Juden sprechen können – was uns als Christen in die Aporie führt, denn der Text ist Bestandteil des christlichen Bibelkanons, der Gründungsurkunde und des bleibenden Vermächtnisses der Vorfahren der ersten Generationen.

1. Analyse

Hatten die Verfasser die Briefadressaten in der vorangehenden Perikope 2,1-12 an die Glaubwürdigkeit der Missionare beim Gründungsbesuch erinnert und damit die gemeinsame Beziehung aktualisiert, so schließen sie nun, wieder beziehungsstiftend, einen Rekurs auf die gemeinsame Erfahrung der Ablehnung an. Missionare und Gemeinde stehen unter dem Wort Gottes, und die der Annahme des Wortes entsprechende Konversion führt unausweichlich zu Spannungen mit der anders denkenden und ablehnenden Umwelt, sei sie jüdisch, sei sie römisch geprägt. Die Ursachen dafür sind vielfältig und gründen in gegenseitiger Distanzierung. Das Motiv der Danksagung greift das Thema des Proömiums (1,2-10) auf: die Annahme des Wortes trotz sozialer Widerstände. Dem Engagement der Missionare entspricht ihr Dank für die positive Reaktion der Adressaten – so kam die gemeinsame Beziehung erst zustande.

Struktur

Der kurze Text weist folgenden Gedankengang auf:

2,13   Annahme der Verkündigung als Gottes Wort
2,14   Nachahmung der judäischen Gemeinden im Leiden
2,15 f.   Polemik gegen Juden, die die Verkündigung behindern

Kultureller Kontext und Traditionen

Die Polemik gegen Juden in 2,15 f. bedient sich diverser Motive, die aus verschiedenen antiken Diskursen stammen. Der folgende Überblick erörtert diese Hintergründe.

- V. 15 »die den Herrn töteten, Jesus«: Historisch betrachtet, handelt es sich bei dieser Aussage um eine Verkürzung des tatsächlichen Hergangs der Hinrichtung Jesu. Die Anklage Jesu bei den römischen Behörden erfolgte durch die jüdische Führung in Jerusalem, die hohepriesterliche Aristokratie. Für die Hinrichtung selbst waren die römischen Behörden in Jerusalem verantwortlich. Die Zuweisung der Schuld am Tod Jesu an die Jerusalemer Juden stellt ein kontroverstheologisches Argumentationsmuster der ersten Christen in der Auseinandersetzung mit jüdischen Kontrahenten dar, das einen Sinneswandel bewirken will. Die Streuung in den Schriften der ersten Christen lässt vermuten, dass es zur Zeit der Abfassung von 1 Thess bereits bekannt war. Zu beachten ist, dass dabei in der Regel eine *bestimmte* Gruppe von Juden in die Kritik gerät, nicht pauschal alle Juden. So formuliert Apg 2,23 (vgl. 13,28; Lk 24,20) durchaus unter Wahrung der historischen Ereignisse die Schuld der in der Pfingstpredigt des Petrus angesprochenen *Jerusalemer* Juden: »durch die Hand von Gesetzlosen schlugt ihr ihn an (das Kreuz)«.

Zugespitzt auf die Tat und damit die Schuld der Jerusalemer Juden bzw. ihrer Führungselite findet sich das Motiv in Apg 2,36; 3,15; 4,10; 5,30; 7,52. Es steht im Kontext der Verkündigung unter Juden mit der Intention der Umkehr und wird dazu häufig im Rahmen eines Kontrastschemas verwendet: ihr habt Jesus getötet – Gott hat ihn (rehabilitierend) erweckt. Narrativ chiffriert begegnet es im Gleichnis von den Weinbergpächtern in Mk 12,7 f. (Mt 21,38 f.; Lk 20,14 f.), wo die jüdische Führungselite in Jerusalem – Hohepriester, Schriftgelehrte, Älteste (Mk 11,27) – als dessen textinterner Adressat auftritt (vgl. noch die

Andeutungen in Mk 8,31 und 14,1[und Parallelen]; Joh 5,18; 7,19.25; 8,37.40; 11,53).

● V. 15 »und die Propheten« (töteten): Die Aussage stammt aus dem *jüdischen* Traditionskreis und spielt auf das deuteronomistische Interpretationsmuster an, dass Israel Gottes Propheten ablehnt und tötet.

Es findet in Neh 9,26 f. eine konzise Zusammenfassung: »Aber sie sind ungehorsam geworden und haben sich gegen dich (Jhwh) aufgelehnt und sich von deiner Weisung abgewandt und deine Propheten getötet, die sie ermahnten, um sie zu dir zurückzuführen, und redeten schwere Lästerungen. Da hast du sie in die Hand ihrer Bedränger gegeben«. In 1 Kön 19,10.14 spricht der Prophet Elia zum Herrn: »Die Israeliten haben deinen Bund verlassen, deine Altäre niedergerissen und deine Propheten mit dem Schwert getötet. Und ich allein bin übrig geblieben, sie aber trachteten danach, mir das Leben zu nehmen«. 2 Chr 36,15 f. verbindet den wachsenden Zorn Jhwhs damit: »Und Jhwh, der Gott ihrer Väter, sandte durch seine Boten immer wieder eifrig zu ihnen, denn er hatte Mitleid mit seinem Volk und seiner Wohnung. Aber sie verspotteten die Boten Gottes und verachteten seine Worte und verhöhnten seine Propheten, bis der Zorn Jhwhs über sein Volk wuchs, so dass es keine Vergebung mehr gab« (vgl. noch Jer 2,30; Jub 1,12 f.; Josephus, ant. 9,264-266; 10,38 f.; dazu *O. H. Steck*, Israel; das Muster begegnet *nicht* explizit in VitProph, wo der gewaltsame Tod einiger Propheten ohne diese Deutung erzählt wird).

Das grundlegende Thema ist die Auflehnung Israels gegen Jhwh und die Umkehr zum eigentlichen Willen Jhwhs, wobei ein innergeschichtliches Gericht über die Ablehnenden auf deren Erziehung und Umkehr zielt. Es dient auch der Erklärung der politischen Unterlegenheit Israels. Von den ersten (Juden-)Christen wurde das Muster bei der Auseinandersetzung mit jüdischer Ablehnung der Jesus-Botschaft verschiedentlich aufgegriffen. Sie ordnen damit die Ablehnung Jesu in die Tradition der Ablehnung Jhwhs und seiner Propheten durch Israel ein, um eine Erklärung für diese irritierende Erfahrung zu finden. Dabei wird der weitere Kontext einer prophetischen Gerichtsansage mit der Intention der Umkehr wachgerufen. So werden die Tötung der Propheten und die Ablehnung Jesu in eine Linie gebracht und mit dem drohenden Gericht verbunden in Lk 11,47-51/Mt 23,29-36; Lk 13,34 f./Mt 23,37-39; Apg 7,51 f. (angedeutet Lk 24,19 f.); narrativ umgesetzt im Gleichnis von den Weinbergpächtern Mk 12,1-9 (und Parallelen). Angesprochen

sind dabei im Kontext stets *bestimmte* jüdische Kreise: Schriftgelehrte und Pharisäer bzw. die Jerusalemer Juden. Auch Paulus
kannte die Tradition und wendet sie in Röm 11,3 f. an (Zitat aus
1 Kön 19,10.14.18).
Dabei begegnet das Motiv vom Vollmachen des Maßes der Väter
(*plērōsate to metron tōn paterōn*), also die Vorstellung, dass ir-
gendwann die Zahl der Vergehen Israels voll ist und das Gericht
anbricht, im Neuen Testament sonst nur in Mt 23,32 (und ähnlich 1 Thess 2,16 später auch in Barn 5,11). In Bezug auf die *Heidenvölker* steht das von Gott gesetzte Maß der Sünden in breiter
jüdischer Tradition, z. B. Gen 15,16 (und Jub 14,16; 29,11); Dan
8,23; 2 Makk 6,14; LAB 3,3; 36,1; 41,1; in LAB 26,13 ist es auf
Israel selbst bezogen (vgl. 47,9; Sir 23,2 f.) (dazu *R. Stuhlmann*,
Maß 94-98.103-105; **W. Kraus*, Volk 151 f.).
Mit den Motiven Ablehnung Jesu – Ablehnung/Tötung der
Propheten Israels – Gericht in 1 Thess 2,16 wird ein Traditions-
zusammenhang erkennbar, auf den die Verfasser von 1 Thess
zurückgreifen konnten (zur Forschung **M. Konradt*, Gericht
81.90).

- V. 15 greift *hellenistisch-römische* Negativeinstellungen gegenüber Juden auf: sie »gefallen Gott nicht und sind allen Menschen
feindlich gesinnt«. Mit Asebie und Misanthropie werden zwei
zentrale Stereotype aus dem Arsenal hellenistischer Judenpolemik bemüht. Dahinter steht eine bestimmte kulturelle Perspektive der hellenistischen Zeit (vgl. *J. M. G. Barclay*, Hostility 167-
170). In alten und neugegründeten Städten des östlichen Mittel-
meerraums breitete sich, zumindest unter den städtischen Eliten,
die hellenistische Kultur aus und führte zu einem neuen Ideal
menschlicher Gemeinschaft, Verbundenheit und Kooperation.
Die Lebensweise der Juden kann dagegen als Abgrenzung wahrgenommen werden. Aufgrund ihres JHWH-Glaubens nehmen sie
nicht an paganen Götter-Kulten teil, die das gesellschaftliche Leben der Antike prägten, und aufgrund ihrer Lebensweise nach
der Tora grenzen sie sich von gesellschaftlichen Praktiken, die
Gemeinschaft stiften, wie Tischgemeinschaft oder gemischte
Ehen, ab. Damit stören sie, so die negative Wahrnehmung, das
Ethos der Gemeinschaft.

Im 1. Jh. v. Chr. beschreibt Diodorus Siculus die Juden als von Hass
gegen die Menschen und Menschenfeindlichkeit erfüllt sowie als gottlos und von den Göttern gehasst (*asebeis kai misoumenous hypo tōn
theōn*); sie verfolgen menschenfeindliche und gesetzlose Bräuche (*mi-*

santhrōpa kai paranoma ethē; Diodorus Siculus 34,1,1-4; vgl. Juvenal 14,103 f.; Quintilian, inst. 3,7,21; Philostrat, vita Apollonii 5,33). Josephus paraphrasiert in seiner Schrift *Contra Apionem* den paganen Autor Lysimachos (um 200 v. Chr.), der die Gottlosigkeit und Menschenfeindlichkeit der Juden bereits auf Anweisungen des Mose an die Wüstengeneration zurückführt: Sie sollen »weder einem der Menschen wohlgesonnen sein, noch das Beste raten, sondern das Schlechtere, sowie die Tempel der Götter und die Altäre, auf die sie treffen, zerstören« (Josephus, c. Ap. 1,309). Josephus überliefert auch die Behauptung des Apion, die Juden schwören einen Eid, keinem Fremden und besonders keinem Griechen wohlwollend zu begegnen, und verehren die Götter nicht gebührend (c. Ap. 2,121.125), und die Vorwürfe des Apollonios Molon (1. Jh. v. Chr.), dass die Juden gottlos und menschenfeindlich seien (c. Ap. 2,148: *atheous kai misanthrōpous*). Der Misanthropie-Vorwurf wird auch in Est 3,13d-e LXX (ein Volk steht im Gegensatz zu allen anderen Völkern), Josephus, ant. 11,212, Philo, virt. 140 und 3 Makk 3,3-7 gespiegelt. Prominent geworden ist die Polemik des Tacitus, der den Juden bescheinigt, sie hegen »allen anderen gegenüber feindseligen Hass« *(adversus omnes alios hostile odium)* und »verachten die Götter« *(contemnere deos;* Tacitus, hist. 5,5,1 f.) (zu den Belegen vgl. auch *J. M. G. Barclay,* Hostility 169; **M. Crüsemann,* Briefe 49-52; *Dibelius* 34-36; zu stark nivelliert *G. H. van Kooten,* Broadening, die antijüdische Polemik, indem er sie als antiken ethnographischen Diskurs um die eigenen traditionellen Gebräuche einordnet). – Da das Verb *areskō* durch 1 Kor 7,32-34; 10,33; Gal 1,10; Röm 8,8; 15,1-3 als gut paulinisch ausgewiesen ist, dürfte sich die spezielle Formulierung des Vorwurfs »sie gefallen Gott nicht« der Feder der Verfasser von 1 Thess verdanken.

- V. 16 »am Ende ist über sie der Zorn gekommen«: Das Motiv des göttlichen Zorns begegnete oben bereits in Verbindung mit der Tradition von Israels gewaltsamer Ablehnung seiner Propheten und diente dort der Erziehung des Volkes, der Umkehr zu seinem Gott. 2 Makk 6,12-17 beschreibt die religionspolitischen Ereignisse unter Antiochos IV. Epiphanes als gewalttätige Verfolgungen der Juden in Judäa und wertet diese als Erziehung durch Gott, der aus Gnade Israel nicht bis zum Ende, der Vollendung seiner Verfehlungen kommen lässt, sondern vorher die Chance zur Umkehr und zur Teilhabe an seinem Erbarmen einräumt (vgl. auch AssMos 8,1).

In Israels Schriften kann sich Gottes Zorn in der Vernichtung von Übeltätern und Frevlern – sowohl innerhalb Israels als auch bei den Völkern – entladen, z. B. Num 16; 17,9-12; 25,1-9; Dtn 29,19 f.; 32,19-25; Jes 5,25; 10,24 f.; 63,1-6; Jer 21,1-7; 33,4-6; Klgl 2,3 f.21 f.; Ez 5,13;

13,13-15; 2 Chr 29,8-10; Ps 59,14; 78,21.31.37 f.49 f. Nach Weish 16,5 f. bleibt Gottes Zorn »nicht bis zum Ende«, hört also wieder auf, nach 18,20 dient er der Zurechtweisung (zahlreiche Belege bei *J. Fichtner*, *orgē*; *M. Konradt*, Gericht 59 f.). Kommt Gottes Zorn über andere, der eigenen Gruppe feindliche Menschen, erfüllt die Vorstellung eine kognitive Funktion: die Bestätigung der eigenen Überzeugung und Lebensweise.

2. Kommentar

13 13 Mit »und daher« schließt v.13 an das zuvor erinnerte glaubwürdige Engagement der Missionare für die junge Gemeinde in Thessaloniki an. Weil die Thessaloniker als Reaktion auf das Auftreten der Missionare das Wort angenommen haben, kann dieser Aspekt in der Form einer erneuten Danksagung zur Sprache gebracht werden. In der Annahme des Wortes ist das missionarische Wirken ans Ziel gelangt, wofür die Missionare dankbar sind. Der Dank in 2,13a verbindet also die Glaubwürdigkeit der Missionare (2,1-12) mit der Annahme des Wortes durch die Gemeinde (2,13b; vgl. *J. Lambrecht*, Connection).

Ein theologischer Grundgedanke des Briefes kehrt dabei wieder (vgl. 1,5): Das Wort Gottes ist im Wort von Menschen zu hören. Daher war auch die Glaubwürdigkeit der Verkünder so wichtig (2,1-12). Auffällig ist die griechische Formulierung *logon akoēs par' hēmōn tou theou*, wörtlich: »das Wort der Kunde – durch uns – Gottes«. Die doppelte Näherbestimmung der »Kunde« durch den Präpositionalausdruck »durch uns« und das Genitivattribut »Gottes« (im Deutschen nicht nachahmbar, daher mein Übersetzungsversuch mit Parenthese) bringt genau diese offenbarungstheologische Spannung zum Ausdruck: Die Kunde ist *zugleich* Verkündigung konkreter Menschen *und* Wort Gottes. Diese Spannung lässt sich nicht auflösen und macht Wesen und Bedeutung der Verkündigung aus, die das Evangelium je neu für die Lebenssituation ihrer Hörer/innen aktualisiert (↗1,5). Die Aktualisierung erreicht ihre Hörer/innen dort, wo diese in den zirkulären Verstehenszusammenhang von Menschenwort und Gotteswort eintreten.

Grammatikalisch lässt sich die Genitivverbindung »Wort der Kunde« als Gen. qualitatis fassen, der Zusatz »Gottes« als Gen. auctoris. Das Verb *paralambanō* (übernehmen, empfangen) ist als antiker Terminus der Traditionsweitergabe (in einem Lehrer-Schüler-Verhältnis) bekannt (vgl. 4,1;

1 Kor 11,23; 15,3; Gal 1,9.12; Phil 4,9; vgl. *G. Delling, paralambanō* 11-13). Überlieferung und Aktualisierung (Annahme für sich selbst) sind so wesentlich miteinander verbunden. Die Formulierung »Wort Gottes« qualifiziert auch in 2 Kor 2,17; 4,2; Röm 9,6 die von Gott ausgehende Botschaft.

Die Fortführung des Gedankens akzentuiert die Bedeutung, die das Wort durch die Annahme für die Thessaloniker gewann: Indem sie es annahmen, war es für sie nicht mehr »Wort von Menschen«, sondern »in Wahrheit«, d. h. in einer tieferen, existentiellen Sicht, »Wort Gottes«. Die Identität beider Wahrnehmungen des Wortes ist damit nicht aufgehoben, sondern erst begründet. Zum Wesen des Wortes als Wort Gottes gehört dann auch, dass es sich bei denen, die ihm vertrauen, den »Vertrauenden« (↗Exkurs 2), als wirksam erweist, also im wörtlichen Sinne »ankommt« und eine neue Identität und Lebenspraxis stiftet. Damit erinnert v.13 grundlegend an die Bedeutung der Konversion der Adressaten, bei der das Wort eine einschneidende Lebensveränderung bewirkt hat (darauf liegt der Akzent des Wirksamwerdens, nicht auf Einzelinhalten, wie *T. Jantsch*, Gott 80 meint).

14 Die wohl größte Gefährdung der neuen Existenz nach der Konversion stellen, wie bereits gesehen (↗Exkurs 3), soziale Demütigungen und Diskriminierungen seitens der städtischen Mitbewohner dar. Sie sind als Folge (kausales *gar*) der Annahme des Gotteswortes charakterisiert. Die folgenden Gedanken ordnen diese negative Erfahrung der Adressaten in einen größeren christlichen Kontext ein.

Durch den Gedanken der Nachahmung wird die Gemeinde in Thessaloniki in Analogie zu den Christus-Gemeinden in Judäa gesetzt, wobei jeweils Widersacher in den Blick kommen: die Mitbewohner der Thessaloniker bzw. die Juden. Die Nachahmung geschieht im analogen sozialen Leiden. Die Formulierung »die Gemeinden Gottes, die in Judäa in Christus Jesus sind«, legt die Identität der angesprochenen Gruppe eindeutig fest: Es sind die Jesus-Anhänger in Judäa. *Iudaia* im engeren Sinn meint das überwiegend von Juden bewohnte Kernland Palästinas (z.B. Gal 1,22; 2 Kor 1,16; Röm 15,31), kann aber in einem weiteren Sinn die nördlichen Gebiete Palästinas (Samaria und Galiläa) einschließen (so in Lk 1,5; 4,44; 23,5; Apg 10,37; Josephus, ant. 1,160; Tacitus, hist. 5,6,1; zu den Rechtsverhältnissen Judäas vgl. *W. Eck*, Rom 1-51). Diese Jesus-Anhänger sind, wie auch die Thessaloniker, als *ekklēsia* Gottes, die zu Jesus, dem Christus gehört, bestimmt (zum Begriff *ekklēsia* ↗Exkurs 1). Als Keimzellen der jungen Christus-Bewegung besitzen die Gemeinden in Judäa und besonders die sogenannte Jerusalemer Urgemeinde grundlegende Bedeutung auch für die neu entstehenden Gemeinden in der paganen Welt.

Kurz vor der Mission in Thessaloniki trat diese Bedeutung beim Jerusalemer Treffen hervor (↗Einleitung 2.1), und Paulus hielt durch die Kollekte, die er in seinen überwiegend heidenchristlichen Gemeinden für die Urgemeinde sammelte, symbolisch an der engen Bindung zur »Muttergemeinde« fest (vgl. nur Röm 15,25-28.30f.). Das »Leiden« der Gemeinden in Judäa wird als soziale Desintegration innerhalb ihrer jüdischen Lebenswelt zu verstehen sein, doch bleiben die genauen historischen Verhältnisse weitgehend im Dunkeln. Wir wissen von frühen Agitationen bestimmter jüdischer Kreise in Judäa gegen die (ebenfalls jüdischen) Jesus-Anhänger, bei denen Paulus (vor seiner Berufung zu Christus) selbst aktiv war (Gal 1,13). Wir wissen auch von Übergriffen der Jerusalemer Priesteraristokratie gegen die Gruppe der »Hellenisten« in der Frühzeit der Urgemeinde, bei denen Stephanus gesteinigt wurde und etliche Hellenisten aus Jerusalem fliehen mussten (Apg 7,54-8,3). Auch an die Hinrichtung des Zebedaiden Jakobus, der zusammen mit seinem Bruder Johannes zum Kern der Zwölfergruppe um Jesus zählte, unter Herodes Agrippa I. im Jahr 41/42 lässt sich denken (Apg 12,1f.). Die Inhaftierung des Petrus, der daraufhin Jerusalem verließ (Apg 12,3-17), deutet generell auf ein gespanntes Verhältnis zwischen Agrippa und führenden Mitgliedern der Urgemeinde. Neben diesen prominenten Fällen sind alltägliche Widerstände und Diskriminierungen von Seiten der jüdischen Bevölkerung zu vermuten. Einige Jahre später fürchtet Paulus in Röm 15,30f. die Konfrontation mit Juden in Jerusalem, die nicht zur Jesus-Gemeinde gehören. Es scheinen also weiterhin sozioreligiöse Spannungen zu bestehen.

Mit den Christus-Gemeinden in Judäa ist die Gemeinde in Thessaloniki in der gemeinsamen Erfahrung des Leidens durch feindselige Mitbewohner verbunden. Ihr Geschick wird damit der sinnlosen Zufälligkeit enthoben und in die Tradition des »Urtyps« gestellt, folgt also einer gewissen theologischen Notwendigkeit. Das soziale Leiden wird erklärbar und damit eher akzeptabel. *Symphyletai* meint hier die Mitglieder des gleichen sozialen Lebensbereichs, also in erster Linie die heidnischen Mitbewohner, die die Gesellschaft in Thessaloniki dominierten (↗Einleitung 3.2), schließt jedoch eine Beteiligung jüdischer Mitbewohner nicht aus. Die Sprache ist offen und akzentuiert die soziale Bedrängnis durch die jeweilige Umwelt, ohne die ethnische Zugehörigkeit der *symphyletai* festzulegen. Mit »die Juden« (mit Artikel) sind zunächst verallgemeinernd die in

Judäa lebenden Juden bezeichnet, doch weitet v.15 sogleich den Bedeutungsumfang.

Zur Übersetzung des griechischen Begriffs *Ioudaios* stehen im Deutschen zwei Substantive zur Verfügung: ›Judäer‹ und ›Jude‹ (englisch ›Judean‹ und ›Jew‹). ›Judäer‹ meint üblicherweise den Bewohner von Judäa, nimmt also die geographische Verortung als zentrales semantisches Merkmal, während ›Jude‹ die ethnische Herkunft und/oder sozioreligiöse Identität denotiert (zu dieser Unterscheidung *D. R. Schwartz*, Judeans 14-17). Die Gegenüberstellung der »eigenen Mitbewohner« der Adressaten zu den *Ioudaioi* in 2,14 spricht zunächst für ein lokales Verständnis und die entsprechende Übersetzung mit »Judäer«. Doch die Polemik von 2,15f. weitet den Kreis auf weitere Juden an verschiedenen Orten des paulinischen Missionsgebiets aus, die die Heidenmission behindern. So ist insgesamt doch die Übersetzung »Juden« gefordert.

15 Der Kreis »der Juden« wird durch die anschließenden Partizipi-   **15**
alkonstruktionen einerseits ausgeweitet (über Judäa hinaus), andererseits einschränkend näher erläutert – es sind also nicht einfach alle Juden (als Volk) angesprochen, sondern Juden, auf die ein bestimmtes Verhalten zutrifft.

So meint auch in Gal 2,13 »die übrigen Juden« nicht *alle* übrigen Juden, sondern nur eine spezielle Gruppe von Judenchristen in Antiochia; 2 Kor 11,24 impliziert *bestimmte* Juden. Einschränkend deuten *Fee* 95f.; *Malherbe* 169.174; *Marxsen* 49; *H. Giesen*, Kritik 19.25f. Generalisierend z.B. *R. H. Bell*, Call 65f.; *J. M. G. Barclay*, Hostility 173-177.

Es sind Juden, die – aus einer bestimmten Perspektive betrachtet – dem Willen ihres Gottes mit Widerstand begegneten und begegnen. Die Anklage gegen diese Juden reicht von der theologischen Verurteilung bis zur beißenden Polemik. Es handelt sich um eine *innerjüdische* Anklage – die Verfasser sind selbst Juden! –, in die aber Antijudaismen eingebaut sind, wodurch eine eigenartige Komposition kulturell unterschiedlich konnotierter Motive entsteht, die der Erklärung bedarf. Als aufschlussreich für die Zielrichtung der Polemik erweisen sich die Elemente, die die Verfasser über die verwendeten Traditionen hinaus anführen.
Die Tötung Jesu wird in eine Linie gestellt mit der Tradition von der Ablehnung und Tötung der Propheten in Israel (↗1.). Diese Tradition spricht dagegen, an *urchristliche* Propheten zu denken (so aber *F. D. Gilliard*, Paul; *Fee* 97f.; *H. Giesen*, Kritik 29f.). Der schuldhafte Charakter der Tötung wird dabei ebenso impliziert wie

die Funktion der Anklage, die auf Einsicht und Umkehr zielt. Da das Partizip *apokteinantōn* sowohl den »Herrn Jesus« als auch die »Propheten« als Objekt hat, gehören diese beiden Elemente eng zusammen. Syntaktisch ist dies angezeigt durch das direkt nach dem Artikel *tōn* zu Beginn von v.15 gesetzte *kai*, das dem nächsten *kai* vor »Propheten« korrespondiert (»sowohl ... als auch«), und durch die Betonung des Partizips *apokteinantōn* durch dessen Stellung zwischen den beiden Objektwörtern »den Herrn« und »Jesus«, so dass dieses Partizip auch noch beim nächsten Objekt (»die Propheten«) im Ohr ist und die Rezeption leitet. Auffällig und aufschlussreich ist, dass sich die Verfasser nun selbst in diese Linie stellen: »und uns verfolgten«.

Man kann das Verb *ekdiōkein* auch mit ›vertreiben‹ übersetzen (*D. Luckensmeyer*, Eschatology 146) und die Aussage auf die spezielle Vertreibung der Missionare aus Thessaloniki (Apg 17,10) als Erklärung für den polemischen Ausbruch beziehen (*T. D. Still*, Conflict 133-135.202; *M. Tellbe*, Paul 107 f.). M. E. schränkt dies die Rezeption der offenen Formulierung zu sehr ein. Auch schildert Apg 17,10 keine eigentliche Vertreibung der Missionare, sondern eher eine Flucht.

»Verfolgen« kann auf vielfältige Formen des Widerstands und der Behinderung der Verkündigung zielen (vgl. 2 Kor 11,24-26). Solcher Widerstand (der noch lange keine Anzeige vor den Stadtbehörden einschließt!) scheint im unmittelbaren Kontext der Abfassung von 1 Thess sowohl beim vorangegangenen Auftreten in Thessaloniki als auch in Korinth, wo sich das Team bei der Abfassung von 1 Thess aufhält, aufgetreten zu sein, was sich in den Erzählungen in Apg 17,1-9 und 18,1-17 – bei aller lukanischen Übermalung der Einzelheiten – in Grundzügen spiegelt. Hier liegt der »wunde Punkt«: Jüdische Menschen behindern die Heidenmission der Boten Christi. Indem die Verfasser ihre eigene Erfahrung der Ablehnung durch jüdische Menschen mit der Propheten-Tradition Israels und der Tötung Jesu in eine Linie stellen, erreichen sie eine heilsgeschichtliche Einordnung dieser Erfahrung in die Ablehnung Israels gegenüber dem Heilshandeln Jhwhs, womit eine *theologische* Erklärung gewonnen ist – und zugleich eine Rechtfertigung gegenüber möglichen kritischen Rückfragen seitens der Adressaten (warum lehnen so viele Juden die Botschaft ab, wenn sie doch zur Heilsgeschichte Israels gehört?).
Es folgt ein polemischer Ausfall, der aus der jüdischen Tradition deutlich herausfällt und antijüdische Pauschalierungen bemüht.

Der Vorwurf, »(die Juden) gefallen Gott nicht und sind allen Menschen feindlich gesinnt«, spielt klar auf zwei geläufige Stereotype hellenistischer Judenpolemik an: Asebie und Misanthropie (↗ 1.). So strikt wir uns heute von solchen antijüdischen Stereotypen distanzieren müssen, so bleibt doch die Aufgabe der Interpretation im rhetorischen und historischen Kontext. Hier können zwei Beobachtungen leitend sein: (1) Die Stereotype entstammen Diskursen der *hellenistischen* Welt. (2) Es folgt ein erläuterndes Partizip (v.16), das die Polemik mit der Behinderung der Mission unter den *Heidenvölkern* verbindet. Im Fokus steht also die massiv ablehnende Haltung einiger Juden gegenüber der Heidenmission, der Lebensaufgabe der (ebenfalls jüdischen) Verfasser. In ihren Augen unterliegen diese Juden einem katastrophalen Irrtum und begehen Unrecht, wenn sie die Heidenmission behindern. Nicht zufällig bildet die Formulierung »gefallen Gott nicht« innerhalb des 1 Thess einen Gegensatz zur Haltung der Missionare bzw. der Gemeinde, die in ihrem Verhalten Gott »gefallen« (sollen) (2,4; 4,1). Wenn Juden durch ihre Aktivitäten die Heidenmission behindern, dann und erst dann treffen auf sie wirklich die alten hellenistischen Vorwürfe zu, sie seien Gott und den Menschen gegenüber feindlich gesinnt, denn sie verhindern die Rettung der Heidenvölker. Dies impliziert der enge syntaktische Zusammenhang mit v.16, der das Partizip *kōlyontōn* ohne verbindendes *kai* anschließt. Die rhetorische Schärfe besteht also darin, dass unter der Voraussetzung der Verhinderung der Heidenmission die hellenistischen antijüdischen Stereotype (die die Verfasser ansonsten wohl als Juden selbst zurückweisen würden) plötzlich »Berechtigung« erhalten. Die bekannten Vorwürfe jüdischer Abgrenzung werden in der konkreten Situation der Erfahrung jüdischen Widerstands, also in einem neuen Kontext, neu interpretiert. Dies ist ein gewagtes rhetorisches Vorgehen, das bei späterem unkritischem Nachsprechen gefährliche antijüdische Haltungen freisetzen konnte. Die vorangehende innerjüdische (prophetische) Kritik am Fehlverhalten Israels ordnet die Polemik freilich theologisch ein, was bei der Bewertung zu beachten ist.
Eine weitere rhetorische Ebene der Polemik kann erwogen werden. Denn vermittelt über das analoge feindselige Verhalten gegenüber Christus-Gemeinden trifft die Polemik gegen die feindlichen Juden indirekt ebenso die feindlichen Mitbewohner in Thessaloniki, die das Leben der jungen Gemeinde erschweren. Damit enthält der Text eine neue rhetorische Spitze, indem die polemische Verzeichnung der von der paganen Bevölkerung eher gering geschätzten Juden nun auf das Verhalten der paganen Mitbewohner selbst zurückfällt.

Bei aller Erklärung lässt sich nicht über den pauschal verurteilenden Charakter der Polemik hinwegsehen, den man nicht herunterspielen sollte. So aber *Malherbe* 170, wenn er die pagane Judenkritik als »sozial«, die des Paulus als »theologisch« zu differenzieren sucht (vgl. *Witherington* 86), oder *Fee* 97-100, der auf Juden *in Judäa* einschränkt und die *paganen* Elemente der Polemik ignoriert (vgl. *H. Giesen*, Kritik 30.32-38). *C. J. Schlueter*, Measure 166-185.197 schwächt die Intensität im Vergleich mit paulinischer Polemik gegenüber *christlichen* Gegnern ab. – Andererseits muss auch der konkrete Situationsbezug der Polemik, die Negativerfahrung der Missionare in der Konfrontation mit Juden, die gegen sie arbeiten, beachtet werden. Dann erscheint die Behauptung anachronistisch, die Aussagen gegen Juden seien »als negatives, böswilliges Muster stilisiert«, »als ›Typos und Prototyp des Verfolgers‹, eine in christlichen Predigten oft verwendete klassische antijüdische Denkfigur« (**M. Crüsemann*, Briefe 71). Kritik am wirkungsgeschichtlichen »Preis« der Polemik übt *K. Haacker*, Elemente 411 f.

16   16 Die Antwort auf die Frage, warum am Ende von 2,15 ausgerechnet *hellenistische* Stereotype einer Judenpolemik eingespielt werden, findet sich in 2,16. Das sich direkt anschließende Partizip *kōlyontōn* besitzt begründende oder epexegetische Funktion (so auch **M. Konradt*, Gericht 82 mit Anm. 348, dort weitere Autoren): »indem sie (die Juden) uns hindern, zu den Heidenvölkern zu sprechen, damit sie gerettet werden«. Wieder wird der wunde Punkt der Missionare klar angesprochen: Die feindseligen Juden behindern die Evangeliumsverkündigung und damit die Rettung der Heidenvölker. Die Rettung ist eschatologisch zu verstehen (vgl. 1,10), aber in dem Sinne, dass sie bereits in der Gegenwart beginnt und erfahrbar ist – für die Adressaten konkret im Leben der Gemeinde in Thessaloniki. Die entscheidende theologische Grundlage der Aussage besteht darin, dass die Rettungsabsicht Gottes *jetzt*, d. h. in der Zeit der Verkündigung des Evangeliums, über Israel hinaus auf die Rettung der *Heidenvölker* zielt. Unausgesprochen vorausgesetzt ist dabei natürlich, dass sich das Rettungsangebot zuerst an Israel gerichtet hat und immer noch richtet. Die Existenz der judenchristlichen Gemeinden in Judäa (v.14) legt davon untrüglich Zeugnis ab. Die Ablehnung des Heilsangebots an die Heiden durch Israel bildet für Paulus und seine Mitverfasser ein grundsätzliches theologisches Problem (vgl. Röm 9,1-5). Daher ist für sie die jüdische Gegenreaktion wirklich ein andauerndes Handeln gegen Gottes endzeitlichen Heilswillen. Das folgende Urteil über die gegnerischen Juden (und nur über sie) bewegt sich wieder ganz auf dem Boden der jüdischen Tradition.

Mit ihrem Widerstand gegen die Heidenmission machen »die Juden« ihre »Sünden zu aller Zeit voll«. Das Motiv vom Anfüllen des Sündenmaßes war, freilich meist bezogen auf die Heidenvölker, in der frühjüdischen Tradition bekannt (↗1.). Polemisch zugespitzt sind es jetzt die Juden selbst, die ihr Sündenmaß voll machen. Dazu passt auch die Zeitangabe »zu aller Zeit«, die die gegenwärtige Ablehnung der Heidenmission in die Auflehnung Israels gegen den Willen Jhwhs zu allen Zeiten seiner Geschichte einordnet, die immer das strafende Eingreifen Jhwhs nach sich zog. Wieder einmal muss nun – angesichts der Behinderung der Heidenmission – das Maß der Sünden als vollgefüllt angesehen werden. Mit dieser Aussage wird der Charakter des Schuldhaften in dieser Haltung betont.

Anders versteht *Malherbe* 170 *eis to* als Angabe des Zweckes, nicht der Folge, und sieht darin *Gottes* Geschichtsplan, also die Absicht Gottes, erfüllt. Das führt freilich zu der theologisch bedenklichen Frage nach einem Abbruch des Heilswillens für Israel als *Intention Gottes*.

Die Polemik endet mit der Vorstellung vom Zorn Gottes über »die Juden«. In der Auslegung ist umstritten, ob dabei an ein innergeschichtliches Ereignis oder das zukünftig-endzeitliche Gericht gedacht werden soll (Diskussion bei *D. Luckensmeyer, Eschatology 151-161). M.E. sprechen einige Beobachtungen für ein innergeschichtliches Handeln Gottes, das im Kontext der Christus-Botschaft eschatologischen Charakter trägt. Eindeutigkeit schafft m.E. der Aorist beim Verb *phthanō*. Die Semantik des Verbs *phthanō* gründet auf der Bedeutung ›zuvorkommen, eher, schneller, bereits kommen‹ (*F. Passow*, Handwörterbuch II/2, 2239f.). Der Aorist *ephthasen* blickt auf ein bereits eingetretenes Ereignis zurück, das die Verfasser als »Zorn« über »die Juden« interpretieren. Vielleicht schwingt die Konnotation mit, dass das im apokalyptischen Denken für die Zukunft erwartete, umstürzende Gericht (↗1,10) bereits jetzt über eine bestimmte Gruppe von Juden gekommen ist. Im Hintergrund steht die Vorstellung eines innergeschichtlichen Gerichts über einige Juden (↗1.), das aber keineswegs ein endgültiges Urteil über Israel ausspricht und so für eine Veränderung der Situation jederzeit offen bleibt.

Dazu passt auch die Schlusswendung *eis telos*. Die Präpositionalverbindung *eis telos* heißt ›am Ende, zuletzt‹ (temporal), oder ›im höchsten Grade, gänzlich‹ (modal) (*F. Passow*, Handwörterbuch II/2, 1857; Belege auch bei *M. Konradt, Gericht 87). Der unmittelbare Kontext, der ein Anhäu-

fen und Vollmachen von Sünden bis zu einem bestimmten Zeitpunkt ein-
blendet, spricht für die Bedeutung ›am Ende, schließlich‹ (vgl. Gen 46,4
LXX; 2 Makk 8,29; Sir 12,11; ApkMos 24,3; Lk 18,5; 2 Clem 19,3). Eine
nahe sprachliche und sachliche Parallele liegt in TestLev 6,11 vor: »Doch
am Ende ist der Zorn des Herrn über sie gekommen« (*ephthase de hē orgē
kyriou ep' autous eis telos;* Text bei *M. de Jonge*, Testaments 32). Voraus
geht in TestLev 6 eine Aufzählung von Missetaten der Sichemiten, wobei
diesen u.a. vorgeworfen wird, sie »verfolgten« Abraham (6,9). Interessant
ist die Zusammenfassung ihrer gewalttätigen Übergriffe in 6,10 als gegen
»alle Fremden« gerichtet, deren Frauen sie gewaltsam raubten. So kann am
Ende die bereits erfolgte Vernichtung Sichems durch die Jakob-Söhne als
gerechtes und von Gott intendiertes Zorngericht gedeutet werden, das so
klar ein innergeschichtliches Gericht an Sichem meint (dazu *J. S. Lamp*,
Paul 419f.; vgl. den eschatologischen Akzent in 1QM 3,9; 4,1f.; 1QS
2,15f., wo der Zorn Gottes auf die Vernichtung des Gegners zielt).

Die Bedeutung des Begriffs *orgē*/Zorn lässt sich keineswegs auf das
zukünftig-eschatologische Gericht am Ende der Weltzeit festlegen,
wie die gerade zitierte Stelle TestLev 6,11 zeigt. In 1 Thess 1,10 ist
der »Zorn« durch die partizipiale Ergänzung »kommend« eindeutig als zukünftig-eschatologisches Gericht Gottes bestimmt, während die Aussage in 2,16 auf ein bereits geschehenes Ereignis deutet,
das aber gleichwohl als eschatologisches Gerichtshandeln an Teilen
Israels verstanden wird. Ein Beispiel für dieses Verständnis bietet
Dan 11,26 LXX, wo das Vorgehen des Seleukidenherrschers Antiochos IV. Epiphanes gegen Israel als Zorn *(orgē)* gedeutet und ausdrücklich die Beendigung dieses Gerichts anvisiert ist – ein schreck-
liches innergeschichtliches Gericht trifft Israel, das freilich gemäß
Gottes Willen wieder ein Ende findet (zum Ende des Zorns vgl.
auch 2 Makk 7,38; LAB 26,13). In 1 Thess 5,9 scheint das zukünftige Zorngericht im Blick, doch die diesem entgegengesetzte »Rettung« wird in 5,10 sogleich mit der Erfahrung der Gegenwart verbunden: der Möglichkeit, mit Christus zu leben. Nach Röm 1,18
wird der Zorn Gottes bereits in der Gegenwart offenbart (anders
*M. Konradt, Gericht 498) – im gottfernen Leben der römischen
Gesellschaft (1,18-32). Einen Einzelfall zeigt 1 Kor 5,1-13: Ein
Übeltäter soll aktuell aus der Gemeinde ausgeschlossen werden (ein
»pädagogisches« Gericht), damit sein »Geist gerettet werde am Tag
des Herrn« (beim Endgericht; 5,5).
Der Blickwinkel von 1 Thess 2,16 ist der eines innerjüdischen Diskurses, der in dem zentralen Vorwurf kulminiert, dass sich Israel
wieder einmal in seiner Geschichte nicht am Willen JHWHs orientiert, wenn es die Christus-Verkündigung unter den Heidenvölkern

blockiert. Und wie Israel schon häufig in seiner (selbst theologisch gedeuteten) Geschichte die Erfahrung des Gerichts Gottes machen musste, so spielt der Text auch jetzt auf ein Gerichtsereignis über Teile Israels an, das sich kürzlich ereignet hat. Dass es hier nicht explizit bestimmt wird, hält einen Spielraum der theologischen Interpretation offen.

Es lässt sich nur darüber spekulieren, an welche konkreten Ereignisse Verfasser bzw. Adressaten gedacht haben mögen. Vielleicht schon zu weit zurück liegt ein antijüdisches Pogrom in Alexandria, eines der schwersten in der Geschichte der alexandrinischen Juden (38 n. Chr.). Zeitlich näher und in Palästina angesiedelt sind die gewaltsame Niederschlagung des Theudas-Aufstandes durch den römischen Prokurator Cuspius Fadus (44-46 n. Chr.; Josephus, ant. 20,97-99; vgl. Apg 5,36), eine für die ohnehin sozial geschwächte Landbevölkerung wirtschaftlich katastrophale Hungersnot unter dem Prokurator Tiberius Alexander (46-48 n. Chr.; Josephus, ant. 3,320; 20,51.101; Apg 11,28) und zwei Vorfälle unter Ventidius Cumanus (48-52 n. Chr.), bei denen in einer Panik eine große Zahl Jerusalemer Juden den Tod fand bzw. judäische Dörfer geplündert wurden (Josephus, bell. 2,223-231; ant. 20,105-117). Die Folgezeit blieb von gewalttätigen Unruhen gezeichnet, da es zu militärischen Zusammenstößen zwischen Juden und Samaritanern kam. Als Reaktion ließ Ummidius Quadratus, im Jahr 50 römischer Statthalter der Provinz Syria, zahlreiche Juden kreuzigen bzw. enthaupten (Josephus, bell. 2,232-242; ant. 20,118-130).
Anders interpretiert *M. Konradt*, Gericht 86f.89 den Zorn auf dem Hintergrund der Vorstellung vom zukünftig-endzeitlichen Gericht Gottes (z.B. Ps 94; AssMos 10,1-10; äthHen 62,11-13; 96,8; 99,15f.; 100,7-10; 104,3-6): Das noch ausstehende Zorngericht ist bei Gott schon beschlossene Sache (vgl. *T. Jantsch*, Gott 132). Als sichere prophetische Ansage auch *Fee* 102; *R. H. Bell*, Call 72; *D. Luckensmeyer*, Eschatology 160f.; *J. Bickmann*, Kommunikation 199.203. – Vermittelnd *W. Kraus*, Volk 152f.: *ephthasen* als ingressiver Aorist – das endzeitliche Gericht hat schon begonnen (vgl. *Malherbe* 171.177; *Haufe* 48; *M. Bockmuehl*, 1 Thessalonians 25; *P. G. de Villiers*, Eschatology 314f.). – An ein geschichtlich ereignetes Gericht denken z.B. auch *J. S. Lamp*, Paul 426; *Witherington* 86f.89; *Green* 149; *H. Giesen*, Kritik 43f. Wiederholte geschichtliche Gerichte nach *E. W. Stegemann*, Polemik 66-71 (komplexiver Aorist – stets hat der Zorn die Juden schließlich erreicht).
Gemeinsam mit Röm 1,18-32 ist in 1 Thess 2,16 der Gedanke, dass der göttliche Zorn bereits jetzt erkennbar ist. Doch dort ist es das gottlose Verhalten der Heidenvölker selbst, das als Gottferne, als Verlorenheit an die Welt das Gericht »offenbart« (Röm 1,18), was Paulus breit ausführt. Die kurze Bemerkung in 1 Thess 2,16 deutet eher auf punktuelle Ereignisse, an denen man den Zorn erkennen kann.

Theologisch zentral ist der Gedanke der Verfasser, ihre eigene – hinsichtlich der Heidenmission negative – Erfahrung mit Juden in die ambivalente Geschichte Gottes mit seinem Volk einzuordnen und in diesem Rahmen zu erklären. Darin mag auch impliziert sein, dass der geschichtlich ereignete Zorn Gottes das eschatologische Gericht punktuell vorwegnimmt (vgl. *Malherbe* 177). Der Verweis auf Gottes Zorn bedeutet jedenfalls nicht, dass für Israel keine Möglichkeit zur Umkehr mehr besteht. Israel existiert als Volk Gottes weiter, und die Frage der christlichen Heidenmission bleibt zugleich eine Frage des eschatologischen Israel.

Das ist alles andere als die »berechnende Kälte«, die **M. Crüsemann*, Briefe 75f. den Verfassern vorwirft: »Das Gericht über jüdische Menschen dient als Trost für eine ›heidenchristliche‹ Gemeinde«, womit »eine als endgültig verstandene ›christliche‹ Trennung vom Geschick des jüdischen Volkes« formuliert sei. Das Gegenteil ist der Fall, denn der Text spiegelt die Verzweiflung über und das Engagement für das jüdische Volk von Seiten der Verfasser.

Wenn die Ablehnung der jungen Konvertiten-Gruppe in Thessaloniki seitens ihres gesellschaftlichen Umfeldes zum Thema wird, denken die Verfasser des 1 Thess unwillkürlich an ihre eigene Erfahrung der Ablehnung durch die Mehrheit ihrer jüdischen Zeitgenossen. Die scharfe Polemik und Verurteilung im Blick auf »die Juden« spiegelt die große theologische Herausforderung, die im Konflikt mit der »Mutterreligion« über die Geltung der christlichen Verkündigung liegt (dazu *S. Vollenweider*, Antijudaismus 130f.). Gerade die besondere Nähe bedingt dabei die Schärfe und Tragweite des Konflikts. Um die eigene Identität zu stabilisieren, erfolgt eine klare Abgrenzung gegenüber den anderen. Hier geschieht diese Abgrenzung über ein Feindbild, das die Ablehnung etlicher Juden sowohl theologisch abqualifiziert (Tötung der Propheten, Sünden, Gericht) als auch polemisch verzerrt (Menschenfeinde). Dafür lagen theologische Interpretamente aus der Geschichte Israels und der kontroverstheologischen Reflexion der ersten Christen ebenso bereit wie Stereotype hellenistischer Judenpolemik, die die Verfasser hier aufgreifen. Zu berücksichtigen ist dabei, dass im Kulturraum des 1 Thess die Möglichkeit zu solcher Polemik gegeben war, da Schmähungen und Übertreibungen durchaus übliche Mittel paganer und jüdischer Rhetorik darstellten (*L. T. Johnson*, Slander 430-441; *C. J. Schlueter*, Measure 65-123: rhetorisches Mittel der *hyperbolē*/Übertreibung).

So können z. B. 1QM 1,2; 1QS 2,5; 4,9 Juden, die außerhalb der eigenen
Gruppe stehen, Frevel, d. h. Gottlosigkeit, Handeln gegen Gott, vorwerfen. In seiner Polemik gegen die Sikarier, eine rivalisierende jüdische
Gruppierung, bezichtigt Josephus diese der Gottlosigkeit *(asebeia)* und
Ungerechtigkeit *(adikia)* gegenüber dem Nächsten (Josephus, bell. 7,260).
– Ob freilich die Polemik gegen Juden durch *aktuelle* Konfrontationen
zwischen der Gemeinde und einer Synagoge in Thessaloniki ausgelöst
wurde, ob also die Thessaloniker konkreten Agitationen *jüdischer* Mitbewohner ausgesetzt waren, lässt sich, trotz Apg 17,1-9, für den zeitgeschichtlichen Kontext des 1 Thess nicht verifizieren (anders *Holtz* 110f.,
der Juden als Urheber der gesellschaftlichen Anfeindungen sieht, die auch
Paulus bei der Gemeinde als Scharlatan denunziert hätten; vgl. *N. H. Taylor*, Christians; *Reinmuth* 129; **M. Tellbe*, Paul 112-115).

3. Rhetorische Strategie und hermeneutische Problematisierung

Am Anfang steht der Gedanke, dass die Annahme des Wortes Gottes unwillkürlich zu gesellschaftlichen Konfrontationen führt. Um
diese bedrängende Erfahrung der jungen Konvertiten-Gemeinde
aufzufangen, ordnen die Verfasser diese Erfahrung in ein doppeltes
Beziehungsgefüge ein. Sie sehen darin zunächst eine Nachahmung
der ersten Gemeinden in Judäa und binden die Thessaloniker so zurück an die grundlegenden Anfänge und Orte der Christus-Gemeinschaft. Sodann lassen Paulus und die Mitverfasser die Thessaloniker teilhaben an ihrer eigenen Erfahrung jüdischer Behinderung
ihrer Verkündigung. Die negative Abgrenzung stärkt die Beziehung: Die Gemeinde in Thessaloniki ist auch in der Erfahrung von
Gegnerschaft und Ablehnung mit ihren Missionaren verbunden.
Sie helfen ihnen mit der gebotenen Polemik zugleich, ihre eigene Erfahrung der Ablehnung ihrer neuen Lebensweise nach der Konversion durch ihre städtischen Mitbewohner in ihr theologisches Weltwissen einzuordnen und zu interpretieren. Die Ablehnung durch die
gesellschaftliche Umwelt zählt zu den notwendigen Erfahrungen des
neuen Lebens in der Christus-Gemeinschaft und bestätigt damit
letztlich die Erwählung (1,4) der jungen Gemeinde durch Gott und
die Wirksamkeit des Wortes Gottes bei ihnen (2,13). Soziologisch
betrachtet, erfüllt das Feindbild »der Juden«, das die Verfasser auf-
bauen, eine spezifische Funktion bei der Konstitution der eigenen
Identität. Feindbilder dienen der Vergewisserung der eigenen Position, des eigenen Weltbildes und leisten so einen Beitrag zur kognitiven Strukturierung und Organisation der Erfahrungswelt.

Feindbilder lassen sich als übertrieben negative Einstellungen gegenüber einer anderen Gruppe verstehen (zum Folgenden C. *Weller*, Warum gibt es Feindbilder; zum Begriff »Feindbild« *ders.*, Absichten; vgl. auch G. *Schlee*, Feindbilder 24-66). Sie resultieren aus einem dichotomischen Wahrnehmungsmuster, das sozial vermittelt ist (vgl. A. *Zick*, Vorurteile 212.224). Daher greift es zu kurz, Feindbilder nur als Abweichungen von der Realität zu beschreiben (mit A. *Zick*, Vorurteile 212). Vielmehr leisten sie eine Kategorisierung und damit Vereinfachung des Bildes der Welt, was bei der menschlichen Wahrnehmung der Welt unvermeidbar ist, entsteht so doch größere Klarheit und Strukturierung. Freilich implizieren Feindbilder dabei die Tendenz zu Verzerrungen der Realität, einseitigen Beurteilungen und übertriebenen Abwertungen der anderen, der Fremdgruppe. Doch dafür unterstützen sie den Aufbau der eigenen kollektiven Identität, indem sie helfen, Gruppenmitgliedschaften zu definieren. In Konfliktsituationen (zwischen der Gemeinde in Thessaloniki bzw. den Missionaren und ihrer Umwelt) ist die Vergewisserung der eigenen Gruppenzugehörigkeit besonders wichtig, was die Entstehung von Feindbildern begünstigt.

Das Feindbild »der Juden« signalisiert den Adressaten: Wir sind als Christus-Gemeinde auf dem richtigen Weg im Rahmen der Heilsgeschichte Israels – auch wenn etliche Juden ablehnend bleiben. Wichtig ist dabei, dass dieses Feindbild aus der jüdischen Binnenperspektive heraus konstruiert ist. Die Verfasser verstehen sich selbst als Juden (vgl. 2 Kor 11,22; Röm 9,3-5; 11,1 f.), und die Adressaten wissen, dass sie über Christus in die Heilsgeschichte des *Gottes Israels* hineingenommen sind. Widerstand von Seiten jüdischer Menschen gegen diesen Einbezug der Heidenvölker wird so als Irrtum verstehbar. Dies gibt zugleich eine wesentliche theologische Antwort auf die drängende Frage, warum große Teile Israels die Botschaft von Christus nicht annehmen.

Ein geschickter rhetorischer Schachzug tritt hinzu. Über die ablehnenden Juden werden auch die abweisenden städtischen Mitbewohner der Gemeinde getroffen – und mit der in ihren Kreisen üblichen Polemik gegenüber Juden nun selbst konfrontiert. *Gottes* Urteil über sie steht damit fest und bestätigt indirekt die ganz anders orientierte neue Überzeugung und Lebensweise der Gemeinde (vgl. *Marxsen* 49 f.; *B. C. Johanson*, Brethren 98; *Wanamaker* 110; *P. Wick*, 1 Thess 20 f.; *C. J. Schlueter*, Measure 124.197; **M. Crüsemann*, Briefe 66 f.).

Wie ist diese Strategie der Polemik und des Feindbildes aus heutiger Perspektive zu beurteilen?

Einerseits gilt es, die historische Möglichkeit und Rückbindung der

Polemik zu beachten. Historisch steht die Auseinandersetzung der jungen Christen-Gruppe bzw. der Missionare mit paganen bzw. jüdischen Bevölkerungsteilen, die der neuen Lebensweise bedrohlichen Widerstand entgegenbringen, im Vordergrund. Eine klare hermeneutische Ablehnung antijüdischer Feindbilder, wie sie der Perspektive des Auslegers im 21. Jahrhundert selbstverständlich sein sollte, muss von der historischen Situation eines Paulus und den Gepflogenheiten antiker Rhetorik differenziert werden und darf nicht von den Verfassern des 1 Thess verlangt werden. Eine historische Einordnung der Aussagen bedeutet keine »Abschwächung«, sondern den Verzicht auf anachronistische Verurteilungen auf der Basis heutigen Bewusstseins. In Motivik und Duktus steht der Text einer »innerjüdische(n) Gruppenpolemik« (*H. Schreckenberg*, Adversus-Judaeos-Texte 133) jedenfalls näher als einer antijüdischen Polemik im hellenistischen Sinn.

Eine überzogene negative Pragmatisierung des Textes, bei der der historische Kontext der Aussage und eine berechtigte hermeneutische Kritik durcheinander geraten, findet sich bei M. Crüsemann. Sie sieht in der Polemik »eine Begründung für eine Judenverfolgung durch römische Behörden«, bei der die Juden »der Illoyalität gegenüber dem römischen Staat beschuldigt werden« (*M. Crüsemann*, Briefe 55 f.68, als Zitat aus *L. Schottroff*, Antijudaismus 222 f.). Weil »der Vorwurf der Misanthropie zur Anklage in politischen Prozessen gehören kann«, besitze 2,15 »denunziatorischen Charakter« (ebd. 68; vgl. 52-56); die Äußerung »vermittelt den Anschein, gemeinsam mit Staat und Gesellschaft eine Front gegen ›asoziale Elemente‹ zu bilden«. Die Funktion sei »eine Verschiebung öffentlicher Aggression« (70), um »von sich weg auf eine andere scheinbar den Staat gefährdende Gruppe zu zeigen: ›die Juden‹ werden als eigentlicher Staatsfeind denunziert« (71). Nichts lässt jedoch auf eine auch nur angedeutete Absicht von Denunziationen von Juden vor den städtischen Behörden schließen. Die im Text gespiegelten Gruppen-Konstellationen beziehen behördliche Strukturen nicht ein, eine Öffentlichkeit der Aussagen ist weder intendiert noch vorstellbar. Sozialpsychologisch ist die notwendige Differenzierung zwischen Vorurteilen und diskriminierenden Handlungsweisen zu berücksichtigen (*A. Zick*, Vorurteile 217.235).

Andererseits muss unbedingt wahrgenommen werden, dass negative urchristliche Aussagen über Juden seit der Alten Kirche in erschreckendem Maße zur Diffamierung des jüdischen Volkes und zur Rechtfertigung für die Verfolgung jüdischer Gruppen rezipiert wurden (*H. Schreckenberg*, Adversus-Judaeos-Texte). Dies muss heute klar als Fehlentwicklung der Rezeption benannt werden, womit gleichzeitig weitere »Anwendungen« in dieser Richtung als in der Sache unzulässig unmissverständlich abzulehnen sind. Jede verantwortliche Theologie wird heute auf andere Argumentationsmuster in der bleibend wichtigen Auseinandersetzung mit jüdischen Gesprächspartnern zurückgreifen. Man kann Paulus aus der Distanz von 2000 Jahren Geschichte eine zu große Sorglosigkeit im Umgang mit antijüdischen Stereotypen vorwerfen, doch hat die moderne Feindbild-Forschung gezeigt, wie sehr auch heute noch Stereotype bestimmte Feindbilder prägen. Das gilt in erschreckendem Maße auch noch für unterschwellige und in manchen Kreisen offen zu Tage getragene Formen des Antisemitismus. So sehr Gruppen-Kategorisierung zur Stabilität sozialer Identität nötig ist, so wichtig ist eine gesteigerte Sensibilität für extreme Formen solcher Wahrnehmungen und einseitige Schwarz-Weiß-Bilder – und die Wahrnehmung von *Übereinstimmungen* mit der Fremdgruppe. Im Grunde hält uns die Polemik von 1 Thess 2,15f. einen kritischen Spiegel für heutige Sprechweisen in Gruppenkonflikten vor. Theologie und Kirche sehen sich vor der bleibenden Aufgabe, aus den Fehlentwicklungen der Geschichte argumentativ klar gegen jede Form eines Antijudaismus Stellung zu beziehen und sachliche Kritik daran zu üben (vgl. *G. Theißen*, Aporien 550-553).

Die Polemik in 1 Thess 2,15f. macht christlicher Theologie auch die Notwendigkeit einer Kanon-Hermeneutik bewusst. Die Aussagen über Juden können nicht einfach unter Berufung auf Paulus zu allen Zeiten weitergesprochen werden, sondern bedürfen der kritischen Interpretation und Aktualisierung im je eigenen geschichtlichen Zeitkontext. Theologisch leitend muss dabei die bleibende Erwählung Israels als Volk Gottes gemäß der zweiteiligen Bibel sein. Umgekehrt wird an dieser Polemik noch einmal besonders deutlich, dass Paulus, Silvanus und Timotheus den Brief an eine kleine Gruppe relativ vertrauter Menschen adressiert haben, zu denen man auch einmal vergleichsweise ungeschützt reden kann (so wie man sonst nur im engen Kreis von Freunden und Vertrauten spricht), nicht an die Kirche aller Zeiten.

Theologisch problematisch bleibt für uns die Vorstellung eines innergeschichtlichen Gerichtshandelns Gottes. Sie wird erklärbar als nachträgliche Deutung bereits geschehener irritierender Ereignisse im Horizont der Konfrontation mit konkurrierenden Positionen, nicht aber als theologische Notwendigkeit. Antike Menschen konnten stärker als Heutige mit dem direkten Eingreifen Gottes in die Geschichte rechnen. Moderne theologische Welterklärungen werden in der Qualifizierung negativen Ergehens von gegnerischen Gruppen vorsichtiger sein müssen.

Wesentlich ist die Einschätzung, dass in 1 Thess 2,15 f. keine abschließende Aussage über Heil oder Unheil Israels vorliegt. Im Gegenteil steht hinter dem Text die Perspektive eschatologischer Rettung, die Gott im Evangelium den Heidenvölkern anbietet (2,16), was aber das bleibende Heilsangebot an Israel unausgesprochen voraussetzt. Unter anderem in den in 2,14 genannten Gemeinden Judäas hat es sich bereits realisiert. Dann bleibt am Schluss die theologische Frage nach Israel aus einer christlichen Perspektive. Das theologische Ringen des Paulus um die Erwählung Israels hat in Röm 9-11 nur wenige Jahre später einen grundlegend reflektierten Ausdruck gefunden – ohne auch hier zu einer systematisch stringenten Antwort zu gelangen. So steht am Anfang die Frage des Juden Paulus, ob eine endgültige Verwerfung Israels angesichts seiner Erwählung durch Gott theologisch überhaupt denkbar ist (Röm 9,1-5). Diese Frage muss aber gestellt werden, da weite Teile Israels in der Ablehnung des Evangeliums (vgl. 11,28) dem Heilswillen Gottes nicht folgen. Ausführlich erwägt Paulus verschiedene Denkmöglichkeiten des Dilemmas wie die Rettung eines »Restes« Israels, die funktionale Deutung der Ablehnung Israels als Ausgang zur Heidenmission, aber auch das Problem der Verweigerung Israels gegenüber Gott (9,6-11,16). Dabei greift 11,1-5 das deuteronomistische Motiv von der Ablehnung der Propheten – das bereits in 1 Thess 2,15 begegnete – mit Rückbezug auf Elia und Zitaten aus 1 Kön 19,10.14.18 auf (zu diesem Motiv in beiden Texten vgl. *R. Hoppe*, Topos 68-74; *ders.*, Verkündiger 339 f.). Paulus zeigt damit, dass Gott Israel trotz Ablehnung und Verfolgung des Elia und anderer Propheten nicht verstoßen hat, sondern (zumindest) für einen Rest seine geschenkte Erwählung bestehen lässt – womit aber die Möglichkeit der Verwerfung Israels bereits grundsätzlich überwunden ist. Damit ist eine wichtige Vorarbeit für die Rettungszusage in Röm 11,26 geleistet. Das Bild vom Ölbaum führt zu dieser Lösung (11,17-24). Lassen sich die alten Zweige am Ölbaum, die herausgebrochen werden, auf das *eschatologische* Israel, das Christus nicht annimmt, und die neuen Zweige, die eingepfropft werden, auf die zu Christus gehörenden Heidenvölker deuten, so steht es letztlich in der Macht Gottes, auch die herausgebrochenen Zweige wieder einzupfropfen. Was dabei metaphorisch angespielt ist, findet seinen begrifflichen Ausdruck im allein bei Gott begründeten »Geheimnis«, dem Geheimnis der Rettung ganz Israels, dessen Erwählung und Bundeszusage bei Gott gültig bleiben (11,25-36): »Ganz Israel wird gerettet werden« (11,26).

Besuchsabsicht und Verbundenheit mit der Gemeinde 2,17-20

17 Wir aber, Geschwister, verwaist von euch für kurze Zeit – von Angesicht, nicht von Herzen –, bemühten uns über die Maßen, euer Angesicht zu sehen mit großem Verlangen. 18 Denn wir wollten zu euch kommen, ich selbst, Paulus, ein ums andere Mal, aber es hinderte uns der Satan. 19 Denn wer ist unsere Hoffnung oder unsere Freude oder unser Ruhmeskranz – etwa nicht auch ihr? – vor unserem Herrn Jesus bei seiner Ankunft? 20 Ja, ihr seid unsere Ehre und Freude!

Literatur: R. W. Funk, The Apostolic Parousia. Form and Significance, in: Christian History and Interpretation (FS J. Knox), Cambridge 1967, 249-268 (vgl. *ders.*, Parables and Presence. Forms of the New Testament Tradition, Philadelphia 1982, 81-102); *R. Hoppe*, Apostel ohne Gemeinde – Gemeinde ohne Apostel. Überlegungen zu Funktion und Pragmatik von 1 Thess 2,17-3,10 (2001), in: ders., Apostel – Gemeinde – Kirche. Beiträge zu Paulus und den Spuren seiner Verkündigung (SBA 47), Stuttgart 2010, 75-91; *B. C. Johanson*, To All the Brethren. A Text-Linguistic and Rhetorical Approach to 1 Thessalonians (CB.NT 16), Stockholm 1987; *H. Koskenniemi*, Studien zur Idee und Phraseologie des griechischen Briefes bis 400 n.Chr. (AASF.B 102,2), Helsinki 1956; *A. Oepke*, Art. *parousia ktl.*, in: ThWNT 5 (1954), 856-869; *U. Poplutz*, Athlet des Evangeliums. Eine motivgeschichtliche Studie zur Wettkampfmetaphorik bei Paulus (HBS 43), Freiburg i.Br. 2004; *W. Radl*, Art. *parousia*, in: EWNT 3 ([2]1992), 102-105; *S. Schapdick*, Eschatisches Heil mit eschatischer Anerkennung. Exegetische Untersuchungen zu Funktion und Sachgehalt der paulinischen Verkündigung vom eigenen Endgeschick im Rahmen seiner Korrespondenz an die Thessalonicher, Korinther und Philipper (BBB 164), Göttingen 2011; *J. Schoon-Janßen*, On the Use of Elements of Ancient Epistolography in 1 Thessalonians, in: K. P. Donfried/J. Beutler (Hg.), The Thessalonians Debate. Methodological Discord or Methodological Synthesis?, Grand Rapids 2000, 179-193; *S. Schreiber*, The Great Opponent. The Devil in Early Jewish and Formative Christian Literature, in: F. V. Reiterer/T. Nicklas/K. Schöpflin (Hg.), Angels. The Concept of Celestial Beings – Origins, Development and Reception, Berlin/New York 2007, 437-457; *C. Steimle*, Religion im römischen Thessaloniki. Sakraltopographie, Kult und Gesellschaft 168 v.Chr. – 324 n.Chr. (STAC 47), Tübingen 2008; *S. K. Stowers*, Letter Writing in Greco-Roman Antiquity (LEC 5), Philadelphia 1986; *K. Thraede*, Grundzüge griechisch-römischer Brieftopik (Zetemata 48), München 1970; *J. L. White*, Form and Function of the Body of the Greek Letter. A Study of the Letter-Body in the non-literary Papyri and in Paul the Apostle (SBL.DS 2), Missoula 1972.

1. Analyse

Die Geschichte der Beziehung zwischen den Missionaren und ihrer Gemeinde, die das Thema des ganzen Abschnitts 2,1-3,13 bildet, geht mit 2,17 in eine neue Runde. Nun steht die Bearbeitung der Trennungssituation im Mittelpunkt.

Kontext

Das betonte »wir aber«, mit dem der Abschnitt 2,17-20 einsetzt, lenkt den Blick nach der polemischen Äußerung von 2,15 f. zurück auf die Beziehung zwischen den Missionaren und den Briefadressaten. Die einzelnen Texteinheiten von 2,17-3,13 stehen in einem engen sachlichen Zusammenhang. Dabei blickt 2,17-20 auf die nicht durchführbare Besuchsabsicht des Paulus und die bleibende Verbundenheit der Missionare mit der Gemeinde. Daraus ergibt sich die Sendung des Timotheus, der bei der Gründung der Gemeinde beteiligt war, nach Thessaloniki, um den Kontakt aufrecht zu erhalten und um die Gemeinde zu stärken. Der Besuch verläuft erfolgreich und gibt Anlass zum Dank für die unvermindert intensive Verbindung zwischen Gemeinde und Missionaren (3,1-10). Ein zusammenfassender Gebetswunsch schließt dann das Thema der gemeinsamen Beziehung ab (3,11-13).

Struktur

Zwei Gedanken werden im vorliegenden Abschnitt entfaltet. Diese Zweiteilung wird durch die Syntax unterstützt, denn auf zwei miteinander verbundene Indikativ-Sätze in v.17 f. folgt in v.19 ein Fragesatz, der in v.20 auch gleich eine kurze Antwort findet.

2,17 f.   Die bleibende Verbundenheit der Missionare mit der Gemeinde
2,19 f.   Die eschatologische Bedeutung der Gemeinde für die Missionare

Form

Der kurze Textabschnitt entspringt ganz der Briefsituation. Räumlich getrennte Briefpartner treten miteinander in Verbindung und sind im Medium des Briefes beim anderen anwesend bzw. geben ihrer Sehnsucht nach dem anderen Ausdruck (vgl. *Malherbe* 182 f.).

Dieser typische antike Briefanlass (vgl. Cicero, Phil. 2,7; fam. 2,9,2 [↗ Einleitung 4.3]; Seneca, epist. 32,1) steht auch hier im Hintergrund und wird für die spezielle Situation der Trennung von Missionaren und junger Gemeinde angewandt. Dabei stellte der Gedanke der geistigen Präsenz beim Briefpartner trotz räumlicher Trennung einen Topos persönlicher Briefe in der Antike dar (*H. Koskenniemi*, Studien 38-42.175-180; *K. Thraede*, Grundzüge 39-46.78-80.95-102; *J. Schoon-Janßen*, Use 184-186 in Bezug auf antike Freundschaftsbriefe; vgl. *S. K. Stowers*, Writing 58-60). Auch der Ausdruck der Sehnsucht nach dem Briefpartner (*H. Koskenniemi*, Studien 169-172; *K. Thraede*, Grundzüge 165-173) und die Äußerung von Besuchsplänen (*J. L. White*, Form 29-31) sind in antiken Briefen häufig anzutreffen.

Dieser Situationsbezug spricht gegen das Vorliegen eines geprägten Formschemas der »apostolic parousia«, das *R. W. Funk* (Parousia) in 1 Thess 2,17-3,13 erkennen wollte. Richtig ist aber, dass der Besuchswunsch und teilweise die Sendung eines Mitarbeiters zu festen Bestandteilen der paulinischen Briefe wurden, die sich analogen Trennungssituationen verdanken (1 Kor 4,17-21; 2 Kor 12,14-13,2; Phil 2,19-29; Phlm 22; Gal 4,20; Röm 15,22-33). – Die philosophisch-rhetorische Vorstellung der *enargeia* (etwa: »lebendige Vergegenwärtigung«), die **J. M. F. Heath*, Presences, bes. 28-31 als Strategie hinter 1 Thess 1-3 vorschlägt, bleibt zu allgemein. Die antike Brieftheorie liefert den präziseren Kontext.

In 1 Thess 2,19 liegt eine ineinander verschränkte doppelte rhetorische Frage vor, die die Angesprochenen intensiv in den Gedanken einbezieht und zur beabsichtigten Antwort führt (vgl. *Holtz* 117). Die ganze Passage 2,17-20 ist von starker Emotionalität geprägt, die sich aber nicht darin erschöpft, Affekte zu erzeugen, sondern genuiner Bestandteil der gegenseitigen Beziehung ist (zum Pathos in 2,17-3,13 vgl. *B. C. Johanson*, Brethren 101-109; *Malherbe* 181).

2. Kommentar

17 17 Die Metaphorik vom Verwaistsein, mit der die Verfasser ihre Trennung von der Gemeinde in Thessaloniki beschreiben, weist auf die Familienmetaphorik von 2,7.11 (Mutter, Vater) zurück und lässt damit die besondere, gleichsam familiäre Beziehung erneut anklingen. Nun aber ist der Zustand der räumlichen Trennung eingetreten, wobei das Verwaistsein hier aus der Perspektive der Eltern, die ihre Kinder verloren haben, betrachtet wird. Der Begriff »verwaist« trägt dabei den Akzent, dass die Trennung unfreiwillig und schmerzlich ist und in keiner Weise dem Wunsch der Missionare entspricht; ihre Überwindung ist das Ziel.

Im Griechischen kann *orphanos* – neben der bis heute üblichen Verwendung für verwaiste Kinder – auch auf Eltern angewandt werden, die ein Kind verloren haben (vgl. *C. Gerber*, Paulus 315; es liegt also keine Umkehrung des Eltern-Kind-Verhältnisses vor, gegen *Malherbe* 187 f.; *T. J. Burke*, Family 157 f.). In der Metapher vom Verwaistsein klingt der Verlust der engsten Bezugsperson an (*C. Gerber*, Paulus 316), doch leitend ist der Gedanke hier nicht.

Weil die Beziehung zu den Missionaren für die Identität der Konvertiten entscheidend ist (↗ Exkurs 4), betonen die Verfasser ihre bleibende Verbundenheit mit der Gemeinde, wozu sie verschiedene Aspekte anführen: (1) Die Befristung der Trennung: »für kurze Zeit«, wörtlich »für die Zeit einer Stunde«; *kairos* meint eine begrenzte, bestimmte Zeit, deren Kürze durch den Genitiv *hōras* zusätzlich betont ist (Gen. mensurae). Die Angabe setzt voraus, dass der Gründungsbesuch noch nicht allzu lange zurückliegt, ohne jedoch diese Zeitspanne genauer einzugrenzen (ein paar Monate?). (2) Die bleibende innere Verbindung im Denken und Wollen: »von Herzen« (zum »Herz« ↗ 2,4). Diese besteht fort, auch wenn die sichtbare Gegenwart der Person »von Angesicht« fehlt (zu dieser Opposition auch 2 Kor 5,12). (3) Das Bemühen um ein Wiedersehen »von Angesicht« aus tiefem innerem Antrieb: »über die Maßen« und »mit großem Verlangen« »bemühten« sich die Missionare darum. Das Verb *spoudazō* bedeutet ›sich ernsthaft bemühen‹ (*F. Passow*, Handwörterbuch II/2, 1509 f.). Die stark emotional gefärbte Sprache vermittelt die Intensität der Verbundenheit. (4) Konkrete Besuchspläne nennt v. 18.

18 Das kausale *dioti* in lockerer Subordination, der die Übersetzung **18** »denn« entspricht (vgl. BDR § 456), schafft die Verbindung zum vorangehenden Gedanken. Zum ersten Mal in diesem Brief tritt hier Paulus aus dem Kreis der Mitabsender heraus. Als Hauptabsender und führende Gestalt des Missionsteams bringt er sich namentlich ins Gespräch, um seine Besuchsabsicht zu bestätigen und einen starken Akzent zu setzen (vgl. 2 Kor 10,1). Die Wendung »ein ums andere Mal« lässt an wiederholte, bereits getroffene Vorbereitungen zu einem Besuch denken, die aber nicht zur Durchführung gelangten.

Das Syntagma *(kai) hapax kai dis* (wörtlich: »und einmal und zweimal«; auch Phil 4,16) begegnet mehrmals in der LXX und stellt so eine bekannte Redewendung dar, die den wiederholten Versuch bezeichnet: »mehrmals, ein ums andere Mal« (Dtn 9,13 LXX »ich habe zu dir ein ums andere Mal gesprochen«; zitiert in 1 Clem 53,3; vgl. LXX 1 Reg 17,39; 2 Esdr 23,20; 1 Makk 3,30; vgl. *hapax ē dis:* Philo, rer. div. her. 4; Diogenes Laertios 7,13).

Ein erneuter persönlicher Besuch blieb bislang unmöglich. Die Erklärung dafür lässt aufhorchen: »der Satan hinderte uns«. Was wie eine Ausflucht klingt, vermittelt eine theologische Deutung. Die Erfahrung, dass es dem eigenen Zugriff entzogene Einflüsse gibt, die die missionarische Absicht der Verfasser erschweren, führen sie damit auf die grundsätzlich dem Heilswillen Gottes entgegenstehende Macht des Satans zurück. Das im Frühjudentum und bei den ersten Christen bekannte Konzept des Satans erlaubt eine abwertende Klassifizierung gegnerischer Gruppen oder Einflüsse, indem dahinter das Wirken Satans behauptet wird (dazu *S. Schreiber*, Opponent; Materialüberblick bei **T. Jantsch*, Gott 151-155). Die eigenen Negativerfahrungen werden theologisch eingeordnet in den Endzeit-Mythos, bei dem sich Gottes Herrschaft gegen ihren Widersacher, den Satan, durchsetzt (AssMos 10,1; Lk 10,18; Offb 12,7-9; 20,7-15). In der Gegenwart bleibt der Satan freilich noch als gefährlicher Gegner und Verführer wirksam (vgl. 1 Thess 3,5; 2 Kor 2,11; Röm 16,20; 1 Petr 5,8; Offb 2,10). Über den Charakter und die Art der Hinderungen, die hinter dieser Deutung stehen, erfahren wir nichts. Gegenüber der Einsicht in die tieferen Ursachen sind sie in den Augen der Verfasser wohl nicht entscheidend. Vielleicht soll der Hinweis auf den Satan als starke Instanz eines Gegenspielers auch einem möglichen Verdacht zuvorkommen, die Missionare wären einfach abgereist und sorgten sich nicht um die junge Gemeinde. Dagegen bieten sie eine Klärung der eigenen Intention (vgl. *R. Hoppe*, Apostel 79.85): Sie stellen klar, dass ihre Abwesenheit gegen ihren Willen geschieht.

19   **19** Wenn nun schon übernatürliche Einflüsse angesprochen sind, heben die Verfasser auch die Bedeutung der Gemeinde auf eine neue Ebene. Sie besitzt wesentliche eschatologische Bedeutung für die Missionare. Dazu stellen sie die rhetorische Frage nach der Person (»wer«), die ihre »Hoffnung«, ihre »Freude« und ihr »Ruhmeskranz« ist. Das Possessivpronomen *hēmōn* steht vor den drei anschließenden Substantiven und bezieht sich demnach auf alle drei. Die Gemeinde selbst stellt die Hoffnung, Freude und – metaphorisch gesprochen – den Ruhmeskranz für die Missionare dar, sie ist nicht nur der Grund dafür (vgl. *S. Schapdick*, Heil 63). Diese Begriffe werden im Blick auf die »Ankunft« *(parousia)* des Herrn deutlich in eine eschatologische Perspektive gesetzt. Mittels einer Parenthese, die die Frage unterbricht und selbst eine rhetorische Frage bildet, wird die Antwort gleich eingeschoben: »etwa nicht auch ihr?«. Die Fragepartikel *ouchi* fordert eine positive Antwort, die dann nur lauten kann: Doch, natürlich die Gemeinde, was in v.20 auch direkt gesagt wird. Dass es *auch* die Gemeinde ist, will nicht einschränken, sondern den Blick weiten für die größere Gemeinschaft junger Gemeinden.

Die *Gemeinde* selbst bestimmt also die Beziehung der Missionare zum Parusie-Christus (vgl. *Holtz* 119). Sie verkörpert wesentlich das eschatologische Ansehen der Missionare vor dem Herrn bei dessen Parusie. Da diese Aussicht vom Standort der Gegenwart aus formuliert ist, stellt die Gemeinde bereits jetzt im Vorgriff Hoffnung, Freude und Ruhmeskranz für die Missionare dar (den Gegenwartsbezug betont *S. Schapdick*, Heil 59-63). Sie ist ihre *Hoffnung:* Der Begriff *elpis* (↗ 1,3) trägt eschatologischen Klang und drückt die Erwartung oder Hoffnung auf Gottes zukünftiges Heilshandeln aus. Ohne die Gemeinde können die Missionare, eben weil sie sich als solche verstehen, vor dem Herrn nicht bestehen. Sie ist ihre *Freude:* Auch die Freude ist eschatologisch konnotiert, resultiert sie doch nach 1,6 aus dem Bewusstsein, bereits jetzt zur eschatologischen Herrschaft Gottes zu gehören (vgl. Röm 14,17; 15,13). Weil sie Gemeinde Christi ist, stellt die Gemeinde für die Missionare den Gegenstand ihrer eschatologischen Freude dar. Und sie ist ihr *Ruhmeskranz* (wörtlich »Kranz des Rühmens«): In kultischen oder religiösen Kontexten bezeichnet *stephanos*/Kranz in der Antike die dem Alltag enthobene Festlichkeit. Als Zeichen der Auszeichnung fungiert der Kranz bei privaten und öffentlichen Anlässen wie Hochzeiten, Gastmählern oder Totenfeiern, bei sportlichen Wettkämpfen, Ehrungen von Amtsträgern oder römischen Triumphzügen (zum Hintergrund *U. Poplutz*, Athlet 236-240; **C. Gerber*, Paulus 320 f.). Die Wortverbindung »Kranz des Rühmens« ist außer in 1 Thess 2,19 nur in LXX Ez 16,12; 23,42; Spr 16,31 belegt und bezeichnet dort den Schmuck, der ziert und auszeichnet. In Spr 12,4; 17,6 LXX können die Ehefrau bzw. die Nachkommen für einen Mann metaphorisch als »Kranz«, der ehrt und ziert, beschrieben werden. Den Kranz, der Ruhm bezeichnet, bildet für die Missionare die Gemeinde, die der Beweis dafür ist, dass sie ihren Missionsauftrag erfolgreich ausgeführt haben.

Der Kranz fungiert in der urchristlichen Bildwelt häufig als eschatologischer Siegespreis, vgl. 1 Kor 9,25; 2 Tim 4,8; Jak 1,12; 1 Petr 5,4; Offb 2,10; 3,11. Aus Thessaloniki selbst ist ein Beispiel aus dem Bereich der vorbildlichen Amtsführung erhalten: Eine Marmorstele hält den Beschluss fest, den Gymnasiarchen Paramonos u.a. mit einem »Kranz« *(stephanos)* öffentlich zu ehren (IG X 2/1, 4 [95 v.Chr.]; vgl. *C. Steimle*, Religion 168 f.).

Ein Gerichtsszenario, in dem die Missionare ihr Urteil im endgültigen Gericht Gottes empfangen, liegt in den Aussagen von v.19 nicht vor (vgl. *M. Konradt*, Gericht 184-186; *S. Schapdick*, Heil 64 f.; anders *D. Luckensmeyer*, Eschatology 229), auch wenn sie sich Anerkennung von Seiten des Parusie-Christus erhoffen. Die eschatologisch konnotierten Begriffe geben der festen Zuversicht in Bezug auf diese zukünftige Anerkennung und der bereits jetzt bestehenden Freude darüber Ausdruck. Aus ihrem Selbstverständnis als Missionare und ihrer Beziehung zum Herrn resultiert für Paulus, Silvanus und Timotheus die entscheidende eschatologische Bedeutung der Gemeinde. Der Gedanke, dass die Gemeinden selbst die endzeitliche Auszeichnung der Missionare für ihre erfolgreich durchgeführte Aufgabe darstellen, scheint auch in späteren Briefen des Paulus wieder auf: Freude und Kranz werden in Phil 4,1 auf die Gemeinde (in Philippi) bezogen; die Gemeinde als Ruhm für die missionarische Arbeit begegnet in 2 Kor 1,14; Phil 2,16.

Für die Gemeinde in Thessaloniki war offenbar die Vorstellung der »Ankunft« Jesu (Parusie) wichtig, denn der Brief kommt an vier unterschiedlichen Stellen auf dessen *parousia* zu sprechen (2,19; 3,13; 4,15; 5,23; sonst bei Paulus in Bezug auf Christus nur noch 1 Kor 15,23). Der Begriff bedeutet sowohl »Gegenwart, Anwesenheit« als auch »Ankunft«, wobei beide Bedeutungen auf die Präsenz des Erwarteten zielen. In der Antike eignet dem Begriff technische Bedeutung (a) in religiöser Hinsicht für die (heilende) Ankunft eines Gottes und (b) in politischer Hinsicht für die Gegenwart bzw. Ankunft eines Herrschers, d.h. in römischer Zeit des Kaisers, oder Statthalters bei einem offiziellen Besuch in einer Stadt (Belege bei *W. Radl, parousia*, bes. 103 [dazu noch Josephus, ant. 11,328]; *A. Oepke, parousia*, bes. 857 f.861-863; vgl. ferner *Malherbe* 272; *M. Tellbe*, Paul 127 f.). Beide Bedeutungsbereiche können sich auch durchdringen, wenn die Epiphanie Gottes Auswirkungen auf der politischen Ebene zeigt (so in Josephus, ant. 9,55.60; 18,284-286).

So bedeutsam war die Ankunft des römischen Kaisers in einer Stadt, dass die Städte Korinth und Patras zur Erinnerung an den Besuch Kaiser Neros eigene Münzserien prägen ließen mit der Aufschrift: ADVENTUS AUG(usti) COR(inthi) bzw. ADVENTUS AUGUSTI (vgl. *A. Deissmann*, Licht 314-319 mit weiteren Beispielen). Dieses Beispiel aus der Zeit des Paulus zeigt die Bekanntheit der politischen Vorstellung der *parousia* (bzw. lateinisch des *adventus*).

Wenn die ersten Christen von der »Ankunft« Jesu sprechen, meinen sie die zukünftig-eschatologische Ankunft, bei der Jesus im Raum der Welt sichtbar auftreten und damit tatsächlich gegenwärtig sein wird (↗4,13-17). Und wenn Jesus dabei als »Herr«, als *kyrios* (zum Titel ↗1,1) angesprochen wird, ist damit die soziopolitische Bühne der Welt betroffen, wo nicht zuletzt der römische Kaiser als »Herr« tituliert wurde: Dann wird *Jesus* als neuer Herr sichtbar. Seine Ankunft bedeutet den Beginn der neuen Heilsherrschaft Gottes, die die erfahrbare soziopolitische Wirklichkeit komplett verändert. In seiner Gegenwart dürfen die Seinen dann leben. Mit dieser Vorstellung folgten die ersten Christen einem apokalyptischen Denkmodell, das den baldigen Beginn der neuen, gerechten Herrschaft Gottes erwartete. In den ersten christlichen Generationen scheint dieses Ereignis überwiegend in naher Zukunft erwartet worden zu sein. Vom Erwarten Jesu »aus den Himmeln« in heilbringender Funktion sprach schon 1,10 (zur Naherwartung vgl. 1 Kor 15,51 f.; 16,22; Phil 4,5; Röm 13,11 f.; Offb 22,20). Die Erwartung der Parusie konnte Hoffnung wecken: Dann wird in aller Öffentlichkeit sichtbar, dass die in ihrer sozialen Umwelt unbedeutenden kleinen Christus-Gemeinden zu Recht auf den einzig wirklichen, machtvollen Gott und seinen Christus gesetzt haben. Die Parusie bedeutet eine öffentliche Rehabilitation der oft marginalisierten, belächelten oder gedemütigten Christus-Gruppe. Daher ist diese Erwartung für deren Identität und Selbstverständnis wichtig.
Gerade bei diesem einzigartigen eschatologischen Ereignis kommt der Gemeinde höchste Bedeutung für die Missionare zu. Ohne die Gemeinde wären sie nicht, was sie sind. Diese Überzeugung kann das Selbstbewusstsein der Gemeinde stärken und sie motivieren, unbedingt bei ihrer neuen christlichen Lebensweise zu bleiben.
20 Die direkte Antwort auf die gestellte Frage macht dies noch einmal unmissverständlich klar. Dabei bekräftigt die Konjunktion *gar* im Antwortsatz das Gefragte und kann so mit »Ja« übersetzt werden (BDR § 452,2). »Ehre« *(doxa)* ist ein antiker Zentralbegriff gesellschaftlicher Status-Zuschreibung. Besonders für die gesellschaftliche Elite einer Stadt war der Gewinn öffentlicher Ehre für ihre Status-Definition und ihr Ansehen wichtig. Dies geschah durch öf-

20

fentliche Inszenierungen wie die Sammlung einer großen Klientel um ihren Patron, durch sichtbare Förderung öffentlicher Baumaßnahmen oder Wohltätigkeit. Einem zur römischen Elite zählenden Philosophen wie Seneca gereichte ein Schüler, der seiner philosophischen Unterweisung folgte, nach eigenen Worten zur »Ehre« (Seneca, epist. 20,1: Lucilius; vgl. *Malherbe* 186). Gerade an öffentlicher Ehre hatten jedoch die Christen in Thessaloniki (wie viele andere Bevölkerungsgruppen) keinen Anteil, da sie nicht zur Elite zählten. Für die Missionare aber stellen gerade *sie* den Faktor dar, der Ehre vermittelt und Freude auslöst. *Doxa* steht hier der Semantik von 2,6 nahe, wo die Verfasser ein Streben nach Ansehen von Menschen ausgeschlossen haben (und meint nicht wie in 2,12 Gottes »Herrlichkeit« als eschatologisches Ziel der Vollendung; gegen *J. Bickmann*, Kommunikation 240-242). Nicht vor der Welt, sondern vor dem Parusie-Christus bedeutet die Gemeinde »Ehre« für die Missionare. Damit sprechen ihr die Missionare bereits in der Gegenwart einen besonderen Status zu, in den die eschatologische Perspektive hineinscheint.

3. Rhetorische Strategie

Indem die Briefautoren die Geschichte ihrer Beziehung zur Gemeinde im Blick auf die Situation der Trennung – aus ihrer Perspektive – beleuchten, führen sie diese Beziehung vermittelt durch den Brief fort. Sie nehmen die Situation der Trennung als mögliche Gefährdung der Beziehung ernst und suchen einen in der gegebenen Situation gangbaren Weg des Umgangs damit. Pragmatisch schenken die Autoren der Gemeinde im Brief Beziehung, fordern sie damit aber zugleich auch von den Adressaten ein (zur Pragmatik vgl. *J. Bickmann*, Kommunikation 246-248). Der kurze Text enthält Rollenmuster, mit denen die Adressaten sowohl die Missionare als auch ihre eigene Bedeutung verstehen können. (1) Die Missionare erscheinen als zugewandte, sorgende und engagierte »Eltern« und Lehrer der Gemeinde. Ihr Selbstbild zeigt sie auch nach der räumlichen Trennung in intensiver Verbundenheit mit der Gemeinde. Sie teilen der Gemeinde ihre feste Absicht mit, sie zu besuchen, und die Schwierigkeiten und negativen äußeren Einflüsse, denen sie in ihrem Lebenskontext unterworfen sind und die sie daran hindern, bei der Gemeinde zu sein. (2) Der Hinweis auf die Gemeinde als Hoffnung, Freude, Ruhmeskranz und Ehre der Missionare öffnet ihr einen neuen Blick für die immense, selbst vor der Parusie des

Herrn bestehende eigene Bedeutung, die sie in ihrer Existenz als Christus-Gemeinde für die Missionare besitzt. Sie erfährt Anerkennung, die ihre Eigenständigkeit im christlichen Leben ernst nimmt. Dies stärkt ihre Verantwortung für ihre neue Lebensweise und ihr Selbstbewusstsein und motiviert sie zum Weitermachen, zum Wachsen in der christlichen Existenz.

Damit ist die Beziehung durch eine ausgeprägte Gegenseitigkeit charakterisiert. Die Missionare sind in ihrer Funktion und Person für das Leben der jungen Gemeinde grundlegend und wichtig und sorgen sich daher um sie. Umgekehrt ist die Gemeinde für die Missionare wichtig als Verkörperung ihres Selbstverständnisses und ihrer eschatologisch gültigen Anerkennung.

Sendung und Rückkehr des Timotheus 3,1-10

1 Daher hielten wir es nicht mehr aus und beschlossen, alleine in Athen zurückzubleiben, 2 und sandten Timotheus, unseren Bruder und Mitarbeiter Gottes am Evangelium des Christus, um euch zu festigen und zuzureden, was euer Vertrauen betrifft, 3 damit niemand sich irre machen lässt in diesen Bedrängnissen. Denn ihr selbst wisst, dass wir dazu bestimmt sind. 4 Denn schon als wir bei euch waren, sagten wir euch voraus, dass wir bedrängt werden würden, wie es auch geschehen ist und ihr wisst. 5 Deswegen hielt ich es auch nicht mehr aus und sandte (ihn), um euer Vertrauen zu erkennen, ob euch nicht etwa der Versucher in Versuchung führte und unsere Mühe ins Leere lief. 6 Jetzt aber kam Timotheus zu uns von euch und brachte uns als frohe Botschaft euer Vertrauen und eure Liebe, und dass ihr allezeit eine gute Erinnerung an uns habt, während ihr euch danach sehnt, uns zu sehen, so wie auch wir nach euch; 7 daher wurden wir ermutigt, Geschwister, wegen euch in all unserer Not und Bedrängnis durch euer Vertrauen, 8 so dass wir nun leben, wenn ihr im Herrn feststeht. 9 Denn welchen Dank können wir Gott entrichten für euch bei all der Freude, mit der wir uns wegen euch freuen vor unserem Gott, 10 während wir Tag und Nacht über die Maßen bitten, euer Angesicht zu sehen und das, was an eurem Vertrauen fehlt, wieder herzustellen?

Literatur: siehe zu 2,17-20, und: *N. Baumert*, »Wir lassen uns nicht beirren«. Semantische Fragen in 1 Thess 3,2 f., in: ders., Antifeminismus bei

Paulus? (FzB 68), Würzburg 1992, 342-356; *K. P. Donfried*, Was Timothy in Athens? Some Exegetical Reflections on 1 Thess. 3.1-3, in: ders., Paul, Thessalonica, and Early Christianity, London/New York 2002, 209-219; *G. Friedrich*, Art. *euangelizomai ktl.*, ThWNT 2 (1935), 705-735; *M. M. Mitchell*, New Testament Envoys in the Context of Greco-Roman Diplomatic and Epistolary Conventions. The Example of Timothy and Titus, JBL 111 (1992) 641-662; *T. Schumacher*, Zur Entstehung christlicher Sprache. Eine Untersuchung der paulinischen Idiomatik und der Verwendung des Begriffes *pistis* (BBB 168), Göttingen 2012; *O. Wischmeyer*, Paulus als Ich-Erzähler. Ein Beitrag zu seiner Person, seiner Biographie und seiner Theologie, in: E.-M. Becker/P. Pilhofer (Hg.), Biographie und Persönlichkeit des Paulus (WUNT 187), Tübingen 2005, 88-105.

1. Analyse

Kontext

Nachdem sich laut 2,17-20 die Absicht der Missionare, gemeinsam die junge Gemeinde in Thessaloniki zu besuchen, nicht durchführen ließ, erzählt 3,1-10 vom Besuch des Timotheus bei der Gemeinde als Alternative der Kontaktaufnahme. Indem die Absender und speziell Paulus die Gründe für die Sendung des Timotheus und die freudige Reaktion auf die guten Nachrichten, die er bei seiner Rückkehr mitbringt, darlegen, rekapitulieren sie die unmittelbare Vergangenheit und den (bei Abfassung des Briefes) gegenwärtigen Stand der gemeinsamen Beziehung. Die Geschichte der Beziehung erreicht die Gegenwart.

Struktur

Was die Struktur des Briefabschnitts betrifft, lässt sich der Text in zwei Teile gliedern, wobei der Hinweis auf die Rückkehr des Timotheus aus Thessaloniki in 3,6 den Einschnitt bildet:

3,1-5	Die Sendung des Timotheus und die Sorge um die Festigkeit der Gemeinde
3,6-10	Die Rückkehr des Timotheus, die Zuverlässigkeit der Gemeinde und deren belebende Wirkung auf die Absender

Form

Die Verbindung der Briefpartner, die der Brief typischerweise herstellt (vgl. zu 2,17-20), entfaltet sich in 3,1-10 in einer erzählenden Passage. Erzählt werden die Umstände, unter denen der Besuch des Timotheus bei der Gemeinde zustande kam, und die Reaktion der Verfasser auf die Nachrichten, die er von dort mitbrachte. Die Erzählung reflektiert ein Stück Beziehungsgeschichte aus der jüngsten Vergangenheit und stellt selbst einen brieflichen Akt dieser Beziehung dar. Damit liegt keine *literarische* Erzählung vor, sondern ein Erzählen über die eigene Person der Missionare, das im Brief die Funktion von Beziehungsstiftung und Überzeugung erfüllt (formal der rhetorischen *narratio* vergleichbar, vgl. *O. Wischmeyer*, Paulus 96.104).

In 3,6-10 klingen einzelne Elemente an, die sich in verschiedener Form auch sonst in antiken Briefen finden: die beständige Erinnerung an abwesende Freunde (im Freundschaftsbrief, vgl. *H. Koskenniemi*, Studien 123-127), Ausdrücke der Sehnsucht (*K. Thraede*, Grundzüge 90.165-168), Freude über das Eintreffen eines Briefes (*H. Koskenniemi*, Studien 75-77), Gebet zu den Göttern um ein baldiges Wiedersehen (zu diesen Elementen *Malherbe* 201.204). Prägend sind solche Konventionen für den Abschnitt 1 Thess 3,6-10 jedoch nicht, die Formulierungen sind eher situativ zu erklären. Schon gar nicht lassen sie auf einen Brief aus Thessaloniki schließen, den Timotheus mitbrachte (so aber *Malherbe* 208-210). Die Informationen aus Thessaloniki hat Timotheus wohl mündlich mitgeteilt (vgl. 3,6). Auch der Dank an die Götter bzw. an Gott ist ein Brieftopos, den die Verfasser dort, wo sie das gelungene Leben der Gemeinde dankbar auf Gottes Wirken zurückführen, situationsbezogen formuliert einsetzen (vgl. 1 Thess 1,2; 2,13; ↗ Einleitung 4.1).

2. Kommentar

3,1.2a 3,1 nimmt mit *dio*/daher Bezug auf den vorangehenden Abschnitt – die vereitelten Besuchspläne, die andauernde Trennung und die Bedeutung der Gemeinde für die Missionare. Die Ungewissheit über mögliche Entwicklungen in der Gemeinde wurde von den Missionaren als so drängend empfunden, dass als Lösung ein persönlicher Besuch des Timotheus bei der Gemeinde beschlossen wurde. Der Hergang der Ereignisse wird nur angedeutet. Offenbar waren die Missionare einige Zeit nach ihrer Abreise aus

3,1.2a

Thessaloniki nach Athen gekommen. Dort vereinbarten sie aus drängender Sorge um die Existenz der Gemeinde die Sendung des Timotheus nach Thessaloniki. Paulus und Silvanus blieben »alleine« in Athen zurück. 3,5 spricht noch einmal von der drängenden Sorge und der Sendung des Timotheus, dort aber in der 1. Pers. Sg., womit Paulus als Einzelner spricht (vgl. 2,18). Die Initiative zu dieser Aktion dürfte also von ihm ausgegangen sein. Die Betonung, dass die Sorge um die Gemeinde unerträglich wurde, soll Licht auf das durch die Trennung nicht abgebrochene, sondern gesteigerte Interesse an der Existenz der Gemeinde werfen. Dass Paulus und Silvanus »alleine« in Athen blieben (*monoi* ist betont nachgestellt), unterstreicht indirekt, dass auch sie gerne mit der Gemeinde zusammen gewesen wären.

Die Apostelgeschichte erwähnt diesen Besuch des Timotheus in Thessaloniki nicht, sondern folgt den Spuren des Paulus nach Athen (Apg 17,10-34). Aber auch sie weiß von einer kurzzeitigen Trennung des Missionsteams: Silas (die in Apg gebrauchte Kurzform von Silvanus) und Timotheus blieben in Beröa zurück, während Paulus allein nach Athen weiterreist; sie erhielten aber den Auftrag, ihm möglichst bald zu folgen (17,14f.). Es dürfte dem Erzählinteresse des Lukas entsprechen, Paulus in Athen allein den paganen Philosophen gegenübertreten zu lassen. Erst in Korinth ist das Missionsteam wieder vereint (18,5), was wieder zu den Angaben in 1 Thess 1,7f. passt (»Achaia« deutet auf die Provinzhauptstadt Korinth; vgl. 2 Kor 1,19). Was Timotheus (und Silas) in der Zwischenzeit tun, interessiert Lukas nicht. Historisch gesehen, war Silvanus wohl auch in Athen mit Paulus zusammen (anders *K. P. Donfried*, Timothy; *Malherbe* 190).

Timotheus handelt stellvertretend für das ganze Team und tritt bei der Gemeinde als eigenständiger Missionar auf. Die Bezeichnung als »unser Bruder« bringt die Verbundenheit im Team zum Ausdruck. Auch der Gedanke des Sendens hebt die enge Zusammengehörigkeit der Missionare hervor. Die Bezeichnung als »Mitarbeiter Gottes (nicht des Paulus!) am Evangelium des Christus« betont seine Eigenständigkeit und Verantwortung bei der Evangeliumsverkündigung (»Mitarbeiter Gottes« auch in 1 Kor 3,9). Er ist wirklich »Mitarbeiter mit Gott« an der Sache Gottes (vgl. *Haufe* 57). Gott selbst ist es, der Timotheus zum »Mitarbeiter« macht, und an ihn ist Timotheus rückgebunden. »Evangelium des Christus« hebt die Bindung an Christus hervor: Das Evangelium hat das Christus-Ereignis als heilvolle Zuwendung Gottes zu den Menschen zum Inhalt (Gen. objectivus), und es geht von Christus aus und wird von ihm

autorisiert (Gen. auctoris). In der Botschaft der Verkündiger wird
so das Wort Gottes hörbar (↗ 2,13).

Spätere Abschreiber hatten mit der starken Bezeichnung »Mitarbeiter
Gottes« für Timotheus offenbar Schwierigkeiten und entschärften sie. Ei-
nige ließen den Genitiv »Gottes« weg, etliche ersetzten »Mitarbeiter«
durch »Diener«. In der weiteren Textentwicklung suchte man dann die
Verbindung der Varianten: »Diener Gottes und unser (d.h. des Paulus)
Mitarbeiter« (Angaben bei NA²⁸ z.St.). Der nur selten bezeugte Text »Mit-
arbeiter Gottes« (D* 33 b Ambst) stellt den Anstoß für diese theologischen
Entschärfungen dar und dürfte daher ursprünglich sein (zur Diskussion
B. M. Metzger, Commentary 631). Die Würde und Eigenständigkeit des
Verkündigers Timotheus, die darin zum Ausdruck kommen, spiegeln das
Selbstverständnis der frühen Missionare. Die Rede vom Senden ist damit
kein Ausdruck einer Autoritätenstruktur, bei der der Gesandte nur in der
Autorität des Apostels als Delegierter handelt (gegen *Holtz* 125; *Müller*
153). Auch ein sozial geprägtes antikes Gesandten-Modell liegt nicht zugrunde (gegen *M. M. Mitchell*, Envoys; *Malherbe* 196.198). Die Sendung
ist *kollegial* gedacht und situativ bedingt (vgl. *R. Börschel*, Konstruktion
201 f.). – Zu viel deutet *Fee* 115 in die Kennzeichnung des Timotheus
hinein, wenn er sie als briefliche Empfehlung für Timotheus als Überbrin-
ger des Briefes liest.

2b-4 Die Verfasser kommen nun ausführlich auf den Grund und die   **2b-4**
Absicht, die hinter dem Besuch des Timotheus stehen, zu sprechen.
Die potentielle Gefährdung der Gemeinde, d.h. die gesellschaftliche
Spannung, in der sie lebt, ist ja durch den Besuch des Timotheus
nicht aufgehoben und bedarf daher auch in der Briefsituation noch
der Bearbeitung.
Um die von den Verfassern ausgedrückte Besorgnis zu verstehen,
ist die Situation der kleinen Konvertitengruppe wesentlich, deren
soziale Bezüge durch die Konversion brüchig wurden. Denn die
Gemeinde erweckte in ihrer städtischen Umwelt Argwohn, wenn
sie z.B. an kultischen Handlungen zugunsten der paganen Götter
nicht mehr teilnahm, die für die gesellschaftliche Identität in der
Stadt wichtig waren: Bei großen öffentlichen Festen, bei Treffen
von Berufsvereinen, bei Eiden und Vertragsabschlüssen, auch bei
privaten Gastmählern waren kultische und rituelle Vollzüge selbstverständlich. Aber auch der enge Zusammenhalt der neuen Gemeinschaft und die neue Überzeugung, bei der eine fremde orienta-
lische »Gottheit« im Mittelpunkt stand, konnten gesellschaftliches
Misstrauen wecken. Als Folge der so entstehenden Distanz zu ihrer
städtischen Umwelt hatte die Gemeinde unter Erfahrungen von

Isolation, Zurückweisung, Demütigung oder gar Aggression zu leiden (↗ Exkurs 3). Solche Phänomene bringt der Begriff *thlipsis* in v.3 zur Sprache: »in diesen Bedrängnissen« (↗ 1,6).

Der Satz in v.2.3 ist so konstruiert, dass der substantivierte Infinitiv *to mē-dena sainesthai* als Objekt von *parakalesai* abhängt; er entspricht einem *hina mē*-Satz (BDR § 399,3). Die Präposition *hyper* mit Genitiv am Ende von v.2 ist hier mit *peri* austauschbar: ›im Interesse, für, was … betrifft‹ (BDR § 231). Schwierig zu übersetzen ist das Verb *sainō*. Seine Grundbedeutung ist ›wedeln, schwänzeln‹ bei Hunden und anderen Tieren, was sich übertragen lässt als ›schmeicheln, streicheln‹, damit auch als Einflussnehmen auf andere: ›schmeicheln, schöntun, täuschen, betören‹ (*F. Passow*, Handwörterbuch II/2, 1365). Die seltene Bedeutung ›erschrecken, erschüttern‹, die von den alten Übersetzungen und griechischen Auslegern von 1 Thess 3,3 verwendet und auch von heutigen Exeget/innen bevorzugt wird (*W. Bauer*, Wörterbuch 1481; *Dobschütz* 133 f.; *Rigaux* 470 f.; *Malherbe* 192 f.; *Fee* 117 f.; anders *N. Baumert*, beirren), akzentuiert zu stark die emotionale Seite (wohl unter der mittlerweile überholten Annahme von Verfolgungen der Gemeinde; so aber immer noch *Fee* 118-120). Gemeint ist vielmehr die Verunsicherung, Täuschung, das Irrewerden durch den gesellschaftlichen Gegenwind.

Dass sich die Bedrängnisse auf *Paulus* beziehen und sein Leiden als Apostel meinen, wie manche annehmen (*Holtz* 127 f.; *A. J. Malherbe*, Paul 65 f.; *ders.* 193.196 f.; *T. Schumacher*, Entstehung 217 f.), ist unwahrscheinlich. Das Irrewerden geschieht »in *(en)* den Bedrängnissen (v.3), die so die eigenen sind. Andernfalls wäre eine Formulierung wie »angesichts unserer Bedrängnisse« zu erwarten. Der ganze Gesprächsgang in 3,1-5 zielt auf mögliche Gefährdungen der Gemeinde in *ihrer* Lebenssituation (vgl. 1,6); an *ihren* Erfahrungen setzt der Versucher an (v.3). Die 3. Pers. Pl. in v.3b.4 schließt dabei die Erfahrungen der Gemeinde mit denen der Missionare zusammen (vgl. schon 2,14-16) und vertieft damit weiter die Beziehung.

Die negativen und bedrängenden sozialen Erfahrungen können die junge Gemeinde auf ihrem Weg durchaus »irre machen« (v.3). Sie können die verständliche Frage aufwerfen, ob die Konversion der richtige Schritt war und ob die Christus-Gemeinschaft so bedeutsam ist, dass sie die soziale Verunsicherung und Gefährdung aufwiegt. Negative soziale Begleiterscheinungen der Konversion sind, so die Erfahrung der Missionare, angesichts des devianten Verhaltens der Gemeinde innerhalb der städtischen Gesellschaftsstrukturen unvermeidbar und insofern vorhersehbar. Daher hatten sie die Missionare bereits bei ihrem Gründungsbesuch angekündigt, »vorausgesagt«, und die junge Gemeinde darauf vorbereitet. Dieses Wissen rufen sie im Brief wieder wach (v.4). Das »Voraussagen«

bedeutet eine Erschließung der Lebenswirklichkeit aus der Perspektive der christlichen Überzeugung.

Für die Verfasser steht hinter den sozialen Verwerfungen letztlich eine tiefere Wirklichkeit: »dazu sind wir bestimmt« (v.3). Der Plural »wir« schließt hier die Verfasser mit den Adressaten zusammen, da ihre Erfahrung sozialer Desintegration vergleichbar ist. Die gemeinsame Erfahrung stärkt die Beziehung auch über die räumliche Trennung hinweg. Wie die Verfasser hinter den vereitelten Besuchsplänen das Wirken Satans sehen konnten (2,18), so folgen auch die Bedrängnisse einer Bestimmung. Wenn die neue Wirklichkeit Gottes, die in der Gemeinde bereits Raum gewonnen hat, mit der alten sozialen Ordnung konfrontiert wird, ergeben sich mit Notwendigkeit Zusammenstöße und Konflikte. Diese sind aber keineswegs als Zeichen des Scheiterns der neuen Lebensweise zu verstehen, sondern geradezu als Bestätigung, dass wirklich Neues sich ereignet. Damit gehören auch die Bedrängnisse als genuiner Bestandteil zum Heilswirken Gottes und fallen nicht aus seiner Herrschaft heraus. Sie sind nicht – anders als in paganen Vorstellungen – von der Schicksalsmacht willkürlich veranlasst (Cicero, Tusc. 3,30; Seneca, epist. 91,4-8). Diese theologische Einordnung ihrer Bedrängnisse rufen die Verfasser den Adressaten in Erinnerung.

Diese situationsbezogene theologische Deutung der Bedrängnisse stellt aber keineswegs eine allgemeine christliche »Theologie des Leidens« dar, an die der Brief erinnere (so aber *Best* 135; *Green* 162f. u. a.). Dabei werden meist Verfolgungen vorausgesetzt und das notwendige Leiden des Messias als paradigmatisch für das notwendige Leiden der ihm nachfolgenden Christen verstanden. Davon sagt der Text jedoch nichts. Eher könnte die im apokalyptisch geprägten Judentum bekannte Vorstellung der eschatologischen Wehen, die als Auftakt der endzeitlichen Vollendung schwere Bedrängnis und die Gefahr des Abfalls von Jhwh mit sich bringen, im Hintergrund stehen (vgl. Jes 26,17; 66,8; Jer 22,23; Hos 13,13; Mich 4,9f.; Dan 8,23; 9,24; 11,33; 12,1; 2 Makk 6,12-17; Mk 13,7-9; 4 Esr 13,29-32; dazu *M. Tellbe*, Paul 103). Doch bleibt unklar, inwieweit den (meist aus der paganen Kultur stammenden) Adressaten des Briefes diese Vorstellung geläufig war; der Brief elaboriert sie jedenfalls nicht. – *T. D. Still*, Conflict 271f. bringt die soziologische Beobachtung ein, dass Konflikte mit der Umwelt die eigene Überzeugung der Gruppe im Binnenraum bestärken und festigen.

Anfechtungen können die Bedrängnisse für die junge Gemeinde dennoch bedeuten. Daher sollte Timotheus die Gemeinde durch einen persönlichen Besuch »festigen« und ihr »zureden …, damit niemand sich irre machen lässt« (v.2b.3a). Die persönliche Begegnung erscheint als wesentlicher Bestandteil der Beziehung und der Stabilisierung der Identität der Gemeinde. Das Zureden des Timotheus wird speziell auf das »Vertrauen« der Gemeinde bezogen: »was euer Vertrauen betrifft« (v.2b). Die Haltung des Vertrauens steht dem Irrewerden in den Bedrängnissen gegenüber. Wem die *pistis*/das Vertrauen hier gilt, wird nicht näher bestimmt, so dass der Kontext das Vertrauen in die neue Lebensweise und damit konkret auf Gott, das Evangelium und die Missionare nahelegt (nicht den »Glauben« an Gott als Ausdruck des Christseins; die Bedeutung des griechischen Begriffs *pistis* ist offener ↗ Exkurs 2). Dieses Vertrauen ist wesentlich zum Durchhalten der neuen Überzeugung bei allen Gefährdungen und Irritationen, und die persönliche Begegnung mit Timotheus, einem der Gemeindegründer, trug zur Stärkung des Vertrauens bei.

5 5 Dieses Vertrauen ist auch in v.5 angesprochen. Paulus setzt wieder – wie in 2,18 – einen Akzent, indem er die drängende Sorge, die schon in v.1 formuliert ist, nun auf sich selbst konzentriert und in der 1. Pers. Sg. wiederholt. Da er selbst nicht nach Thessaloniki gereist war, betont er umso mehr seine Verbundenheit mit der Gemeinde. Der Kontakt zur Gemeinde ist ihm ein ganz persönliches Anliegen, das zur Sendung des Timotheus führte. Paulus war verunsichert und wollte in Erfahrung bringen, wie es um das Vertrauen der Gemeinde steht.

Seine Besorgnis drückt Paulus in einem *mē pōs*-Satz (›ob nicht etwa‹) aus und verortet sie wieder im größeren Zusammenhang von Gottesherrschaft und Mission. Wie schon in 2,18 bringt er den Satan als Widersacher des göttlichen Heils ins Spiel, hier allerdings mit einer seiner Haupteigenschaften als »Versucher« (*peirazōn*) bezeichnet. Als Figur, die Menschen in Versuchung führt, intendiert der Satan bereits in der frühjüdischen Tradition, die Gerechten vom Weg Gottes abzubringen (vgl. *S. Schreiber*, Opponent 440 f.446; *peirazōn* auch in Mt 4,3; vom Satan, der in Versuchung führt, spricht 1 Kor 7,5). Die Versuchung bezieht sich hier darauf, dass die Gemeinde angesichts der sozialen Widerstände und Verunsicherungen ihr Vertrauen verlieren, an der neuen Lebensweise irrewerden und in ihre alte Lebensform in der paganen Gesellschaft zurückfallen könnte. Die Folge wäre (hypothetisch, daher *genētai* im Konjunktiv), dass die »Mühe«, das ganze missionarische Wirken in Thessaloniki, »ins Leere laufen« würde. Die Präpositionalverbindung *eis kenon* meint (anders als das Adjektiv in 2,1) ›vergeblich‹, ins Leere‹. Angesichts der sozialen Bedrängnisse ist diese Sorge nicht unberechtigt, und eine Abkehr der Gemeinde würde die neue Beziehung zu Gott, Christus und den Missionaren zunichtemachen. Dass Paulus diese Sorge im Rückblick des Briefes mitteilt, unterstreicht seine innere Verbundenheit mit der Gemeinde.

6 Doch inzwischen ist Timotheus mit guten Nachrichten aus Thessaloniki zurückgekehrt. Die Partikel *arti*/jetzt steht betont am Satzbeginn und deutet auf die Wende zum Guten, die die Sorge des Paulus genommen hat. Paulus und Silvanus waren in der Zwischenzeit nach Korinth weitergereist, wo Timotheus sie bald einholte (Apg 18,5). Die Erleichterung über die guten Nachrichten von der Gemeinde ist noch deutlich zu hören, und so dürften die Missionare den Brief bald nach dem Zusammentreffen in Korinth verfasst haben. **6**

Die guten Nachrichten beschreiben sie mit dem Verb *euangelizomai*. Das Verb wird im griechischen Sprachraum und in der Septuaginta für das Überbringen guter Nachrichten aller Art verwendet (*G. Friedrich*, *euangelizomai* 705-712), in den Paulusbriefen jedoch sonst nur technisch für die Verkündigung des Evangeliums. Auch hier dürfte für die Adressaten der Terminus *euangelion* anklingen, der den Thessalonikern vertraut ist und die »frohe Botschaft« vom rettenden Handeln Gottes in Christus bezeichnet, die die Missionare verkünden (↗ 1,5). In 2,1-12 bildete der Begriff ein Signalwort (er begegnete dort viermal): Am *euangelion* hängt das Selbstverständnis der Missionare, weil in ihrer Botschaft das Wort Gottes zur Sprache kommt. Wenn sie hier das Verb *euangelizomai* verwenden, wird die gelungene Beziehung zur Gemeinde als wesentlicher Bestandteil der Verkündigung des Evangeliums erkennbar (vgl. *Marshall* 94; *R. Hoppe*, Apostel 90). Weil sie Missionare sind, stellen die Nachrichten vom ungebrochenen Gemeindeleben eine »frohe Botschaft« für sie dar, wie ihr Evangelium für die Gemeinde »frohe Botschaft« war. Theologisch steht hinter den Ausführungen von 3,6-10 ein Beziehungsdreieck, in dem die Gemeinde, die Missionare und Gott im Evangelium verbunden sind.

Das Kommen des Timotheus und das Überbringen seiner Nachrichten sind im Griechischen als Genitivus absolutus konstruiert und lenken so auf den im Hauptsatz ausgesagten Inhalt der Botschaft und deren Bedeutung hin. Die frohe Botschaft hat in erster Linie die bleibend stabile Beziehung der Gemeinde zu den Missionaren zum Inhalt: Sie beinhaltet das Vertrauen (*pistis*) und die Liebe (*agapē*) der Gemeinde. Im Kontext dürfte sich beides primär auf die Missionare beziehen und damit die enge, intensive Verbundenheit bezeichnen, also Vertrauen und Liebe zu den Missionaren (was Vertrauen und Liebe untereinander und in Bezug auf Gott natürlich nicht ausschließt; zu den Begriffen ↗ 1,3).

Wenn man *pistis* nicht, wie in der christlichen Tradition üblich, mit »Glaube« übersetzt, sondern dem griechischen Sprachgebrauch folgt und die breitere Bedeutung »Vertrauen« zugrunde legt, ist der Begriff für die zwischenmenschliche Beziehung offen und denotiert deren Verlässlichkeit und Festigkeit (↗ Exkurs 2 und *T. Schumacher*, Entstehung 217-219). Diese Denotation entspricht gut dem Gesprächsgang in 3,6-10. – Die »Liebe« beziehen z. B. auch *Fee* 123 und *Marxsen* 55 auf die Missionare.

Der *hoti*-Satz ergänzt diese als »frohe Botschaft« erkannte Verbundenheit durch Hinweise auf die gute Erinnerung, in der die Gemeinde die Missionare durchgängig hält, und auf die Sehnsucht nach einem Wiedersehen, die die Gemeinde mit den Missionaren teilt (*epipotheō* zum Ausdruck der Sehnsucht nach einer Gemeinde auch in Phil 1,8; 2,26; 2 Kor 9,14; Röm 1,11). Die bleibende Beziehung sichert die Existenz der jungen Gemeinde. Sprachlich wird dies unterstrichen durch die auffallende Häufung der Personalpronomen *hēmeis* und *hymeis* im Abschnitt 3,6-10, womit die gemeinsame Beziehung auch akustisch stark hervortritt.

7f. **7f.** Die gute Beziehung zur Gemeinde wirkt sich positiv auf die Selbstwahrnehmung der Missionare aus. Die Treue und Intensität der Verbundenheit nehmen sie als Ermutigung für ihre aktuelle Missionstätigkeit wahr, die ebenfalls mit Widerständen konfrontiert ist. Woran sie bei ihrer »Not und Bedrängnis« denken, führen sie nicht weiter aus.

Stehen der offenbar erfolglose Athen-Besuch, der nicht zur Gründung einer Hausgemeinde, sondern der baldigen Weiterreise nach Korinth führte (1 Thess 3,1; Apg 17,16-18,1), im Hintergrund, oder Anfangsschwierigkeiten in Korinth? Oder der bleibende Widerstand seitens bestimmter judenchristlicher Kreise gegen die paulinische Heidenmission, die auf jüdische Identitätsmerkmale aus der Tora wie Beschneidung oder Speisevorschriften verzichtet? Die Verbindung von *thlipsis* und *anankē* ist auch in LXX Ps 24,17; 118,143; Ijob 15,24; Zef 1,15 zur Bezeichnung einer existentiellen Notsituation belegt, die nicht näher beschrieben wird. Ohne konkret zu werden, spielen die Missionare auf die Bedrängnisse an, die ihr Wirken begleiten – und in denen sie Ermutigung durch die gelungene Beziehung zur Gemeinde erfahren (vgl. 2 Kor 7,4).

Das »Vertrauen« *(pistis)*, das die Gemeinde den Missionaren entgegenbringt und das eine verlässliche Beziehung bedeutet, verstehen sie als positives Gegengewicht zu solchen Widerständen.

Und so ist es stimmig, wenn v.8 die existentielle Bedeutung der Gemeinde für die Missionare metaphorisch auf den Punkt bringt: »so dass wir nun leben, wenn ihr im Herrn feststeht«. Die Metaphorik des Lebens vermittelt eine besondere Qualität. Tot wären sie – als Missionare! –, wenn die Gemeinde rückfällig geworden wäre. Da sie jedoch im Herrn feststeht, leben die Missionare erst wirklich. Im Evangelium gehören Missionare und Gemeinde untrennbar zusammen, ihr »Leben« hängt voneinander ab (vgl. 2 Kor 7,3; dazu *Witherington* 95 f.). Das Verb *zōmen* (»wir leben«) im Präsens bezieht sich auf die aktuelle Gegenwart (vgl. *nyn*/nun) und damit auf das erneuerte Leben der Missionare nach der Rückkehr des Timotheus. Es meint hier nicht die Fülle des Lebens im Herrn (wie in 5,10; gegen **J. M. F. Heath*, Presences 25). Das Feststehen der Gemeinde im Herrn (vgl. Phil 4,1; Röm 14,4) bedeutet, dass sie ihre neue und durchaus gefährdete Existenz in der Beziehung zum Herrn fest gegründet weiß und an dieser Beziehung mit Überzeugung festhält. Dieses Feststehen im Herrn, das die Verfasser dankbar herausstellen, bildet pragmatisch ein Rollenangebot an die Adressaten (vgl. **J. Bickmann*, Kommunikation 251), dem sie weiterhin folgen sollen und können (*ean* mit Indikativ im Sinne von »wenn demnach«, vgl. BDR § 373,3 mit 372,1).

9 f. Der lange Satz in v.9.10 ist als rhetorische Frage gestaltet, die die Größe der Dankbarkeit, die die Missionare empfinden und nicht angemessen in Worte fassen können, zum Ausdruck bringt. Gegenstand dieser Dankbarkeit gegenüber Gott ist die Existenz der Gemeinde als solcher und die Freude der Missionare vor Gott über das fruchtbare Leben der Gemeinde. Sie wissen die beständige Existenz der Gemeinde so zu deuten, dass sich darin Gottes heilschaffendes Wirken gemäß seinem Evangelium ausdrückt. Daher erstatten die Missionare als angemessene Antwort Gott Dank (der antike Reziprozitätsgedanke, dass die Gabe eines Wohltäters die Pflicht zur Gegengabe nach sich zieht, so *Green* 171 f., klingt hier kaum an). Die Figura etymologica »all die Freude, mit der wir uns freuen« trägt zum plerophoren Charakter der Aussage bei. Große Freude empfinden die Missionare über die Lebendigkeit der Gemeinde, die sie gegründet hatten, und diese Freude »vor Gott« ist so Bestandteil ihrer eigenen Beziehung zu Gott. In keiner Weise ist dabei an eine eschatologische Freude im Sinne »des Lohnes Gottes im Endgericht« gedacht (so aber *Müller* 160). Eschatologisch ist die

9 f.

Freude insofern, als die Gemeinde jetzt schon zur eschatologischen Herrschaft Gottes gehört (vgl. 2,19; die Parusie ist hier freilich nicht im Blick; gegen *J. M. F. Heath*, Presences 24 f.). Zweimal nennt v.9 Gott, als Adressat des Dankes und als Gegenüber der Freude. Das Beziehungsdreieck, das die Basis für die Ausführungen in 3,1-10 bildet, tritt damit noch einmal deutlich hervor.

Es steht auch hinter der sich in v.10 anschließenden Partizipialkonstruktion *(deomenoi)*, mit der die Missionare einen Einblick in ihr Gebet geben, das die Beziehung zur Gemeinde in die Beziehung zu Gott hineinnimmt. Das als ausgesprochen intensiv charakterisierte Bittgebet – »Tag und Nacht« (vgl. 2,9), »über die Maßen« – richtet sich noch einmal auf das persönliche Wiedersehen mit der Gemeinde und auf deren *pistis* als wesentliche Haltung, die ihr Leben als Gemeinde ausmacht.

Was ist mit dem Fehlen an der *pistis* gemeint? Geht es um Defizite des »Glaubens«, die bei einem Wiedersehen auszugleichen wären? Das Substantiv *hysterēma* (das Nachstehende, Fehlende, Ermangelnde; Mangel) ist hier am besten verbal zu übersetzen (»was ... fehlt«). Das Verb *katartizō* bedeutet ›einrichten; ins alte Verhältnis, in Ordnung bringen, wieder herstellen; ausrüsten‹ (*F. Passow*, Handwörterbuch II/2, 2180; I/2, 1647). Ein »(Wieder-)Herstellen« mit zwischenmenschlicher Konnotation sagt *katartizō* auch in 1 Kor 1,10; 2 Kor 13,11; Gal 6,1 aus. Am Ende der Briefeinheit 2,1-3,10, die die Beziehung der Missionare und der Gemeinde zum Thema hatte und über Glaubwürdigkeit, Gemeinsamkeit und Engagement füreinander handelte, dürfte *pistis* auch jetzt primär die zwischenmenschliche Ebene im Blick haben. Damit geht es nicht um Glaubensinhalte, die nachzutragen wären (etwa über die Totenerweckung – dazu genügt der Brief, vgl. 4,13-18), denn die Gemeinde ist bereits Gemeinde im Vollsinn, von Gott geliebt und erwählt (1,4). Es geht um die persönliche Begegnung und das Vertrauen, das die Gemeinde zu ihren Missionaren (und über sie auf das Evangelium) haben darf (vgl. *T. Schumacher*, Entstehung 217).

Sollte durch die Abreise der Missionare, die Trennung oder durch soziale Verunsicherung etwas vom Vertrauen zu den Missionaren verloren gegangen sein, werden es die Missionare bei ihrem nächsten Besuch in der persönlichen Begegnung wieder herzustellen wissen. Diese feste Versicherung kann bereits beim Hören des Briefes Vertrauen bestärken.

3. Rhetorische Strategie

Die Erzählung der jüngsten Beziehungsgeschichte aus der Perspektive der Verfasser bearbeitet weiter die Situation der Trennung und macht die Bedeutung der Gemeinde für das Leben und Selbstverständnis der Verfasser stark. Die bleibende Verbundenheit äußert sich in der Sorge um die Existenz der Gemeinde, die Kontaktaufnahme durch Timotheus und die positive Auswirkung seiner guten Nachrichten auf das Wirken und die Überzeugung der Missionare. Bewusst teilen sie auch ihre Gefühle den Adressaten gegenüber mit, in denen sich die Intensität der gegenseitigen Beziehung und die persönliche Zuneigung der Missionare spiegeln. Wie schon in 2,17-20 tritt die Gegenseitigkeit der Beziehung deutlich hervor. Die zur Vertrauensbildung so wichtige persönliche Begegnung ist derzeit nicht möglich, doch wird dieses Defizit durch die im Brief aktualisierte Erinnerung an die Stabilität der gemeinsamen Beziehung und das bestehende Vertrauen wenigstens teilweise aufgewogen. Dies kann der Gemeinde helfen, angesichts ihrer nicht zu vermeidenden sozialen Bedrängnis das Vertrauen zu den Verkündern und damit zum Evangelium zu bewahren. Für die Bewahrung der Identität von Konvertiten spielt die bleibende Verbundenheit mit den Verkündern der neuen Lebensweise eine wesentliche Rolle, wie antike Beispiele zeigen (↗Exkurs 4). Dahinter steht aber die Beziehung der Gemeinde zu Gott, die letztlich die Beziehung zu den Verkündern erst möglich und bedeutsam macht. Dank und Bitte im Gebet, die am Ende stehen, vertrauen den weiteren Weg der Gemeinde Gott an.

Zusammenfassender und überleitender Gebetswunsch 3,11-13

11 Unser Gott und Vater selbst aber und unser Herr Jesus möge unseren Weg zu euch bahnen; 12 euch aber lasse der Herr zunehmen und überfließen in der Liebe zueinander und zu allen, wie auch wir (sie) zu euch (haben), 13 um eure Herzen zu festigen als untadelige in Heiligkeit vor unserem Gott und Vater bei der Ankunft unseres Herrn Jesus mit allen seinen Heiligen, [Amen].

Literatur: K. Berger, Formen und Gattungen im Neuen Testament (UTB 2532), Tübingen 2005; *V. P. Furnish*, Inside Looking Out: Some Pauline Views of the Unbelieving Public, in: Pauline Conversations in Context

(FS C. J. Roetzel) (JSNT.S 221), London 2002, 104-124; *W. Radl*, Ankunft des Herrn. Zur Bedeutung und Funktion der Parusieaussagen bei Paulus (BET 15), Frankfurt a. M. 1981; *E. D. Schmidt*, Heiligung: Implikationen in 2 Thess im Anschluss an 1 Thess, in: H. Assel/S. Beyerle/C. Böttrich (Hg.), Beyond Biblical Theologies (WUNT 295), Tübingen 2012, 409-432; *U. Schnelle*, Die Ethik des 1 Thessalonicherbriefes, in: R. F. Collins (Hg.), The Thessalonian Correspondence (BEThL 87), Leuven 1990, 295-305; *J. A. D. Weima*, 1-2 Thessalonians, in: G. K. Beale/D. A. Carson (Hg.), Commentary on the New Testament Use of the Old Testament, Grand Rapids/Michigan 2007, 871-889; *W. Weiß*, »Heilig« in ethischen Kontexten neutestamentlicher Schriften, in: D. Sänger (Hg.), Heiligkeit und Herrschaft. Intertextuelle Studien zu Heiligkeitsvorstellungen und zu Psalm 110 (BThSt 55), Neukirchen-Vluyn 2003, 44-64; *G. P. Wiles*, Paul's Intercessory Prayers. The Significance of the Intercessory Prayer Passages in the Letters of St. Paul (MSSNTS 24), Cambridge 1974.

1. Analyse

Der in 3,11-13 formulierte Gebetswunsch schließt das erste Thema (2,1-3,13) des Briefcorpus ab und fasst dazu wesentliche Gedanken zusammen. Was die Missionare im Augenblick, aus der Ferne, noch für die gemeinsame Beziehung und ihre Gemeinde tun können, ist, sich im Gebet für sie an Gott zu wenden. Der Gebetswunsch hat zwei Teile. An Gott und den Herrn Jesus richtet sich die Bitte um das Gelingen der in den vorangehenden Abschnitten wiederholt thematisierten Besuchsabsicht der Verfasser bei der Gemeinde (v.11). Nur an den Herrn richtet sich die Bitte um eine gelungene Praxis der Liebe in der Gemeinde und die daraus resultierende Festigkeit und Heiligkeit des Gemeindelebens, die mit einem Ausblick auf die Parusie des Herrn Jesus endet (v.12 f.). Dieser Ausblick leitet zugleich zum zweiten Hauptthema des Briefcorpus (4,1-5,11) über, dem christlichen Leben unter den Bedingungen der Endzeit. Angespielt sind speziell die Motive der »Heiligung« und der gegenseitigen Liebe, die in 4,3-8 und 4,9-12 zum Thema werden. Im Schema:

3,11   Gelingen der Besuchsabsicht der Missionare
3,12 f.   Gelingen des Gemeindelebens in Liebe und Festigkeit, Ausblick
          auf die Parusie

Der Form nach handelt es sich bei dem kleinen Abschnitt um ein Gebet, das Gott und den Herrn indirekt in der dritten Person anspricht und die Bitten der Verfasser als Wunsch im Optativ formuliert. Man kann von einem Gebetswunsch oder einem Segensgebet sprechen (vgl. *G. P. Wiles*, Prayers 52-63; *K. Berger*, Formen 304 f.: Gebetswunsch, Fürbitte, Segenswunsch). Vergleichbare Gebete finden sich in Num 6,24-26; Ps 20,2-5 und 2 Makk 1,2-6, auch in Röm 15,5 f.13. Die drei in 1 Thess 3,11 f. verwendeten Verben *kateuthynai, pleonasai, perisseuai* stehen im Optativ (3. Pers. Sg. Aor.) und dienen so dem Ausdruck eines erfüllbaren Wunsches. Die Sprache ist feierlich, die Ausdrucksweise plerophor, was der Abschluss- und Übergangsfunktion des Textes entspricht. Eine geprägte liturgische Tradition, auf die die Verfasser zurückgreifen, lässt sich darin nicht erkennen.

2. Kommentar

11 Die Anrede Gottes und Jesu in voller Titulatur und die feierliche **11** Sprache des ganzen Abschnitts zeigen, dass das erste Thema des Briefcorpus, die Beziehungsgeschichte zwischen Gemeinde und Missionaren, nun zu einem Abschluss geführt wird. Das Beziehungsdreieck Gott – Missionare – Gemeinde, das immer wieder im Hintergrund der Ausführungen sichtbar wurde, findet abschließend in einem Gebets- und Segenswunsch adäquaten Ausdruck. Gott ist Adressat des Wunsches, der sich auf das Gelingen der Beziehung zwischen Missionaren und Gemeinde richtet. Die als Wunsch formulierte Gebetsbitte spricht daher »unseren Gott und Vater selbst aber und unseren Herrn Jesus« an. *Autos de* (»selbst aber«) steht im Griechischen betont am Satzanfang und hebt hervor, dass Gott, dem die Missionare in 3,9 f. in Form einer rhetorischen Frage indirekt Dank gesagt hatten, nun selbst als Adressat des Gebetswunsches angeredet wird. Die volle Anrede und die Verbindung mit dem Herrn Jesus erinnert an das Briefpräskript (↗ 1,1). Das Verb *kateuthynai* steht im Singular, obwohl ihm zwei Subjektsbegriffe, Gott und der Herr, vorausgehen. Der eigentlich Handelnde ist Gott selbst, ihm ist der Herr Jesus als sein endzeitlicher Repräsentant zugeordnet.

Es ist anachronistisch, in diese Aussage die Christologie späterer Jahrhunderte hineinzulesen, wie dies *Fee* 130 f. tut. Er sieht durch den Singular des Verbs und die Verwendung des Kyrios-Titels für Jesus diesen auf eine Stufe mit Jʜᴡʜ, dem Gott Israels, gestellt und als »divine person« (131) ausgewiesen (vgl. 134 f.; *Witherington* 102 f.; *Beale* 108.111; *Green* 176: »divinity of Christ«). Das ist angesichts des jüdischen Hintergrundes für die

Verfasser undenkbar, und es entspricht auch nicht der urchristlichen Verwendung der Titel Kyrios und Christus (↗1,1). Die frühjüdische Christus-Konzeption stellt ein Repräsentanz-Modell bereit, das Jesus als endzeitlichen Repräsentanten mit Funktionen Gottes betraut sieht, aber klar dem einen Gott Israels unterordnet. So kann Jesus als endzeitlicher Christus und Herr in *funktionaler* Einheit mit Gott gedacht werden (vgl. *T. Jantsch*, Gott 41-43.156f.).

Inhalt der Bitte ist – zum wiederholten Mal und gleichsam als Beleg für den Hinweis in 3,10 – der Besuchswunsch der Missionare. Gott selbst ist es, der ihren Weg zur Gemeinde in Thessaloniki gegen alle Hindernisse bahnen kann. Ihm vertrauen sie ihren Besuchswunsch an. Für die Adressaten des Briefes werden darin sowohl die Größe dieses Wunsches sichtbar als auch die Tatsache, dass sie selbst einen wesentlichen Bestandteil der Gottesbeziehung der Missionare bilden. Beides wertet ihre Existenz auf.

Den Zusammenhang zwischen Gott, Missionaren und Gemeinde, den der Gebetswunsch entwirft, versuche ich durch das Bild des Beziehungsdreiecks zu repräsentieren. Die Verfasser stehen so nicht zwischen Gott und Gemeinde (so aber *C. Gerber*, Paulus 327), sondern neben ihnen vor Gott. Daher bitten sie für die Gemeinde, sind ihr aber in gegenseitiger Liebe verbunden (v.12) und lassen Raum für die eigene Gottesbeziehung der Angeschriebenen (v.13: »vor Gott«).

12 **12** Der Gebetswunsch richtet sich jetzt allein an den »Herrn« und hat das Zunehmen, ja Überfließen in der Liebe seitens der Adressaten zum Inhalt. In den Fokus kommt damit das Interesse der Missionare an der christlichen Existenz der Gemeinde selbst. Mit dem »Herrn« kann im Kontext von 3,11.13 nur Jesus gemeint sein (gegen *Holtz* 143; *Müller* 164), der die Existenz der Gemeinde begründet (↗»Evangelium des Christus« 3,2). Die Liebe wird als Kennzeichen des Zusammenlebens innerhalb der Gemeinde (»zueinander«) und über die Binnenbeziehungen der Gemeinde hinaus (plerophor formuliert: »zu allen«) profiliert. Der Begriff *agapē* umfasst die interessierte, engagierte, aber auch respektvolle Zuwendung zum anderen (↗1,3). Die offene Formulierung »zu allen« meint nicht abstrakt alle Menschen, sondern konkrete Beziehungen über die Gemeinde hinaus, wie die zu Familienmitgliedern, Freunden und städtischen Mitbewohnern, die nicht zur Gemeinde zählen, mit denen die Einzelnen jedoch persönlich verbunden sind (vgl. *V. P. Furnish*, Inside 109). Aber auch an die Beziehung zu anderen Christen und damit auch zu den Missionaren werden die Thessaloniker dabei gedacht haben (vgl. 4,10).

Die Haltung der Liebe macht christliche Existenz aus und kennzeichnet sie als Existenz in Beziehung. Weil Beziehungen lebendig sind, stellt sich auch die Existenz in Liebe als lebendiger, dynamischer Prozess dar, der je neu gestaltet werden und so wachsen muss: »zunehmen und überfließen«. Diese Haltung ist grundlegender als eine Ethik, die auf Regeln des richtigen Verhaltens in einzelnen Situationen zielt. Sie prägt das christliche Selbstverständnis, die christliche Identität als ganze. Daher ist es wichtig und wird von den Verfassern noch einmal ausdrücklich erwähnt, dass sich die Liebe der Gemeinde auch in der Liebe der Missionare, die diese ihr gegenüber haben, spiegelt – sie beruht auf Gegenseitigkeit. Damit stilisieren sich die Verfasser nicht zum Vorbild an Liebe für die Gemeinde (wie in der Forschung meist behauptet), sondern betonen einmal mehr ihre intensive, bleibende Verbundenheit mit ihr in Liebe.

13 Der folgende Gedanke setzt den Gebetswunsch an den Herrn fort und ist final mit *eis to* (um … zu, damit) angeschlossen. Was in 3,2 als Aufgabe des Timotheus bei seinem Besuch in Thessaloniki formuliert wurde, erscheint nun als Wunsch an den Herrn: »um … zu festigen«. Die sich immer mehr vertiefenden Beziehungen in Liebe (v.12) bilden die Basis für die Festigung der Herzen. Wieder sind es gelungene Beziehungen, die zur Festigung dienen. Dem plerophoren Charakter des Abschnitts entsprechend, nennen die Verfasser hier die »Herzen« der Adressaten (»das Herz festigen« auch in LXX Ps 103,15; 111,8; Sir 6,37; 22,16). Da das »Herz« im Verständnis des Frühjudentums den Sitz des Geistes, des Verstandes, des Willens darstellt (↗2,4), ist damit das Zentrum der Person, die bewusste Überzeugung, die sich in der Gestaltung des gesamten Lebens manifestiert, im Blick.

Das »Festigen der Herzen« zielt wie schon das Wachsen in der Liebe auf einen Lebensprozess, bei dem sich christliche Existenz jeden Tag neu aktualisiert. Das Besondere der christlichen Existenz vertieft die Bestimmung der Herzen als »untadelige in Heiligkeit«. Das zweiendige Adjektiv *amemptous* ist im Duktus des Satzes als Femininform zu verstehen und auf das Substantiv *kardias* zu beziehen (nicht maskulin auf die Adressaten); meine Übersetzung schließt es mit »als« an. »Untadelig« rekurriert hier also nicht auf die Ethik (das richtige Handeln; so in 2,10), sondern auf die gesamte Existenz, das Ethos (vgl. mit Überlegungen zum LXX-Gebrauch *E. D. Schmidt*, Heilig 345-350; *M. Vahrenhorst*, Sprache 122 erwägt kultische Bedeutung). Ein solcher Gebrauch des Wortes liegt auch in 5,23 vor, wo dann ebenfalls die Parusie den Bezugspunkt bildet. Inhaltlich gefüllt wird »untadelig« durch den mit modalem *en*/in angeschlossenen Begriff *hagiōsynē*. Dabei handelt es sich um einen Abstraktbegriff, der eine Eigenschaft angibt (BDR § 110; sonst im NT nur 2 Kor 7,1; Röm 1,4) und hier das »Heilig-Sein« der Gemeinde bezeichnet (vgl. *M. Bohlen*, Communio 139). Wieder ist die ganze Existenz im Blick, deren Heiligkeit letztlich durch den Herrn, an den sich die Bitte um Festigung der Herzen richtet, geschenkt wird. Heiligkeit bedeutet ein Leben ganz aus der Beziehung zum Herrn. Die existentielle Grundhaltung im umfassenden Sinn ist gemeint, nicht die »religiös-sittliche Qualität« (*Haufe* 65; anders zu Recht *Holtz* 146).

Die Frage nach dem ethischen Bezug von 3,12 f. bestimmt die Diskussion in der Forschung. *U. Schnelle*, Ethik 301 f. hebt die Parusie als Begründung des ethischen Wandels hervor (vgl. *D. Luckensmeyer*, Eschatology 232 f.). Dabei ist aber zu bedenken, dass auch die Parusie als Teil der lebendigen Beziehung der Gemeinde zum Herrn zu verstehen ist (und nicht den Charakter einer bedrohlichen Zukunft besitzt). Es bedeutet eine Engführung auf eine im Endgericht sanktionierbare Ethik, wenn *W. Weiß*, Heilig 46 bemerkt, dass die Heiligkeit in 3,13 »als das Ziel fortschreitenden christlichen Lebenswandels« gilt, und diese gar noch mit dem Gericht verbindet: Sie »meint das Erscheinen vor Gericht mit lauterem, reinem, untadeligem Herzen«. Dass sich christliche Existenz aus der lebendigen Beziehung zum Herrn versteht, gerät dabei völlig aus dem Blick. Für *M. Vahrenhorst*, Sprache 122 bedeutet Heiligkeit die »Entsprechung zwischen der himmlischen Welt und der Gemeinde«, deren (zukünftig gedachte!) Begegnung nur gelingen kann, wenn die Gemeinde in ihrem Tun die Heiligung vollzieht. Aber die Begegnung findet ja bereits in der Gegenwart statt, und es ist gerade diese Beziehung zu Gott, die das Heiligsein der Gemeinde ausmacht – und nicht in erster Linie ein bestimmtes Tun.

Beziehung zum Herrn bedeutet zugleich Beziehung zu »unserem Gott und Vater«, vor dem sich das Untadeligsein in Heiligkeit vollzieht. Das Syntagma »vor unserem Gott« ist gegen die überwiegende Meinung der Forschung nicht auf das Endgericht Gottes zu beziehen (vgl. 1,3; 2,19; 3,9; mit *M. Konradt*, Gericht 183 f.; anders z. B. *E. D. Schmidt*, Heilig 348; *M. Bohlen*, Communio 140; *Malherbe* 213 f.), sondern auf die Beziehung zu Gott und die Gegenwart Gottes, in der christliche Existenz lebt. Es geht nicht um eine Beurteilung im Gericht, die Lohn oder Strafe zuteilt, sondern um das eigene Bewusstsein, dass und wie die Gemeinde vor Gott steht.

Es geht dabei auch um die eigene Verantwortung, aber als Verantwortung für die christliche Existenz als ganze, die von Gottes Gegenwart getragen ist. Damit tritt freilich bereits der eschatologische Charakter christlicher Existenz in den Blick, den die anschließende Bestimmung mit temporalem *en*/bei klar zum Ausdruck bringt: »bei der Ankunft unseres Herrn Jesus«.

Wie schon in 2,19 bildet auch hier die »Ankunft«, die Parusie des Herrn den Bezugspunkt in der eschatologischen Zukunft. Das »Festigen der Herzen als untadelige in Heiligkeit« wird damit von seinem eschatologischen Ziel her beleuchtet. Bei der Parusie wird die Würde des christlichen Lebens als heilig offenbar werden. Der Herr selbst wird dann seine Gemeinschaft mit den Christen und damit deren »Heiligkeit« vollenden (vgl. 4,18). Durch den Ausblick auf die Parusie steht die Existenz der Christen bereits in der Gegenwart unter eschatologischem Vorzeichen und erhält einzigartige Bedeutung.

Es ist dann eine irreführende Alternative, das ethische Verhalten in der Gegenwart und die eschatologische Existenz voneinander zu trennen. So jedoch *E. D. Schmidt*, Heilig 350-355 (*ders.*, Heiligung 423 f.), der in 3,12 f. zunächst ein ethisches Fortschrittsdenken erkennt, *en hagiōsynē* dann temporal bzw. final deutet (»bis zur/für die Heiligkeit«) und darin den Umschlag zur eschatologischen Situation erkennt, in der »Heiligkeit« als Ausdruck göttlicher Vollkommenheit erscheint. Das ist grammatisch unwahrscheinlich (*en* dient nicht der Angabe einer Richtung) und verkennt den eschatologischen Charakter christlicher Existenz, der bereits die Gegenwart prägt und sich bei der Parusie vollendet.

Die Ankunft des Herrn geschieht »mit allen seinen Heiligen«. Mit den »Heiligen« sind Engel gemeint, himmlische Scharen, die den Parusie-Kyrios begleiten und sein machtvolles Auftreten unterstreichen. Vergleichbar mit dem zur damaligen Zeit bekannten Ritual der »Ankunft« eines Kaisers oder Statthalters in einer Stadt, bei der der Einziehende selbstverständlich von Truppen begleitet wird (↗4,17), führt auch der machtvolle Parusie-Kyrios sein Gefolge mit sich – nur dass es sich um Engel handelt, was seine besondere Macht unterstreicht. Gottes Macht bricht so endzeitlich in die Welt ein. Sie ist imstande, sich gegen alle Machtaufgebote der Welt durchzusetzen. Vielleicht dachten die Adressaten konkret an die militärische Macht Roms. Der Parusie-Kyrios wirkt als endzeitlicher Repräsentant Gottes die Vollendung des Eschaton und führt daher die himmlischen Scharen mit sich.

Dass mit den »Heiligen« Engel bezeichnet sind, ist heute in der Forschung weithin anerkannt (vgl. *E. D. Schmidt*, Heilig 334-336; *M. Bohlen*, Communio 80 f.; *D. Luckensmeyer*, Eschatology 229-231; *Holtz* 146 f.). Eine fast wörtliche Entsprechung bietet Sach 14,5 LXX, wo das für die Endzeit erwartete Kommen JHWHs von »allen seinen Heiligen«, d. h. seinen Engeln begleitet sein wird. Es ist unwahrscheinlich, dass bereits verstorbene »heilige« Christen gemeint sind (so aber *Rigaux* 491 f.; wieder *J. A. D. Weima*, Thessalonians 875). An Verstorbene kann nach 1 Thess 4,16 f. schon deswegen nicht gedacht sein, weil diese erst im Zuge der Parusie erweckt werden, also nicht mit Christus kommen können. Auch die angedeutete Vielzahl (»alle«) spricht gegen einzelne Christen.

Die Bezeichnung der Engel als »Heilige« ist in den Schriften Israels und des Frühen Judentums ebenso bezeugt wie bei den ersten Christen (vgl. LXX Ps 88,6.8; Ijob 15,15; Dan 8,13; Sir 42,17; Tob 11,14; 12,15; äthHen 1,9; 12,2; 20,1-7; 38,4; 46,1; 71,1; 100,5 u. ö.; Jub 33,12; 1QS 11,8; 1QSb 4,28; 1QH 3,22; 10,35; 1QM 10,11; 12,1; 21,1; TestLev 3,3; ApkMos 7,2; 35,2; 42,1; Mk 8,38; Lk 9,26; Apg 10,22; Offb 14,10). Bekannt ist auch die Funktion der Engel als Begleiter Gottes bei seinem (endzeitlichen) Kommen (Dtn 33,2; Ez 9,3; Mal 3,1; Dan 7,10; äthHen 1,9; 10,1-22; 53,3-7; 56,1-6; 62,11; 100,4 f.; AssMos 10,2; 1QH 10,35) bzw. bei der Parusie des Christus (Mk 8,38; 13,27; Mt 13,41; 16,27; 24,31; 25,31; Lk 9,26; 2 Thess 1,7; Offb 19,11-21) (Belege bei *E. D. Schmidt*, Heilig 335 f.; *W. Radl*, Ankunft 50 f.53 f.; zu himmlischen und menschlichen »Heiligen« bei *M. Bohlen*, Communio 20-66).
In den späteren Briefen mit Ausnahme des Galaterbriefs spricht Paulus von Christen als »Heiligen« (1 Kor 1,2; 6,1 f.; 14,33; 16,1.15; Phil 1,1; 4,21 f.; Phlm 5.7; 2 Kor 1,1; 8,4; 9,1.12; 13,12; Röm 1,7; 8,27; 12,13; 15,25 f.31; 16,2.15; dazu *M. Bohlen*, Communio 78-114; *E. D. Schmidt*, Heilig 337-345). Das Fehlen dieser Bezeichnung im ältesten Brief, dem 1 Thess, darf man jedoch nicht überbewerten, da die Entwicklung christlichen Sprachgebrauchs erst am Anfang steht und auch hier von der »Heiligkeit« (1 Thess 3,13) bzw. »Heiligung« (4,3.4.7) der Gemeinde die Rede ist.

Der Ausblick auf die Parusie hebt den endzeitlichen Charakter christlicher Existenz hervor. Damit ist bereits das Thema des zweiten Teiles des Briefcorpus angedeutet.
Das abschließende *amēn* steht in eckigen Klammern, weil die Bezeugung in den ältesten und besten Handschriften gespalten und die Ursprünglichkeit daher sehr unsicher ist (vgl. NA²⁸). In den späteren Paulusbriefen steht es bisweilen nach Segenswünschen (Gal 6,18; Röm 15,33), häufig nach Doxologien (Phil 4,20; Gal 1,5; Röm 1,25; 9,5; 11,36). Es bildet an sich einen stimmigen Abschluss des Gebetswunsches, gerade daher ist jedoch eine spätere Zufügung

eher wahrscheinlich als eine Auslassung. So dürfte es nicht zum ursprünglichen Textbestand gehören.

3. Rhetorische Strategie

Der den Rückblick auf die Geschichte der Beziehung zwischen Missionaren und Gemeinde in Thessaloniki abschließende Gebetswunsch vertieft diese Beziehung noch einmal, indem er sie dem Wirken Gottes und des Herrn anvertraut. Das betrifft sowohl einen erneuten Besuch der Missionare bei der Gemeinde als auch deren christliches Leben an sich, das über die gemeinsame Beziehung zu Gott mit den Missionaren verbunden bleibt. Daher bitten sie den Herrn um die immer wieder neu geübte Haltung der Liebe und die Festigung der Überzeugung als »untadelige in Heiligkeit« innerhalb der Gemeinde. Das wiederum kann, pragmatisch betrachtet, die Adressaten ermutigen, ihrer neuen Überzeugung und Lebensweise treu zu bleiben und ihre Beziehung zum Herrn zu pflegen und zu vertiefen. Damit enthält der Text auch eine Motivation für die junge Gemeinde zum christlichen Leben, deren Basis die lebendige, tragende Beziehung zu Gott und die fortdauernde Beziehung zu den Missionaren bildet.

Das Ziel bleibt die Vollendung der christlichen Existenz, die freilich der Zukunft vorbehalten ist. Mit der machtvollen Parusie des Herrn wird sich die Berechtigung und die besondere Bedeutung christlichen Lebens vor den Augen aller Welt – gerade auch vor der jetzt ablehnenden städtischen Mitwelt – erweisen. Die Parusie wird die unmittelbare Beziehung zum Herrn und die unverlierbare Gemeinschaft mit ihm bringen, worin sich die jetzt nur vermittelt erfahrbare Christus-Beziehung vollendet. Die Gemeinde kann diese vollendete Gemeinschaft nicht jetzt schon, in der Zeit ihres geschichtlichen Daseins, selbst herstellen, sondern darf (und muss) sie sich bei der Parusie schenken lassen. Der Blick in die (nahe) Zukunft entlastet sie einerseits von Überforderung und stellt ihr andererseits ein Ziel vor Augen, für das es sich auch unter schwierigen Bedingungen zu leben lohnt.

Thema 2:
Das Leben in der Endzeit 1 Thess 4,1-5,11

Literatur: *C. J. Bjerkelund*, Parakalô. Form, Funktion und Sinn der para-
kalô-Sätze in den paulinischen Briefen, Oslo 1967; *J. Lambrecht*, A
Structural Analysis of 1 Thessalonians 4-5, in: ders., Collected Studies on
Pauline Literature and on the Book of Revelation (AnBib 147), Roma
2001, 279-293; *A. W. Pitts*, Philosophical and Epistolary Contexts for Pauline Paraenesis, in: S. E. Porter/S. A. Adams (Hg.), Paul and the Ancient
Letter Form (Pauline Studies 6), Leiden/Boston 2010, 269-306; *Y. C.
Whang*, Paul's Letter Paraenesis, in: S. E. Porter/S. A. Adams (Hg.), Paul
(s. o.), 253-268.

War das erste Thema des Briefcorpus mit 3,11-13 zu einem feierlichen Abschluss gekommen, setzt 4,1 als Auftakt des zweiten Themas neu ein. Sprachliche Signale für diesen Neueinsatz sind der Beginn mit *loipon oun* (»im Übrigen nun«), verbunden mit der Anrede
adelphoi (»Geschwister«) und dem Ausdruck von Bitte und Zuspruch durch die Verben *erōtōmen* (»wir bitten«) und *parakaloumen* (»wir reden zu«). *C. J. Bjerkelund* hat ein festes Schema von
parakalō-Sätzen in antiken Briefen rekonstruiert und als spezifisch
epistolographische, nicht paränetische Form bestimmt, die der
freundlichen Aufforderung dient (Parakalô, zusammenfassend
109 f.; vgl. *Holtz* 151 f.). Beide Verben werden bevorzugt in Privatbriefen zur Formulierung einer Bitte verwendet (vgl. New Docs 6,
145 f.). Insgesamt kann das Vorliegen von *parakaloumen* in 1 Thess
4,1.10; 5,14 keine Bestimmung des zweiten Teils von 1 Thess als
»Paränese« begründen.
Eine klare Definition von »Paränese« lässt sich aus antiken Texten
kaum gewinnen (*Y. C. Whang*, Paraenesis 255-258). Ferner ist eine
Differenzierung zwischen ethischen Diskursen in der Form von literarischen philosophischen Briefen und persönlichen Mahnungen
in Privatbriefen angezeigt (*A. W. Pitts*, Contexts 270-286). Daraus
wird deutlich, dass sich die Paulusbriefe als ganze nicht als philosophische »paränetische« Briefe klassifizieren lassen (ebd. 286-300).
Doch auch als formale Bezeichnung für einen praktische Folgerungen ziehenden Teil des Briefcorpus ist die Kategorie »Paränese«
kaum geeignet (anders ebd. 301 f.). Sie beschreibt vielmehr einen
spezifischen Stil mit einer bestimmten Intention. Es handelt sich
eher um kurze, zum Teil antithetisch konstruierte, auf einem gemeinsamen Ethos basierende Mahnungen, die aber überall inner-

halb eines längeren Briefes zu finden sein können. In 1 Thess könnte man die abschließenden Mahnungen im Briefschluss 5,12-22 als
Paränese ansprechen. Dagegen erweckt z. B. 4,1-12 den Eindruck,
dass das gemeinsame Ethos nicht schon eine selbstverständliche Voraussetzung der Kommunikation darstellt, sondern erst vertieft zu
begründen und zu festigen ist.

Damit bedeutet es eine Untergewichtung des Briefteils 4,1-5,11,
wenn man ihn, wie dies in vielen Auslegungen geschieht, lediglich
als »Paränese« klassifiziert und damit den Eindruck erweckt, es
würden nun an die eigentlichen theologischen Inhalte noch einige
Mahnungen als Konsequenzen angefügt. Ebenso wenig wird im
ersten Briefteil nur Vertrauen aufgebaut, um die Ratschläge ab 4,1
vorzubereiten (so aber *Malherbe* 80; vgl. *A. W. Pitts*, Context 304 f.:
Motivation; *J. Lambrecht*, Analysis 288 sieht Paränese und Information verbunden). Das Gegenteil ist der Fall: Die Art und Weise,
wie das christliche Leben im Rahmen der Überzeugung, dass mit
Christus bereits die Endzeit angebrochen ist, verstanden und gestaltet wird, bildet in 4,1-5,11 ein eigenes, gewichtiges theologisches
Thema. Die Verfasser schärfen damit das Bewusstsein der Gemeinde für die Bedeutung ihrer neuen Lebensweise und ihres charakteristischen Ethos. Die Vergewisserung der Überzeugung und der
Lebensweise durchdringen sich. Mit dem Thema der Lebensweise
in der Endzeit ändert sich freilich der briefliche Stil: Dominierte den
Rückblick auf die gemeinsame Beziehung in 2,1-3,13 ein beschrei-
bender, teilweise narrativer Stil, so stehen in 4,1-5,11 die Darstellung wesentlicher Lebensbereiche und die Ermunterung und der
Zuspruch zum spezifisch christlichen Leben im Vordergrund.

Dabei akzentuiert der erste Abschnitt 4,1-12 den Gott entsprechenden Lebenswandel der Gemeinde, der sowohl die innergemeindlichen Beziehungen als auch das Verhalten im Rahmen der städtischen Gesellschaft betrifft. Eine spezifische Frage, die offenbar in
der Gemeinde für Verunsicherung gesorgt hat, greifen die Ausführungen in 4,13-18 auf, wenn sie die Teilhabe von bereits verstorbenen Gemeindegliedern bei der für die Gemeinde wichtigen Parusie
Christi erörtern. Den Parusie-Gedanken führt 5,1-11 weiter, denn
auch wenn der Zeitpunkt der Parusie unbekannt ist, hat die Überzeugung, im unmittelbaren Kontext von Gottes Endzeit zu leben,
erhebliche Auswirkungen auf das gegenwärtige Leben der Gemeinde. In diesem Kontext werden Wachsamkeit und Aufmerksamkeit
für die Vorgänge des Alltags profiliert.

Der neue Lebenswandel 4,1-12

1 Im Übrigen nun, Geschwister, bitten wir euch und reden (euch) zu im Herrn Jesus, dass ihr – so wie ihr von uns übernommen habt, wie es nötig ist, dass ihr wandelt und Gott gefallt, wie ihr (ja) auch wandelt – dass ihr (noch) mehr überfließt. 2 Denn ihr wisst, welche Unterweisungen wir euch gaben durch den Herrn Jesus. 3 Denn dies ist Gottes Wille, eure Heiligung, dass ihr euch fern-haltet von der Unzucht; 4 dass jeder von euch weiß, seinen ei-genen Körper für sich zu gewinnen in Heiligung und Ehre, 5 nicht in Leidenschaft der Begierde so wie auch die Heidenvölker, die Gott nicht kennen; 6 dass keiner im Berufsleben seinen Bruder (und seine Schwester) übergeht und übervorteilt; denn ein Rächer ist der Herr über dies alles, wie wir euch auch voraussagten und bezeugten. 7 Denn Gott berief uns nicht zur Unreinheit, sondern in Heiligung. 8 Wer also nun treulos handelt, handelt nicht gegen einen Menschen, sondern gegen Gott treulos, der [auch] seinen heiligen Geist in euch gibt.
9 Über die Geschwisterliebe aber habt ihr es nicht nötig, dass wir euch schreiben, denn ihr selbst seid gottgelehrt, damit ihr ei-nander liebt; 10 denn ihr tut dies auch gegenüber allen Ge-schwistern in der ganzen Makedonia. Wir reden euch aber zu, Geschwister, dass ihr (noch) mehr überfließt 11 und Ehrgeiz zeigt, euch ruhig zu verhalten und eure eigenen Angelegenheiten zu tun und mit euren [eigenen] Händen zu arbeiten, wie wir euch unterwiesen haben, 12 damit ihr anständig wandelt gegenüber denen, die draußen sind, und niemanden nötig habt.

Literatur: J. M. G. Barclay, Conflict in Thessalonica, CBQ 55 (1993) 512-530; *N. Baumert*, Brautwerbung – das einheitliche Thema von 1 Thess 4,3-8, in: R. F. Collins (Hg.), The Thessalonian Correspondence (BEThL 87), Leuven 1990, 316-339; *P. J. Brady*, The Process of Sanctification in the Christian Life. An Exegetical-Theological Study of 1 Thess 4,1-8 and Rom 6,15-23 (Tesi Gregoriana. Serie Teologia 166), Roma 2008; *R. F. Collins*, »This is the Will of God: Your Sanctification.« (1 Thess 4:3), in: ders., Studies on the First Letter to the Thessalonians (BEThL 66), Leuven 1984, 299-325; *J. Dochhorn*, Die Apokalypse des Mose. Text, Übersetzung, Kommentar (TSAJ 106), Tübingen 2005; *T. Elgvin*, »To Master His Own Vessel«. 1 Thess 4.4 in Light of New Qumran Evidence«, NTS 43 (1997) 604-619; *F. García Martínez*, Marginalia on 4QInstruction, DSD 13 (2006) 24-37; *J. C. Hanges*, Paul, Founder of Churches (WUNT 292), Tübingen 2012; *B. Heininger*, Die Inkulturation der Nächstenliebe. Zur Semantik der »Bruderliebe« im 1. Thessalonicherbrief, in: ders., Die Inkulturation des Christentums. Aufsätze und Studien zum Neuen Testament und seiner Umwelt (WUNT 255), Tübingen 2010, 65-88; *R. Kirchhoff*, Die Sünde gegen den eigenen Leib. Studien zu *pornē* und *porneia* in 1 Kor 6,12-20 und dem sozio-kulturellen Kontext der paulinischen Adressaten (StUNT 18), Göttingen 1994; *M. Kister*, A Qumranic Parallel to 1 Thess 4:4? Reading and Interpretation of 4Q416 2 II 21, DSD 10 (2003) 365-370; *H.-J. Klauck*, Die Bruderliebe bei Plutarch und im vierten Makkabäerbuch, in: ders., Alte Welt und neuer Glaube (NTOA 29), Freiburg (Schw.)/Göttingen 1994, 83-98; *J. S. Kloppenborg*, PHILADELPHIA, THEODIDAKTOS and the Dioscuri: Rhetorical Engagement in 1 Thessalonians 4.9-12, NTS 39 (1993) 265-289; *M. Konradt*, *Eidenai hekaston hymōn to heautou skeuos ktasthai* ... Zu Paulus' sexualethischer Weisung in 1 Thess 4,4f., ZNW 92 (2001) 128-135; *C. Maurer*, Art. *pragma*, in: ThWNT 6 (1959), 638-641; *ders.*, Art. *skeuos*, in: ThWNT 7 (1964), 359-368; *M. M. Mitchell*, Concerning *peri de* in 1 Corinthians, NT 31 (1989) 229-256; *B. A. Paschke*, Ambiguity in Paul's References to Greco-Roman Sexual Ethics, EThL 83 (2007) 169-192; *P. Pilhofer*, Peri de tēs philadelphias ... (1 Thess 4,9). Ekklesiologische Überlegungen zu einem Proprium früher christlicher Gemeinden, in: ders., Die frühen Christen und ihre Welt (WUNT 145), Tübingen 2002, 139-153; *E. Plümacher*, Art. *skeuos*, in: EWNT 3 (²1992), 597-599; *E. D. Schmidt*, Heiligung: Implikationen in 2 Thess im Anschluss an 1 Thess, in: H. Assel/S. Beyerle/C. Böttrich (Hg.), Beyond Biblical Theologies (WUNT 295), Tübingen 2012, 409-432; *W. Schrage*, Heiligung als Prozess bei Paulus, in: Jesu Rede von Gott und ihre Nachgeschichte im frühen Christentum (FS W. Marxsen), Gütersloh 1989, 222-234; *J. E. Smith*, Another Look at 4Q416 2 ii.21, a Critical Parallel to First Thessalonians 4:4, CBQ 63 (2001) 499-504; *ders.*, 1 Thessalonians 4:4: Breaking the Impasse, Bulletin for Biblical Research 11 (2001) 65-105; *M. Theobald*, »Gottes-Gelehrtheit« (1 Thess 4,9; Joh 6,45) – Kennzeichen des Neuen Bundes?, in: ders., Studien zum Corpus Iohanneum (WUNT 267), Tübingen 2010, 405-415; *C. M. Thomas*, Locating Purity: Temples, Sexual Prohibitions, and »Making a Difference« in Thessalonikē, in: L. Nasrallah/C. Bakirtzis/S. J. Friesen (Hg.), From Roman to Early Christian Thessalonikē (HThS 64), Cambridge 2010, 109-132; *P. J. Tomson*, Paul's Practical Instruction in 1 Thess 4:1-12 Read in a Hellenistic and a Jewish Perspective, in: M. D. Hooker (Hg.), Not in the Word Alone. The First Epistle to the Thessalonians (SMBen 15), Rome 2003, 89-130; *E. Verhoef*, 1 Thessalonians 4:1-8: The Thessalonians Should Live a Holy Life, HTS 63 (2007) 347-363; *J. A. D. Weima*, »How You Must Walk to Please God«: Holiness and Discipleship in 1 Thessalonians, in: R. N. Longenecker (Hg.), Patterns of Discipleship in the New Testament, Grand Rapids 1996, 98-119; *W. Weiß*, »Heilig« in ethischen Kontexten neutestamentlicher Schriften, in: D. Sänger (Hg.), Heiligkeit und Herrschaft. Intertextuelle Studien zu Heiligkeitsvorstellungen und zu Psalm 110 (BThSt 55), Neukirchen-Vluyn 2003, 44-64; *J. Whitton*, A Neglected Meaning for SKEUOS in 1 Thessalonians 4.4, NTS 28 (1982) 142 f.; *S. E. Witmer*, *theodidaktoi* in 1 Thessalonians 4.9: A Pauline Neologism, NTS 52 (2006) 239-250; *O. L. Yarbrough*, Not Like the Gentiles. Marriage Rules in the Letters of Paul (SBL.DS 80), Atlanta 1985.

1. Textkritik

An drei Stellen bestehen textkritische Unsicherheiten, weil die älteste Textüberlieferung in ihrer Bezeugung gespalten ist. Daher stehen die strittigen Begriffe in der Übersetzung in eckigen Klammern: 4,8 »auch«; 4,10 *tous adelphous [tous] en holē tē Makedonia* – die Wiederholung des Artikels schlägt sich in der deutschen Version nicht nieder; 4,11 »eigenen« (zur Bezeugung im einzelnen vgl. NA[28]). Da die Variationen aber alle kein inhaltliches Gewicht besitzen, muss hier keine Diskussion erfolgen.

2. Analyse

Kontext

Der Abschnitt 4,1-12 steht am Anfang des zweiten Themas im Briefcorpus. Nachdem im ersten Thema die bleibend stabile Beziehung zwischen Missionaren und Gemeinde dargestellt wurde, wendet sich der Abschnitt nun dem Leben der Gemeinde an sich zu. Er enthält eine Erinnerung, Bestätigung und Entfaltung wichtiger Bereiche ihres für sie als Gemeinde typischen Lebenswandels. Diese Profilierung christlicher Lebensweise erhält ihre Bedeutung angesichts der Spannung, in der die Gemeinde zu ihren Mitbewohnern in der Stadt steht. Sie richtet sich an eine junge Gemeinde, die sich ihrer neuen Lebensweise erst noch vergewissern muss.

Aufbau

Der Zusammenhang von 4,1-12 legt sich angesichts von Stichworten, die zu Beginn und gegen Ende der Texteinheit begegnen, nahe: *peripatein* 4,1.12; *perisseuō mallon* 4,1.10; *parangelia/parangellō* 4,2.11. Für den Zusammenhang von 4,1-12 spricht auch, dass in 4,1.2.6.11 mehrmals auf bereits erfolgte Verkündigung (im Kontext des Missionsbesuchs) hingewiesen wird, während mit 4,13 neue, aktuellen Fragen geschuldete theologische Überlegungen zur Sprache kommen. Innerhalb der Texteinheit bieten sich Untergliederungen an. Die beiden ersten Verse besitzen einleitenden Charakter und bleiben daher inhaltlich eher allgemein. Das prägende Wortfeld

»Heiligung« (4,3.4.7) bzw. »heilig« (4,8) weist 4,3-8 als eng zusammengehörige Untereinheit aus. Die Präpositionalphrase *peri de* mit der Angabe des Themas »Geschwisterliebe« zu Beginn von 4,9 bedeutet ein klares Gliederungssignal und damit eine weitere Zäsur. *Peri de* eröffnet in 4,13 (dort allerdings mitten im Satz) und in 5,1 einen neuen Abschnitt, doch sprechen die anfangs genannten Stichwortverbindungen dafür, auch 4,9-12 noch zur Texteinheit 4,1-12 hinzuzunehmen. Die beiden Aspekte, die in 4,9-12 behandelt werden, sind durch die parataktische Parallelisierung in *einem* Satz in 4,10 f. eng verbunden. Damit ergibt sich folgende Gliederung:

4,1 f.   Einleitung: Lebenswandel im Sinne Jesu, des Herrn
4,3-8   Entfaltung 1: Heiligung
      3-6a   Heiligung des Lebens in drei Bereichen:
            4,3b Sexualität
            4,4 f. Soziale Existenz
            4,6a Berufsleben
      6b-8   Begründung mit drei Aspekten:
            4,6b Der Herr als Rächer
            4,7 Berufung durch Gott
            4,8 Verantwortung vor Gott
4,9-12   Entfaltung 2: Geschwisterliebe und Verhalten nach außen
      9 f.   Geschwisterliebe
      11 f.   Verhalten nach außen

Form

Durch die Verbformen »wir bitten« *(erōtōmen)* und »wir reden zu« *(parakaloumen)* erhält die Texteinheit den Charakter des Zuspruchs und der Mahnung. In 4,10 erscheint die Anrede mit *parakaloumen* ein weiteres Mal. Im Hintergrund kann dabei das epistolographische Formschema eines *parakalō*-Satzes stehen, der in höflicher, nicht befehlender Form eine Aufforderung enthält (vgl. *C. J. Bjerkelund*, Parakalô, bes. 109 f.140.189; vgl. *Holtz* 151 f.). Die Sätze in 4,3-8 stellen freilich keine Paränese, keine einzelnen Mahnungen dar, sondern einen diskursiven Text, der bestimmte christliche Verhaltensweisen profiliert. Daher beschreibt eine formale Bestimmung des Abschnitts als Paränese, wie sie in der antiken philosophischen Ethik begegnet, den Charakter des Textes nur unzureichend (so jedoch *Malherbe* 218.222 f.; *Wanamaker* 158 f.). Es liegt vielmehr eine thematische Entfaltung des christlichen Lebenswandels im Gegenüber zur paganen Welt vor, dessen Bedeutung für das Selbstverständnis der Gemeinde herausgestellt und dessen Verbindlichkeit durch Ausdrücke der Bitte und des Zuspruchs unterstrichen wird.

Traditionen und kultureller Kontext

Der gesamte Abschnitt ist stark von jüdischen Konstruktionen des eigenen, unterscheidenden Ethos geprägt. Der Begriff *porneia* (»Unzucht«, 4,3a) betrifft das Sexualethos und kann in jüdischer Perspektive als ein Hauptlaster der Heidenvölker gelten. Dabei trägt er stets die Gefahr der fehlenden Abgrenzung Israels gegenüber den Völkern in sich (vgl. Tob 4,12; 1QS 1,6; 4,10; CD 4,15-21; Jub 7,20 f.; 16,5; 20,3-6; 25,1; 33,20; besonders häufig in TestXII: TestRub 1,6; 3,3; 4,6-6,4; TestSim 5,3; TestLev 9,9 f.; TestJud 13,3; 14,2 f.; 18,2; TestDan 5,5; TestBen 9,1; weitere Belege bei *M. Konradt, Gericht 101 f.). In den Schriften der ersten Christen wurde diese Perspektive häufig übernommen. So wird *porneia* in den Lasterkatalogen in 1 Kor 5,10 f.; 6,9; Gal 5,19; Kol 3,5; Eph 5,3 als erstes genannt (vgl. 1 Kor 6,13.18; 2 Kor 12,21; Apg 15,20.29; Offb 14,8; 18,3). Solche Bewertungen intendieren keine »objektive« Beschreibung paganen Sexualverhaltens, sondern verfolgen eine rhetorische Strategie der Abgrenzung und der Festigung der eigenen jüdischen bzw. christlichen Identität.

Epithymia (»Begierde«, 4,5) kann im hellenistischen Denken allgemein als zentrale Ursache unsittlichen bzw. sündigen Verhaltens gelten. In der stoischen Affektenlehre erscheint *epithymia* als einer der vier Hauptaffekte (*pathē*, Leidenschaften, Emotionen), die man unter Kontrolle bringen muss, um ein sittlich gutes Leben zu führen (z. B. Epiktet, encheiridion 34). In frühjüdischen Schriften wird *epithymia* teilweise als Hauptursache sündigen Verhaltens diagnostiziert (ApkMos 19,3; Philo, spec. leg. 4,84; decal. 173; quaest. in Gen. 1,47; TestRub 4,8 f.; 5,5 f.; 6,4; vgl. TestJos 7,8 »Leidenschaft der Begierde«; Philo, her. 173; Röm 7,7; 4 Makk 2,5 f.; dazu *M. Konradt, Gericht 104 f.). Begierde bezieht sich zwar häufig auf den sexuellen Bereich, ist aber keineswegs darauf beschränkt. So bringt Philo, spec. leg. 4,82-85 Geld, Ruhm, Machtstellungen, Schönheit und andere »Ziele des Strebens und Ringens« im menschlichen Leben damit in Verbindung. PsSal 2,24 spricht von der Gier nach Raub (vgl. auch TestJud 13,2; TestIss 4,5). Röm 13,13 f. stellt einen ganzen Lasterkatalog voraus. Mit den Heidenvölkern verbunden, dient der Vorwurf der Begierde wiederum der jüdischen Abgren-

zung von der paganen Lebensweise (anders die Verwendung in
1 Thess 2,17, wo *epithymia* positiv konnotiert ist: »Verlangen«).

Dass diese jüdische Perspektive nicht völlig ohne Anhalt an der Lebenswirklichkeit war, mag das Beispiel der Prostitution verdeutlichen. Diese
war in der hellenistisch-römischen Gesellschaft weithin akzeptiert (vgl.
Cicero, Cael. 18,42; 20,48; Horaz, sat. 1,2,30-35.47-50; Plutarch, mor.
140b.144f.; dazu *R. Kirchhoff*, Sünde 42-47.65-67). Auch in Thessaloniki
hat man übrigens ein Bordell aus dem 1. Jh. n. Chr. archäologisch identifiziert (**C. vom Brocke*, Thessaloniki 131). Von jüdischer Seite, die Prostitution ablehnt, kann die Abgrenzung dementsprechend gerade mit der
jüdischen Überlegenheit im Bereich des Sexualverhaltens begründet werden (vgl. Arist 152; Philo, spec. leg. 3,37-42; Jos. 40-43; Sib 3,594-600).
Insgesamt muss man natürlich das tatsächliche Sexualverhalten der hellenistisch-römischen Bevölkerung differenzierter beurteilen. Auch dort
wurden verschiedentlich Ideale von Keuschheit und Treue vertreten (dazu
B. A. Paschke, Ambiguity 185-191).

Bei »sie kennen Gott nicht« (4,5fin) handelt es sich um einen typisch jüdischen Vorwurf an die Heidenvölker, der sich mit der Erfahrung verbindet, dass diese gegen Israel agieren (LXX Jer 10,25; Ps
78,6; vgl. Weish 13,1; 14,22; 16,16; LAB 11,2; 1 Kor 1,21; Gal 4,8).
In der Unkenntnis Gottes kann die tiefere Ursache für den verfehl-
ten Lebenswandel der Völker gesehen werden (Weish 14,27). Diese
Unkenntnis ist auch nicht frei von Schuld, da Gott aus seiner
Schöpfung zu erkennen wäre (Weish 13,8f.; Röm 1,19-21).
Auch die Verbindung von Lastern der Heidenvölker (häufig Unzucht und Habgier) mit einer Gerichtsaussage, wie sie im Hinweis
auf den »Rächer« in 4,6b vorliegt, findet sich wiederholt in der jüdischen Tradition (vgl. Ez 18,10-13; Jub 7,20f.; 1QS 4,9-14; Weish
14,12-31; Sib 3,762-766; auch Kol 3,5-10; Eph 5,3-6; 1 Petr 4,3-5;
weitere Belege bei **M. Konradt*, Gericht 117-119).

Die Forschung spitzt die in 1 Thess 4,3b-6a angesprochenen Ethosbere-
che häufig auf die stereotypen Laster Unzucht und Habgier zu, die auch
frühjüdisch häufig zusammen genannt sind (TestJud 18,2 u.a.; z.B.
*M. Konradt, Gericht 117-121.192.195; **F. W. Horn*, Angeld 123f.;
*W. Kraus, Volk 142f.; *Holtz* 168f.; *Reinmuth* 137.139f.; **R. Börschel*,
Konstruktion 252). Der Text ist aber differenzierter, wie die Auslegung
zeigen wird. – Eine interessante Parallele zur Abgrenzungsstrategie in
1 Thess 4,1-8 findet sich zu Beginn des Römerbriefs, wo den Heidenvölkern vorgeworfen wird, bewusst in der Unkenntnis Gottes zu bleiben (Röm
1,19-23), was eine Lebensweise bedingt, die gegen Gottes Willen steht, von
»Begierde« *(epithymia)* und »Unreinheit« *(akatharsia)* bestimmt ist und

zur »Verunehrung« *(atimazesthai)* der Leiber, d. h. der sozialen Existenz, führt (1,24); eine verfehlte Sexualität tritt dazu (1,26 »Leidenschaften der Unehre«/*pathē atimias*). Der Zorn Gottes schlägt sich darin bereits nieder (1,18; zu den Parallelen *S. Kim*, Paraenesis 133-135).

Die Ausführungen in 4,3-6a geben nicht klar zu erkennen, ob sie auf einen konkreten Anlass, ein konkretes Fehlverhalten in der Gemeinde reagieren. Doch bleibt die Einleitung in v.3a ganz allgemein (Wille Gottes – Heiligung), und die Stichworte *porneia* (v.3b) und *epithymia* (v.5) sind als Stereotype der Heidenpolemik bekannt und werden nicht konkretisiert, ebenso der Vorwurf an die Heidenvölker, Gott nicht zu kennen (v.5); das *pragma* in v.6 wird nicht differenziert. Die Stichworte nennen also Handlungsfelder, aber keine Einzelfälle. Der Abschnitt bespricht offenbar ein grundsätzliches Thema, das bewusst am Anfang des zweiten Briefthemas steht (vgl. *M. Bohlen*, Communio 119). Für die Situation der Gemeinde nach der Konversion, die ein Leben als Minderheit innerhalb der dominierenden paganen Kultur und Gesellschaft bedeutet, wird die Eigenart der neuen Lebensweise an typischen Beispielen dargestellt (anders dann der konkrete Problemfall in 4,13-18 und die Einzelanweisungen am Briefschluss in 5,12-22).

An konkrete Missstände (sexueller und geschäftlicher Art) und innergemeindliche Spannungen denken z.B. *B. Heininger*, Inkulturation 66-69.79-81; *Fee* 139.144.150f.; *Green* 189.195.200; *T. J. Burke*, Family 177-179. Doch muss man sich der Gefahr des sog. mirror reading bewusst bleiben: Nicht jeder angesprochene Ethosbereich spiegelt ein konkretes Fehlverhalten. Vielmehr müssten weitere Hinweise darauf im Text deutlich werden. Wie Paulus konkrete Einzelfälle anspricht, illustriert 1 Kor 5,1-13; 6,1-11.

Die Sprache ist häufig stichworthaft und andeutend, so dass die exakte Bedeutung einiger Syntagmen für uns nicht mehr eindeutig erkennbar und entsprechend in der Exegese sehr umstritten ist. Darauf muss die Kommentierung eingehen.

3. Kommentar

4,1 **4,1** Mit »im Übrigen nun« weisen die Verfasser darauf hin, dass die Ausführungen zur Geschichte der gemeinsamen Beziehung zu einem Abschluss gekommen waren und nun neue Gesichtspunkte erörtert werden, die freilich in einem gewissen sachlichen Bezug zum ersten Briefthema stehen. Die Partikel *oun* hat verbindenden Charakter, ist hier aber nicht konsekutiv zu spezifizieren im Sinne der Folgerung, die aus dem Vorhergehenden gezogen wird (gegen *Holtz* 151; *Malherbe* 218). Die neuerliche direkte Anrede »Geschwister« unterstreicht die Akzente von Neueinsatz und Fortführung. Wenn die Verfasser die Adressaten »bitten« und ihnen »zureden« und dies noch speziell »im Herrn Jesus« geschieht, wird deutlich, dass nun das Leben der Gemeinde in ihrer spezifischen Qualität als Gemeinde des Herrn Jesus in den Blick genommen wird. Die Formulierung »im Herrn Jesus« impliziert, dass die Verfasser die Gemeinde nicht nach ihren persönlichen Vorlieben modelliert wissen wollen, sondern sie zu einer Lebensgestaltung, die dem Herrn entspricht, anleiten. »Im Herrn Jesus« meint den geistigen Ort, die Sphäre, in der Bitte und Zuspruch der Verfasser ergehen. Der Ton ist nicht autoritär, sondern ermunternd, weshalb »wir bitten« vor »reden zu« steht. Die Kombination beider Verben ist für private Briefe in der Antike nicht untypisch, wenn eine dringliche Bitte ausgesprochen wird (z. B. POxy. 294,28 f. »Ich bitte und beschwöre dich, mir eine Antwort zu schreiben über das Vorgefallene«; 744,6 »Ich bitte dich und beschwöre dich, auf das Kind zu achten«).

Die Formulierungen dienen also nicht dazu, »apostolische Autorität« ins Spiel zu bringen (so z. B. *Green* 183), sondern rufen die gemeinsame Beziehung zu Jesus als dem *kyrios* wach, die den Lebenswandel seiner Anhänger/innen bestimmt.

Der folgende Satzteil ist kompliziert gebaut, weil die Intention des Zuredens in einer Parenthese zur Sprache kommt und abschließend nur noch kurz aufgegriffen wird. Eingeschoben ist ein Hinweis auf die missionarische Verkündigung in Thessaloniki, die die wesentlichen Grundlagen christlicher Lebensweise vermittelte und die von der Gemeinde auch für ihre eigene Praxis übernommen wurde. In der Erinnerung daran findet die Gemeinde ihren Lebensweg. Das Verb *paralambanō* (übernehmen) stellt einen bekannten Terminus der Traditionsweitergabe dar (↗2,13) und verweist auf die Aneignung der neuen Lebensweise durch die Gemeinde. Die Stichworte »wandeln« *(peripatein)* – gemeint ist der Lebenswandel (vgl. 2,12) – und »Gott gefallen« *(areskein)* umschreiben die für die Konvertiten neue Lebensweise, die als genuiner, notwendiger Bestandteil ihrer neuen Existenz gekennzeichnet ist *(dei,* »es ist nötig«). Dabei führt das neue »Wandeln« zum »Gott Gefallen« *(kai* consecutivum),

womit der untrennbare Zusammenhang zwischen der Berufung
durch Gott (2,12; 4,7) und der entsprechenden Lebensweise erkennbar wird (von *M. Konradt, Gericht 94 als »soteriologisch«
gedeutet; eine Gerichtsdrohung bedeutet dies aber nicht). In LXX
Gen 5,22.24; 6,9; 17,1; Ps 55,14; 114,9 bedeutet ein Leben, das Gott
gefällt, ein Gott ganz entsprechendes und insofern gelungenes Leben. Sofort erfolgt die Versicherung, dass die Gemeinde einen solchen Wandel bereits pflegt. Sie befindet sich also auf dem richtigen
Weg und bedarf keiner Korrektur, sondern bestenfalls der Bestätigung und Vertiefung.
Das ist auch gemeint, wenn als Intention des Zuredens schließlich –
über die Parenthese hinweg – angegeben wird: »dass ihr (noch)
mehr überfließt (perisseuēte mallon)«. Es geht also nicht um eine
Korrektur von Missständen, sondern darum, die Bedeutung der
neuen Lebensweise bewusst zu machen und so zum Weitermachen
zu motivieren.

2   2 Dazu rufen die Missionare die Unterweisungen in Erinnerung
(»denn ihr wisst«), die sie der Gemeinde gegeben hatten und die
die Gemeinde in ihrem Lebenswandel auch bereits umsetzt. Der
Gedanke im Zentrum von v.1 wird damit nochmals aufgegriffen
und betont. Das Syntagma »welche Unterweisungen (parangeliai)
wir euch gaben« bezieht sich auf die Verkündigung, die die Konversion der Adressaten begleitete und die Spezifika der neuen Lebensweise nach der Konversion betraf (parangeliai sonst nicht bei Paulus, das Verb parangellō in 4,11 und 1 Kor 7,10; 11,17). Das Ethos
und die Identität der Gemeinde waren Gegenstand der »Unterweisungen«. Dieses Ethos unterscheidet die Gemeinde von ihrer paganen Umwelt und grenzt sie davon ab, so dass es für das Selbstverständnis der jungen Gruppe von eminenter Bedeutung ist. Daher
wird es in den folgenden Gedanken rekapituliert, wobei gerade diejenigen Merkmale, die der Unterscheidung dienen, hervorgehoben
werden. Die Ergänzung »durch den Herrn Jesus« verankert die Unterweisung im Herrn und damit letztlich in der Beziehung der Gemeinde zu Gott (vgl. auch 4,8). Im Auftrag des Herrn (und nicht in
eigener Vollmacht) verkündeten die Missionare, und im Herrn erhalten die Unterweisungen ihre Bedeutung und Verbindlichkeit.
Die Semantik des Begriffs parangeliai ist damit vom Aspekt des Un-
terrichtens in der Autorität des Herrn geprägt und nicht durch den
Aspekt des Befehlens oder Anweisens.

3a   3a Mit 4,3a beginnt die erste Entfaltung der einleitenden Aussage.
Syntaktisch schafft am Anfang gar (»denn, nämlich«) den Anschluss an 4,1 f. und zeigt 4,3-8 als Entfaltung des dort angesproche-

nen gottgefälligen Lebenswandels. Das Demonstrativpronomen
touto weist betont voraus auf das Substantiv *thelēma* (»Wille«) (in
dieser Funktion auch in 4,15), das durch das Syntagma »eure Heiligung« und die anschließenden Infinitive erläutert wird: »Gottes
Wille« besteht in »eurer Heiligung«. Der Wille Gottes ist hier darauf gerichtet, dass die Gemeinde in Thessaloniki in überzeugter
Zugehörigkeit zu ihm lebt.

Dies ist das naheliegende und ohne Probleme nachvollziehbare Verständnis des griechischen Satzes (vgl. *M. Bohlen*, Communio 120 f.; auch *R. F.
Collins*, Will 308; *Holtz* 154). Dagegen sind rückbezügliches adverbielles
touto (»dementsprechend«) und »eure Heiligung« als Apposition (Ein-
schub) unwahrscheinlich (so aber *N. Baumert*, Brautwerbung 335 f.; ihm
folgt *E. D. Schmidt*, Heilig 235-239; *ders.*, Heiligung 416 f.). – In jüdischer Perspektive ist es allgemein die Tora, die Orientierung gibt, wie
man nach Gottes Willen leben kann (Ps 40,9; 2 Makk 1,3 f.; TestIss 4,3
mit 5,1; TestNaph 3,1 f.; 1QS 5,8-11; 9,12-20; 4Q171 2,1b-5). Dass die einzelnen Ethosbereiche, die in 4,3b-6 genannt werden, der Tora entsprechen,
können die Verfasser voraussetzen (↗Tradition), machen es hier aber nicht
zum Thema. Vielmehr steht die Aneignung und Umsetzung des Willens
Gottes durch die Gemeinde in ihrer konkreten Lebenssituation im Vordergrund (vgl. auch Röm 12,2).

Der Begriff *hagiasmos* (»Heiligung«) wird in 4,3.4.7 dreimal verwendet und ist damit für den ganzen Abschnitt 4,3-8 charakteristisch, wozu noch der »heilige Geist *(to pneuma to hagion)*« in 4,8
tritt. In enger Verbindung damit kommt auch das Substantiv
»Gott« *(theos)* viermal vor (4,3.5.7.8). In der Septuaginta steht
»Heiligung« im Rahmen einer Gottesbezeichnung (2 Makk 14,36;
Sir 17,10) oder zur Bezeichnung einer Sache oder eines Ortes, die
in nächster Nähe zu Gott stehen oder sein Eigentum sind (Ri 17,3;
Ez 45,4; 3 Makk 2,18; Sir 7,31; PsSal 17,30); Heiligung kann auch
eine besondere, von Gott bestimmte Lebensweise markieren (Am
2,11; 2 Makk 2,17 f.). Mit dem Gebrauch in 1 Thess 4,3-8 vergleichbar ist TestBen 10,11: »wenn ihr in Heiligung vor dem Angesicht
des Herrn wandelt« (vgl. TestLev 18,7). »Heiligung« erscheint als
Beziehungsbegriff, der grundlegend eine angemessene Lebensweise
in der Nähe zu Gott, zu der Heiligkeit, die ihm als Gott eignet,
meint. Für Paulus entspricht diese Lebensweise speziell der neuen
Heilssituation nach dem Christus-Ereignis (*hagiasmos* bei Paulus
nur noch 1 Kor 1,30; Röm 6,19.22; vgl. 1 Thess 5,23; 1 Kor 1,2;
6,11; 7,14; Röm 15,16). Heiligung ergibt sich also aus der Überzeu-

gung, zu Gott zu gehören, und der lebendigen Gemeinschaft mit Gott und wirkt sich in einer entsprechenden Lebensweise aus.

Heiligung ist danach in erster Linie ein *theologischer* Begriff, der die Gottesbeziehung charakterisiert, innerhalb derer das Verhalten des Menschen seine Ermöglichung und seine Konturen gewinnt. Insofern ist die Alternative, das Personalpronomen »eure« *(hymōn)*, das »Heiligung« näher bestimmt, als Gen. subjectivus (die von Menschen gewirkte Heiligung) oder Gen. objectivus (die Heiligung, die Gott bewirkt; so *E. D. Schmidt*, Heilig 249) zu verstehen, in der Sache nicht weiterführend. Es sind beide Aspekte innerhalb einer Beziehung angesprochen. Heiligung umfasst also sowohl den von Gott ausgehenden Zustand als auch die korrespondierende Verantwortung des Menschen (vgl. *Malherbe* 238; *P. J. Brady*, Process 82).

Wenn in 4,3-8 die Heiligung der Adressaten im Fokus steht und in 4,3a als Wille Gottes hervorgehoben wird, sind das Bewusstsein der Gemeinde, in Gemeinschaft mit Gott zu leben, *und* die entsprechende Lebensweise angesprochen. Der Gedanke des Heiligseins (vgl. auch 3,13) enthält grundsätzlich den Aspekt der Abgrenzung von der sich nicht zu Gott bekennenden Welt (z. B. Lev 20,22-26; 1 Kor 6,1 f.; Röm 12,1 f.). Damit liegt starkes Gewicht auf der spezifischen Lebensweise, dem Ethos der Gemeinde, das der Abgrenzung und Markierung der christlichen Identität dient. In den folgenden Infinitivkonstruktionen werden drei Aspekte expliziert, die für diese Lebensweise charakteristisch sind.

3b **3b** Diese Infinitivkonstruktionen – zwei als (epexegetischer) AcI (v.3b.4 f.) und eine als substantivierter Infinitiv gestaltet (v.6a) – sind vom Hauptsatz in 4,3a als Ganzem abhängig (vgl. *M. Bohlen*, Communio 121-123; *Holtz* 155 f.). Der substantivierte Infinitiv *to mē hyperbainein* in v.6a bringt nach zwei positiven Aussagen eine negative; der Artikel unterstreicht den Rückbezug zu v.3a und könnte zudem durch die Verneinung bedingt sein (BDR §399 Anm. 5), weist also nicht auf Subordination des Teilsatzes hin. Es ist grammatikalisch unproblematisch und naheliegend, dass alle drei Infinitivkonstruktionen in 4,3b.4 f.6a vom Hauptsatz abhängen, damit parallel stehen und drei verschiedene Fehlverhalten bzw. Ethosbereiche ansprechen. So wird in diesem Satzgefüge der »Wille Gottes« als »eure Heiligung« näher qualifiziert und anschließend anhand von drei Lebensbereichen, die für das Ethos der Christus-Gemeinde charakteristisch sind, erläutert.

Weniger plausibel erscheint demgegenüber die Annahme, dass die Infinitivkonstruktionen untereinander wieder in einem Abhängigkeitsverhältnis stehen und damit nur *ein* Problemfeld betreffen (bis zum Gliedsatz vierter Ordnung bei **E. D. Schmidt*, Heilig 239-247; vgl. *Malherbe* 231; *N. Baumert*, Brautwerbung 336 f.). Den sexuellen Bereich als einheitliches Thema von 4,3-6 bestimmen z. B. *Haufe* 71 f.; *Malherbe* 232 f.; *Green* 187.194.196; *Witherington* 110; *Fee* 143 f.; *O. L. Yarbrough*, Gentiles 73-76; *J. A. D. Weima*, How 103.107.109; **T. J. Burke*, Family 182-184; **E. D. Schmidt*, Heilig 286-294; *J. C. Hanges*, Paul 411.

Der erste Ethosbereich wird mit dem Schlagwort *porneia* pauschal genannt. »Unzucht« bezieht sich in paganen Texten auf Prostitution, dient aber in jüdisch-christlicher Verwendung meist als umfassendere Sammelbezeichnung für Fehlverhalten im Bereich der Sexualität, für verbotenen Sexualverkehr. In der jüdisch geprägten Sicht der ersten Christen ist darunter faktisch jede Form des Geschlechtsverkehrs außerhalb einer Ehebeziehung zu fassen (vgl. nur 1 Kor 5,1; 7,2; zum Begriff *W. Bauer*, Wörterbuch 1389; *R. Kirchhoff*, Sünde 18-37). Entscheidend ist hier, dass unter dem Stichwort *porneia* nun keine Sexualethik entfaltet wird und keine Anweisungen im Einzelnen gegeben werden. Das Stichwort ruft vielmehr eine jüdische Perspektive auf (↗ Tradition), bei der *porneia* als Hauptlaster der heidnischen Welt gelten kann und deren strikte Ablehnung daher der Abgrenzung dient. So liest man in Tob 4,12: »Hüte dich, Kind, vor jeder Unzucht, und nimm dir vor allem eine Frau aus dem Geschlecht deiner Väter, und nimm dir keine fremde Frau«. Und TestRub 4,6 schärft ein: »Denn ein Verderben ist für die Seele die Unzucht; sie trennt von Gott und führt zu den Götzen«. Auf dieser Linie liegt ein metaphorischer Gebrauch von *porneia* als Abfall von Jhwh, wie er sich in der prophetischen Literatur findet und dann alle sozialen Bereiche betrifft (z. B. Hos 2; Jer 3,1-4,4; vgl. Offb 2,14.20). Das Meiden der *porneia* in 4,3b bedeutet eine Abwertung des paganen Sexualverhaltens und eine Aufwertung des eigenen Sexualverhaltens der Gemeinde als dem Willen Gottes entsprechend. Die Aussage will das Bewusstsein stärken: Wir Christen leben anders! Sie intendiert die Abgrenzung der Gemeinde von der bisherigen Lebensweise und von ihrer städtischen Umwelt. Dabei setzt sie ein grundlegendes Wissen der Gemeinde darüber voraus, wie das christliche Sexualethos inhaltlich zu füllen ist.

Ziehen wir zur Illustration Josephus, c. Ap. 2,199.201.215 heran, wo der jüdische Autor Josephus die Tora-Gebote zur Ehe so zusammenfasst, dass nur der »naturgemäße Verkehr« mit der Ehefrau (zum Zweck der Zeugung von Kindern) statthaft ist; verboten ist Geschlechtsverkehr unter Männern ebenso wie mit einem unverheirateten Mädchen oder der Ehefrau eines anderen. Diese Aspekte dürften auch für das Verständnis der *porneia* in 1 Thess 4,3b prägend sein. – Diese strenge Sexualmoral stellt eine Anwendung auf heutige gesellschaftliche Verhältnisse vor große hermeneutische Herausforderungen. Neben der christlichen Hochschätzung der Ehe müssen die Veränderungen im Zusammenleben von Menschen und die heute möglichen Formen stabiler Partnerschaften, die über eine »klassische« Ehe hinausgehen, dabei Berücksichtigung finden. Vielleicht lässt sich heute an eine Einbindung der Sexualität in verlässliche Beziehungen als christliches Ideal im Sinne einer Antwort auf die menschliche Sehnsucht nach Angenommensein, Vertrauen und Stabilität innerhalb einer Partnerschaft denken.

4f.   **4 f.** Erhebliche Verständnisprobleme bereitet der Auslegung die Aussage in 4,4 f., besonders die Bedeutung des Syntagmas »sein eigenes Gefäß *(skeuos)* gewinnen« (Überblick bei **E. D. Schmidt*, Heilig 253-275). Klar ist nur ein übertragener Gebrauch des Begriffs *skeuos*, für den verschiedene Bedeutungen vorgeschlagen werden:
(1) Breit vertreten wird ein Verständnis als »Ehefrau«, womit der Verzicht auf Unzucht aus v.3b zugespitzt würde auf die Art und Weise, wie Christen *innerhalb* der Ehe ihr Sexualleben gestalten sollen (so schon *Dobschütz* 163-165; *C. Maurer, skeuos* 365-368; dann z. B. *Holtz* 156-158; *Reinmuth* 139; *Malherbe* 226-228; *Witherington* 113-116; *O. L. Yarbrough*, Gentiles 68-73; *R. F. Collins*, Will 311-317; *M. Konradt, Eidenai; *ders.*, Gericht 102-112; *P. J. Tomson*, Instruction 108 f.; **M. Vahrenhorst*, Sprache 124-126; **M. Bohlen*, Communio 122 f.; **T. J. Burke*, Family 187-192 [Ehe als Mittel gegen die Begierde]). Häufig wird dabei auf 1 Kor 7,2-5 als Parallele verwiesen, doch ist dort die »Ehefrau« *(gynē)* ausdrücklich genannt.
(2) Ebenfalls als Ehefrau deutet *N. Baumert*, Brautwerbung 318-329.332-335, betont aber den ingressiven Aspekt des Verbs *ktaomai* im Sinne von »eine Frau erwerben/nehmen« – also »Brautwerbung« (im Anschluss **E. D. Schmidt*, Heilig 252-276.301-303).
(3) Einen Euphemismus für das männliche Glied erkennt eine zunehmende Anzahl von Autoren (z. B. *J. Whitton*, Meaning; *T. Elgvin*, Master 617 f.; *Bruce* 83 f.; *Wanamaker* 152 f.; *Müller* 172; *Fee* 149; **R. S. Ascough*, Associations 187 f.; *J. A. D. Weima*, How 108). Doch die angebliche Belegstelle 1 Sam 21,5 f. ist nicht eindeutig. Und eine besondere Bedeutung des Phallus in paganen Kulten (worauf **K. P. Donfried*, Cults 30 f. abhebt) ist für Thessaloniki nicht nachweisbar (**C. vom Brocke*, Thessaloniki 130).
(4) An den menschlichen »Leib« denken z. B. *Rigaux* 502-506;

Marxsen 60 f.; *Haufe* 71; *Richard* 198; *Green* 193 f.; *E. Plümacher,* skeuos 598; *C. vom Brocke,* Thessaloniki 130 f.; *P. J. Brady,* Process 86-92; *J. E. Smith,* Impasse 90-105 (Leib oder spezifischer das männliche Geschlechtsorgan); *E. Verhoef,* 1 Thessalonians 355 f. Den Ausschlag gibt die Wortsemantik. Das Substantiv *skeuos* bezeichnet (meist im Plural) eigentlich das ›Gefäß, Gerät, Geschirr‹, kann dann (eher im Singular) auch übertragen verwendet werden für das männliche Zeugungsglied (belegt nur durch Anthologia Graeca 16,243,4 [1. Jh.]; Aelian, de natura animalium 17,11 [2./ 3. Jh.]) oder (verächtlich) einen Helfershelfer oder Diener (*F. Passow,* Handwörterbuch II/2, 1445 f.; *C. Maurer, skeuos* 359). Besonders im jüdisch-christlichen Sprachgebrauch kann *skeuos* für den Menschen, speziell seinen Körper stehen: (1) Indienstnahme: der Mensch als Werkzeug eines anderen, der z. T. seinen Körper gleichsam bewohnt, 4Q175, 25 (= 4Q379 fr. 22, 2,11; hebräisch *keli*); ApkMos 16,5; TestNaph 8,6; Apg 9,15; 2 Tim 2,20 f.; Barn 7,3; 11,9; Herm 33,2; 43,13; (2) schöpfungstheologisch: der Mensch als Gottes »eigenes Gefäß« im Sinne seiner Schöpfung, ApkMos 31,4; vgl. 26,1; Jes 54,16 f. LXX; Röm 9,21-23; TestNaph 2,2; (3) der irdische Körper, entweder als Vergleich mit einem »zerbrochenen Gefäß« 1QH 12,9; Ps 31,13; Jer 22,28, oder direkt 2 Kor 4,7; 1 Petr 3,7 (der weibliche Körper); Barn 21,8; der Leib als Gefäß für die Seele, 4 Esr 7,88 (Belege: *J. Dochhorn,* Apokalypse 318 f.; *W. Bauer,* Wörterbuch 1507). Anklänge aus der griechischen Sprachwelt an den Körper, den Menschen als vergängliches oder unbrauchbares »Gefäß« bieten Artemidor 5,25; Epiktet, dissertationes 3,24,33 (vgl. 2,4,4 f.; 2,22,31; 3,26,25); mit dem lateinischen Äquivalent *vas* Seneca, ad Marciam 11,3. Zum Leib *(vas)* als Gefäß der Seele Cicero, Tusc. 1,52; Lucrez 3,440; *skeuos* negativ als »Werkzeug« bzw. »Kreatur« Polybios 13,5,7; 15,25,1. Damit dürfte *skeuos* in 1 Thess 4,4 den Körper des Menschen, vielleicht mit der Konnotation der Schöpfung Gottes und des Seins in der Welt (vgl. Röm 1,24 f.), bezeichnen.

Eine Verwendung für die eigene Frau ist hingegen nur in der späteren rabbinischen Literatur und nur für das hebräische Äquivalent *keli* belegt (*Bill.* III 632 f.; *C. Maurer, skeuos* 361 f.) und daher für den griechischen Sprachgebrauch nicht einschlägig. Kontrovers diskutiert wird die Bedeutung von *keli* in 4Q416 fr. 2, 2,21, doch bleibt der Text unklar (vgl. nur *M. Konradt,* Eidenai 131 f. [Frau] gegen *T. Elgvin,* Master 607 f.; *J. E. Smith,* Look [Penis]); vielleicht bedeutet es (vorgeschriebenes) »Gerät«, vielleicht jedoch ist die Konsonantenfolge gar nicht als *kli,* sondern *bli/blu* zu lesen (*M. Kister,* Parallel; anders wieder *F. García Martínez,* Marginalia). In 1 Petr 3,7, dem einzigen Beleg, in dem sich *skeuos* auf Frauen bezieht, ist dies ausdrücklich gesagt – der Begriff an sich ist geschlechtsneutral. – Das Verb *ktaomai* bedeutet ›sich erwerben, gewinnen, in seinen Besitz bringen; sich geneigt machen, für sich gewinnen‹ (*F. Passow*, Handwörterbuch I/2, 1838), hat also meist ingressive Bedeutung, kann aber auch durativ gebraucht sein.

Der zweite Ethosbereich betrifft also den »eigenen Körper«, den »jeder« aus der Gemeinde für sich zu gewinnen wissen soll. Das Pronomen *heautou* (»eigenen«) verdeutlicht die Bedeutung »Körper« für *skeuos;* auch *hekaston* (»jeder«) passt dazu gut. Männer und Frauen sind damit in gleicher Weise angesprochen. Mit dem Körper ist die ganze soziale Existenz des Menschen anvisiert, was über den Bereich der Sexualität weit hinausgreift (wobei dieser als *ein* Aspekt eingeschlossen bleibt). Die Sprache ist metaphorisch und lenkt auf die Frage hin: Wie gewinnt man ein Gefäß oder Gerät *(skeuos)* für sich? Die Antwort darauf kann nur lauten: Indem man es richtig nutzt. Das Nutzen bezieht sich auf die Wirklichkeit des sozialen Lebens und damit die Bedeutung der leiblichen Existenz des Christen innerhalb der Welt. Wie wichtig diese für das christliche Leben ist, stellen später auch 1 Kor 6,12-20; Röm 1,24 f.; 12,1 f.; 13,13 f. heraus. Der ingressive Aspekt des Verbs *ktaomai* schlägt sich in der Dynamik dieses Prozesses des Nutzens nieder. *Skeuos* konnotiert dabei die Offenheit der körperlichen, sozialen Existenz, die man verschieden »füllen« kann.

Die Alternativen für dieses »Füllen« bringt die in v.4b.5 anschließende doppelte modale Bestimmung – zunächst positiv mit *en*, dann negativ mit *mē en* – zum Ausdruck: »in Heiligung und Ehre, nicht in Leidenschaft der Begierde (…)«. Ein Leben in »Heiligung« resultiert aus der Beziehung zu Gott, dem Schöpfer des »Gefäßes«, und entspricht der guten Absicht, die dieser mit dem Körper des Menschen verbindet. Die weitere Bestimmung durch *timē* unterstreicht die soziale Seite der körperlichen Existenz, denn *timē* zielt auf das gesellschaftliche Ansehen und bedeutet (unter anderem) ›Wertschätzung, Ehre, Achtung, Ansehen, Auszeichnung, Würde‹ (zur weiten Semantik *F. Passow*, Handwörterbuch II/2, 1901 f.). Es geht also um ein soziales Verhalten, das Ehre und Respekt verdient (vgl. 1 Kor 12,23 f.) und alle Bereiche des menschlichen Lebens umfasst. Die Opposition dazu stellt die negative Bestimmung vor Augen: »nicht in Leidenschaft der Begierde«. Mit der »Begierde« (*epithymia* ↗ Tradition) ist ein jüdisches Muster der Grenzziehung gegenüber den Heidenvölkern aufgenommen, deren Verhalten damit pauschal abgewertet wird. Die Begierde bedeutet das selbstsüchtige Immer-Mehr-Haben-Wollen und ist nicht auf den Bereich der Sexualität beschränkt. *Pathos* meint Leidenschaft oder Emotionalität als das, was sich der bewussten Kontrolle entzieht und den Menschen bewegt, treibt (zu *pathos* in der Stoa vgl. *Malherbe* 229 f.). Der Stoiker Musonius Rufus z. B. erläutert, dass auch Frauen Philosophie betreiben sollen, schließlich lernt man dabei, nicht Sklavin von Begierden zu sein, sondern Herrin über »jede Leidenschaft« (Fr. 3). Die so vermittelte Abgrenzung von ihrer städtischen Lebenswelt ist für das Selbstverständnis der Adressaten wichtig (vgl. *O. L. Yarbrough*, Gentiles 87; unterbewertet bei *Malherbe* 229-231.239).

Die Basis dafür bildet die tatsächliche Erfahrung sozialer Differenz im alltäglichen Leben, eines Umgangs der Christen in Thessaloniki miteinander, der sich von den gesellschaftlichen Konventionen unterscheidet. Man kann dabei an die praktische Außerkraftsetzung von Unterschieden in Geschlecht und Status denken, wenn z. B. ein Sklavenbesitzer seine Sklavin nicht sexuell benutzt, sondern als »Schwester« behandelt, oder wenn ein Ehemann seine Frau auf Augenhöhe und als gleichgestellte »Partnerin« achtet. Gerade Sklaven und Frauen, die in der sozialen Hierarchie untergeordnet sind, können dann solches Verhalten auch einfordern. – Einen Bezug zur kultisch-rituellen Reinheit an paganen Tempeln, die Paulus nun auf die Reinheit des Leibes übertrage – so *C. M. Thomas*, Purity –, kann ich nicht erkennen. Richtig ist aber, dass Paulus im Unterschied zu den *Leges Sacrae*, die den Eintritt in den paganen Tempelbezirk regeln, keine Unterscheidung von heiligem und profanem Bereich etabliert, sondern das gesamte Leben in der Gegenwart Gottes versteht (vgl. **M. Vahrenhorst*, Sprache 138 f.).

Am Ende von v.5 wird die Intention der Abgrenzung direkt angesprochen. Die »Leidenschaft der Begierde« wird den »Heidenvölkern« zugeschrieben und die Ursache darin bestimmt, dass sie »Gott nicht kennen«. Wiederum wird damit eine jüdische Abgrenzungsstrategie aufgegriffen, die davon ausgeht, dass die Heidenvölker in ihrer Gottferne ihre Existenz verfehlen (↗ Tradition). Umgekehrt bedeutet dies aber, dass die Gemeinde in Thessaloniki, die sich nicht von Leidenschaft und Begierde beherrschen lässt, Gott kennt, d. h. ihre Beziehung zu Gott damit umsetzt. Bedenkt man die Pragmatik des Briefes, wertet sie das auf und zeigt ihnen ihre besondere Stellung vor Gott, ihre »Heiligung«. Die Abgrenzung dient der Verstärkung der neuen, unterscheidenden Lebensweise in der städtischen Lebenswelt, der Bewertung als »bessere« Lebensweise nach Gottes Maßstäben und der Stabilisierung der eigenen Identität.

Die Metaphorik des »Gefäßes« birgt also die Frage in sich, wovon die leibliche, soziale Existenz des Menschen bestimmt wird. Beherrschen Leidenschaft und Begierde die Existenz, wie in der alten Lebenswelt der Adressaten, oder Heiligung und Ehre, die Gottes Willen entsprechen, der Schöpfer des Leibes ist? Die Alternative macht den Adressaten die Bedeutung ihres neuen Ethos bewusst und legt ihnen nahe, darin beständig zu sein und sich nicht von den alten Verhaltensweisen beherrschen zu lassen. So können sie den eigenen Körper in ihren neuen sozialen Beziehungen für sich gewinnen. Der Zielpunkt dieses Lebensprozesses ist letztlich die Parusie des Herrn – er tritt in v.6b als »Rächer« auf den Plan.

6a 6a Markiert durch einen verneinten substantivierten Infinitiv, kommt in v.6a ein weiterer Aspekt des Willens Gottes zur Sprache, aber nun in negativer Sicht: was *nicht* Gottes Wille ist. In den Blick gelangt dabei das Berufs- und Arbeitsleben der Gemeinde.

Das Substantiv *pragma* zeigt einen weiten Bedeutungsumfang. Es kann (1) allgemein das Betriebene, Bewerkstelligte, die Tat meinen; (2) sich dem Abstraktum *praxis* annähernd das Tun, Tätigkeit, Unternehmen, Unterhandlung, insbesondere die Tätigkeit, die die Aufgabe des Lebens bildet, die einem zukommt oder zu der man verpflichtet ist, also Geschäft, Aufgabe, Pflicht; auch negativ lästiges Geschäft, Plackerei, Beschwernis; mit politischem Bezug öffentliche Geschäfte, Staatsgeschäfte, Staatsgewalt, Regierung; (3) Ereignis, Sache, Ding, politisch Dinge des Staates, Staatsangelegenheiten; (4) Sache, auf die es ankommt (in bestimmten Wendungen); (5) Umstände, Verhältnisse, Lage (*F. Passow*, Handwörterbuch II/1, 1056-1058; vgl. *C. Maurer, pragma* 638, der noch speziell ›Rechtssache, Prozess‹ hinzufügt; ferner **T. J. Burke*, Family 197). In 1 Thess 4,6 wäre Bedeutung (3) möglich: Sache im Sinne von »in dieser Angelegenheit«, womit weiter vom sexuellen Bereich, z.B. von der Achtung der Ehe des Bruders, die Rede wäre (so *C. Maurer, pragma* 640; *Rigaux* 510; *Marshall* 111f.; *Bruce* 84f.; *N. Baumert*, Brautwerbung 331f.; *Haufe* 71f.; *Malherbe* 231f.; *Green* 196f.; *O. L. Yarbrough*, Gentiles 73-76; *J. A. D. Weima*, How 109; **E. D. Schmidt*, Heilig 285f.). Doch wäre ein solcher Rückbezug besser durch das Demonstrativpronomen als den Artikel *(tō pragmati)* kenntlich gemacht, und ein sexueller Bezug von v.4f. ist ohnehin fraglich. Daher bevorzuge ich Bedeutung (2) und gebe *en tō pragmati* mit »im Berufsleben« wieder (vgl. *Holtz* 162 und **M. Konradt*, Gericht 114: Geschäft, Handel). Dass sich *pragma* nicht speziell auf »Handel« einschränken lässt, hat schon *C. Maurer, pragma* 640 richtig gesehen.

Mit dem Berufsleben wird ein für die wirtschaftliche Existenz jedes Einzelnen und der Gemeinde wichtiger Bereich angesprochen, wozu auch die Semantik der beiden Verben »übergehen« und »über-

vorteilen« gut passt. Es greift zu kurz, hier allgemein das Laster der
Habgier anvisiert zu sehen (so aber *M. Konradt*, Gericht 113 f.;
Holtz 162; *Reinmuth* 139; *R. Börschel*, Konstruktion 252). Vielmehr ist die wirtschaftliche Situation der kleinen Konvertiten-
Gruppe aufgenommen. Diese ist in ihrer beruflichen, wirtschaftlichen Existenz angesichts mancher Brüche mit ihrer bisherigen Lebenswelt auf gegenseitige Solidarität und gute, verlässliche Zusammenarbeit angewiesen. Der enge Zusammenhalt im Erwerbsleben
ist eminent wichtig für die Existenz der Gemeinde, da die Gefahr
besteht, dass sie von den städtischen Mitbewohnern gemieden und
ausgegrenzt wird. Wenn innerhalb der Gemeinde eine berufliche,
geschäftliche Konkurrenz entsteht, vielleicht sogar die Vorteilnah-
me einzelner auf Kosten anderer, ist die nötige Solidarität der Gemeinde ernstlich gefährdet, was zu einer Bedrohung ihrer Existenz
führen kann. Auch darin kann man einen Unterschied zur üblichen
Geschäftspraxis der städtischen Umwelt sehen, denn jedes Geschäft
intendiert primär eigenen Gewinn und Prosperität.
Grundsätzlich sind dabei Männer und Frauen angesprochen. In der
hellenistisch-römischen Gesellschaft waren es freilich überwiegend
Männer, die in Handwerk und Landwirtschaft tätig waren, was eine
Beteiligung von Frauen aber nicht ausschloss. In bestimmten Hand-
werken wie z.B. der Textilherstellung werden auch Frauen tätig
gewesen sein. Selbst in einigen (wenigen) makedonischen Berufsvereinen sind Frauen als Mitglieder belegt (*R. S. Ascough*, Associations 47.54). In höheren sozialen Schichten konnten auch Frauen
die Repräsentation eines Betriebs übernehmen (vgl. die Purpurhändlerin Lydia in Apg 16,14 f.), doch dürften die Mitglieder der
Gemeinde von Thessaloniki überwiegend aus Kreisen von Handwerkern und Lohnarbeitern stammen (↗4,11).

6b Mit *dioti*/denn beginnt in v.6b die Begründung für die neue Le-   **6b**
bensweise. Der *dioti*-Satz ist auf den übergeordneten Satz in v.3a
rückbezogen (*Holtz* 163; *M. Bohlen*, Communio 124), so dass sich
die Begründung auf den ganzen Abschnitt 4,3-6a erstreckt. Die
Formulierung »über dies alles« unterstreicht diesen Bezug. Die Begründung zielt auf den eschatologischen Charakter der neuen Lebensweise der Gemeinde ab (weniger auf den »Verpflichtungsgehalt
der Gebote«, so *M. Konradt*, Gericht 96 f.), wobei die eschatologische Perspektive in der Rede vom »Rächer« *(ekdikos)* deutlich wird.
Mit *ekdikos* ist das Wortfeld des Strafens und Rächens aufgerufen
(vgl. 2 Kor 7,11; 10,6; Röm 12,19; 13,4), im frühjüdischen Kontext
die Vorstellung vom vergeltenden Gerichtshandeln Gottes, das sich
gegen die Feinde Israels, die Sünder, aber auch gegen sündige Israe-

liten richtet (vgl. LXX Ps 78,10; 93,1 f.; Nah 1,2 f.; Jer 26,10.21.25; 27,15.18; Jdt 16,17; 2 Makk 6,15; dann AssMos 8,1; 10,2 f.7; Te-stRub 6,6; TestDan 5,10; TestJos 20,1; Josephus, bell. 5,377; viele weitere Belege bei *M. Konradt*, Gericht 116 f.). Der »Rächer« in 1 Thess 4,6 ist so der im Zorngericht grundlegend und endgültig Handelnde, der die Gottlosen straft (vgl. 1 Thess 1,10; 5,9; Röm 12,19).

Umstritten ist, ob dabei mit dem »Herrn« *(kyrios)* Jesus oder Gott selbst gemeint ist. Da im nächsten Kontext viermal vom »Herrn Je-sus« die Rede war (3,11.13; 4,1.2; vgl. 4,15-17) und Gott stets als *theos* bezeichnet wird (4,1.3.5.7.8), liegt es nahe, dass die Hörer/in-nen des Briefes auch hier an den erhöhten Jesus gedacht haben, der als endzeitlicher Repräsentant Gottes in dessen Gerichtsvollmacht wirkt. Interessant ist im Vergleich äthHen 48,7, wo der Text letzt-lich nicht deutlich macht, ob Gott selbst oder sein »Erwählter« (der Messias) als »Rächer« erscheint. Die endzeitlichen Funktionen sind so eng verbunden, dass die Grenzen fließend werden.

Wichtig ist die Formulierung »über dies alles«, denn diese schließt alle als typisch klassifizierten Verhaltensweisen der paganen Welt ein, die gegen Gottes Willen gerichtet sind. Das bedeutet aber, dass mit dem Auftreten des »Rächers« in erster Linie das Gericht über die heidnische Welt gemeint ist, die das genannte Fehlverhalten – Unzucht, Begierde, Übervorteilung – praktiziert. Die Christen, die gerade nicht so leben, sind von Jesus aus dem Zorngericht gerettet (1,10). Auf diese Weise hebt die Gerichtsaussage die eschatologisch gültige Bedeutung der neuen Lebensweise hervor, die zugleich eine Abgrenzung gegenüber der paganen Welt impliziert. Das Gericht markiert so die Grenze der Gemeinde nach außen (vgl. *M. Kon-radt*, Gericht 126 f.; anders *T. Jantsch*, Gott 106 f.) und verdeutlicht ihre besondere Würde und Bedeutung in ihrem Lebenswandel als Gemeinde. Die Funktion der Aussage besteht darin, der Gemeinde bewusst zu machen, dass die *pagane Welt* von Gottes Gericht be-droht ist, und sie damit zu motivieren, ihrem neuen, unterscheiden-den Lebenswandel treu zu bleiben.

Die Funktion des Textes besteht also nicht in einer Gerichtsdrohung ge-genüber der Gemeinde (*F. Blischke*, Begründung 57.64: Gericht als Moti-vation) oder gar in der Aufforderung, sich durch »gutes Tun« das Heil zu erwerben. Vielmehr geht es um die Vergewisserung der Gemeinde, die sich durch ihr neues Ethos aus wichtigen gesellschaftlichen Vollzügen aus-grenzt und potentiell in der Gefahr steht, die alten Verhaltensweisen bei-zubehalten oder rückfällig zu werden.

Diese Vergewisserung der eschatologischen Existenz der Gemeinde und der Relevanz ihrer neuen Lebensweise deckt sich mit der missionarischen Verkündigung des Anfangs, auf die die Verfasser mit Pathos hinweisen: »wie wir euch voraussagten und bezeugten«. Die Ergänzung des Verbs »voraussagen« durch »bezeugen« *(diamartyromai)* klingt feierlich und betont Verlässlichkeit und Bedeutung der Verkündigung (das Verb kann auch ›beschwören‹ bedeuten). Laut 1,9f. erfolgte die Bekehrung der Adressaten im Licht des endgültigen Zorngerichts Gottes, aus dem sie als Erwählte (1,4) und Berufene (2,12; 4,7; 5,24) von Jesus gerettet sind (1,10; 5,9). Gerade weil die Gemeinde diesem Gericht bereits entrissen ist, wird die »Heiligung« zum angemessenen Lebenswandel.

7 An v.6 eng angeschlossen folgen in v.7 und v.8 zwei weitere Begründungen für den Lebenswandel der Gemeinde. Die Berufung durch Gott umfasst die Christwerdung und die bleibende Beziehung zu Gott und bedeutet die Anteilgabe am von Gott geschenkten Heil (vgl. Röm 8,30). In 2,12 war mit der Berufung in Gottes Königsherrschaft und Herrlichkeit eine bestimmte Lebensweise, ein Wandel, der Gottes würdig ist, verbunden, so dass die Berufung eine eschatologische Nuance enthält, die den Lebenswandel auszeichnet. Durch das »uns« schließen sich die Verfasser in diese Berufung ein, die für alle Christen in gleicher Weise gilt.
Zwei Präpositionalphrasen, die beide vom Hauptverb »berufen« abhängen (anders **E. D. Schmidt*, Heilig 313) und in Opposition zueinander stehen *(ou … alla)*, umreißen die Bedeutung der Berufung. Als oppositionelle Begriffe stehen sich »Unreinheit« und »Heiligung« gegenüber, die beide eine bestimmte Lebensweise charakterisieren. Dabei fällt der Wechsel der Präposition auf, der eine Akzentverschiebung signalisiert. Final zu verstehen ist *epi* mit Dativ: Die Berufung erfolgte nicht zur »Unreinheit« *(akatharsia)*, also nicht zu einer Lebensweise, die nach den Wertmaßstäben der christlichen Gemeinschaft als unsittlich zu verstehen ist, weil sie nicht aus der Beziehung zu Gott resultiert (zu *akatharsia* im sittlichen Sinn vgl. *W. Bauer*, Wörterbuch 55; in 2,3 ist *akatharsia* spezieller gebraucht: »Unlauterkeit«, betrügerische Gesinnung). In Ez 36,17 LXX z.B. bezeichnet »Unreinheit« einen Lebenswandel in der Abkehr von Gott (und Hinwendung zu den Götzen). Der Akzent liegt auf der gegenteiligen Bestimmung *en hagiasmō* (»in Heiligung«). Der Wechsel der Präposition macht deutlich, dass *en* hier nicht final zu lesen ist, sondern modal und den Status vor Gott bezeichnet, den die Berufung enthält (vgl. Gal 1,6; **M. Bohlen*, Communio 129; auch **F. W. Horn*, Angeld 124; *W. Weiß*, Heilig 48). Die nun zum

dritten Mal genannte »Heiligung«, die ein Leben aus der Beziehung zu Gott, dem Gott Israels, beschreibt, macht das Wesen der neuen Existenz und Lebensweise der Gemeinde aus. Wieder soll den Adressaten bewusst werden, dass sie in einer neuen Zeit leben und sich daher von der restlichen Gesellschaft unterscheiden. Mit der Unterscheidung der Christen von der paganen Umwelt steht das Wesen der christlichen Existenz auf dem Spiel!

8 8 Daher betont v.8 als Folgerung (*toigaroun*/»also nun«) die Verantwortung vor Gott. Das Verb *atheteō* bedeutet ›abschaffen, ungültig machen, verwerfen, aufheben‹ und besonders bei Verträgen ›bundbrüchig, treulos verfahren‹ (*F. Passow*, Handwörterbuch I/1, 45). Das Verb wird zuerst ohne Objekt gebraucht, was die absolute Bedeutung »treulos handeln« nahelegt (ähnlich in Ez 39,23; vgl. *P. J. Brady*, Process 105 f.). »Treulos handeln« stellt einen Beziehungsbegriff dar, der sich auf die neue Gottesbeziehung richtet, wie der Text eigens hervorhebt: »nicht gegen einen Menschen, sondern gegen Gott«. Natürlich bezieht sich soziales Verhalten immer auf Menschen, und ein Fehlverhalten in diesem Bereich betrifft in erster Linie andere Menschen. Aber angesichts der Berufung durch Gott steht das Verhalten auch immer im Kontext der Gottesbeziehung und des neuen Lebens der Gemeinde (vgl. 1 Sam 8,7 f.). Gewarnt wird also vor einem Verhalten, das treulos gegenüber Gottes Berufung und der Beziehung zu ihm erfolgt. Dabei ist durch die allgemeine Formulierung die ganze christliche Lebensweise umfasst.

Mit einer partizipialen Näherbestimmung ist Gott als Geber des heiligen Geistes gekennzeichnet. Das Partizip Präsens *didonta* weist darauf hin, dass die Geistesgabe nicht einmalig erfolgt ist, sondern grundsätzlich als Bestandteil der Beziehung zu Gott gelten kann. Der Geist vermittelt als Wirkweise Gottes die Beziehung zu Gott (↗ 1,5). Die Formulierung klingt an Ez 11,19; 36,26 f.; 37,6.14 LXX an (»ich werde einen neuen Geist in sie geben« bzw. »ich werde meinen Geist in euch geben«), wo Gott seinen eschatologischen Geist ankündigt, der Israel zum Leben nach seinem guten Willen und in Beziehung zu ihm befähigen wird. Die auffällige Präpositionalverbindung *eis hymas* (»in euch«) hat 1 Thess 4,8 mit Ez 37,6.14 LXX gemeinsam. Selbst wenn man keinen intertextuellen Bezug annehmen will, war die Vorstellung vom Geist als Gabe der Endzeit bekannt (*W. Kraus*, Volk 148) und konnte den Adressaten die Qualität ihrer Existenz als Leben in der Endzeit bewusst machen. Gottes Gegenwart befähigt zum Leben »in Heiligung« (vgl. Ez 37,28 LXX). Dass der Geist hier betont als »heilig« akzentuiert wird (mit wiederholtem Artikel nachgestellt), vermittelt die Gegenwart

Gottes, seine Heiligkeit, die in die Adressaten hineingelegt ist (*eis hymas/*in euch) und so die Beziehung zu Gott und die »Heiligung« in der neuen Lebensweise ermöglicht (vgl. die »Heiligkeit« in 3,13 und Gottes Gegenwart im heiligen Geist in Ps 51,13; Jes 63,10 f.), Der ganze Abschnitt 4,3-8 beleuchtet die eschatologische Qualität der christlichen Existenz und korreliert dabei die neue Lebensweise der Christen mit der Beziehung zu Gott. Diese Korrelation meint der Begriff »Heiligung«, der das Leben der Gemeinde in der Beziehung zu Gott anspricht. Diese Begegnung stellt ein lebendiges Geschehen dar, das auf Seiten der Gemeinde der Bewusstmachung und Vergewisserung bedarf. Es bedeutet, dem *heiligen* Gott im *heiligen* Leben zu begegnen. Der Beziehungsgedanke umfasst damit sowohl Heilszuspruch als auch ethische Forderung, also den gesamten christlichen Lebensvollzug mit Gott.

Nach **M. Vahrenhorst*, Sprache 129-131.135 fordert Gottes Gegenwart im Geist ein bestimmtes Verhalten. Heiligung ist so mehr als eine theologisch-soteriologische Motivation für das ethische Verhalten (so aber **E. D. Schmidt*, Heilig 322-325). Die Forderung akzentuieren **M. Bohlen*, Communio 135-137; **W. Kraus*, Volk 143. Den Prozesscharakter betonen *Marxsen* 59 f.; *W. Schrage*, Heiligung 225 f.; *R. F. Collins*, Will 309; *W. Weiß*, Heilig 47.49; *P. J. Brady*, Process 82. – Obwohl der Abschnitt 4,3-8 stark von jüdischen Motiven, die für das Volk Israel charakteristisch sind, geprägt ist (Heiligung, Gottes heiliger Geist, Abgrenzung von paganer Unzucht und Begierde, Unkenntnis Gottes seitens der Heiden, Berufung), thematisiert er das Verhältnis der jungen Gemeinde zu Israel nicht. Offenbar sehen die Verfasser dazu keine Veranlassung. Die gemeinsamen Motive setzen freilich ein solches Verhältnis implizit voraus. In ihrer eschatologischen Gottesbeziehung nimmt die Gemeinde eine Rolle ein, die auch dem eschatologischen Israel eignet. Damit dürfte das unausgesprochene Verhältnis am besten als Teilhabe der Gemeinde an der eschatologischen Heilsstellung Israels beschrieben sein (vgl. *J. A. D. Weima*, How 102 f.; **W. Kraus*, Volk 154 f.; ferner **T. Jantsch*, Gott 96) – was aus frühjüdischer Perspektive eine äußerst weitgehende theologische Feststellung bedeutet. Sicher ist nicht an eine »Ersetzung« der Heilsstellung Israels durch die Gemeinde gedacht.

9 Mit *peri de* beginnt in 4,9 ein neuer Gedanke, der jedoch immer **9** noch im großen Kontext des Lebenswandels, der Gott gefällt, von 4,1 steht.

Peri de signalisiert einen neuen thematischen Gedanken (so auch in 4,13; 5,1), impliziert aber nicht, dass damit auf eine konkrete Anfrage der Gemeinde geantwortet wird (vgl. *M. M. Mitchell*, Concerning 234; *Holtz*

173). Dies müsste im Kontext erst angedeutet werden, wie dies in 4,13 durch den Hinweis auf das Trauern der Gemeinde geschieht (vgl. die Paradestelle 1 Kor 7,1). Bei der »Geschwisterliebe« erscheint dies eher unwahrscheinlich, da kaum eine inhaltliche Behandlung erfolgt und nicht sichtbar ist, worin denn eigentlich die Antwort liegen sollte.

Stand in 4,3-8 die Abgrenzung von der paganen Welt im Vordergrund, so tritt nun das Verbindende, der Aspekt der Integration der Gemeinde in ihre städtische Lebenswelt in den Blick. Dort, wo die ohnehin eher randständige und misstrauisch beäugte kleine Konvertitengruppe mit den Mitbewohnern ihres Stadtteils in Kontakt steht, ist eine gewisse Form von Integration notwendig, will die Gemeinde nicht völlige Ausgrenzung und Anfeindung riskieren. Diese integrative Tendenz markiert das Stichwort *philadelphia* (»Geschwisterliebe«), das einen verbreiteten ethischen Diskurs in der griechisch-römischen Welt aufruft (dazu *B. Heininger*, Inkulturation 73-77; **T. J. Burke*, Family 98-115; Belege auch bei *J. S. Kloppenborg*, PHILADELPHIA 272 f.; **T. Söding*, Trias 89; speziell zu Plutarch **R. Aasgaard*, Beloved 93-106; *H.-J. Klauck*, Bruderliebe 84-91). Plutarch, ein jüngerer Zeitgenosse des Paulus, hat sogar einen eigenen Traktat *peri philadelphias* (»Über die Geschwisterliebe«; Plutarch, mor. 478a-492d) verfasst. Aber auch in 4 Makk 13,19-27 wird das Thema entfaltet. Die Geschwisterliebe basiert generell auf der gemeinsamen familiären Abstammung und Erziehung von Geschwistern, die ein besonders enges Verhältnis in Liebe, Gemeinsamkeit und von Natur aus gleicher Gesinnung begründen. Die sozialen Unterschiede in Alter, Status und Rollen von Brüdern finden in der Geschwisterliebe, in gegenseitigem hohem Respekt und Ehre, ihren Ausgleich. Die Gemeinsamkeit unter Geschwistern soll in besonderer Einheit und Harmonie, großzügigem Beistand und freundlichem, wohlwollendem Umgang zum Ausdruck kommen. Konkret bewähren soll sich die Geschwisterliebe z. B. im Umgang mit Familienbesitz, wobei Plutarch das Ideal der Gütergemeinschaft ins Gespräch bringt (Plutarch, mor. 483d.484b).

Auch wenn *philadelphia* fast durchgängig in Bezug auf das Verhältnis von Brüdern diskutiert wird – als Männer übernehmen sie in antiken Gesellschaften eine öffentliche Rolle –, ist die Vorstellung nicht an das Geschlecht gebunden und betrifft grundsätzlich die Bruder- und Schwesterliebe. Ein (seltenes) Beispiel für *philadelphia* als »Schwesterliebe« bieten die Musen bei Plutarch, mor. 480ef (vgl. auch 492d). Auch mit Blick auf die aus Männern und Frauen bestehende Gemeinde in Thessaloniki übersetze ich mit »Geschwisterliebe« (vgl. auch *F. Passow*, Handwörterbuch II/2, 2251).

Die Aussage von v.9 ist auffällig formuliert. Die Verfasser weisen mit *peri de* auf ein neues Thema hin, das sie beginnen, und benennen es mit dem Stichwort »Geschwisterliebe«. Sie sagen sofort, dass sie darüber gar nicht schreiben müssen. Dabei liegt das rhetorische Mittel der *praeteritio* vor, die das dann doch Erwähnte umso mehr betont. Als Grund dafür geben sie jedoch nicht an – wie man es erwarten würde –, dass die Gemeinde über die *Geschwisterliebe* bereits belehrt ist, sondern nennen unvermittelt das *Einander-Lieben*. Damit wird der möglicherweise für die Gemeinde neue Gedanke herausgestellt, dass die *paganer* Familienethik entstammende *philadelphia* tatsächlich im liebenden Miteinander *der Gemeinde* erfüllt ist. Das Stichwort *philadelphia* spielt das antike Idealmodell des wohlwollenden, ausgleichenden und unterstützenden Umgangs von Geschwistern miteinander ein, wendet es aber in metaphorischer Übertragung auf die Adressaten an: In ihrer engen, gleichsam geschwisterlichen Verbundenheit als Gemeinde leben gerade sie dieses Ideal. Die Übertragung von der Familie auf die Gemeinde ist im antiken Kontext auffällig (vgl. *P. Pilhofer, philadelphias* 140-142) und kann die Adressaten hellhörig machen: In ihrem Miteinander wird das pagane Ideal des Miteinanders unter Geschwistern erfüllt. Dabei muss man an konkrete materielle und ideelle gegenseitige Unterstützung denken, ebenso an die Bereitschaft, der Schwester und dem Bruder einen gleichwertigen Platz in der Gemeinde einzuräumen.

Eine Analogie zu dieser Verbindung von paganem Ideal und gemeindlicher Praxis findet sich bei Philo und Josephus, wenn diese jüdischen Autoren ein Leben nach der Tora Israels mit dem hellenistischen Ideal der *philanthrōpia* (»Menschenliebe«) gleichsetzen (z.B. Philo, virt. 65 f.69.72; Josephus, c. Ap. 2,146; dazu *P. J. Tomson*, Instruction 116-120). Beide Autoren schreiben freilich primär für die kulturelle Elite und verwenden daher den einschlägigen Begriff *philanthrōpia* als Zusammenfassung sozialethischer Tugenden und nicht die Metaphorik der *philadelphia*, wie sie in die christliche Sprache Einzug hält (weitere Belege sind Röm 12,9; Hebr 13,1; 1 Petr 1,22; 3,8; 2 Petr 1,7).

Die Verwendung des Begriffs *philadelphia* fällt umso mehr auf, als der Brief bereits mehrfach die *agapē*/Liebe der Gemeinde herausstellte (1,3; 3,6.12) und auch die Praxis der »Geschwisterliebe« in 4,9 anschließend durch »einander lieben *(agapan allēlous)*« ergänzt (ähnlich in 1 Petr 1,22; *philadelphia* und *agapē* sind auch verbunden in Röm 12,9 f. und 2 Petr 1,7). Weil die Adressaten als »gottgelehrt« angesprochen werden, kann man in der Formulierung »einander lieben« eine Anspielung auf das Gebot der Nächstenliebe aus Lev 19,18 (»deinen Nächsten lieben wie dich selbst«) hören.

So z. B. *R. Börschel*, Konstruktion 257-259. Zur Formulierung »einander lieben *(agapan allēlous)*« vgl. Jub 36,4; TestSeb 8,5 f.; TestGad 6,1; 7,7; TestJos 17,2 f. (z. T. mit Anklang an das Gebot der Nächstenliebe), aber auch 1 Thess 3,12; Röm 13,8; Joh 13,34; 15,12.17. Sie ist selbst in der paganen Paränese zu finden, ist also allgemein verständlich (Dion Chrysostomos, or. 74,12; Plutarch, mor. 480c; dazu *M. Wolter*, Jesus 210 f.).

Folgt man der Annahme einer Anspielung auf das Gebot der Nächstenliebe, erläutern sich beide Denkmodelle, das jüdische und das griechisch-römische, gegenseitig. Die Nächstenliebe wird in der Form enger geschwisterlicher Gemeinsamkeit gelebt, was sich in das durch die Familienmetaphorik des 1 Thess entworfene Gemeindebild fügt. In der intensiven, solidarischen Form des Zusammenlebens erfüllt die Gemeinde ebenso das biblische Gebot wie das pagane Ideal. Damit kann die Gemeinde ihre markante Lebensweise als auch den Vorstellungen ihrer paganen Umwelt entsprechend einordnen, muss sie nicht als fremdartig oder minderwertig begreifen – und gewinnt in der Erfüllung des Ideals selbst wieder Profil und Identität.

Die Verfasser lassen keinen Zweifel daran, dass die Gemeinde die Geschwisterliebe bereits glaubwürdig praktiziert, denn sie betonen, dass keine Notwendigkeit besteht, ihr darüber zu schreiben. Korrekturbedarf besteht darin offenbar nicht. Die Gemeinde wird sogar als von Gott selbst über die Liebe zueinander, das Gebot der Nächstenliebe, belehrt bezeichnet. Das Adjektiv *theodidaktos* (»gottgelehrt«) stellt offensichtlich einen Neologismus dar, den die Verfasser wohl auf der Basis biblischer Sprache selbst gebildet haben. Er erinnert an *didaktoi theou* (»Gelehrte Gottes«) aus Jes 54,13 LXX, wo ein Neuanfang Gottes mit Israel verheißen ist, und trägt so eschatologischen Klang. Wiederum wird mit dieser Anspielung die besondere eschatologische Identität der Gemeinde bestärkt.

Ausdrücklich zitiert wird Jes 54,13 erst in Joh 6,45. Als sachlichen Hintergrund des Gottgelehrtseins kann man an die endzeitliche Erneuerung im Herzen, im Inneren des Menschen durch Gott aus Jer 31,33 f. und Ez 36,26 f. denken (zur Diskussion *M. Theobald*, »Gottes-Gelehrtheit«; zur Wortbildung *S. E. Witmer*, *theodidaktoi*). Vgl. ferner LXX Ps 24,5; 70,17;

142,10; auch PsSal 17,32 (der Messias als von Gott belehrter König). –
Weiter entfernt sind hellenistische Sprachformen, wie sie v. a. in philosophischen Kreisen verwendet wurden und mit *autodidaktoi* (»Selbst-Ge-
lehrte«) bzw. *adidaktoi* (»Ungelehrte«) eine Distanz zu konventioneller
Erziehung und Weisheit und zu menschlichen Lehrern ausdrücken; im
Hintergrund kann das Gelehrtsein durch die Götter stehen (Aelius Aristi-
des 2,92; Belege bei *Malherbe* 244 f.; zu Philo *M. Theobald*, »Gottes-Ge-
lehrtheit« 410). – *J. S. Kloppenborg*, PHILADELPHIA 281-289 versteht die
Wortbildung *theodidaktoi* als Anspielung auf die Dioskuren – zwei my-
thische Brüder, die in der antiken Literatur häufig als Beispiel für ideale
Geschwisterliebe genannt werden, da der als Sohn des Zeus unsterbliche
Polydeukes (Pollux) die Hälfte seines Lebens für seinen sterblichen Bruder
Kastor hingab –, deren »göttliches« Vorbild rhetorisch geschickt verpackt
zur Nachahmung empfohlen werde. Doch dürfte für die Adressaten der
Begriff *theos* eindeutig auf den Gott, der sich in Jesus offenbart hat, be-
zogen sein (vgl. 1,9 f.), bei dem sie auch die Orientierung für ihre neue
Lebensweise suchen.

Es ist möglich, dass die Adressaten ihren Status als Gottgelehrte
auch mit dem Wirken des endzeitlichen Geistes Gottes in ihnen,
mit dem v. 8 endete, in Verbindung brachten. In späteren Briefen
stellt Paulus den Geist als Ermöglichung des neuen Lebensvollzugs
der Christen heraus (besonders in Gal 5,16-26; Röm 8,1-17). Wenn
die Gemeinde von Gott gelehrt ist, stammt ihre Einsicht in die Praxis der gegenseitigen Liebe aus ihrer direkten, neuen Gottesbeziehung. Das schließt natürlich nicht aus, dass die Missionare bei der
Verkündigung in Thessaloniki davon gesprochen haben (*Holtz* 175;
Malherbe 244; **T. Söding*, Trias 91). Wichtig ist aber, dass sich die
Gemeinde die Praxis der Liebe angeeignet hat. Da die einzelnen
Mitglieder der Gemeinde vermutlich durchaus unterschiedlichen
sozialen Hintergrund und Status besaßen, musste sich eine intensive
Gemeinsamkeit, die von der antiken Gesellschaftsstruktur her kei-
neswegs nahe liegt, erst bilden und bewähren. Dies ist der Gemein-
de bereits geglückt. Die Bezeichnung als »gottgelehrt« bedeutet für
die Gemeinde einen hohen Status vor Gott und damit erhebliche
Aufwertung, zeigt sie sie doch als Gemeinde der Endzeit Gottes.

10 Der Gedanke der bereits praktizierten Geschwisterliebe wird in **10**
v. 10 weitergeführt und ausgeweitet. Die Gemeinde pflegt die Praxis
der Liebe nicht nur im Binnenraum der Gruppe in Thessaloniki,
sondern auch gegenüber allen Geschwistern in der ganzen Provinz
Makedonia. Als »Geschwister« sind sie miteinander in der Geschwisterliebe verbunden. Konkret informiert sind wir freilich nur
über eine Gemeinde in Philippi (2,2; Apg 16,11-40), vermuten lässt

sich eine Gemeinde in Beröa (Apg 20,4 erwähnt einen Sopater aus Beröa, der zur Reisegruppe des Paulus zählte). Verbindungen zu diesen Gemeinden, die in erreichbarer Nähe zu Thessaloniki lagen, können über gegenseitige Besuche gelaufen sein, wobei man sich gegenseitig Gastfreundschaft und Reisebegleitung gewährte (so *Holtz* 176), engagiertes Interesse aneinander zeigte und vielleicht auch durch gegenseitige Unterstützung und Solidarität das (wirtschaftliche) Leben der Gemeinden förderte.

Der Zuspruch *(parakaloumen)*, darin noch mehr überzufließen *(perisseuein mallon)*, greift in einem neuen Satz die Begrifflichkeit von 4,1 auf und bedeutet auch hier keinen Mangel und kein Defizit im Leben der Gemeinde, sondern die Ermutigung, auf dem eingeschlagenen und durchaus erfolgreichen Weg weiterzugehen.

11 **11** Im Verlauf desselben Satzes erfolgt nun ein Wechsel der Perspektive, wobei das übergeordnete und mit v.9 f. verbindende Interesse weiter auf einem positiven Verhältnis zur städtischen Umwelt liegt. Der Zuspruch betrifft jetzt konkret die Beziehungen der Gemeinde nach außen und beleuchtet so gleichsam die andere Seite der Medaille: Dem idealen Zusammenleben innerhalb der Gemeinde entspricht ein vorbildliches Verhalten nach außen. Damit wird der Bereich der »Geschwisterliebe« langsam verlassen und nun das Leben mit der städtischen Umwelt erörtert (eine Fortführung der »Geschwisterliebe« sehen hingegen z.B. *R. Aasgaard*, Beloved 155; *T. J. Burke*, Family 204 f.). Den Umschwung markiert der Neueinsatz mit dem Verb *parakaloumen* in v.10 und vor allem die Begrifflichkeit von v.11, die aus dem Bereich des soziopolitischen Lebens stammt. Auch jetzt soll kein Missstand behoben, sondern die Bedeutung des Verhaltens innerhalb der sozialen Umwelt bewusst gemacht werden. Weil dieses Verhalten die Voraussetzung für das Leben in der städtischen Gesellschaft bildet, soll die Gemeinde darin »Ehrgeiz zeigen« *(philotimeisthai)*. Das Ziel besteht darin, in politischer Unauffälligkeit und materieller Unabhängigkeit zu leben und damit zur Vermeidung von Konflikten mit der Gesellschaft beizutragen. Die Gemeinde kann die Gesellschaft nicht verändern, sie kann nur als »eschatologischer Vorposten« in ihr leben, bis die Parusie des Herrn ihre Überzeugung und Lebensweise als die Gottes Willen entsprechende erweisen wird (↗4,15). Das Verb *philotimeomai* heißt ›Ehre suchen‹ und ›Ehrgeiz haben‹ (*F. Passow*, Handwörterbuch II/2, 2290) und wird häufig für das Streben nach gesellschaftlicher Ehre in verschiedenen Bereichen gebraucht (*Malherbe* 246 f.; in Vereinen *R. S. Ascough*, Associations 183). Am Wettbewerb um soziale Ehre nehmen die einzelnen Mitglieder der

Gemeinde nach 1 Thess 4,11 jedoch nicht teil, vielmehr soll die Gemeinde als ganze ihren Ehrgeiz in eine unauffällige und unabhängige Lebensweise setzen.
Vom Infinitiv »Ehrgeiz zeigen« hängen drei weitere Infinitive ab, die die entscheidenden Inhalte vermitteln. Das Verb *hēsychazein* (»sich ruhig verhalten«) besitzt semantische Bezüge zum politischen und öffentlichen Bereich und meint ein Leben, das keine politische Unruhe provoziert und die öffentliche Ordnung nicht stört (*W. Bauer*, Wörterbuch 707, Nr. 1; *Holtz* 177 Anm. 179; *Green* 210). In dieselbe Richtung zielt auch die Aussage »eure eigenen Angelegenheiten zu tun« *(prassein ta idia)*.

Eine (sprachliche) Analogie zu diesen Aussagen bietet das philosophische Ideal des ruhigen Lebens, wie es in epikureischen und kynischen Kreisen, aber auch von Stoikern wie Seneca empfohlen wird. Es bedeutet faktisch einen Rückzug des wahren Philosophen aus Politik und Öffentlichkeit, um frei für das eigentliche Leben zu sein (vgl. *A. J. Malherbe*, Paul 96-103; *ders.* 246-250). Impliziert ist dabei die Kritik an den gesellschaftlichen Normen und Strukturen des öffentlichen Lebens. In Reaktion darauf betonen andere Philosophen die gesellschaftliche Verantwortung (vgl. nur Plutarchs Schriften »Ist ›Lebe im Verborgenen‹ eine kluge Regel?« [mor. 1128b-1130e] und »Die Lehre Epikurs macht ein angenehmes Leben unmöglich« [mor. 1086c-1107c]). Dass 1 Thess das philosophische Ideal des zurückgezogenen Lebens bewusst aufgreift, ist unwahrscheinlich, da eine ganz andere Gesprächssituation vorliegt: Nicht die philosophische Diskussion um die rechte politische Lebensweise, die in der gesellschaftlichen Elite geführt wurde (da nur diese überhaupt Zugang zu politischer Verantwortung hatte), bildet den Rahmen, vielmehr sichert das unauffällige Leben die Existenz der Adressatengemeinde in der Stadtgesellschaft. Zu den städtischen Eliten, deren Existenz von materiellen Sorgen meist frei war, zählten die ersten Christen nicht; sie waren auf körperliche Arbeit angewiesen.

Gerade weil die Gemeinde durch ihre Existenz allein schon verdächtig genug ist, soll sie nicht durch auffällige Aktivitäten oder Inszenierungen in der Öffentlichkeit weitere Verdachtsmomente auf sich ziehen. Konkreter ist die Aufforderung, »mit euren [eigenen] Händen zu arbeiten« *(ergazesthai tais [idiais] chersin hymōn)*. Gemeint ist körperliche Arbeit zum Erwerb des Lebensunterhalts, in erster Linie die Tätigkeit als Handwerker (vgl. 1 Kor 4,12; Eph 4,28; ferner Apg 20,34). Die Erwerbsarbeit integriert die Gemeindeglieder in ihre städtische Lebenswelt und weckt Vertrauen in ihre Teilnahme am städtischen Alltag. So erscheint sie weniger fremd und damit weniger verdächtig. Die soziale Elite hat selbstverständlich ein Interes-

se daran, dass Handwerker ihrem jeweiligen Beruf nachgehen und
so ihre eigenen Aufgaben erfüllen, da dies zur Stabilität der geltenden Gesellschaftsstruktur beiträgt. Schon Platon forderte, dass jeder
Handwerker seiner eigenen Arbeit nachgeht (Platon, Charm. 161e-
162b; rep. 4,443cd; vgl. Dion Chrysostomos, or. 7,125; 80,1; Lukian,
bis acc. 6; fug. 17; vit. auct. 11; Belege bei *Malherbe* 249 f.). Darüber
hinaus sichert die Erwerbsarbeit die wirtschaftliche Existenz der
Gemeinde. Die Missionare selbst verdienten sich während ihres
Aufenthalts in Thessaloniki ihren Lebensunterhalt durch Arbeit
(2,9). Die genannten Grundregeln gemeindlicher Lebenspraxis innerhalb einer hellenistischen Großstadt haben die Missionare der
Gemeinde bereits beim Gründungsbesuch vermittelt, woran sie mit
der Parenthese »wie wir euch unterwiesen haben« erinnern.

Der Hinweis auf Arbeit mit den Händen wirft ein kleines Schlaglicht auf die Sozialstruktur der Gemeinde, die vorwiegend aus Menschen bestand, die für ihren Lebensunterhalt körperlich arbeiten
mussten. Darunter fallen kleine »selbständige« Handwerker ebenso
wie Lohnarbeiter und Sklaven (↗ Einleitung 3.2).

Dass hinter der Aufforderung zur Erwerbsarbeit ein problematisches Verhalten steht, das korrigiert werden soll, wird im Text nicht deutlich. Man
hat dabei an einzelne Gemeindeglieder gedacht, die (in endzeitlicher Begeisterung) die Erwerbsarbeit gänzlich verweigerten und auf Kosten wohl-
habenderer »Patrone« innerhalb der Gemeinde lebten (↗ Einleitung 3.2;
auch *B. Heininger*, Inkulturation 67 f.79-81; *T. J. Burke*, Family 205-
207.213-218; *Fee* 157 f.161 f.; *Witherington* 118.122; allgemeiner *Holtz*
177 f.; *Marxsen* 62; *J. A. D. Weima*, How 112 f.). Doch eine Verbindung
zu den *ataktoi* (Unordentlichen) in 5,14, die in diesem Zusammenhang
häufig hergestellt wird, bleibt unklar (↗ 5,14). Und es ist sehr fraglich, ob
es überhaupt Gemeindeglieder gab, die so wohlhabend waren, dass sie andere dauerhaft finanzieren konnten. Auch eine auffällige, anstößige Mis-
sionsaktivität einzelner Gemeindeglieder ist als Problemfall vorgeschlagen
worden (*J. M. G. Barclay*, Conflict 520-525; *T. D. Still*, Conflict 245-250;
auch *T. J. Burke*, Family 206 f.213-218). Doch wird eine solche im Brief
nicht sichtbar (↗ 1,3.7). *Malherbe* 255-259 meint, Paulus erkenne die Gefahr, die Gemeinde könnte durch den Rückzug einzelner aus dem Erwerbsleben eine Art von Epikureismus übernehmen. Doch können einzelne sprachliche Anklänge die Beweislast dafür nicht tragen, da sie in
breiteren antiken Diskursen verankert sind. Eher geht es, wie auch sonst
in 4,1-12, um die Bewusstmachung des christlichen Ethos, das die Gemeinde schon lebt, das aber so wichtig ist für das Überleben der jungen
Gemeinde in ihrem städtischen Kontext, dass es noch einmal thematisiert
und eingeschärft wird.

12 In v.12, der in einem *hina*-Satz den Zweck oder das Ziel des ge- **12**
forderten Verhaltens formuliert, wird der Situationsbezug dieser
Verhaltensregeln klar sichtbar. Es geht nicht um die Korrektur innergemeindlichen Fehlverhaltens, sondern um das Verhalten an der
Grenze zur städtischen Umwelt, »gegenüber denen, die draußen
sind«. An der Grenze nach außen praktiziert die Gemeinde Verhaltensweisen, die den Normen der städtischen Gesellschaft entsprechen. Das ist mit der Aussage gemeint, der Lebenswandel der Gemeinde sei »anständig«. Das Adverb *euschēmonōs* stellt einen
Formalbegriff dar und bezieht sich auf ein Leben nach den gesellschaftlich geltenden, anerkannten Normen, das so keinen Anstoß
erregt. Reibungsflächen mit der paganen Bevölkerung, die das Leben der Gemeinde erschweren würden, sollen damit vermieden
werden. Zur Illustration mag der Gebrauch des Adverbs in 1 Kor
14,40 dienen, wo dieselbe Konstellation prägend ist: Paulus ermahnt die Gemeinde in Korinth, sich bei ihren Versammlungen
anständig und nach der gesellschaftlich anerkannten Ordnung zu
verhalten, damit Außenstehende, die anwesend sind, kein falsches
Bild der Gruppe bekommen.

Je nach Bezugssystem kann die Wortgruppe um *euschēmōn* unterschiedliche Verhaltensweisen bezeichnen. So fasst Epiktet damit das ideale Verhalten des Weisen zusammen, der die Grundsätze der stoischen Philosophie vorbildlich praktiziert (dissertationes 4,10,14-17). In anderen
Kontexten kann es sexuell konnotiert sein (z.B. 1 Kor 7,35f.; 12,23f.;
Röm 1,27; Josephus, ant. 15,102). Wenn eine Person den Normen der Gesellschaft entspricht und einflussreich ist, kann *euschēmōn* auch den sozialen Status im Sinne von ›angesehen, vornehm‹ beschreiben (so in Mk 15,43;
Apg 13,50; 17,12; Josephus, vit. 32; zur Semantik *B. Heininger*, Inkulturation 81 f.). In 1 Thess 4,12 geht es allgemein um Verhaltensweisen, die den
Normen der Stadtgesellschaft in Bezug auf eine Gruppe, die nicht zur Elite
zählt, entsprechen.

Die Intention der Aussage besteht nicht in der generellen Anpassung an die Konventionen und Praktiken der hellenistisch-römischen Gesellschaft, im Gegenteil: Das Spezifische der christlichen
Lebensweise war ja in 4,3-10 deutlich vor Augen gestellt und als
Lebensweise in der Endzeit Gottes theologisch qualifiziert worden.
Aber damit diese in ihrer sozialen Umwelt durchaus auffällige und
anstößige Lebensweise praktiziert werden kann, bedarf sie des ge-
schützten Raumes, den die Gemeinde bietet. Dazu muss sie sich
aber in ihren Kontakten zur Öffentlichkeit, die besonders das berufliche Leben betreffen, als »anständig« erweisen, und das bedeu-

tet, ihre städtische Umwelt nicht anzugreifen oder zu provozieren. Diese »anständige« Lebensweise dient auch der Sicherung ihrer materiellen Existenzgrundlage, die auf Außenkontakte angewiesen bleibt.

Eine interessante Parallele bietet Röm 13,8-14. Dort wird zunächst das Gebot der Nächstenliebe als neuer Grundsatz der Tora-Auslegung und damit der christlichen Lebensweise etabliert (13,8-10), bevor dann der eschatologische Charakter christlicher Existenz hervorgehoben wird, zu dem eine bestimmte Lebensweise gehört (13,11 f.). Diese wird entfaltet als »anständig wandeln« *(euschēmonōs peripatēsōmen),* wozu als Gegenbeispiel ein kleiner Lasterkatalog geboten wird (Gelage, Trinkerei, Beischlaf, Ausschweifung, Streit, Eifersucht); am Ende steht die Warnung vor der Begierde, die die soziale Existenz bestimmen will (13,13 f.). Der Text stellt eine spezifisch eschatologische Begründung christlichen Lebenswandels vor, die sich mit einem hohen Ethos verbindet. Der Begriff »anständig« lässt dabei erkennen, dass dieses gute Verhalten auch über die christliche Gruppe hinaus Anerkennung finden kann und soll.

»Niemanden nötig haben« besagt die materielle und soziale Unabhängigkeit der Gemeinde. Wenn die Gemeinde untereinander Solidarität und Unterstützung Bedürftiger praktiziert, kann sie aus eigenen Mitteln existieren und auf problematische Außenkontakte verzichten. Zu denken ist bei solchen Kontakten an die Zugehörigkeit zur Klientel eines wohlhabenden städtischen Patrons (vgl. *Green* 208-212; *P. J. Tomson,* Instruction 115), die materielle Vorteile, aber auch soziale Verpflichtungen mit sich bringt, die von der Gemeinde distanzieren können, oder schlicht an Betteln oder die Suche nach öffentlicher Speisung (z.B. anlässlich eines Opfers in einem Göttertempel bei einem städtischen Fest). Durch Unabhängigkeit und gegenseitige Solidarität wird der innere Zusammenhalt der Gruppe ebenso verstärkt wie die Unanstößigkeit nach außen.

4. Rhetorische Strategie

Der Abschnitt 4,1-12 thematisiert den Lebenswandel, der Gott gefällt, also die Lebensweise, die der neuen Überzeugung der kleinen Konvertitengruppe entspricht und ihre Identität ausmacht. Im Alltag der jungen Gemeinde stellt das Verhältnis zur städtischen Kultur und Gesellschaft die Herausforderung dar, die es dabei zu bewältigen gilt, nicht einzelne Fälle von ethischem Fehlverhalten in der Gemeinde. Die guten Nachrichten des Timotheus hatten ja gezeigt, dass die junge Konvertitengruppe durchaus konsequent und überzeugt ihre neue Lebensweise pflegt (3,6). Der Abschnitt 4,1-8 dient der Bewusstmachung der besonderen christlichen Existenz und stellt daher die Unterscheidung zur paganen Umwelt heraus, wobei er auf bekannte jüdische Muster der Abgrenzung zurückgreift. Das tragende Element, das die neue Lebensweise der Gemeinde begründet, ist deren neue Beziehung zu Gott, dem Gott Israels, der sich in Jesus, dem Herrn, offenbart hat. »Heiligung« wird daher zum Ausdruck der neuen Identität der Gemeinde in ihrem Verhältnis zu Gott (vgl. *M. Bohlen*, Communio 134; *J. A. D. Weima*, How 99.109). In jedem Satz von 4,1-8 wird Gott genannt, der die neue Lebensweise der Gemeinde begründet. Im Zusammenhang damit wird die neue christliche Existenz wiederholt in eschatologisches Licht gestellt (4,6-8.9). Das Ethos der Gemeinde ist also *theologisch* und *eschatologisch* fundiert und unterscheidet sich so von der Begründungsstruktur philosophischer Ethik in der Umwelt (vgl. *Malherbe* 240 f.). Die Bewusstmachung dieses spezifischen Ethos, das die Gemeinde in ihrer Lebenspraxis bereits umsetzt, im Gegenüber zur gesellschaftlich dominierenden städtischen Lebenswelt dient der Stabilisierung ihrer eigenen Identität. Diese Bewusstmachung impliziert auch die Aufforderung, weiter so zu handeln.

Implizit erscheint die Gemeinde damit als Teil des eschatologischen Israel, ohne dass die Verfasser dieses Verhältnis ansprechen. Das bedeutet eine unmittelbare Zugehörigkeit auch der *Heiden*christen zum Gott Israels durch das berufende und erwählende Handeln Gottes im Christus, keine Ablösung Israels durch die Christus-Gemeinden.

Der innergemeindlichen Abgrenzung von der paganen Welt entspricht auf der anderen Seite die Integration der Gemeinde in die städtische Gesellschaft, in der sie ihre wirtschaftliche und soziale Existenz vollzieht (4,9-12). Mit dem Stichwort »Geschwisterliebe« ordnen die Verfasser die in der Gemeinde und gegenüber anderen Christen gepflegte Praxis gegenseitiger Liebe in den ethischen Diskurs der Umwelt ein und demonstrieren auf diese Weise die vorbildliche Erfüllung dieses ethischen Ideals in der Gemeinde. Die Gemeinde kann so die eigene Lebensweise, die ihrer neuen Überzeugung entspricht, zugleich als Erfüllung idealer Kategorien ihrer Umwelt verstehen. Integration geschieht auch im Vollzug des Erwerbslebens, wobei der Brief eine pragmatische Vorgehensweise empfiehlt: Die einzelnen Mitglieder der Gemeinde sollen ihr berufliches Leben, das nur in engstem Kontakt mit der städtischen Gesellschaft möglich ist, den Konventionen entsprechend ausüben, was ihre Existenz in materieller Hinsicht sichert, aber auch vor Verdächtigungen und Anfeindungen schützt. Dies stellt ihre Identität nicht in Frage, sondern bestimmt den Rahmen, in dem sie diese Identität leben können.

Das Thema des Berufslebens setzt innerhalb der eher allgemeinen Ausführungen von 4,1-12 einen Akzent, weil dazu die konkretesten Aussagen fallen (4,6.11). Offenbar sahen die Verfasser gerade in diesem Bereich eine mögliche Gefahr für das Leben der jungen Gemeinde. Wenn man davon ausgeht, dass die Konversion den Argwohn der Umgebung und damit auch von Geschäftspartnern, potentiellen Kunden oder Arbeitgebern auf sich gezogen hat (↗ Exkurs 3), kann sich dies in Störungen des Erwerbslebens und der wirtschaftlichen Existenz der Konvertiten auswirken. Daher stellen die Verfasser die Bedeutung von Zusammenarbeit, gegenseitiger Unterstützung und Solidarität im Erwerbsleben innerhalb der Gemeinde heraus (4,6) und ermutigen – trotz möglicher Frustration – zum Durchhalten und zur Beständigkeit im Vollzug des eigenen Arbeitsalltags, weil so die Sicherung der wirtschaftlichen Existenz gewährleistet und eine positive Wirkung nach außen erzielt werden kann (4,11 f.).

Der Abschnitt 4,1-12 beschreibt und profiliert also das Ethos der Gemeinde in Thessaloniki. Das hat mit Ethik, mit der Reflexion des richtigen Verhaltens, zu tun, mehr aber noch mit Ekklesiologie, mit der Reflexion des Selbstverständnisses von Gemeinde (vgl. *P. Pilhofer, philadelphias* 142 f.). Das Bemühen um das Ethos und das Selbstverständnis einer jungen Gemeinde, das der Text spiegelt, dokumentiert, dass heutige theologische Kategorien wie Ethik und Ekklesiologie nur bedingt zur Beschreibung von Funktion und Pragmatik urchristlicher Texte geeignet sind.

Tote, Lebende und die Parusie 4,13-18

13 Wir wollen aber nicht, dass ihr unwissend seid, Geschwister, über die Entschlafenen, damit ihr nicht betrübt werdet wie auch die Übrigen, die keine Hoffnung haben. 14 Denn wenn wir überzeugt sind, dass Jesus starb und auferstand, so wird auch Gott die Entschlafenen durch Jesus führen mit ihm. 15 Denn dies sagen wir euch mit einem Wort des Herrn, dass wir, die Lebenden, die Übrigbleibenden zur Ankunft des Herrn, sicher nicht den Ent-

schlafenen zuvorkommen: 16 Denn der Herr selbst wird beim Befehlsruf, bei der Stimme eines Erzengels und bei der Trompete Gottes herabsteigen vom Himmel, und die Toten in Christus werden zuerst auferstehen; 17 dann werden wir, die Lebenden, die Übrigbleibenden, zugleich mit ihnen fortgerissen werden in Wolken zur Einholung des Herrn in die Luft. Und so werden wir allezeit mit dem Herrn sein. 18 Daher redet einander zu mit diesen Worten.

Literatur: R. S. Ascough, A Question of Death. Paul's Community-Building Language in 1 Thessalonians 4:13-18, JBL 123 (2004) 509-530; *ders.*, Paul's »Apocalypticism« and the Jesus Associations at Thessalonica and Corinth, in: R. Cameron/M. P. Miller (Hg.), Redescribing Paul and the Corinthians (SBL.ECL 5), Atlanta 2011, 151-186; *J. M. G. Barclay*, »That You May not Grieve, Like the Rest Who have no Hope« (1 Thess 4,13). Death and Early Christian Identity, in: M. D. Hooker (Hg.), Not in the Word Alone. The First Epistle to the Thessalonians (SMBen 15), Rome 2003, 131-153 (auch in: ders., Pauline Churches and Diaspora Jews, WUNT 275, Tübingen 2011, 217-235); *S. C. Barton*, Eschatology and the Emotions in Early Christianity, JBL 130 (2011) 571-591; *K. P. Donfried*, The Imperial Cults and Political Conflict in 1 Thessalonians, in: R. A. Horsley (Hg.), Paul and Empire. Religion and Power in Roman Imperial Society, Harrisburg 1997, 215-223; *U. E. Eisen*, Die imperiumskritischen Implikationen der paulinischen Parusievorstellung, in: Bekenntnis und Erinnerung (FS H.-F. Weiß) (Rostocker Theologische Studien 16), Münster 2004, 196-214; *E. Gräßer*, Bibelarbeit über 1 Thess 4,13-18, in: Bibelarbeiten gehalten auf der rheinischen Landessynode 1967 in Bad Godesberg, Mülheim 1967, 10-20; *R. H. Gundry*, The Hellenization of Dominical Tradition and Christianization of Jewish Tradition in the Eschatology of 1-2 Thessalonians, in: ders., The Old is Better. New Testament Essays in Support of Traditional Interpretations (WUNT 178), Tübingen 2005, 292-314; *P. Hoffmann*, Die Toten in Christus. Eine religionsgeschichtliche und exegetische Untersuchung zur paulinischen Eschatologie (NTA 2), Münster ³1978; *T. Holtz*, Tröstliche Gewissheit im Dreiklang von Bekenntnis, Herrenwort und überliefertem Wissen. Zu 1 Thessalonicher 4,13-18 (2006), in: ders., Exegetische und theologische Studien. Gesammelte Aufsätze II (ABG 34), Leipzig 2010, 193-204; *P. H. van Houwelingen*, The Great Reunion: The Meaning and Significance of the »Word of the Lord« in 1 Thessalonians 4:13-18, CTJ 42 (2007) 308-324; *S. Kim*, The Jesus Tradition in 1 Thess 4.13-5.11, NTS 48 (2002) 225-242; *D. Konstan/I. Ramelli*, The Syntax of *en Christō* in 1 Thessalonians 4:16, JBL 126 (2007) 579-593; *C. Landmesser*, Die Entwicklung der paulinischen Theologie und die Frage nach der Eschatologie, in: H.-J. Eckstein/ders./H. Lichtenberger (Hg.), Eschatologie – Eschatology (WUNT 272), Tübingen 2011, 173-194; *J. Lehnen*, Adventus principis. Untersuchungen zu Sinngehalt und Zeremoniell der Kaiserankunft in den Städten des Imperium Romanum (Prismata 7), Frankfurt a. M. 1997; *O. Merk*, 1. Thessalonicher 4,13-15 im Lichte des gegenwärtigen Forschungsstandes, in: ders., Wissenschaftsgeschichte und Exegese. Gesammelte Aufsätze (BZNW 95), Berlin/New York 1998, 404-421; *H. Merklein*, Der Theologe als Prophet. Zur Funktion prophetischen Redens im theologischen Diskurs des Paulus (1992), in: ders., Studien zu Jesus und Paulus II (WUNT 105), Tübingen 1998, 377-404; *C. R. Moss/J. S. Baden*, 1 Thessalonians 4.13-18 in Rabbinic Perspective, NTS 58 (2012) 199-212; *T. Nicklas*, Paulus – der Apostel als Prophet, in: J. Verheyden/K. Zamfir/ders. (Hg.), Prophets and Prophecy in Jewish and Early Christian Literature (WUNT II/286), Tübingen 2010, 77-104; *P. Oakes*, Re-mapping the Universe: Paul and the Emperor in 1 Thessalonians and Philippians, JSNT 27 (2005) 301-322; *R. E. Otto*, The Meeting in the Air (1 Thess 4:17), HBT 19 (1997) 192-212; *M. W. Pahl*, Discerning the »Word of the Lord«. The »Word of the Lord« in 1 Thessalonians 4:15 (LNTS 389), London 2009; *E. Peterson*, Art. *apantēsis*, in: ThWNT 1 (1933), 380; *J. Plevnik*, The Destination of the Apostle and of the Faithful: Second Corinthians 4:13b-14 and First Thessalonians 4:14, CBQ 62 (2000) 83-95; *ders.*, Paul and the Parousia. An Exegetical and Theological Investigation, Peabody 1997; *ders.*, The Taking Up of the Faithful and the Resurrection of the Dead in 1 Thessalonians 4:13-18, CBQ 46 (1984) 274-283; *S. Schneider*, Vollendung des Auferstehens. Eine exegetische Untersuchung von 1 Kor 15,51-52 und 1 Thess 4,13-18 (FzB 97), Würzburg 2000; *S. Schreiber*, Eine neue Jenseitshoffnung in Thessaloniki und ihre Probleme (1 Thess 4,13-18), Bib. 88 (2007) 326-350; *ders.*, Apokalyptische Variationen über ein Leben nach dem Tod. Zu einem Aspekt der Basileia-Verkündigung Jesu, in: M. Labahn/M. Lang (Hg.), Lebendige Hoffnung – ewiger Tod?! Jenseitsvorstellungen im Hellenismus, Judentum und Christentum (ABG 24), Leipzig 2007, 129-156; *S. Turner*, The Interim, Earthly Messianic Kingdom in Paul, JSNT 25 (2003) 323-342; *P. G. de Villiers*, Safe in the Family of God: Soteriological Perspectives in 1 Thessalonians, in: J. G. van der Watt (Hg.), Salvation in the New Testament. Perspectives on Soteriology (NT.S 121), Leiden 2005, 305-330; *D. F. Watson*, Paul's Appropriation of Apocalyptic Discourse. The Rhetorical Strategy of 1 Thessalonians, in: G. Carey/L. G. Bloomquist (Hg.), Vision and Persuasion. Rhetorical Dimensions of Apocalyptic Discourse, St. Louis 1999, 61-80.

1. Analyse

Kontext, Form, Aufbau

Nach den Ausführungen in 4,1-12 über den für die Gemeinde spezifischen Lebenswandel folgt nun in 4,13-18 die Behandlung eines Einzelthemas, wobei die Texte durch ihre eschatologische Perspektive auf die Existenz der Gemeinde verbunden sind. Angesichts einer bestimmten Problemlage herrschte Unsicherheit unter den Mitgliedern der Gemeinde – sie sind »unwissend« (v.13). Wir dürfen vermuten, dass Timotheus bei seiner Rückkehr aus Thessaloniki (3,6) Paulus und Silvanus darüber informierte. Vielleicht brachte er auch eine direkte Anfrage der Gemeinde mit. Der Neueinsatz ist deutlich nicht nur durch die Themenangabe »über die Entschlafenen«, sondern auch durch die erklärte Absicht, eine Wissens- und Verständnislücke der Gemeinde zu schließen, und durch die neuerliche Anrede als »Geschwister« (v.13). Mit dem Thema der »Entschlafenen« und dem damit verbundenen Fokus auf die »Ankunft«, die Parusie des Herrn (v.15) fügt sich der kleine Abschnitt in das zweite große Briefthema, das Leben in der Endzeit, ein. Er schließt mit der Aufforderung an die Adressaten, auf der Basis des dargestellten eschatologischen Sachverhalts einander zuzureden (v.18; vgl. 5,11), d.h. sich gegenseitig in der endzeitlichen Ausrichtung des Lebens zu bestärken.

Der Text behandelt in argumentativer Weise einen Aspekt des theologischen Verständnisses der eschatologischen Qualität der neuen christlichen Lebensweise. Er ist damit formgeschichtlich weniger als Ermahnung oder Paränese (so *Malherbe* 279; *D. F. Watson*, Appropriation 73f.), sondern als theologischer Diskurs einzuordnen. Zu Beginn steht mit »wir wollen aber nicht, dass ihr unwissend seid« eine Formulierung, die so (1 Kor 10,1; 12,1; 2 Kor 1,8; Röm 1,13; 11,25) oder ähnlich (1 Kor 11,3; 12,3; 15,1; 2 Kor 8,1; Gal 1,11; Phil 1,12) häufig in späteren Paulusbriefen begegnet. Sie entspricht antiker Briefpraxis und hebt Sachverhalte oder Informationen hervor, die in den Augen der Verfasser für die Adressaten wichtig bzw. klärungsbedürftig sind und die die enge Verbindung im gemeinsamen Wissen und Verstehen unterstreichen (*Malherbe* 262; **R. Aasgaard*, Beloved 278f.). Die knappe Argumentation zeigt insgesamt eine große innere Geschlossenheit und geht in folgenden Schritten vor:

4,13	Problemstellung
4,14	Erster Antwortschritt: Traditionssatz
4,15-17	Zweiter Antwortschritt: Herrenwort
4,18	Praktische Konsequenz: gegenseitiger Zuspruch

Der kleine Abschnitt hat in der Exegese seit langem große Diskussionen verursacht (zur Forschung bis Mitte der 1990er Jahre *O. Merk*, 1. Thessalonicher 4,13-15). Besonders umstritten sind die Fragen nach der Bedeutung und dem Umfang des »Wortes des Herrn« in 4,15a und nach dem Anlass der Ausführungen, der in einer bestimmten Problemsituation innerhalb der Adressatengemeinde gründet, im Text aber nur andeutungsweise sichtbar wird und so zu verschiedenen Konstruktionen geführt hat (↗ 4,13). Die Traditionsanalyse bzw. die Kommentierung wird darauf besonderes Augenmerk zu richten haben.

Tradition

Der Text bedient sich nach eigenen Angaben mehrerer traditioneller Elemente, die in der noch jungen christlichen Überlieferung schon bereit lagen. Die Verfasser zeigen damit die Verwurzelung ihrer Argumentation in der Überzeugung der ersten Christen. In der Formulierung »Jesus starb und auferstand« von 4,14 liegt eine Bekenntnistradition vor, wie der Vergleich mit ähnlichen Aussagen in Röm 8,34; 14,9; 1 Kor 15,3 f.; 2 Kor 5,15 zeigt; dort steht freilich das Verb *egeirō*/erwecken, während 1 Thess 4,14 *anistēmi*/aufstehen verwendet. Aber auch *anistēmi* scheint in der urchristlichen Sprache über Jesu Erweckung verwurzelt (Mk 8,31; 9,9.31; 10,34; Lk 24,46; Apg 2,24.32; 10,41; 13,33 f.; 17,3.31).

In 4,15 sprechen die Verfasser nach eigener Aussage mittels eines »Wortes des Herrn« *(en logō kyriou)*. Sowohl die Bedeutung als auch der Umfang dieses Wortes sind in der Auslegung umstritten. (1) Viele Ausleger ordnen es in den Bereich der prophetischen Rede ein, die an Stellen wie LXX Hos 1,1; Ez 1,2; 3,16 u. ö. als »Wort des Herrn« (bezogen auf Gott) charakterisiert ist; dann wäre ein prophetisches Wort des erhöhten Herrn (Jesus) gemeint (z. B. *Reinmuth* 143 f.; *Malherbe* 267-269; *H. Merklein*, Theologe 387-393; *J. Plevnik*, Paul 71-81; *T. Nicklas*, Paulus 93 f.). Das Syntagma *en logō kyriou* begegnet in LXX 3 Kön 13,1 f.5.32; 21,35; 1 Chr 15,15; 2 Chr 30,12; Sir 48,3 als »prophetische Autorisationsformel«, die im Sinne von »im Auftrag des Herrn« »personale Autorität geltend« macht; dann wäre die prophetische Autorität des Paulus hervorgehoben (so **M. Wolter*, Jesus 215 f.; vgl. **D. Luckensmeyer*, Eschatology 189 f.269 f.: Paulus beanspruche die Autorität des Herrn). Doch im Kontext ist der Referent von »Herr« nicht mehr Gott, sondern Christus, so dass der prophetische Hintergrund keineswegs eindeutig ist. Zudem verweist der folgende *hoti*-Satz auf einen konkreten *Inhalt*, der als Wort des Herrn charakterisiert wird (auf ein konkretes Wort referieren vergleichbare Formulierungen in

Röm 13,9; Gal 5,14; 1 Thess 4,18; Mt 22,15). Ferner ist es hier nicht die Absicht der Verfasser, *ihre* Autorität zu stärken, was nach dem Glaubwürdigkeitsdiskurs im 1. Teil des Briefcorpus nicht erforderlich ist; vielmehr geht es um die Wahrhaftigkeit der anschließenden Aussage über das Geschick der verstorbenen Gemeindemitglieder. (2) So ist eher ein konkretes Wort gemeint, das mit der Autorität des Herrn Jesus versehen wird und den Verfassern wohl aus der Jesus-Überlieferung bekannt sein dürfte. Zum Vergleich mit den Vorstellungen in 4,16f. bietet sich Mt 24,30f. (Mk 13,26f.) an (s. u.). Denn in den späteren Briefen differenziert Paulus deutlich zwischen der Überlieferung des Herrn und seiner eigenen Aussage, so ausdrücklich beim Problem der Ehescheidung in 1 Kor 7,10.12 (»gebiete nicht ich, sondern der Herr« – »den anderen sage ich, nicht der Herr«); dazu lässt sich als Gegenprobe sogar eine Parallele in der Jesus-Tradition finden (Mk 10,11f./Mt 19,9/Lk 16,18). Weitere Beispiele sind 1 Kor 11,23-25 (Mk 14,22-24/Mt 26,26-28/Lk 22,19f.), Röm 14,14 (Mk 7,15/Mt 15,11), ferner 1 Kor 7,25.40; 9,14 (Lk 10,7). Für Offenbarungen, die ihm vermittelt wurden, benutzt Paulus andere Begriffe, die hier gerade fehlen (*apokalypsis* bzw. *apokalyptō* in Gal 1,12.16; 2,2; 1 Kor 2,10; 14,6; 2 Kor 12,1.7; durch den Geist vermittelte Worte in 1 Kor 2,12f.; eine persönliche Rede Jesu an Paulus in 2 Kor 12,9). Nach 1 Kor 14 versteht Paulus prophetische Rede als vom Geist inspirierte, bewusste Deutung der Lebenswirklichkeit, nicht als Vermittlung neuer Offenbarungsinhalte. Seine Ausführungen zu Prophetie und Geistbegabung kann er freilich als »Gebot des Herrn« autorisieren (14,37). Die Tatsache, dass das Wort des Herrn in 1 Thess 4,15-17 nicht als Zitat einer Rede Jesu wiedergegeben wird, spricht nicht gegen eine Vorstellung aus der Jesus-Überlieferung: Auch in 1 Kor 11,23-25 beschreibt Paulus das Verhalten Jesu beim letzten Mahl in der 3. Person, obwohl er die Erinnerung »vom Herrn empfangen« hat. Insgesamt wird man also beim »Wort des Herrn« am besten an ein überliefertes Jesus-Wort bzw. eine Vorstellung aus der Jesus-Überlieferung denken (mit *Holtz* 183f.; *Green* 221f.).

Dieser Deutung räumt auch *M. W. Pahl*, Discerning 166f. Plausibilität ein, votiert aber für ein allgemeineres Verständnis im Sinne des Evangeliums von Jesu Tod und Erweckung und übersetzt: »in accordance with this message about the Lord« (167-169). Dem griechischen Wortlaut entspricht dies nicht.

Die zweite Frage betrifft den Umfang des »Wortes des Herrn«, das angesichts des vorausweisenden Pronomens *touto* sowohl in v.15b als auch in v.16f. zu finden sein könnte.

Für v.15b votieren z.B. *Holtz* 185.196-198; *ders.*, Gewissheit; *Reinmuth* 142f.; *Müller* 183f.; *H. Merklein*, Theologe 385-387; für v.16f. z.B. *Haufe* 78f.; **C. R. Nicholl*, Hope 32f.; *Malherbe* 269.273; **F. W. Röcker*, Belial 288-292. Sprachlich kaum möglich ist ein Rückbezug auf v.14 (so aber *P. H. van Houwelingen*, Reunion 313-317).

Die Formulierung in v.15b richtet sich genau auf die konkrete Gesprächssituation und lässt sich so kaum als traditionelles Herrenwort identifizieren. Die Aussage in v.16f. ist hingegen allgemeiner formuliert und zeigt zudem Anklänge an die Jesus-Tradition von Mt 24,30f. (Mk 13,26f.) in folgenden Motiven: machtvolles Kommen des Menschensohnes vom Himmel, Wolken, Trompetenklang, Sammlung der Erwählten; das Motiv der Sammlung wird dann als Erweckung der Toten gedeutet (dazu *S. Kim*, Jesus 233-235; **F. W. Röcker*, Belial 278-281; vgl. Mk 14,62/Mt 26,64; 1 Kor 15,22f.51f.; anders denkt **C. R. Nicholl*, Hope 38-41 an ein Agraphon). Das Verb *episynagō* von Mk 13,27/Mt 24,31 erinnert an das *agō* von 1 Thess 4,14. Somit lässt sich folgern: Die Verfasser geben als »Wort des Herrn« die Tradition hinter 4,16f. wieder, fassen sie jedoch zunächst in 4,15b mit eigenen Worten im Blick auf ihre Relevanz für die Gesprächssituation zusammen (*S. Schreiber*, Jenseitshoffnung 330). Die Wortwahl in v.15a spiegelt eine bewusste Reflexion dieses Vorgehens: Das eigene Sprechen (*legomen*/wir sagen) geschieht »mit« (instrumentales *en* mit Dativ; BDR §219) einem Wort des Herrn, so dass die Verfasser in der Autorität eines Herrenwortes sprechen. Dieses wird aber nicht zuerst zitiert und dann angewendet (wie in 1 Kor 9,14-18; 11,23-28), sondern die Auslegung durchdringt und prägt bereits die Wiedergabe des Herrenwortes selbst in v.16f.

Offensichtlich haben die Verfasser die Tradition hinter v.16f. mit eigenen Worten ergänzt. So stellt die Trias »wir, die Lebenden, die Übrigbleibenden« in v.17 eine Wiederholung von v.15 dar, und die Formulierung »und so werden wir allezeit mit dem Herrn sein« in v.17fin wendet die Tradition auf die aktuelle Problematik an (dabei findet auch ein Wechsel von der 3. Pers. in v.16 zur 1. Pers. in v.17 statt); die zeitliche Akzentuierung »zuerst – dann« und die Bestimmung der Toten »in Christus« könnte sich ebenfalls der Feder der Verfasser verdanken (zur Rekonstruktion *Holtz* 198f.; *Haufe* 79).

2. Kommentar

13 Zu Beginn des Abschnitts 4,13-18 kündigen die Verfasser mit **13**
einer in antiken Briefen geläufigen Formulierung an, den Adressaten neue oder vertiefte Einsichten zu vermitteln, so dass sie nicht
»unwissend« sind. Der sprachliche Akzent hebt die Relevanz des
Themas für das Verständnis der Gemeinde hervor. Die vertraute
Anrede »Geschwister« markiert den Beginn des neuen Themas
und nimmt dazu bewusst den direkten Kontakt mit den Adressaten
auf. Das Thema wird knapp mit »über die Entschlafenen *(peri tōn
koimōmenōn)*« angegeben. Dabei handelt es sich um einen in der
Antike bekannten Euphemismus für Verstorbene (*P. Hoffmann*,
Toten 186-202; *Malherbe* 263.281; *D. Luckensmeyer*, Eschatology
213 f.; z. B. Ijob 14,12; Ps 13,4; Dan 12,2; 2 Makk 12,45; äthHen
91,10; 92,3; 100,5; 1 Kor 15,51; Apg 7,60). Der angeschlossene *hina*-Satz nennt als Ziel der Ausführungen, die Betrübnis, das Trauern der Gemeinde angesichts der Todesfälle zu überwinden. Damit
ist nicht gemeint, dass die Gemeinde auf Formen persönlicher Be-
troffenheit und Traurigkeit angesichts der Toten verzichten soll (so
aber *J. M. G. Barclay*, Grieve), sondern die Eigenart der Gemeinde
gegenüber ihrer kulturellen Umwelt betont: »wie auch die Übrigen,
die keine Hoffnung haben«. Die Abgrenzung der Gemeinde nach
außen, die bereits in 4,1-8 profiliert wurde, steht auch im Kontext
der Hoffnung für die Verstorbenen zur Debatte. Diese Abgrenzung
gegenüber den »Übrigen, die keine Hoffnung haben«, bezieht sich
sehr pauschal und verallgemeinernd auf fehlende oder unzureichende Jenseitshoffnungen in paganen Mythen oder Philosophien (nicht
speziell auf Epikur, wie *Malherbe* 283 meint). Aus christlicher Perspektive können die vielfältigen paganen Jenseitserwartungen (↗ Exkurs 5) keine *echte* Hoffnung bieten. Die Verfasser deuten damit
eine für die Überzeugung der Gemeinde spezifische, von ihrer
paganen Umwelt unterschiedene Hoffnung an (vgl. *R. Börschel*,
Konstruktion 228 f.241), die sie im Verlauf des Textes ausführen
werden. Die Darstellung des Hoffnungsbildes, das für das Selbstverständnis der Gemeinde wesentlich ist, will persönliche Trauer
in der Gemeinde nicht ausschließen, bietet aber das kognitive und
emotionale Rüstzeug für einen von spezifischer Hoffnung geprägten Umgang damit an (vgl. *S. C. Barton*, Eschatology 588 f.).
Die Gemeinde in Thessaloniki hatte also einzelne Todesfälle in
ihren Reihen zu beklagen, die für sie zum Problem wurden. Wahrscheinlich hatte Timotheus bei seiner Rückkehr aus Thessaloniki
(3,6) darüber berichtet. Über die Ursachen für die Todesfälle erfah-

ren wir nichts. Man kann an Krankheiten und Alter ebenso denken
wie z. B. an Frauen, die auf dem Kindbett starben (was in der Antike
keine Seltenheit war).

Um Märtyrer handelt es sich bei den Toten sicher nicht (so aber *K. P.
Donfried*, Cults 41-44; *ders.*, Imperial Cults 221 f.; vgl. *Green* 213.222; *Witherington* 139; dagegen **M. Tellbe*, Paul 100-102 und Einleitung 3.2),
denn weder gibt der Text irgendeinen Hinweis auf eine unnatürliche To-
desursache, noch kann aus einer angeblichen Verfolgung der Gemeinde
darauf geschlossen werden.

Da die Ausführungen in 4,13-18 in direktem Bezug zur Problemlage in Thessaloniki stehen und darauf eine Antwort geben wollen, ist
die Kenntnis des Problems zum Verständnis des Textes unerläss-
lich. Im Text wird das Problem jedoch nur angerissen – die Gemeinde weiß schließlich, um was es geht –, und so werden die Andeutungen auch in der Auslegung verschieden interpretiert. Die
unterschiedlichen Rekonstruktionen lassen sich in drei Gruppen
bündeln (dazu *S. Schreiber*, Jenseitshoffnung 334-338):
(1) Das Problem bestehe darin, dass die Teilhabe der verstorbenen
Gemeindeglieder am Heil überhaupt in Frage steht. Dabei muss
man voraussetzen, dass die Missionsverkündigung das Schicksal
der Verstorbenen nicht thematisierte, weil angesichts der nahen Parusie des Herrn nicht mit Todesfällen zu rechnen war, bzw. nicht
klar machen konnte, weil in der Gemeinde hellenistische Vorstellungen (wie die Entrückung Lebender) dominierten. Nun aber traten doch Todesfälle ein, und die Gemeinde ist verunsichert, ob ihre
Verstorbenen noch am Heil teilhaben können (mit unterschiedlichen Akzenten z. B. *Holtz* 186 f.205 f.; *Haufe* 80-82; *S. Kim*, Jesus;
**C. R. Nicholl*, Hope 19-48; **M. Konradt*, Gericht 128-134; *R. H.
Gundry*, Hellenization 305-307; *Witherington* 126-130; angedeutet
bei *Green* 215).

Grundlegende Zweifel an der eigenen Erwählung angesichts der Todesfälle, verstärkt durch Kritik von den städtischen Mitbewohnern (Todesfälle
als Ausweis des Zornes der Götter), erhebt *J. M. G. Barclay* (Grieve 132-
138; vgl. **M. Konradt*, Gericht 133 f.; **C. S. de Vos*, Church 167; unklar
Fee 166) als Problemlage. – Unscharf bleibt **D. Luckensmeyer*, Eschatology 273: Der Tod von Gemeindegliedern sei »ultimate expression« des
aus der Bekehrung resultierenden sozialen Konflikts, wobei die Hoffnung
auf ein dauerndes Mit-dem-Herrn-Sein, die eschatologische Existenz in
Frage stehe (vgl. 251.268.322). – Eigenwillig *S. Schneider*, Vollendung
282-291.298: »Schlafende« meine eine falsche geistliche Grundhaltung

Einzelner, deren Naherwartung durch Todesfälle ernüchtert worden sei und die daher in Sorge waren, den Jüngsten Tag zu verpassen.

(2) Zum Problem werde der *Modus* der Auferstehung im Zusammenhang mit der Parusie, weil die Gemeinde Parusie und Totenerweckung nicht als Einheit verstand. Erfolgt die Auferstehung erst nach dem Kommen des Messias, sind die Toten benachteiligt (*Reinmuth* 142; *P. Hoffmann*, Toten 232; **R. Börschel*, Konstruktion 233f.237f.; *E. Gräßer*, Bibelarbeit 14.17). Man hat auch an eine prinzipielle Verunsicherung der Gemeinde gedacht, die sich angesichts der Todesfälle nicht mehr als Gemeinde der Endzeit verstehen konnte (*H. Merklein*, Theologe 380-384; *P. G. de Villiers*, Safe 322f.).

Keinen Anhalt am Text haben weitere Spezifizierungen. So wenn das Problem darin gesehen wird, dass die Toten nicht am messianischen Zwischenreich, das vor der eigentlichen Endzeit liegt und eine Heilszeit auf Erden bedeutet, partizipieren können (*S. Turner*, Kingdom; **F. W. Röcker*, Belial 263-268.304f.321). Oder wenn als Sorge der Gemeinde behauptet wird, die unsterblichen Seelen der Toten können nicht durch die Luft zu Christus auffahren, weil sie von bösen Dämonen gehindert würden (*R. E. Otto*, Meeting). Weder die Vorstellung eines messianischen Zwischenreiches noch eine Leib-Seele-Anthropologie lassen sich dem Text entnehmen.

(3) Das Problem sei durch falsche Propheten verursacht, die eine Verzögerung der Parusie gelehrt hätten. Dadurch werde die heilsentscheidende Gemeinschaft mit dem Parusie-Christus fraglich und falle für die Toten ganz aus, was Trauer hervorruft (*Malherbe* 283-285; ferner *Beale* 132f.).

Eine andere Perspektive geht davon aus, dass die Gemeinde die Funktion antiker (Begräbnis-)Vereine übernommen habe, ihren Mitgliedern Status und Identität zu vermitteln; für die Toten werde diese Zugehörigkeit nun fraglich (*R. S. Ascough*, Question; wieder *ders.*, Apocalypticism). Dabei werden freilich zu viele Textaussagen völlig ausgeblendet.

Meine eigene These stellt die Erwartung der Parusie als wesentliches Identitätsmerkmal der Gemeinde in den Mittelpunkt (vgl. *S. Schreiber*, Jenseitshoffnung 345-348). Bei der Verkündigung der Missionare in Thessaloniki spielten sicher Tod und Erweckung des Christus eine zentrale Rolle, denn nur als der himmlisch erhöhte »Christus« und »Kyrios« (1,1) kann Jesus Rettung im Zorngericht

(1,10) und Überwindung des Todes (4,14) bewirken. Mit Jesu Erweckung hat die Endzeit Gottes bereits begonnen, was die christliche Existenz in der Gegenwart als eschatologische Existenz qualifiziert (4,6-9; 5,1-11). Diese Vorstellung setzt ein eschatologisches Denkmodell voraus, bei dem die Totenerweckung den Auftakt der Endzeit markiert – was nun mit Jesus geschehen ist (vgl. auch 1 Kor 15,12-34.50-55; Phil 3,10f.14.20). Die Vollendung der göttlichen Herrschaft bleibt dem zukünftigen Auftreten des endzeitlichen Repräsentanten Gottes vorbehalten, wie es in apokalyptisch geprägter Literatur geläufig (Dan 7,13f.; äthHen 37-71; 4 Esr 13) und auch in der Jesus-Tradition präsent ist (Mk 13,26f.; 14,62). Die Grundzüge dieses Denkmodells wird die Missionsverkündigung vermittelt haben, und dabei kann die Frage der Teilhabe der Jesus-Anhänger/innen an der Erweckung aus dem Tod kaum ausgeklammert worden sein.

Dieses auf das Auftreten des endzeitlichen Repräsentanten Gottes konzentrierte Denkmodell macht es unwahrscheinlich, dass in der Gemeinde die Vorstellung einer *Entrückung* lebender Personen, bevor diese sterben, zu den Göttern bzw. in den Himmel als Heilsbild diente, sei sie hellenistischer oder jüdischer Herkunft (so *M. Konradt, Gericht 131f.; J. Plevnik, Paul 83.95; ders., Taking Up 280-283). Eine Entrückung ist nur für einzelne, besondere Menschen gedacht, im 1. Jh. v. a. für den römischen Kaiser.

Im Kontext des skizzierten Denkmodells gewinnt die Vorstellung der nahe bevorstehenden Parusie Jesu Bedeutung, liefert sie doch eine konkrete Möglichkeit, wie die Aufnahme der direkten Gemeinschaft mit Christus als Auftakt der endzeitlichen Vollendung gedacht werden konnte. An vier zentralen Stellen des Briefes begegnet der Terminus *parousia*, und zwar immer in der Funktion, einen für die Identität der Gemeinde wesentlichen Aspekt zu artikulieren (2,19; 3,13; 4,15; 5,23). Die Parusie bildet den Zielpunkt der christlichen Existenz. Die Endzeithoffnung der Gemeinde bleibt nicht abstrakt, sondern findet in der Parusie eine konkrete Bildwelt. Einerseits steht die Vorstellung der Parusie im Kontrast zu den vielfältigen Jenseitshoffnungen der paganen Umwelt der Gemeinde, zu denen auch der totale Ausfall einer positiven Jenseitshoffnung zählt (↗Exkurs 5) – darauf spielt 4,13 an: die, »die keine Hoffnung haben«. Die Parusie bietet demgegenüber eine alternative Sinndeutung. Andererseits eignet der Parusie der Charakter der Öffentlichkeit (vgl. die Schilderung in 4,16f.), so dass ihr Eintreten eine Rehabilitation der Gemeinde, die von ihrer Umwelt belächelt, marginalisiert und gedemütigt wurde (↗ Exkurs 3), vor den Augen aller Menschen ihrer städtischen Umwelt bedeutet. Vor diesen Hintergründen wurde das Parusie-Modell zu einem zentralen Faktor für das Profil und die Identität der Gemeinde, die sich z. b. im Unterschied zu Inszenierungen in paganen Mysterienkulten oder philosophischen Lehren über eine postmortale Existenz der Seele als eigenständig erweisen konnte.

Exkurs 5: Kulturelles Weltwissen – hellenistisch-römische Jenseitsvorstellungen

Literatur: L. Albinus, The House of Hades. Studies in Ancient Greek Eschatology, Aarhus 2000; *J. Assmann*, Isis bei den Griechen, in: H.-P. Müller/F. Siegert (Hg.), Antike Randgesellschaften und Randgruppen im östlichen Mittelmeerraum (MJSt 5), Münster 2000, 29-45; *S. C. Barton*, Eschatology and the Emotions in Early Christianity, JBL 130 (2011) 571-591; *M. R. Cosby*, Hellenistic Formal Receptions and Paul's Use of *apantêsis* in 1 Thessalonians 4:17, BBR 4 (1994) 15-34; *W. Eisele*, Jenseitsmythen bei Platon und Plutarch, in: M. Labahn/M. Lang (Hg.), Lebendige Hoffnung – ewiger Tod?! Jenseitsvorstellungen im Hellenismus, Judentum und Christentum (ABG 24), Leipzig 2007, 315-340; *R. Foss*, Griechische Jenseitsvorstellungen von Homer bis Plato (RWS), Aachen 1997; *F. Graf*, Art. Jenseitsvorstellungen, in: DNP 5 (1998), 897-899; *H.-J. Klauck*, Die religiöse Umwelt des Urchristentums. 2 Bde. (KStTh 9/1.2), Stuttgart 1995.1996; *M. Lang*, »Der Tod geht uns nichts an« (Epikur) – »die Seele ist der Ewigkeit würdig« (Seneca). Zur epikureischen und stoischen Lesart der (jenseitigen) Welt, in: M. Labahn/M. Lang (Hg.), Lebendige Hoffnung (s. o.) 341-358; *O. Lehtipuu*, The Imagery of the Lukan Afterworld in the Light of Some Roman and Greek Parallels, in: M. Labahn/J. Zangenberg (Hg.), Zwischen den Reichen. Neues Testament und Römische Herrschaft (TANZ 36), Tübingen/Basel 2002, 133-146; *J. S. Park*, Conceptions of Afterlife in Jewish Inscriptions (WUNT II/121), Tübingen 2000; *I. Peres*, Griechische Grabinschriften und neutestamentliche Eschatologie (WUNT 157), Tübingen 2003; *C. Riedweg*, Art. Seelenwanderung, in: DNP 11 (2001), 328-330; *J. Rüpke*, Die Religion der Römer, München 2001; *S. Schreiber*, Eine neue Jenseitshoffnung in Thessaloniki und ihre Probleme (1 Thess 4,13-18), Bib. 88 (2007) 326-350; *ders.*, Apokalyptische Variationen über ein Leben nach dem Tod. Zu einem Aspekt der Basileia-Verkündigung Jesu, in: M. Labahn/M. Lang (Hg.), Lebendige Hoffnung (s. o.) 129-156; *ders.*, Die Offenbarung des Johannes, in: M. Ebner/ders. (Hg.), Einleitung in das Neue Testament (KStTh 6), Stuttgart ²2013, 566-593; *M. Wolter*, Apokalyptik als Redeform im Neuen Testament (2005), in: ders., Theologie und Ethos im frühen

Christentum. Studien zu Jesus, Paulus und Lukas (WUNT 236), Tübingen 2009, 429-452.

Hellenistisch-römische Vorstellungen über eine postmortale Existenz, die das kulturelle Weltwissen der Adressaten prägten und die die meisten von ihnen wohl selbst vor ihrer Konversion teilten, bildeten die Basis für die Rezeption und das Verstehen der neuen Botschaft der Missionare vom Parusie-Christus. Wenn einzelne Gemeindeglieder bereits jüdisch sozialisiert waren, war ihnen diese Botschaft, die von einem apokalyptischen Weltbild geprägt war, natürlich leichter zugänglich, dennoch aber kannten auch sie die vielfältigen Alternativen, die die pagane Umwelt anbot.

Pagane Jenseitsvorstellungen weisen eine große Vielfalt auf, die aber von gemeinsamem Basiswissen ausgehen kann, das sich im Hades-Mythos findet. Dieser erhielt seine griechische Literaturfassung in der Unterweltsfahrt des Odysseus bei Homer (Od. 11; vgl. Il. 23), woran sich als römische Variante die Unterweltsfahrt des Aeneas bei Vergil (Vergil, Aen. 6) ebenso anschließt wie Darstellungen bei Platon (rep. 10) und Plutarch (besonders in de sera numinis vindicta 22-33/mor. 563b-568a) (Überblicke bieten *F. Graf*, Jenseitsvorstellungen; *S. Schreiber*, Jenseitshoffnung 339-344; zum Hades-Mythos *H.-J. Klauck*, Umwelt I 69-73; *O. Lehtipuu*, Imagery 135-141; *R. Foss*, Jenseitsvorstellungen; *L. Albinus*, House).

Der Mythos bei Homer bzw. Vergil beschreibt den Hades als abgegrenzten Ort für die Seelen der Toten, die sich dort wie Schatten, d. h. in einer defizitären Existenzweise mit einem Minimum an »Körperlichkeit«, aufhalten. Darin sind sie noch als Personen wiedererkennbar, besitzen also Identität, doch eignet ihnen kein eigentliches Leben mehr. Bei Homer deutet sich bereits eine postmortale Differenzierung nach »moralischen« Kriterien an, wenn Herakles unter die unsterblichen Götter versetzt ist und mit ihnen Gastmahl halten darf (Od. 11,601-604), während der Tartaros als Strafort für besonders schwere Verbrecher und Frevler wie Sisyphos und Tantalos dient. Die Differenzierungen werden dann zusehends ausgebaut: Ein paradiesisches Elysium bzw. der Himmel werden z. B. bei Platon bzw. Vergil zum Aufenthaltsort der »guten« Seelen. Vergil nimmt auch den Gedanken der Seelenwanderung nach tausend Jahren Aufenthalt der Seele in der Unterwelt auf (wohl aus platonischer Tradition; vgl. *O. Lehtipuu*, Imagery 141). Wie Abbildungen auf Grabvasen zeigen, konnte man sich Seelen als menschengestaltige, aber kleinere und fast durchsichtige Flügelwesen vorstellen. In der römischen Kaiserzeit existierte die Idee einer Ver-

göttlichung bzw. Heroisierung von Toten, die somit am unsterblichen Leben der Götter teilhaben, was sich in Sarkophag-Darstel-
lungen (*J. Rüpke*, Religion 70-72; *I. Peres*, Grabinschriften 106-
261) ebenso niederschlägt wie in der Konsolationsliteratur (Plutarch, mor. 108d.120b-d.121.122; Seneca, ad Marciam 25,1; 26,3;
Cicero, Tusc. 1,75; weitere Belege bei *Malherbe* 278). Wenn Tote
als Heroen angesprochen werden (*I. Peres*, Grabinschriften 89-96),
ist deren Erhebung zur Gemeinschaft mit den Göttern vorausgesetzt. Es bleibt allerdings zu bedenken, dass die Formel- und Kli-
scheehaftigkeit der Sprache bei Grabepigrammen die Aussagekraft
solcher Bezeichnungen für persönliche Erwartungen einzelner
Menschen relativiert.

Bestattungsriten deuten den Tod als Wandel und Übergang in eine
neue Existenzweise. So dokumentiert z. B. die Praxis der Totenspei-
sung am Grab eines Verstorbenen den Glauben an ein Weiterleben
der Seelen (*H.-J. Klauck*, Umwelt I 73-76). Ein positives postmortales Ergehen zeigen Darstellungen des Jenseitsmahles, wo Verstorbene zu Tisch liegen. Solche im Mythos wurzelnden Vorstellungen
werden das Bewusstsein antiker Menschen stark geprägt haben.

Der Blick auf antike Grabepigramme, die zahlreich erhalten sind,
ergibt freilich ein differenzierteres Bild. So sehr sich dort positive
Vorstellungen wie der Aufstieg der Seelen in den Himmel oder zu
den Sternen finden, formuliert doch die weit überwiegende Zahl der
Grabepigramme gerade keine Jenseitshoffnung, und etliche lehnen
eine solche dezidiert ab. Häufig liest man die nüchterne Trias *non
fui, non sum, non curo* (»ich bin nicht gewesen, ich bin nicht, ich
kümmere mich nicht darum«), die so populär war, dass man sie einfach abkürzen konnte: *n.f.n.s.n.c.* (dazu *H.-J. Klauck*, Umwelt I 76;
P. Hoffmann, Toten 44-57; *I. Peres*, Grabinschriften). Solche Skepsis lässt sich durchaus mit der wenig einladenden Hades-Vorstel-
lung verbinden. Die skeptische Haltung war in der Bevölkerung
offenbar verbreitet.

Das Bild bestätigt sich, wenn man die großen philosophischen
Strömungen im 1. Jh. betrachtet (*H.-J. Klauck*, Umwelt II 92-
97.119.122 f.; ferner *M. Lang*, Tod). Die epikureische Philosophie
denkt »materialistisch« an eine Auflösung des Menschen mit dem
Tod in seine Urbestandteile, so dass kein Weiterleben der Seele zu
erwarten ist. Sie interpretiert dies positiv als Befreiung von der
Angst vor dem Tod, der den Menschen gar nicht betrifft, da zuvor
alle Empfindungen aufgehoben sind. Die kaiserzeitliche Stoa, prominent vertreten durch Seneca und Epiktet, kennt ein eingeschränktes Weiterleben der Seele nach dem Tod, der die Trennung

der Seele vom Körper bewirkt. Dieses Weiterleben währt im Rahmen der stoischen Kosmologie bestenfalls bis zur nächsten Ekpyrosis, dem sich in großen Zyklen wiederholenden Vergehen und Neuwerden der Welt, und ist im Luftraum zwischen der Erde und den Sternen verortet. Die philosophisch besonders geübten Seelen der Weisen können dabei höher aufsteigen als andere. Radikaler als diese u. a. bei Seneca zu findende Variante stellt Epiktet innerhalb des stoischen Kreislaufs ein Weiterleben des Einzelnen in Frage: Im Tod geschieht die Auflösung von Körper *und* Seele in die Grundelemente der Welt (Erde, Wasser, Feuer, Luft), die so wieder zu Baustoffen neuer Existenz werden.

Der Mittelplatonismus, als dessen bekanntester Vertreter Plutarch gelten kann, vertritt eine Unsterblichkeit der Seele (*H.-J. Klauck*, Umwelt II 124.133-139.142; *W. Eisele*, Jenseitsmythen; zu Platon *O. Lehtipuu*, Imagery 142). Bereits Platon stellte seine Reflexion unter Rückgriff auf Homer auf eine mythologische Grundlage. Mit dem Tod steigt die Seele (bzw. der Verstand als höchster Seelenteil) nach oben in den Himmel, wobei eine Unterscheidung zwischen den Seelen der Guten und der Übeltäter stattfindet. Dies impliziert die Möglichkeit der Vergeltung, die mit Läuterung und Strafort entfaltet wird. Damit ist die Vorstellung der Seelenwanderung verbunden, die auf Pythagoras zurückgeht (*C. Riedweg*, Seelenwanderung) und eine neuerliche Inkarnation der Seele bedeutet (nach Platon, Phaidr. 249a; rep. 615a nach einem zeitlichen Abstand von tausend Jahren). Sie zielt auf den »Aufstieg« der Seele durch rechtes Tun und letztlich die völlige Lösung des Verstandes/Geistes von der Seele, was sich auf der höchsten Stufe als »Vergottung« der Seele darstellt.

In philosophischen Diskursen über den Umgang mit dem Tod wird auch die Funktion entsprechender Vorstellungen für die Selbstdefinition und Abgrenzung der jeweiligen Gruppe sichtbar (vgl. *S. C. Barton*, Eschatology 583 f.). Nicht nur sieht man in der Art und Weise des Trauerns die üblichen sozialen Unterschiede in Gender, Bildung und Status gespiegelt – expressives Trauern sei typisch für Frauen, Ungebildete und Menschen mit niederem Status (Seneca, ad Marciam 7,3; Plutarch, consolatio ad Apollonium 22) –, sondern der Umgang mit Trauer bietet auch wesentliche Unterscheidungsmerkmale zwischen den philosophischen Schulen, wie Cicero, Tusc. 3,76 bezüglich des Todes zusammenfasst:

»Einige, wie Kleanthes, halten es für die einzige Aufgabe eines Tröstenden (zu zeigen), dass jenes Übel gar keines sei; andere, wie die Peripatetiker, dass das Übel nicht groß sei; andere, wie die Epikureer, wollen ablenken von üblen Dingen zu guten Dingen; andere, [wie die Kyrenaiker,] halten es für ausreichend zu zeigen, dass nichts Unerwartetes eintritt.« – In Apg 23,7 f. scheiden sich an der Frage der Totenerweckung die Geister der Sadduzäer und der Pharisäer.

Speziell in Mysterienkulten spielte die Frage nach einem Leben, das über die Todesgrenze hinausreicht, eine entscheidende Rolle. Erfahrungen des Lebensgewinns wurden dabei durch überlieferte Mythen begründet und durch rituelle Inszenierungen vermittelt. Bereits der homerische Demeter-Hymnus verspricht den in Mysterien Eingeweihten ein glückliches Geschick im Jenseits (Homer, hymnus ad Cerem 473-483). Archäologische Zeugnisse belegen, dass in Thessaloniki v. a. die Mysterien des griechischen Gottes Dionysos und der ägyptischen Götter Isis, Serapis und Osiris einflussreich waren (↗ Einleitung 1.5.1 und *H.-J. Klauck*, Umwelt I 96-105.111-118; *J. Assmann*, Isis 37-39). Wesentlich war dabei das persönliche Erleben der im Mythos erzählten Überzeugung durch rituelle Vollzüge wie Einweihungen im Rahmen der Initiation. So wird im Dionysos-Kult bei Mysterienfeiern, in denen im Wein der Gott selbst epiphan und damit »trinkbar« wird, rauschhaft-ekstatisch erfahren und vorweggenommen, was als paradiesisches Jenseits, als Mysterienfeier ohne Ende erwartet werden darf (Euripides, Bacch.; vgl. Plutarch, consolatio ad uxorem 10/mor. 611d). Im Kult von Isis, Serapis und Osiris begegnen geheimnisvoll inszenierte Zeremonien mit hohem Erlebniswert (Apuleius, met. 11) wie z.B. Licht/Dunkel-Effekte oder der Ritus der Kornmumien – eine Osirisfigur wird mit Erde und Körnern gefüllt und begossen, bis das Getreide empor sprießt. Die Riten setzen die Hoffnung der Mysten auf ewiges Leben in konkrete Vorstellungen und Erfahrungen um.

Auch auf die jüdische Auferstehungserwartung sind die hellenistischen Vorstellungen nicht ohne Einfluss geblieben. Jüdische Grabinschriften aus der Zeit von 200 v. Chr. bis 400 n. Chr. zeigen, dass hier die Konzeption der Auferstehung dominiert. Daneben findet aber auch die Überzeugung, dass mit dem Tod alles Leben endet oder nur ein sehr eingeschränktes Weiterleben denkbar ist, Ausdruck (dazu *J. S. Park*, Conceptions). In apokalyptischen Denkmustern, die ja auch 1 Thess 4,16 f. prägen, dominiert der Gedanke der Totenerweckung in der Endzeit. Dabei gelangt Gottes Gerechtigkeit zur Durchsetzung, denn als Kriterium des Zugangs zum ewigen Leben bei Gott gilt die kompromisslose Treue zum Gott Israels, was ein Leben als Gerechter gegenüber den kulturellen und politischen Anfechtungen der Gegenwart bedeutet. Verbunden ist diese Erwar-

tung mit einer völligen Neuschöpfung von Himmel und Erde, die auch
eine Umgestaltung, eine Verwandlung der »körperlichen« Existenz des
Menschen als Voraussetzung für ein heilvolles Leben umfasst (vgl.
S. Schreiber, Variationen 131-139; *ders.*, Jenseitshoffnung 344; zur Diskussion um eine apokalyptischen Weltsicht *ders.*, Offenbarung 566 f.; kritisch
M. Wolter, Apokalyptik).

13 Die unerwarteten Todesfälle, die die Verunsicherung in der Gemeinde von Thessaloniki auslösten, stellen das Identitätsprofil in
Frage, das mit der Erwartung der Parusie als »eschatologischem Alleinstellungsmerkmal« verbunden war. Die Sorge drängt sich auf,
dass die Verstorbenen vom Erleben der für das Selbstverständnis
so wichtigen Parusie ausgeschlossen sind. Eine im eschatologischen
Szenario vorgesehene allgemeine Totenerweckung löst dieses konkrete Problem nicht. Denn in Frage steht der – persönlich und vor
den Augen der städtischen Umwelt – entscheidende Augenblick des
Eintritts in die unmittelbare Christus-Gemeinschaft. Dann endlich
wird die Gemeinde die für alle sichtbare Ehre und Rehabilitation,
die mit der Ankunft des Kyrios vom Himmel verbunden ist, erfahren – und die Verstorbenen haben keinen Anteil! Kern des Problems ist also die Nichtteilhabe der Verstorbenen am Parusie-Ereignis, nicht ein (daraus resultierender) grundsätzlicher Zweifel der
Gemeinde an der eigenen eschatologischen Perspektive überhaupt.
Das wird in den spezifischen Formulierungen der Antwort deutlich.

14 14 Als Basis für eine erste Antwort dient in v.14 eine traditionelle
Bekenntnisaussage, die die grundlegende Überzeugung der ersten
Christen in Erinnerung ruft: »Jesus starb und auferstand« (↗Tradition). Das Verb *pisteuō* bedeutet hier »überzeugt sein« (↗Exkurs 2;
vgl. Röm 6,8; 10,9) und bezieht sich auf den zentralen Glaubensinhalt des Todes und der Erweckung Jesu. Auffällig ist bei der Formulierung »dass Jesus … auferstand« die Verwendung des Verbs
anistēmi/aufstehen im Aktiv, während in vergleichbaren Traditionen sonst meist *egeirō*/erwecken im Passiv steht und damit Gott
als bei Jesu Erweckung Handelnden profiliert. Der Kontext der
Endereignisse macht aber klar, dass auch hier Gottes Handeln im
Hintergrund steht (vgl. die Fortsetzung in v.14b); die Aussage benennt das Ergebnis, nicht den Vorgang. Das Christus-Ereignis bildet die Grundlage, auf der v.14b die Folgerung für die christliche
Hoffnung auf ein postmortales Leben zieht. Das argumentative
Muster, das im Hintergrund steht, scheint zunächst das der Analogie zu sein (wie Christus, so auch wir).

Dabei zeigt das Satzgefüge jedoch einen syntaktischen Bruch, denn der erste Satzteil v.14a ist mit *ei* als realer Bedingungssatz eingeführt, während der zweite in v.14b mit *houtōs kai* als folgernder Vergleichssatz fortfährt. Das markiert eine inhaltliche Verschiebung und akzentuiert umso mehr die Aussage im zweiten Satzteil, die gerade nicht – wie vielleicht zu erwarten wäre – lautet: »dann werden auch wir mit ihm auferstehen«. Vielmehr heißt es: »so wird auch Gott die Entschlafenen durch Jesus führen mit ihm«. Die Formulierung zielt auf das spezifische Problem der Gemeinde. Im Fokus stehen ihre »Entschlafenen«, nicht allgemein die Auferstehung. Und mit dem einfachen Bild vom Führen durch Jesus, für das kein Ziel angegeben ist und das so selbst das Ziel darstellt, wird die Teilhabe an der Parusie und damit der Eintritt der Verstorbenen in die endzeitliche Vollendung beschrieben (was ihre Erweckung voraussetzt). Das »Führen« *(agō)* mit Christus weist voraus auf den Ritus der »Einholung« des Parusie-Kyrios (v.17). Die Gemeinde braucht sich nicht zu sorgen, dass die Verstorbenen nicht bereits bei der Ankunft des Parusie-Kyrios in die Gemeinschaft mit ihm gelangen. Subjekt des Satzes ist Gott, der sowohl im Christus-Ereignis gehandelt hat als auch die endzeitliche Gemeinschaft der Verstorbenen mit Christus verbürgt (Theozentrik).

Die personale Gemeinschaft mit dem endzeitlichen Christus selbst ist letztlich das Ziel der Jenseitshoffnung, was durch die Endstellung des *syn autō* (»mit ihm«) und die doppelte, überladen wirkende präpositionale Bestimmung »durch Jesus«/»mit ihm« unterstrichen wird. Dabei ist die Erweckung der verstorbenen Christen vorausgesetzt, aber nicht das eigentliche Ziel. Die Gemeinschaft mit Jesus dient als Heilsbild für ein postmortales Leben.

Das Bild begegnet auch in späteren Paulusbriefen: Phil 1,23; 2 Kor 5,8; Röm 6,8; 8,32. Zu Analogien in paganen Grabepigrammen *I. Peres*, Grabinschriften 244-246: mit Heroen bzw. Göttern zusammen sein. Frühjüdisch ist in äthHen 45,4; 62,14; 71,16 die Gemeinschaft mit dem endzeitlichen Menschensohn denkbar. – Der Wechsel vom Partizip Präsens *koimōmenoi* in v.13 zum Partizip Aorist *koimēthentes* in v.14.15 trägt keinen Bedeutungsunterschied. Ist in v.13 der allgemeine Zustand gemeint, so fallen die Verfasser vielleicht in v.14.15 in den Aorist, weil das Entschlafen vorgängig zur Heilsgemeinschaft mit Christus geschieht.

15 Der zweite Antwortschritt in v.15 präzisiert das Heilsbild im Blick auf die Gesprächssituation. Dazu berufen sich die Verfasser auf ein »Wort des Herrn«, das sie zunächst kurz situationsbezogen   **15**

zusammenfassen und in v.16 f. detaillierter wiedergeben (↗Tradi-
tion). Das Demonstrativpronomen *touto* am Satzanfang weist voraus (wie in 4,3) auf den Inhalt des Herrenwortes. Die Bedeutung
des Herrenwortes besteht darin, dass es ein geoffenbartes Wissen
über endzeitliche Ereignisse vermittelt, das der natürlichen kognitiven Erkenntnis unzugänglich ist.

Dabei enthält die Zusammenfassung des Herrenwortes in v.15b die
für das Gemeindeproblem entscheidende Aussage: Die Lebenden
werden den Verstorbenen sicherlich nicht (doppelte Verneinung
mit *ou mē*) zuvorkommen, haben also keinen Vorzug ihnen gegenüber. Der Situationsbezug wird durch die Gegenüberstellung zweier Gruppen sichtbar. Durch dreifache Bestimmung hervorgehoben
sind »wir«, »die Lebenden«, »die Übrigbleibenden«, denen die
»Entschlafenen« gegenüberstehen.

Das Partizip »die Übrigbleibenden« benennt das *Faktum* des Übrigblei-
bens als Kontrast zu den Verstorbenen (so auch die Verwendung in
4 Makk 12,6; 13,18) und ist daher nicht theologisch-apokalyptisch vom
Ideal des heiligen Restes her gefüllt. Apokalyptische Texte kennen den
Rest, der die endzeitlichen Drangsale überlebt (vgl. Mk 13,13; 4 Esr 6,25;
7,27 f.; 9,8; 12,31-34; 13,48 f.; ferner äthHen 90,30; 1QH 14,8; inner-
geschichtlich PsSal 17,44; 18,6; Grundlagen sind z. B. 1 Kön 19,18; Jes
1,8 f.; 28,16; Zef 3,12) und daher glücklicher ist als die Verstorbenen (4 Esr
13,17-20.24). Der Rest bildet dort die Ausnahme gegenüber all denen, die
die Bedrängnis nicht überleben, und so verfolgt die Vorstellung die Intention, zum Durchhalten und zur Standhaftigkeit zu motivieren. Beides ist in
1 Thess 4,15 nicht der Fall, so dass das Thema des heiligen Restes nicht in
den Text eingelesen werden sollte.

Den entscheidenden Orientierungspunkt bildet das Ereignis der
Parusie des Herrn. *Parousia* bedeutet allgemein Gegenwart, Kommen, Ankunft eines Menschen (im NT in 1 Kor 16,17; 2 Kor 7,6 f.;
10,10; Phil 1,26; 2,12). Die technische Bedeutung von *parousia* für
die Epiphanie eines Gottes und – im öffentlichen Bereich wichtiger
noch – für die Ankunft und Präsenz eines Herrschers oder Statthalters in einer Stadt war in der Lebenswelt der Gemeinde bekannt
(Nachweis ↗2,19; vgl. SB 1,3924: Germanicus, Neffe des Kaisers
Tiberius, bezeichnet seinen Besuch in Ägypten als *parousia* [Z. 34],
muss aber zurückrudern, weil dies nur dem Kaiser zusteht; dazu
J. R. Harrison, Paul 56 f.). Wie die in v.16 f. folgende Schilderung
zeigt, steht die sich apokalyptischer Tradition verdankende Vorstellung von der machtvollen Ankunft des herrscherlichen Christus aus
dem Himmel im Hintergrund, die das von Gott herbeigeführte En-

de dieser Welt und den Anbruch der neuen, die politischen Macht-
verhältnisse radikal verändernden Herrschaft Gottes in Gang setzt.
Mit der »Ankunft« Jesu meinen die ersten Christen das zukünftige
Kommen des eschatologischen Herrschers Jesus, der im Raum der
Welt sichtbar auftreten wird (Mt 24,27.37.39; 2 Thess 2,1; Jak 5,7;
2 Petr 1,16; 3,4; 1 Joh 2,28). Die Ankunft Jesu wird hier als nahe
bevorstehend erwartet, noch zu Lebzeiten der Christengeneration,
die hinter dem Brief steht, da »wir« – das sind die Verfasser und die
Adressaten – dabei als »Lebende« angesprochen sind. Mit der Ankunft verbindet sich die Hoffnung auf eine einschneidende Veränderung der erfahrbaren gesellschaftlichen und politischen Wirklichkeit – zugunsten der Gemeinde, die dies miterleben wird. Der
Tod einiger weniger bildet dann die problematische Ausnahme.

In der Theologiegeschichte bereitete das Faktum der nicht eingetretenen
Naherwartung bisweilen Schwierigkeiten (vgl. *Malherbe* 270f.). Man hat
versucht, das »Wir« als ekklesiales Wir zu verstehen oder die Partizipien
als Einschränkung (wir, *sofern* wir noch leben und übrigbleiben) (vgl.
**M. Crüsemann*, Briefe 188-197). Doch damit nimmt man dem Text die
Sinnspitze, die auf den problematisierten Unterschied zwischen Lebenden
und Verstorbenen bei der Parusie zielt. Die Lösung kann keine unange-
messene exegetische Entschärfung des Problems sein (wie z. B. bei *Witherington* 133f.137; *Fee* 175), sondern fordert eine hermeneutische Auseinandersetzung mit der Frage nach theologischen Möglichkeiten, Gottes
Absicht mit der Geschichte des Kosmos zu erkennen und zu beschreiben.

16f. Warum nun die Lebenden den Entschlafenen bei Jesu Ankunft   **16f.**
nicht zuvorkommen werden, bedarf noch der genaueren Erläute-
rung. Die Schilderung der eschatologischen Ereignisfolge in v.16f.
bezieht sich mit explikativem *hoti* auf v.15 zurück. Sie erklärt und
illustriert die dort getroffene Aussage mit Inhalten aus der Jesus-
Tradition, worauf die Verfasser mit der Einordnung als »Wort des
Herrn« hingewiesen haben. Es liegt dabei kein wörtliches Zitat,
sondern eine recht freie und vor allem situationsbezogene Wiedergabe und Anwendung von Jesus-Überlieferung vor, doch deren Inhalt gründet in der Autorität des Herrn. Die Berufung auf Jesus sichert die Verlässlichkeit der endzeitlichen Ereignisse (ohne dass
Verfasser und Rezipienten in den Kategorien heutiger historischer
Rückfrage nach »authentischen« Jesusworten gedacht hätten). Es
kann vermutet werden, dass die geschilderten Ereignisse der Gemeinde aus der Erstverkündigung in Grundzügen bekannt waren.
Am Anfang wird betont auf den machtvollen endzeitlichen Kyrios
(»der Herr selbst«) als Akteur der Ereignisse hingewiesen. Typisch

apokalyptische Requisiten dienen als Zeichen der Ankündigung:
Befehlsruf, Stimme des Erzengels, Trompete Gottes, womit deut-
lich wird, dass nun Gott in einem weithin sichtbaren, öffentlichen
Ereignis mit Macht handelt und sein Befehl die Endereignisse in
Gang setzt.

Die Motive waren bekannt: Zum (eher seltenen) Erzengel vgl. Jud 9;
ApkMos 22,1; 37,4; 4 Esr 4,36; äthHen 20,1-8 (einige Handschriften); Philo (Belege: *W. Bauer*, Wörterbuch 222 f.). – Trompete Gottes: Jes 27,13;
Sach 9,14; Zef 1,16-18; ApkMos 22,1; 37,1; PsSal 11,1; 4 Esr 6,23; 1QM
2,16-3,12; 7,13 (Vorbild sind z. B. Ex 19,16; Ps 47,6). – Wolken als eschatologisches Vehikel: Dan 7,13; 4 Esr 13; Mk 13,26; 14,62; Offb 1,7; 11,12;
14,14-16; Apg 1,9. – Kommen des Messias/Menschensohnes vom Himmel
zum Endgericht: PsSal 18,5; äthHen 100,4 (Engel); Sib 3,286; 5,108 f.; Mk
13,26; 14,62; zur Herrschaftsübertragung grundlegend Dan 7,13 f. – Im
Griechischen steht der »Befehlsruf« ohne gleichordnendes *kai* (»und«)
vor der »Stimme des Erzengels« und der »Trompete Gottes«, die durch
kai verbunden sind, und könnte diesen so übergeordnet sein; letztere Requisiten erläutern dann den »Befehlsruf«. Auf jeden Fall bewirkt der Ruf
hier *nicht* die Totenerweckung (sie geschieht erst mit Jesu Kommen), sondern verweist auf das machtvolle Auftreten Gottes bzw. des Parusie-Kyrios (vgl. ApkMos 37,1-3: Trompete, Stimme[n], [Erz-]Engel) und markiert den Beginn der Endereignisse (gegen *Fee* 177; *Green* 124 f.;
*D. Luckensmeyer, Eschatology 243).

Das Herabsteigen des machtvollen Kyrios Jesus vom Himmel (vgl.
1,10) beschreibt narrativ, was der Terminus Parusie abstrakt denotiert. In einem zweistufigen Zeitschema (zuerst – dann) folgt nun
die Konkretisierung der Parusie-Ereignisse angesichts der Problemsituation in Thessaloniki. Zuerst stehen die »Toten in Christus« auf,
was gegenüber den Entschlafenen aus Thessaloniki verallgemeinert,
aber immer noch auf Christen beschränkt bleibt. »In Christus«
referiert auf die Beziehung der Verstorbenen zu Christus, die ihr
Leben und ihr Sterben prägte und ihre grundlegende Zugehörigkeit
zu Christus ausmacht.

Grammatikalisch lässt sich das Syntagma *en Christō* sowohl auf »die Toten« als auch auf das Verb »auferstehen« beziehen. Im Kontext ist nur ers-
teres sinnvoll, da es um die Verstorbenen der Gemeinde, nicht alle toten
Menschen (die in Christus auferstehen) geht. Die Opposition zu »wir, die
Lebenden« legt dies nahe (anders *D. Konstan/I. Ramelli*, Syntax). Der
Text äußert sich nicht über das Schicksal der Nicht-Christen (vgl. auch
1 Kor 15,23; Offb 14,13), so dass Schlussfolgerungen *e silentio* gefährlich
sind. Im Hintergrund steht die jüdische Vorstellung der Totenerweckung

in der Endzeit, die eine Differenzierung von Israel und den Heidenvölkern bzw. von Gerechten und Frevlern enthält. Auf Gerechte konzentrieren die Auferstehung frühjüdische Texte wie 2 Makk 7,14; PsSal 3,10-12; äthHen 91,10; 92,3; ApkMos 13,3; TestSeb 10,2 f.; syrBar 30,1 f.; CIJ I 476. In 1 Thess 4,16 ist wichtig, dass die Christen berechtigt hoffen dürfen, in die heilvolle Christus-Gemeinschaft zu gelangen. Eine Anspielung auf die Taufe impliziert »in Christus« kaum (mit *F. W. Horn*, Angeld 138-142; anders *F. Blischke*, Begründung 93).

Damit besitzen die toten Christen volle Heilsteilhabe an der Gemeinschaft mit dem Herrn, die sich »dann« sofort ereignet: Die lebenden Christen werden zusammen mit den erweckten Toten auf Wolken »fortgerissen« oder »entrückt« zur Einholung des Herrn in die Luft. Das Adverb *hama* bringt die Gleichzeitigkeit, der Präpositionalausdruck *syn autois* die Gemeinschaft beider Gruppen zum Ausdruck. Das Verb *harpazō* hat hier technischen Sinn und meint die göttliche Translokation eines Menschen (in unterschiedlichen Kontexten auch in 2 Kor 12,2.4; Apg 8,39; Offb 12,5; in Bezug auf griechisch-römische Götter z. B. Apollodor 1,5,1; Quintus Smyrnaeus 11,289 f.; Homer, Il. 3,380-383; 20,443; 21,597; Od. 15,250 f.; Plutarch, mor. 591c).

Kaum ist dabei an die »Entrückung« des verstorbenen Kaisers bei dessen Apotheose gedacht. Näher liegt die Vorstellung der endzeitlichen Erhöhung Israels in den Himmel in AssMos 10,8-10. Eine »Verwandlung« wie in 1 Kor 15,52 wird nicht thematisiert. Anders situiert ist die Verwendung des Verbs (und lateinischer Äquivalente) in griechischer und römischer Klage über den gewaltsamen Verlust eines geliebten Menschen durch den Tod (Beispiele bei *Malherbe* 276).

Wie schon *parousia* ist auch *apantēsis* ein Begriff, der (neben der offeneren Bedeutung »Begegnung«) im politischen Bereich eine spezielle Verwendung erfährt. Dabei stehen beide Begriffe häufig miteinander im Zusammenhang (*J. Lehnen*, Adventus 59 f.). »Einholung« fungiert in entsprechenden Kontexten als *terminus technicus* für die Praxis, eine hochgestellte Persönlichkeit wie Kaiser, Statthalter oder Feldherr beim Besuch einer Stadt durch die städtische Elite, die Bürger und die Bevölkerung feierlich in die Stadt hinein zu geleiten, indem sie dem hohen Besucher als Zeichen der Ehrerbietung entgegenziehen. Das Ritual der *apantēsis* bot eine besondere Gelegenheit zur Gestaltung der politischen Interaktion zwischen dem Kaiser bzw. Statthalter und der Bevölkerung in Rom bzw. einer Provinzstadt: Der Herrscher konnte seine Nähe zur Bevölkerung der Stadt zeigen, diese demonstrierte ihre Loyalität gegenüber dem Herrscher, ihren Konsens hinsichtlich seiner Herrschaft. Damit wird die Legitimation und Stabilisierung der Herrschaft befestigt (*J. Lehnen*, Adventus 256 f.266.279-283). Gerade bei diesem Zeremoniell der Einholung trat die Stadtbevölkerung bei allen sozialen Unterschieden als symbolische Einheit auf (*J. Lehnen*, Adventus 266.278). Es handelt sich um ein großes öffentliches Ereignis, an das sich ausgedehnte Festlichkeiten anschließen können und das die einzigartige Bedeutung des Besuchers unübersehbar macht.

Eine anschauliche Schilderung bietet Josephus, bell. 7,100-102; vgl. bell. 7,68-73; ant. 11,327-332; ferner Cassius Dio 63,2,3-4,2; Polybios 5,26,8 f. Geläufige Termini sind *apantēsis* bzw. *hypantēsis;* Cicero, Att. 8,16,2; 16,11,6 übernimmt den griechischen Terminus als Fremdwort, was seine Geläufigkeit belegt. Er wird z. T. biblisch-frühjüdisch auch für kleinere Sozialeinheiten verwendet: Ri 4,18; 19,3; 1 Makk 12,41-43; Mt 8,34; 25,1-6; Joh 12,13; Apg 28,15; JosAs 5,3; 15,10; 19,1 f.; 25,8. Zur Vorstellung *E. Peterson, apantēsis; J. Lehnen*, Adventus (v. a. zum Kaiser, 318-341 zum Statthalter); *U. E. Eisen*, Implikationen 202-209; ferner *Holtz* 203; *Reinmuth* 147; *Witherington* 138 f.; **M. Tellbe*, Paul 128 f.; **D. Luckensmeyer*, Eschatology 260-265; **F. W. Röcker*, Belial 294-304. Ablehnend *M. R. Cosby*, Receptions; *Malherbe* 277. *J. Plevnik* (Taking Up; *ders.*, Destination) nimmt nicht die Einholung des Herrn, sondern die Einholung bzw. Erhöhung *der Gemeinde* an. Doch dies steht gegen die Textaussage und den Bildbereich und übersieht die Funktion des Ereignisses.

Die politisch besetzten Begriffe *parousia* und *apantēsis* besitzen hier primär eine beschreibende Funktion zur sprachlichen Darstellung der Parusie. Das endzeitliche Geschehen folgt einem Grundgerüst jüdischer Eschatologie, das sich in apokalyptischen Texten findet, wird aber mit Begriffen, die auf Symbolhandlungen aus der zeitgenössischen politischen Welt anspielen, profiliert (*R. H. Gundry*, Hellenization überbetont den hellenistischen Hintergrund). Doch im zeitgeschichtlichen Kontext gelesen, impliziert die als »Einholung« geschilderte Aufnahme der unmittelbaren Gemeinschaft mit dem Herrn auch ein politisches Gegenbild. Am Ende der Geschichte wird offenbar, wer der eigentliche Herrscher der Welt ist – nicht der römische Kaiser oder ein Feldherr, sondern Jesus, der von Gott bevollmächtigte Kyrios der Gemeinde! Seine Parusie und das Zeremoniell der Einholung werden seine Legitimation öffentlich und vor aller Welt sichtbar machen. Im östlichen Mittelmeerraum wurden seit Augustus die römischen Kaiser als Kyrios betitelt

(*A. Deissmann*, Licht 299-303), so dass dieser (auch sonst zur Anrede von Göttern oder Höhergestellten verbreitete) Titel, wenn er im Kontext der endzeitlichen Herrschaft Jesu verwendet wird, politische Konnotation trägt. Dieses Gegenbild prägt das Bewusstsein der Gemeinde, bereits jetzt zur Herrschaft des eigentlichen Kyrios zu gehören. Die Gemeinde weiß, dass die in der Gegenwart mächtige Vorherrschaft Roms und seine den Alltag dominierende Kultur nur von begrenzter Dauer und letztlich dem Kyrios Jesus untergeordnet sind.

Über die politische Reichweite des Textes entspann sich in der Exegese eine kontroverse Diskussion. So betont z. B. *K. P. Donfried*, Imperial Cults 216 f. eine politische Frontstellung (vgl. *U. E. Eisen*, Implikationen 198.209 f.), während *P. Oakes*, Re-mapping 315-317 den politischen Gegensatz in Frage stellt. Mehr dazu bei 1 Thess 5,3.

Die Schlussfolgerung am Ende von v.17 fasst das Ziel der Argumentation in ein einfaches Bild der Jenseitshoffnung: »und so werden wir allezeit mit dem Herrn sein«. Als Ziel des Lebens erscheint die immerwährende Gemeinschaft mit dem Herrn. Mehr muss dazu nicht gesagt werden, weil diese Gemeinschaft den Zustand endgültigen Glücks und Heils in Gottes Vollendung umfasst. Bei dieser christozentrisch fokussierten Verwirklichung des Heilszustands gibt es keinen Vorrang der Lebenden. Damit wird auch die Problemlage in der Gemeinde auf eine andere Ebene gehoben, indem das eigentliche Ziel postmortaler Existenz betont wird, nämlich die enge personale Gemeinschaft mit dem Herrn Jesus. Die Begegnung mit dem Parusie-Christus findet in der »Luft« statt, doch über den Ort des dauerhaften Zusammenseins schweigt der Text. Ob an den Himmel (*Müller* 186 f.; *Fee* 182) oder die Erde (*Holtz* 203 f.; *C. R. Nicholl*, Hope 28-31.43 f.) gedacht wird, ist nicht ausschlaggebend, da die Vollendung im apokalyptischen Denken ohnehin als totale Neuschöpfung vorgestellt wird (dazu *S. Schreiber*, Variationen). Da der Parusie-Kyrios vom Himmel kommt, muss, soll eine Einholung stattfinden, die Begegnung »in der Luft«, also im Raum zwischen Himmel und Erde gedacht werden. Die »Luft« ist Bestandteil der grundlegend räumlichen Konzeption der Parusie-Vorstellung.

Die in späteren (!) rabbinischen Texten vereinzelt genannten Vorstellungen vom eschatologischen Fliegen der Gerechten auf Wolken bzw. ihrer Erhebung in die Luft (*C. R. Moss/J. S. Baden*, Perspective) lassen sich damit kaum vergleichen, verarbeiten jedoch gemeinsame traditionelle Motive.

18 18 Die Folgerung, die v.18 zum Schluss der kleinen Texteinheit zieht, betrifft den eigenen Umgang der Gemeinde mit dem Problem ihrer Verstorbenen. Die Verfasser haben den Adressaten mit ihren Ausführungen die Vorstellungen vermittelt, die zur Lösung des Problems nötig sind. Nun fordern sie die Gemeinde zum gegenseitigen Zuspruch auf, der die Grundlagen und die Reichweite der eigenen eschatologischen Überzeugung bewusst macht. Die Gemeinde selbst trägt nun die Verantwortung für die Umsetzung der theologischen Grundlagen für ihr Selbstverständnis. Damit trägt sie auch die Verantwortung für die Aktualisierung der christlichen Tradition.

3. Rhetorische Strategie

Die Argumentation in 4,13-18 greift ein Problem der theologischen Überzeugung der Gemeinde in Thessaloniki auf und bietet eine Lösung an, die auf der apokalyptisch geprägten und in der Jesus-Überlieferung wurzelnden Parusie-Tradition basiert und durch die »richtige« Reihenfolge der Parusie-Ereignisse das Problem entschärft. Weil die verstorbenen Gemeindeglieder vor der eigentlichen Begegnung mit dem Parusie-Kyrios erweckt werden, erleben sie diese vollständig mit. Die Parusie bleibt als zentrale Überzeugung und wesentliches Identitätsmerkmal der Gemeinde bestehen. Sie bedeutet erstens den Eintritt in die endzeitliche, die Todesgrenze überwindende Gemeinschaft mit Christus, worin sie sich von zeitgenössischen Jenseitserwartungen markant unterscheidet, und zweitens die gesellschaftlich-politische Rehabilitation der marginalisierten und öffentlich herabgesetzten Gemeinde durch höchste göttliche Reputation. Wieder wird das *eschatologisch* geprägte Selbstverständnis der Gemeinde als wesentlicher Bestandteil ihrer Identitätskonstruktion sichtbar.

Die Basis für diese Ausführungen, die eine Aussage über Endzeitereignisse überhaupt erst möglich macht, bildet die Tradition der ersten Christen: die Bekenntnisaussage von 4,14 und das »Wort des Herrn« von 4,15-17. Die dabei angewandte Traditions-Hermeneutik nimmt eine Aktualisierung und Anwendung der Tradition auf die aktuelle Lebenswirklichkeit der Gemeinde vor. Dadurch bleibt die Tradition in ihrer Bedeutung lebendig, und erst die Wechselwirkung von Tradition und Lebenswirklichkeit löst das eschatologische Problem der Gemeinde. Das Grundmodell christlicher Jenseitshoffnung stellt die Erwartung der unmittelbaren personalen

Gemeinschaft mit dem erhöhten Kyrios dar. Die Verfasser beziehen die Gemeinde selbst in den Auslegungsprozess ein, indem sie sie in 4,18 zur gegenseitigen Bewusstmachung auffordern: Im gegenseitigen Zuspruch geschieht die gemeinsame Reflexion der eigenen Grundüberzeugung.

Das spricht dagegen, hier eine große Nähe zu antiken Trostbriefen zu erkennen, wie dies *Malherbe* 279 f. tut (vgl. *Green* 215 f.). Wesentliche Topoi des Trostbriefes fehlen gerade: Grausamkeit des Schicksals, der Tod als allen Menschen gemeinsame Erfahrung, die Vernunft als Mittel zur Linderung der Trauer, das Annehmen des Schicksals, die Erfüllung der gesellschaftlich üblichen Pflichten um den Toten, Anteil an der Trauer der Betroffenen.

Mit 1 Thess 4,13-18 liegt ein für die Entwicklung christlicher Eschatologie wichtiger Text vor, da sich darin die älteste christliche Artikulation einer Hoffnung auf ein Leben jenseits der Todesgrenze erhalten hat. Die Tradition, auf die die Verfasser zurückgreifen, bildet das bleibende Fundament christlicher Jenseitshoffnung. Bedenkenswert scheint die Formulierung des endzeitlichen Lebenszieles als ungebrochenes Mit-dem-Herrn-Sein (4,17; vgl. 5,10; dazu auch *C. Landmesser*, Entwicklung 177-181), als unverlierbare Christus-Gemeinschaft.

Das Denkmodell, das hier knapp zum Vorschein kommt, entfalten spätere Paulusbriefe. Weil Jesus gestorben und von Gott aus dem Tod erweckt ist, haben die zu ihm Gehörenden, die durch die Taufe an seinem Tod Anteil erhalten haben, auch an seiner Erweckung teil, und dies berechtigt zur Hoffnung auf ein postmortales Leben (vgl. 5,10; 1 Kor 6,14; 15,12-22; 2 Kor 4,14; Röm 6,3-5.8; 8,11.17.32). Die Bezeichnung Jesu als »Erstling der Entschlafenen« in 1 Kor 15,20 bringt dieses Modell auf den Punkt. Allein die Zugehörigkeit zu Christus ist die Grundlage der christlichen Jenseitshoffnung, so dass Kriterien der Moral oder Ethik im Sinne eschatologischen »Lohnes« in die Kritik geraten. Und eine weitere kritische Funktion christlicher Eschatologie tritt hervor: Sie nimmt gegenüber den politisch, wirtschaftlich und religiös herrschenden Mächten und Strukturen die Perspektive der Machtlosen und Randständigen ein, wenn sie auf die Parusie des Kyrios wartet.

Wachsamkeit vor dem Ende 5,1-11

1 Über die Zeiträume aber und die Zeitpunkte, Geschwister, habt ihr es nicht nötig, dass euch geschrieben wird, 2 denn ihr selbst wisst genau, dass der Tag des Herrn so kommt wie ein Dieb in der Nacht. 3 Wenn sie sagen: Friede und Sicherheit, dann überrascht sie plötzlich Verderben wie die Geburtswehe die Schwangere, und sie entkommen sicher nicht. 4 Ihr aber, Geschwister, seid nicht in Finsternis, so dass der Tag euch wie ein Dieb überfällt; 5 ihr alle seid nämlich Söhne des Lichtes und Söhne des Tages. Wir gehören nicht zur Nacht und nicht zur Finsternis; 6 also lasst uns nun nicht schlafen wie die Übrigen, sondern lasst uns wachen und nüchtern sein. 7 Denn die Schlafenden schlafen in der Nacht, und die sich Betrinkenden sind in der Nacht betrunken. 8 Wir aber, die wir zum Tag gehören, wollen nüchtern sein, da wir einen Brustpanzer des Vertrauens und der Liebe angelegt haben und als Helm Erwartung der Rettung; 9 denn Gott bestimmte uns nicht zum Zorn, sondern zur Erlangung der Rettung durch unseren Herrn Jesus Christus, 10 der für uns starb, damit wir, sei es, dass wir wachen, sei es, dass wir schlafen, zugleich mit ihm leben. 11 Deshalb redet einander zu und baut einer den anderen auf, wie ihr ja auch tut.

Literatur: H. Boers, Christ in the Letters of Paul. In Place of a Christology (BZNW 140), Berlin/New York 2006; *C. Böttrich*, Das Gleichnis vom Dieb in der Nacht. Parusieerwartung und Paränese, in: Eschatologie und Ethik im frühen Christentum (FS G. Haufe), Frankfurt a. M. 2006, 31-57; *R. F. Collins*, Tradition, Redaction, and Exhortation in 1 Thess 4,13-5,11, in: ders., Studies on the First Letter to the Thessalonians (BEThL 66), Leuven 1984, 154-172; *C. Eschner*, Gestorben und hingegeben »für« die Sünder. Die griechische Konzeption des Unheil abwendenden Sterbens und deren paulinische Aufnahme für die Deutung des Todes Jesu Christi. Bd. 1: Auslegung der paulinischen Formulierungen. Bd. 2: Darstellung und Auswertung des griechischen Quellenbefundes (WMANT 122), Neukirchen-Vluyn 2010; *W. Harnisch*, Eschatologische Existenz. Ein exegetischer Beitrag zum Sachanliegen von 1. Thessalonicher 4,13-5,11 (FRLANT 110), Göttingen 1973; *J. A. Harrill*, Paul and Empire: Studying Roman Identity after the Cultural Turn, Early Christianity 2 (2011) 281-311; *J. P. Heil*, Those Now »Asleep« (not dead) Must be »Awakened« for the Day of the Lord in 1 Thess 5.9-10, NTS 46 (2000) 464-471; *R. Hoppe*, Tag des Herrn – Dieb in der Nacht. Zur paulinischen Metaphernverwendung in 1 Thess 5,1-11 (2006), in: ders., Apostel – Gemeinde – Kirche. Beiträge zu Paulus und den Spuren seiner Verkündigung (SBA 47), Stuttgart 2010, 92-109; *S. Kim*, The Jesus Tradition in 1 Thess 4.13-5.11, NTS

48 (2002) 225-242; *H. Koester*, Imperial Ideology and Paul's Eschatology in 1 Thessalonians, in: R. A. Horsley (Hg.), Paul and Empire. Religion and Power in Roman Imperial Society, Harrisburg 1997, 158-166; *M. Lautenschlager, Eite grēgorōmen eite katheudōmen*. Zum Verhältnis von Heiligung und Heil in 1 Thess 5,10, ZNW 81 (1990) 39-59; *U. Mell*, Die Entstehungsgeschichte der Trias »Glaube Hoffnung Liebe« (1 Kor 13,13) (1999), in: ders., Biblische Anschläge. Ausgewählte Aufsätze (ABG 30), Leipzig 2009, 181-208; *P. Oakes*, Re-mapping the Universe: Paul and the Emperor in 1 Thessalonians and Philippians, JSNT 27 (2005) 301-322; *J. Plevnik*, Paul and the Parousia. An Exegetical and Theological Investigation, Peabody 1997; *J. Punt*, Postcolonial Approaches. Negotiating Empires, Then and Now, in: J. A. Marchal (Hg.), Studying Paul's Letters. Contemporary Perspectives and Methods, Minneapolis 2012, 191-208; *S. Ruzer*, Nascent Christianity Between Sectarian and Broader Judaism: Lessons from the Dead Sea Scrolls, in: A. D. Roitman/L. H. Schiffman/ S. Tzoref (Hg.), The Dead Sea Scrolls and Contemporary Culture (STDJ 93), Leiden 2011, 477-493; *S. Schreiber*, Paulus als Kritiker Roms? Politische Herrschaftsdiskurse in den Paulusbriefen, ThGl 101 (2011) 338-359; ders., Weihnachtspolitik. Lukas 1-2 und das Goldene Zeitalter (NTOA 82), Göttingen 2009; ders., Friede trotz Pax Romana. Politische und sozialgeschichtliche Überlegungen zum Markusevangelium, in: Inquire Pacem. Beiträge zu einer Theologie des Friedens (FS V. J. Dammertz), Augsburg 2004, 85-104; *J. Schröter*, Sterben für die Freunde. Überlegungen zur Deutung des Todes Jesu im Johannesevangelium, in: Religionsgeschichte des Neuen Testaments (FS K. Berger), Tübingen/Basel 2000, 263-287; *C. D. Stanley*, Who's Afraid of a Thief in the Night?, NTS 48 (2002) 468-486; *D. F. Watson*, Paul's Appropriation of Apocalyptic Discourse. The Rhetorical Strategy of 1 Thessalonians, in: G. Carey/L. G. Bloomquist (Hg.), Vision and Persuasion. Rhetorical Dimensions of Apocalyptic Discourse, St. Louis 1999, 61-80; *J. A. D. Weima*, »Peace and Security« (1 Thess 5.3): Prophetic Warning or Political Propaganda?, NTS 58 (2012) 331-359; *W. Weiß*, Glaube – Liebe – Hoffnung. Zu der Trias bei Paulus, ZNW 84 (1993) 196-217; *N. Wendebourg*, Der Tag des Herrn. Zur Gerichtserwartung im Neuen Testament auf ihrem alttestamentlichen und frühjüdischen Hintergrund (WMANT 96), Neukirchen-Vluyn 2003; *K. Wengst*, Pax Romana, Anspruch und Wirklichkeit. Erfahrungen und Wahrnehmungen des Friedens bei Jesus und im Urchristentum, München 1986; *J. R. White*, »Peace and Security« (1 Thessalonians 5.3): Is It Really a Roman Slogan?, NTS 59 (2013) 382-395; *E. Winter*, Stadt und Herrschaft in spätrepublikanischer Zeit: Eine neue Pompeius-Inschrift aus Ilion, in: E. Schwertheim/ H. Wiegartz (Hg.), Die Troas. Neue Forschungen zu Neandria und Alexandria Troas. Bd. 2, Bonn 1996, 175-194; *M. Wolter*, Paulus. Ein Grundriss seiner Theologie, Neukirchen-Vluyn 2011.

1. Analyse

Kontext, Form, Aufbau

Die Erwartung der Parusie, die im Zentrum des vorangehenden Abschnitts 4,13-18 stand, wird in 5,1-11 aufgegriffen und weitergeführt, indem ihre Implikationen für das Verständnis der Gegenwart und die damit verbundene eschatologische Existenz der Gemeinde erörtert werden. Wachsamkeit und Nüchternheit, d. h. eine kritische Wahrnehmung der gesellschaftlich geläufigen Weltdeutungen, werden dabei als wesentliche Haltungen profiliert. Es fällt auf, dass nicht mehr die »Parusie« als endzeitliches Ziel genannt ist, sondern der »Tag des Herrn«, womit stärker die (vernichtende) Wirkung auf die Außenstehenden in den Blick tritt. Angezielt ist eine reflektierte Abgrenzung der Gemeinde von ihrer städtischen Umwelt. Nach dem konkreten Problemfall von 4,13-18 wird die Perspektive in 5,1-11 wieder allgemeiner und korrespondiert so dem ersten Abschnitt des zweiten Briefthemas, 4,1-12. Der neue Gedanke wird in 5,1 formal durch *peri de* eingeleitet und durch die direkte Anrede »Geschwister« unterstrichen. Die »Zeiträume und Zeitpunkte« beziehen sich auf das spezifisch christliche Verständnis der Gegenwart als bereits von der Endzeit Gottes gezeichnete Zeit, deren Vollendung in naher Zukunft bevorsteht. Der Abschnitt endet in 5,11, vergleichbar mit 4,18, mit der Aufforderung an die Adressaten zur gegenseitigen Vergewisserung und Bestärkung. Mit der generellen Charakterisierung der Gegenwart als eschatologischer Zeit steht 5,1-11 am Ende des zweiten Briefthemas, das die christliche Existenz als »Leben in der Endzeit« beschreibt.

Bei 5,1-11 handelt es sich um einen diskursiven theologischen Text, der den Sachverhalt der eschatologischen Existenz der Christen ausleuchtet. Er zielt auf die Reflexion des eigenen Selbstverständnisses der Gemeinde, also auf Akte kognitiver Selbstvergewisserung. Dazu rufen auch die Hortative in 5,6.8 auf. Bestimmte Verhaltensweisen werden dabei nicht eigens thematisiert, wenngleich natürlich das gesamte Leben als Christen betroffen ist. Den theologischen Diskurs unterbewertet eine Formbestimmung als Paränese. Selbst am Ende steht nicht einfach eine Ermahnung der Gemeinde, sondern der Appell an ihre eigene Chance und Verantwortung zur Umsetzung des neuen Weltverständnisses (5,11) (den prophetischen Charakter von 5,1-11 betont *R. Hoppe*, Tag 102-104).

Der Text zeigt einen klaren Aufbau. Auf die Angabe des Themas, die durch den bevorstehenden »Tag des Herrn« qualifizierte Zeit, folgt zuerst eine Gegenüberstellung der unterschiedlichen Positionen gegenüber und bei diesem Tag des Herrn, bevor die Begründung der christlichen Existenz erörtert wird. Am Ende werden praktische Konsequenzen für die Selbst-Verständigung der Gemeinde über ihre besondere Existenz angedeutet. Im Einzelnen:

5,1 f.   Themenangabe: Die eschatologische Zeit vor dem »Tag des Herrn«
5,3-6   Gegenüberstellung: Unterschiedliche Positionen
  3   Die Haltung der nichtchristlichen Welt
  4 f.   Die Haltung der Gemeinde
  6   Die Grundhaltungen als Aufforderung zur kritischen Reflexion
5,7-10   Begründung der christlichen Existenz
  7   Kontrast: Verhalten der »Nacht«
  8   Ausstattungen des »Tages«
  9 f.   Bestimmung durch Gott zur Rettung in Christus
5,11   Praktische Konsequenz: Gegenseitiger Zuspruch und Aufbau

Tradition

Der Text ist stark von frühjüdischen Denkfiguren mit eschatologischem, besonders apokalyptisch orientiertem Charakter geprägt. Bei *chronoi kai kairoi* (»Zeiträume und Zeitpunkte«) in 5,1 handelt es sich um eine bekannte Wortverbindung, die sich als Hendiadyoin verstehen lässt (*Rigaux* 553; zur Kombination der Begriffe vgl. allgemein NW II/1, 791-793; Neh 10,35 [= 2 Esr 20,35]; 13,31 [= 2 Esr 23,31]; Koh 3,1; Weish 7,18; Apg 3,20 f.). In einem apokalyptisch geprägten Weltbild zielt das Syntagma auf die Geschichtsmacht Gottes, die sich in einer Strukturierung der Zeiten zeigt (vgl. LXX Dan 2,21; 4,34[37]; 7,12; 12,6-13; Weish 8,8; Apg 1,7; 4 Esr 4,33-37; 6,7-10; syrBar 48,2; 54,1; ferner Philo, quaest. Gen. 1,100; vgl. 1QS 9,12-14). Dieses Weltbild läuft auf das Ende der Weltzeit und die nahe bevorstehende Vollendung der Herrschaft Gottes zu (dazu Dan 8,17.19; 9,24-27; 11,27.35; 12,4.13; AssMos 1,18; 7,1; 10,13; 12,4; 4 Esr 3,14; 6,6; 7,113; 11,39.44; 12,9.32; 14,5.9; vgl. 1QpHab 2,5-7). Dabei geht es nicht um kalendarische Berechnungen des Endes, sondern um die Vergewisserung, dass Gott Herr über die Zeiten ist und bald die Zeitenwende herbeiführen, d.h. seine Herrschaft aufrichten wird. Damit ist wesentlich die Durchsetzung seiner Gerechtigkeit verbunden, die die Gerechten ins Heil einbezieht, die Gottlosen aber ausschließt bzw. straft (vgl. nur äthHen 96,1-3; AssMos 10,1-10; 12,10-13; zum ganzen Motivkomplex mit viel Material *M. Konradt*, Gericht 135-138). Den Gerechten wird vor Augen gestellt, dass sie, wenn sie auch in der Gegenwart unter den Gottlosen leiden und ihnen gegenüber vermeintlich schlechter gestellt sind, in Gottes naher Herrschaft rehabilitiert und ausgezeichnet werden – pragmatisch eine Bestätigung, trotz Widerständen auf dem richtigen Weg zu sein.

Die Vorstellung vom »Tag des Herrn« in 5,2 verdankt sich der prophetischen Gerichtsrede an Israel und meint dort das gewaltige, umstürzende Eingreifen Gottes in den Lauf der Welt mit vernichtender Wirkung (*hēmera kyriou* ohne Artikel in LXX Joel 1,15; 2,1; 3,4; 4,14; Obd 15; Zef 1,14b; Jes 2,12; 13,9; Ez 13,5; mit einem oder beiden Artikeln Am 5,18.20; Joel 2,11; Zef 1,7.14a; Jes 13,6). Jes 13,2-16 beschreibt den »Tag des Herrn« als großen Zornestag, an dem Gott »die ganze bewohnte Welt bis auf den Grund zerstören« (13,5) und die Sünder ausrotten wird (13,9.11): ein Vernichtungsgericht über die ganze gottfeindliche Welt (13,14-22). Damit verbunden sind Wehgeschrei, Schrecken und Schmerzen unter den Menschen (13,6-8), im Bild: Schmerzen wie die einer Gebärenden (13,8). Der ganze Kosmos ist betroffen: Himmel und Erde werden von Gottes Zorn in ihren Fundamenten erschüttert (13,13), kosmische Finsternis tritt ein, wenn Sonne, Mond und Sterne dunkel sind (13,10). Am Ende wird es jedoch Erbarmen für Israel und eine neue Landnahme geben (14,1 f.). Nach Joel 1,2-20 geht dem Tag des Herrn eine Zeit allgemeiner Not und Dürre, Vernichtung und Klage voraus. In 2,1-11 bringt der Tag des Herrn umfassende Vernichtung der Erde wie bei einem großen Kriegszug, begleitet von kosmischen Erschütterungen und Finsternis von Sonne, Mond und Sternen (2,2a.10). Doch JHWH eröffnet seinem Volk die Möglichkeit der Umkehr und eine neue, umfassende Heilszeit (2,12-27), die Rettung am Tag des Herrn (3,3-5).

Weitere Belege für den »Tag des Herrn« als Gerichtstag sind Am 5,18-10; Zef 1,7-18; Obd 12-16; Sach 14,1-11; Jes 2,10-21; Ez 7,1-27; 30,3. In vielen frühjüdischen Schriften setzt sich die Bedeutung des »Tages« als des endzeitlichen Gerichtstages fort: Jdt 16,17; Jub 4,19; 5,10; 16,9; 23,11; 24,33; PsSal 15,12 (»Gerichtstag des Herrn«); TestLev 3,2; äthHen 10,6.12; 19,1; 22,4.11.13; 84,4; 94,9; 96,8; 97,3; 98,8-10; 99,15; 100,4; ApkMos 12,1; 26,4; 4 Esr 7,38.102.104.113; 12,34 (zum Wortfeld *M. Konradt*, Gericht 152 f.; *Rigaux* 555; *N. Wendebourg*, Tag 28-154; *R. Hoppe*, Tag 94 f.). Eine Verbindung des endzeitlichen »Tages« (*hēmera*) mit dem *kairos* als Zeit des Gerichts Gottes begegnet bei LXX Jer 26,21; 27,27.31; Ez 7,4.12; 21,31.34.

Der Begriff »Tag des Herrn« gelangte (vielleicht erst mit Paulus?) in die endzeitliche Vorstellungswelt der ersten Christen, wurde dort freilich auf Jesus bezogen, wie die alternative Formulierung »Tag des Christus (Jesus)« in Phil 1,6.10; 2,16 (1 Kor 1,8) zeigt. Er wurde zu einem bekannten Terminus, der das endzeitliche Kommen Jesu zur Vollendung von Gottes Herrschaft aussagt und den Paulus ohne weitere Erklärung als endzeitliche Markierung verwenden kann (1 Thess 5,2; 1 Kor 1,8; 5,5; 2 Kor 1,14; Apg 2,20 zitiert Joel 3,4 lxx; 2 Petr 3,10 mit Motiven kosmischer Verwandlung; nur »jener Tag« Lk 21,34; vgl. 1 Kor 3,13; »Tag des Gerichts« Röm 2,5; vgl. 2,16).

Damit referieren »Tag des Herrn« bzw. »Parusie des Herrn« bei Paulus grundsätzlich auf dasselbe Ereignis, denotieren aber unterschiedliche Akzente: Gericht bzw. Gemeinschaft mit Christus. Die Referenz von *kyrios* wird dabei von Gott auf Christus übertragen. Vorbereitet ist diese Übertragung in frühjüdischen Vorstellungen von Mittlergestalten, vgl. äthHen 61,5 (»Tag des Erwählten«); PsSal 18,5 (»Tag, an dem sein [sc. Gottes] Gesalbter heraufgeführt wird«) (dazu *N. Wendebourg*, Tag 160).

Zum weiteren Motivkreis des »Tages des Herrn« lässt sich auch der Vergleich mit dem »Kommen des Diebes in der Nacht« in 5,2 zählen. Er veranschaulicht das unerwartete, plötzliche und auch erschreckende Eintreten des endzeitlichen Umsturzes und fordert daher Wachsamkeit. Das Bild vom Dieb findet sich in Bezug auf das endzeitliche Kommen Jesu in der Jesus-Tradition Mt 24,43/Lk 12,39 (Mt 24,42: »an welchem Tag der Herr kommt«; Lk 12,40: Kommen des Menschensohnes), doch deutet der Text eine solche Herkunft nicht an. Es war offenbar in der eschatologischen Sprache der ersten Christen weit verbreitet und nicht exklusiv mit Jesus-Überlieferung verbunden – vgl. 2 Petr 3,10 in Verbindung mit dem »Tag des Herrn«; Offb 3,3; 16,15 im Kontext des »großen Tages Gottes« (16,14); EvTh 21,5-7; 103 (entfernte alttestamentliche Parallelen nur in lxx Ijob 24,14; Jer 30,3 [29,10]; Joel 2,9; Obd 5). Eine Verankerung des Bildwortes, dessen älteste Bezeugung in 1 Thess 5,2 vorliegt, in der Jesus-Tradition ist möglich und würde die weite Verbreitung erklären helfen. Eine genaue Rekonstruktion einer Grundform des Diebwortes will freilich nicht gelingen; wahrscheinlich liefen verschiedene Überlieferungen um (zur Diskussion um die Traditionsgeschichte *M. Konradt*, Gericht 139-143; *M. Wolter*, Jesus 227-229; auch *Holtz* 213 f.; *S. Kim*, Jesus 231-233;

F. W. Röcker, Belial 309-317; zur Rückführung auf Jesus *C. Böttrich*, Gleichnis 35-40).

Mit dem nächtlichen Kommen des Diebes war vermutlich traditionsgeschichtlich bereits das Motiv des »Wachens« *(grēgoreō)* in 5,6 verbunden (Mt 24,42 f./Lk 12,37-40; Offb 3,2 f.; 16,15; EvTh 21,5-7); eschatologische Wachsamkeit fordern Mk 13,33-37; Mt 25,13; Did 16,1 (mit anderem Verb Lk 21,36).

Zur Kennzeichnung einer christlichen Grundhaltung dient *grēgoreō* in 1 Kor 16,13; Kol 4,2; Apg 20,31; 1 Petr 5,8. Vorchristlich ist übertragener Gebrauch von *grēgoreō* selten. PsSal 3,1-3 bezeichnet damit das bewusste Leben aus der Beziehung zu Gott, und bei Philo kann Wachsamkeit *(egrēgorsis)* das klare, aufmerksame Erkennen der Dinge meinen (leg. all. 3,183; sobr. 5; migr. 222; somn. 2,39.160-162; Jos. 147; Abr. 70); in beiden Fällen dient der Schlaf als Gegenbild (zu den Belegen *M. Konradt*, Gericht 166 f.).

Die Vorstellung der »Nacht«, deren Dunkelheit die klare Beobachtung verhindert, war überdies als Zeit des Einbruchs von Schrecken und speziell des göttlichen Zorns bekannt, vgl. Jer 49,9; Ijob 24,14; Jes 13,10; Joel 2,10; Weish 18,14 f. Dazu wiederum passt auch der Motivzusammenhang von Nüchternheit und Trunkenheit aus 5,6 f. (vgl. Joel 1,5).

Den Kontrast illustriert Plutarch, mor. 781d: Epameinondas bleibt nüchtern und wach, während die anderen Thebaner trunken sind und schlafen. – Eine übertragene Verwendung von *nēphō* (nüchtern sein) bzw. dem Gegensatz *methyō* (trunken sein) auf die klare Einsicht bzw. die getrübte, umnebelte Wahrnehmung liegt nahe. Frühjüdisch ist sie fast nur bei Philo bezeugt, in Anwendung auf die rechte oder die falsche Erkenntnis (z. B. ebr. 127-129.151 f.; plant. 148; sobr. 30; spec. leg. 1,99 f.; 2,9; somn. 2,101 f.; post. 175). Aber auch pagane Autoren wenden Nüchternheit bzw. Trunkenheit auf die rechte Wahrnehmung an, z. B. Platon, leg. 11,918d; Seneca, epist. 83,18; Diogenes Laertios 10,132; im Kontext der Bekehrung zur Philosophie Lukian, Nigr. 5; bis acc. 16 f. (weitere Belege bei *M. Konradt*, Gericht 168-170; ferner *Malherbe* 305). Im NT begegnet die metaphorische Verwendung in 1 Kor 15,34; 2 Tim 2,26; 4,5; 1 Petr 1,13; 4,7; 5,8.

Das plötzliche und unerwartete Kommen des Tages, das die Unaufmerksamen überrascht, in 5,3 erinnert von Weitem an Lk 21,34-36: Nur hier und in Lk 21,34 begegnet im NT das Adverb *aiphnidios*, beide Texte benutzen die Verben *ephistanai* und *ekpheugō*, beide sprechen von Trunkensein bzw. Trunkenheit. Da aber auch sachliche Unterschiede auftreten (z. B. sollen in Lk 21,36 die *Schüler* entfliehen, während in 1 Thess 5,3 die *Nichtchristen* nicht entfliehen können) und die Begriffe in je anderen syntaktischen Zusammenfügungen begegnen, lässt sich eine gemeinsame Traditionsgrundlage kaum rekonstruieren (vgl. *M. *Wolter*, Jesus 210 Anm. 28). Vielleicht verdanken sich beide Texte einem gemeinsamen Sprachmilieu.

In 1 Thess 5,3 verbindet sich mit dem plötzlichen Kommen des Tages der Vergleich mit der Geburtswehe, die plötzlich, nicht genau kalkulierbar, aber unentrinnbar über eine Schwangere kommt, vgl. Jes 13,8; äthHen 62,3 f. (in Verbindung mit dem »Tag des Herrn« bzw. »jenem Tag«); auch Jer 4,31; 6,24; 13,21 u. ö.; Hos 13,13; 4 Esr 4,42 (Wehen *vor* dem Ende bei Mk 13,8/Mt 24,8; Röm 8,22).

Die Bezeichnung »Söhne des Lichts« in Opposition zur Finsternis in 5,5 erinnert an die apokalyptisch geprägte Gruppendifferenzierung in manchen Qumran-Rollen, wo die Mitglieder der eigenen Gruppe »Söhne des Lichts« heißen. Darin spiegeln sich die besondere Erwählung durch Gott und die Zugehörigkeit zu seiner Gemeinde. Im Gegensatz dazu gelten die Außenstehenden abwertend als »Söhne der Finsternis«. Wichtige Belege sind 1QS 1,9 f.; 2,16; 3,13.24 f.; 1QM 1,1-16; 3,6; 13,16; 4Q174 3,8 f.; 4Q177 9,7; 11,12; 4Q548 10-16.

Eine urchristliche soteriologische Tradition, die den Tod Jesu als Heilsereignis deutet, liegt der Aussage, dass Jesus »für uns starb«, in 5,10a zugrunde. Zum Sterben Jesu »für« die Seinen vgl. bei Paulus 1 Kor 1,13; 11,24; 2 Kor 5,14 f.21; Gal 2,20; 3,13; Röm 5,6.8; 8,32; 14,15; sonst im NT Mk 14,24; Lk 22,19 f.; Joh 10,11.15; 11,50-52; 15,13; 18,14; Eph 5,2.25; 1 Tim 2,6; Tit 2,14; Hebr 2,9; 6,20; 1 Petr 2,21; 3,18; 1 Joh 3,16.

Eine konstante Formulierung dieser Tradition lässt sich freilich ebenso wenig verifizieren wie ein Sitz im Leben in der Taufunterweisung (anders *W. Harnisch*, Existenz 142-152; zu 5,4-10 als bearbeitetem Fragment vorpaulinischer Tauftradition ebd. 117-125.131-152; auch das ist nicht nachweisbar). Auch die Licht/Finsternis-Metaphorik ist zu verbreitet, um ihren Sitz im Leben auf die Taufe einzuschränken (anders *R. Hoppe*, Tag 107-109).

2. Kommentar

5,1 Nach der Behandlung des mit der Parusie des Herrn verbundenen Problemfalls in 4,13-18 wenden sich die Verfasser mit der Wendung *peri de* einem verwandten Thema zu: den endzeitlichen »Zeit-   **5,1**

räumen und Zeitpunkten« *(chronoi kai kairoi)*. Den Anlass für dieses Thema bildet die für die Identität der Gemeinde wichtige Frage, was die jetzige Zeit, die Gegenwart ausmacht und welche Rolle die Gemeinde dabei spielt.

Das apokalyptisch geprägte Syntagma »Zeiträume und Zeitpunkte« verweist die Adressaten auf eine Wirklichkeitsdeutung, die die gegenwärtige Zeit als eschatologische, weil kurz vor der endgültigen Aufrichtung der Herrschaft Gottes stehende Zeit qualifiziert (↗Tradition). Diese hat mit der Erweckung Jesu aus dem Tod begonnen und läuft nun auf ihre Vollendung, die Parusie des Kyrios, zu (4,13). Daher darf sich die Gemeinde selbst als Bestandteil dieser neuen Zeit verstehen. Was ihr Leben in den eschatologischen »Zeiträumen und Zeitpunkten« ausmacht, entfaltet der folgende Abschnitt. Diese Wirklichkeitsdeutung werden die Missionare der Gemeinde bereits beim Gründungsbesuch vermittelt haben, und die Gemeinde dürfte sie sich bereits grundsätzlich zu eigen gemacht haben. Darauf spielt das Stilmittel der *praeteritio* an (im Wortlaut ganz ähnlich wie in 4,9): »ihr habt es nicht nötig, dass euch geschrieben wird«. Was danach gesagt wird, ist in seiner Bedeutung besonders hervorgehoben, weil es trotzdem gesagt wird. Das Bewusstsein der Gemeinde, bereits in der Endzeit zu leben, unterscheidet sie von den Menschen ihrer Umwelt und wird damit zu einem wesentlichen Faktor ihrer neuen Identität, den die Verfasser daher noch einmal eigens zum Thema machen.

Die identitätsbildende Relevanz dieses Bewusstseins ist so wichtig, dass sie vollauf zur Erklärung ausreicht, warum die Verfasser darauf zu sprechen kommen. Eine Praxis endzeitlicher Terminspekulationen innerhalb der Gemeinde, die die Verfasser der Kritik unterziehen müssten, lässt der Text nicht erkennen.

2 2 V. 2 unterstreicht die Aussage, dass die Adressaten keine weiteren Informationen zur endzeitlichen Qualität ihres Lebens benötigen, indem er nochmals ausdrücklich auf das bereits vorhandene Wissen der Adressaten rekurriert: »denn ihr selbst wisst genau«. Der als Inhalt ihres Wissens genannte »Tag des Herrn« präzisiert das Thema im Hinblick auf die Parusie des Kyrios, beleuchtet jedoch die Kehrseite des Heilsbildes: Was sich für die Gemeinde als Heilsereignis erweist, wird für die nicht zum Gott Jesu gehörige Welt zum Gericht. Das aus prophetisch-apokalyptischen Texten bekannte Motiv des »Tages« (↗Tradition) weist voraus auf das nahe bevorstehende Eingreifen Gottes in den Lauf der Welt, das hier durch Christus als seinen Repräsentanten erwartet wird. Es bedeutet das Ende der Zeiten und das vernichtende Gericht Gottes über alles Gottferne, aus dem eine neue Heilszeit für Israel – und hier speziell für die Christen – hervorgeht. Gegenüber der Rede von der Parusie betont es stärker den Aspekt von Gericht und Vernichtung bzw. Verwandlung der politischen, sozialen und kulturellen Verhältnisse. Damit wird die Abgrenzung der Gemeinde von ihrem kulturellen Umfeld in Thessaloniki eingeschärft. Das Fehlen der Artikel bei *hēmera kyriou* hat keine besondere semantische Valenz, da der Terminus in der vorliegenden Form bekannt war. Beim *kyrios* wird man im Kontext der Parusie (4,15; vgl. 4,6) in erster Linie an Jesus als endzeitlichen Herrscher denken. Hinter ihm steht freilich die endzeitliche Gerichtsmacht Gottes, durch den der *kyrios* ermächtigt ist.

Das unerwartete und plötzliche Eintreten dieses Tages des Herrn verdeutlicht der Vergleich mit dem Kommen des Diebes in der Nacht (↗Tradition). Der Zeitpunkt dieses Kommens ist gerade nicht exakt vorhersehbar, und so muss die Erwartung stets lebendig bleiben. Anders als bei der Parusie des Kaisers oder seines Statthalters, die der betroffenen Stadt natürlich angekündigt wurde (↗4,17), wird die Parusie des Kyrios Jesus unversehens eintreten. Das ist den Adressaten, so setzen die Verfasser voraus, auch voll bewusst. Vielleicht wurden sie bereits beim Gründungsbesuch mit der Bildwelt vertraut gemacht.

Die Rede vom Dieb *(kleptēs)* ruft antikes Alltagswissen um die Tätigkeit von Dieben auf, die in Häuser einbrechen und den Besitz bedrohen (dazu *C. D. Stanley*, Thief 272-281). Gerade auch in der nicht zur Elite zählenden Stadtbevölkerung, die weniger Möglichkeiten hat, sich vor Dieben zu schützen, war damit die Angst vor dem Verlust der (wenigen) Besitztümer verbunden. Insofern ist die Rede vom Dieb negativ besetzt und enthält auch ein bedrohliches Moment, das zum kommenden Tag des Herrn durchaus passt. Der Vergleich in v.2 greift vor allem den Aspekt des überraschenden, plötzlichen *(aiphnidios* in v.3), nicht exakt vorhersehbaren Einbrechens auf.

Das Wissen um das »diebesgleiche«, plötzlich eintretende Kommen des Parusie-Kyrios hat die Wirklichkeitswahrnehmung der Gemeinde verändert. Sie weiß sich diesem Kyrios zugehörig, und sie weiß auch, dass sein Kommen eine andere, von Gott bestimmte Herrschaft über die Welt bringen wird, die mit dem Gericht über alles Gottlose verbunden ist. Diese eschatologische Beleuchtung der Wirklichkeit und ihre eschatologische Zugehörigkeit zu Christus prägen die Identität der Gemeindemitglieder: Sie sind jetzt schon zur Rettung bestimmt (v.8), sind Kinder des Lichts und Kinder des Tages (v.5) und leben bereits in der Gegenwart in der Gemeinschaft mit Christus. Mit dem Ziel der Vergewisserung dieser Identität kommen die Verfasser auf das Thema jetzt noch einmal eigens, d. h. unabhängig von konkreten Problemen, zu sprechen.

Die Gemeinde muss sich also nicht durch ein ethisch makelloses Leben erst zum Heil qualifizieren, sondern hat dieses bereits zugesagt bekommen und kann in diesem Bewusstsein mit Christus als eschatologische Existenz leben (vgl. *C. Böttrich*, Gleichnis 53).

3 3 Ist das Thema des Abschnitts mit 5,1 f. klar angegeben, erfolgt in 5,3-6 eine Gegenüberstellung der unterschiedlichen Positionen, die man gegenüber dem kommenden »Tag des Herrn« einnehmen kann und die das Ergehen an diesem Gerichtstag bestimmen. In v.3 kennzeichnen die Verfasser – aus ihrer christlichen Perspektive – die Haltung der nichtchristlichen Welt. Dazu legen sie denen, die nicht zur Gemeinde zählen, eine bestimmte Haltung in den Mund: »wenn sie sagen« (*hotan* mit Konjunktiv: wann, wenn, wobei die Zeitangabe zugleich die Bedingung bezeichnet). Die Verbform »sie sagen« kennzeichnet das Syntagma *eirēnē kai asphaleia* (»Friede und Sicherheit«) als Schlagwort oder Parole, die die Verfasser wie ein Zitat anführen.

Einige Ausleger verorten das Schlagwort *in der Gemeinde selbst*, wo einige (entgegen der Naherwartung) von einer (falschen) Sicherheit in diesem Leben ausgingen (so *W. Harnisch*, Existenz 77-82; *Friedrich* 245; *Malherbe* 287.292.301 f. [falsche Propheten]; *Müller* 191; *F. W. Röcker*, Belial 313 f.; *J. A. Harrill*, Paul 309). Dies ist jedoch unwahrscheinlich, da die Gemeinde sonst in der 2. Pers. angesprochen wird. Die unpersönliche Formulierung in der 3. Pers. Plural lässt auf einen weiteren, in Distanz und damit außerhalb der Gemeinde stehenden Personenkreis schließen (mit *C. vom Brocke*, Thessaloniki 169 f.; *M. Konradt*, Gericht 144; *R. Hoppe*, Tag 106 f.), den man mit den »Übrigen« von 5,6, die »schlafen«, also den nichtchristlichen Mitbewohnern der Gemeinde, in Verbindung bringen kann (vgl. 4,13). Die Gemeinde als ganze (»alle« in v.5) steht diesem Kreis antithetisch gegenüber (v.4 setzt betont ein mit »ihr aber«).

Auf einem alttestamentlichen Hintergrund lässt sich das Syntagma »Friede und Sicherheit« kaum verstehen, da die möglichen Parallelen Jer 6,14 und Ez 13,10 LXX nur den doppelten Ausruf *eirēnē, eirēnē,* der falsches Heilsvertrauen kennzeichnet, bieten. Weiter führt ein

Blick in die Zeit des frühen römischen Prinzipats. Denn seit der Beendigung der jahrelangen verheerenden Bürgerkriege durch Augustus wurde der Princeps (und später seine kaiserlichen Nachfolger) als Bringer einer neuen Friedenszeit und eines neu aufblühenden Goldenen Zeitalters gefeiert (dazu *S. Schreiber*, Weihnachtspolitik 25-62). Entsprechend wurde die römische Sinndeutung der *pax Romana* (Seneca, benef. 1,4,2) seit der frühen Kaiserzeit prominent. Als eindrückliche Inszenierung dieser Friedenszeit kann die Errichtung der Ara Pacis Augustae auf dem Marsfeld, die 9 v. Chr. eingeweiht wurde, gelten. Sie liefert eine symbolische Sinndeutung der politischen Verhältnisse, indem sie die Friedenszeit des Augustus mit der im römischen Pantheon dafür zuständigen Göttin Pax verbindet. Diese Verbindung des Kaisers zu den Göttern garantiert eine Zeit des Friedens, des Wohlstands und der inneren und äußeren Sicherheit und Stabilität für die Bevölkerung. Weil sich die politischen und wirtschaftlichen Verhältnisse für größere Teile der Bevölkerung tatsächlich positiv entwickelt hatten, erhielt diese Sinndeutung Plausibilität. Die Zusammenhänge illustriert auch eine Münze aus der Frühzeit des Augustus (RIC I 476; vgl. *J. A. D. Weima*, Peace 335 f.): Die abgebildete Göttin PAX steht auf einem Schwert (Ende des Krieges) und hat als Attribute den *caduceus* (Heroldsstab des Merkur, der für freien Handel steht) und eine *cista* (aus den Dionysosmysterien, symbolisiert landwirtschaftliche Fruchtbarkeit) bei sich; den gesamten Rand der Münze umgibt ein Kranz, der den militärischen Sieg als Basis des Friedens festhält. Das Programm ist klar: Die *pax Augusta* garantiert Wohlstand, Handel und ertragreiche Landwirtschaft. Dass nicht alle Bevölkerungsgruppen daran partizipierten und dass die *pax Romana* durch militärische Überlegenheit und Unterwerfung erreicht wird, steht auf einem anderen Blatt (zur *pax Romana S. Schreiber*, Friede 85-92).

In diesem politischen Kontext gewinnen die Begriffe »Frieden« *(eirēnē*, lat. *pax)* und »Sicherheit« (*asphaleia*, lat. *securitas;* im NT in unterschiedlicher Bedeutung nur noch Lk 1,4; Apg 5,23) ihre Aussagekraft. Die Begriffsverbindung ist nicht als typisch römische Parole bezeugt, doch begegnen beide Begriffe in Bezug auf den römischen Frieden in sachlicher Zusammengehörigkeit.

Pax und *securitas* (bzw. die griechischen Äquivalente) als Charakterisierung der römischen Gegenwart in Seneca, epist. 91,2; Velleius Paterculus, hist. 2,89,3 f.; 2,98,2; 2,103,4 f.; 2,126,3; Calpurnius Siculus, ecl. 1,42; OGIS 613; Tacitus, hist. 2,12,2; 2,21,2; 3,53,3; 4,74,4; Josephus, bell. 4,94; ant. 14,160.247; 15,348; Plutarch, mor. 317c; nach Seneca, clem. 1,19,8 stehen

unter einem guten Herrscher *iustitia, pax, pudicitia, securitas* und *dignitas*
in Blüte (dazu *C. vom Brocke*, Thessaloniki 174-176.178; *K. Wengst*, Pax
32-34; *M. Konradt*, Gericht 145). Auf Münzen, die zur weiten Verbreitung politischer Ideen beitrugen, begegnet bereits seit der Zeit des Augustus das Pax-Motiv – als Schriftzug oder in Gestalt der Friedensgöttin (erst
ab Nero und zunächst in Bezug auf die Sicherheit des Kaisers ist selten
auch das *securitas*-Motiv auf Münzen belegt; *C. vom Brocke*, Thessaloniki 176-178; numismatische, monumentale und epigraphische Belege bei
J. A. D. Weima, Peace 333-352). In einer Inschrift aus Ilium in Kleinasien
(64 v. Chr.) wird Pompeius dafür geehrt, die Menschen vom Barbarenkrieg
und der Piratengefahr befreit und »Frieden und Sicherheit sowohl zu Land
als auch zu Wasser wiederhergestellt« zu haben (*apokathestakota de [tēn
eir]ēnēn kai tēn asphaleian kai kata gēn kai kata thalassan;* SEG 46, 1565;
vgl. *E. Winter*, Stadt). In ironischer Brechung greift Plutarch, Antonius
40,4 das offenbar vertraute römische Ideal von *eirēnē kai asphaleia* auf.

Mit den Schlagworten »Friede und Sicherheit« bringen die Verfasser eine Haltung auf den Punkt, die in ihren Augen für die römisch
geprägte Stadtgesellschaft in Thessaloniki kennzeichnend ist: Sie erkennt die *pax Romana* an und vertraut auf die Sicherheit, die diese
bietet und damit ein Leben garantiert, das weder durch kriegerische
Übergriffe an den Grenzen, noch durch Bürgerkriege im Inneren
gefährdet ist und so die Möglichkeit zu Gedeihen und Wohlstand
bietet. Auf den ersten Blick entspricht diese Haltung auch der
Wirklichkeit. Doch die Verfasser entlarven – in eschatologischer
Perspektive – diese Sicherheit als trügerisch, weil sie nicht mit dem
nahe bevorstehenden, alles umstürzenden Eingreifen Gottes in den
Lauf der Welt rechnet. Kennzeichnete der erste Satzteil (»wenn«)
die Haltung der Anderen, blickt der zweite mit *tote*/dann auf die
eschatologische Folge aus. Das Weltbild der Verfasser (und der
Adressaten) geht davon aus, dass der Umsturz, das »Verderben«,
ganz überraschend von Gott her hereinbricht. Und er bricht mit
Macht herein, so dass kein Widerstand möglich ist – im Bild: wie
die Geburtswehe die Schwangere ergreift. So können die, die nicht
darauf vorbereitet sind, sicher nicht (doppelte Verneinung: *ou mē;*
vgl. 4,15) entkommen. Nicht nur die zeitliche Unkalkulierbarkeit
und die Unentrinnbarkeit, sondern auch Schmerz, Not und Angst
der zuvor so Sicheren werden im Bild der Geburtswehe vermittelt,
das traditionell mit Gottes endzeitlichem Gericht verbunden ist
(↗Tradition). Der vorläufige und trügerische Charakter der römischen Weltsicht wird damit scharf angeprangert, was der theologischen Abgrenzung dient (vgl. auch *Fee* 190). Die Anderen werden

zu Nebenfiguren der Geschichte degradiert, die schließlich ganz verschwinden.

Der Vergleich (*hōsper*/wie) mit der Geburtswehe signalisiert Unentrinnbarkeit und Not und bezieht sich in der Satzkonstruktion strikt auf den überraschenden Einbruch des Verderbens (*olethros*). Es werden also gerade nicht *Personen*, die dem Verderben anheimfallen, mit Schwangeren gleichgesetzt! Völlig gegen den Text steht die (böswillige?) Interpretation von *M. Crüsemann*, Briefe 225, die die Position der Rezipienten mit »der von Kriegsverbrechern, die an Schwangeren Gräueltaten verüben«, vergleicht und dem Text vorwirft, dass »die Leiden der hilflosen Opfer aller Kriege, schwangerer und gebärender Frauen mit den Kindern in ihrem Leib benutzt werden, um eine katastrophale Vernichtung von Feinden zu illustrieren«, was »sexistische und sadistische Facetten angenommen« habe (ebd. 226). Hier wird der Text schlicht missverstanden.

Implizit enthält die Distanzierung gegenüber den römischen Werten *pax* und *securitas* eine politische Relativierung der Weltherrschaft Roms. Im Hintergrund steht dabei die Frage nach dem Weltbild und der bestimmenden politischen und religiösen Kräfte. Nimmt man neben *eirēnē* und *asphaleia* auch die politische Semantik der Begriffe *parousia*, *apantēsis* und *kyrios* (4,15.17), weiter von *basileia* (2,12) und *euangelion* (1,5; 2,2.9) wahr, zeigt das eschatologische Weltbild des Briefes eine kritische Haltung gegenüber den politischen Verhältnissen seiner Zeit. Es stellt einen Gegenentwurf zur Welterklärung der römischen Führungselite dar, indem es, theologisch betrachtet, die umfassende Geschichtsmacht Gottes hervorhebt, der das baldige Ende der Weltzeit und damit auch der politischen Macht Roms herbeiführt. Wie in der apokalyptisch geprägten jüdischen Eschatologie unterscheidet er zwischen seinen Getreuen, die in die vollendete Gemeinschaft mit ihm gelangen, und den anderen, denen das »Verderben« bevorsteht. Christus fungiert dabei als Repräsentant Gottes in Vollmacht, der am »Tag des Herrn« die vollendete Herrschaft Gottes einläutet. Alle politischkosmische Macht ist allein im Gott Jesu Christi, dem Gott Israels, verankert – und nicht im Kaiser Roms als irdischem Stellvertreter der römischen Götter. Die bewusste Wahrnehmung dieser Einsicht dient der Identitätsbildung der Gemeinde (vgl. *M. Tellbe*, Paul 131-133).

Die politische Kritik, die in diesen Briefaussagen hörbar wird, wird mittlerweile von zahlreichen Auslegern wahrgenommen; vgl. *K. Wengst*, Pax 98 f.; *K. P. Donfried*, Cults 34 f.; *H. Koester*, Ideology; *M. Tellbe*, Paul

123-130; *T. D. Still*, Conflict 261-266; *Witherington* 137-141.146 f.; *J. R. Harrison*, Paul 61-68; *J. A. D. Weima*, Peace. Freilich erheben sich auch Gegenstimmen, die in dem Syntagma »Friede und Sicherheit« keinen politischen Angriff, sondern nur eine Vergewisserung der Überlegenheit der christlichen Endzeithoffnung (*P. Oakes*, Re-mapping 318; vgl. *D. Luckensmeyer*, Eschatology 291) oder überhaupt keine Anspielung auf einen politischen Diskurs sehen (*Malherbe* 303-305: Herkunft aus der Prophetie Israels bzw. der epikureischen Philosophie; kritisch gegenüber der Annahme eines römischen Slogans auch *J. R. White*, Peace). Keine politische Kritik, sondern eine Aufnahme des *römischen* Diskurses über »Frieden«, der nur durch militärischen Sieg errungen werden kann, unter apokalyptischen Vorzeichen erkennt *J. A. Harrill*, Paul 309 (den Einfluss imperialer Rhetorik auf Paulus hebt die postkoloniale Lesart von *J. Punt*, Approaches 200-205 hervor).

Dass die Verfasser mit den Schlagworten »Friede und Sicherheit« auf politische Konzeptionen Roms wie Pax Romana und Goldenes Zeitalter anspielen, scheint evident. Sie stellen sie jedoch unter den Vorbehalt des »Tages des Herrn« und erweisen sie damit als eschatologisch überholt und damit hinfällig: Es handelt sich um eine falsche, trügerische Sicherheit. Diese rhetorische Konfrontation zweier Weltbilder zielt nun nicht auf direkten politischen oder gar gewaltsamen Widerstand gegen die Magistrate oder Vertreter Roms in Thessaloniki (vgl. 4,11 f.), sondern auf soziale Abgrenzung. Es geht um die Selbstvergewisserung der Identität der Gemeinde als »Endzeit-Gruppe« (dazu *S. Schreiber*, Paulus 348 f.), die durch Gottes Erwählung unter den Völkern ausgezeichnet ist (1,9). Die Gemeinde versteht sich als Teil der neuen eschatologischen Ordnung, und dies bedeutet eine innere Distanz, eine kritische Wahrnehmung römischer Werte und politischer Ideologie. Man muss bedenken, dass die junge Gemeinde im städtischen Alltag ständig mit symbolischen Repräsentationen römischer Kultur und Herrschaft konfrontiert war: Bauten und Statuen, Inschriften und Münzen, Kaiserkult und Kulte römischer Götter, Präsenz von Militär und Amtsträgern, soziale Mechanismen wie Ehrungen, öffentliche Feste und Spiele machten das römische Weltbild allgegenwärtig. Die politische Kritik des 1 Thess schafft demgegenüber in ihrer eschatologischen Konzeption ein symbolisches Gegenmodell, das ein kritisches Bewusstsein gegenüber der politischen Ideologie Roms schärft und so dazu beiträgt, dass die Gemeinde die Werte und Statushierarchien der römisch geprägten Gesellschaft *nicht* übernimmt. Das eschatologische Offenbarungswissen der Gemeinde

grenzt sie von der Stadtgesellschaft ab und begründet ihr Selbstverständnis als Endzeit-Gemeinde.

Eine konkret in der Gemeinde aufgebrochene Problematik in Endzeitfra-
gen kann ich im Text nicht erkennen. Die Annahme, es gehe im Abschnitt
5,1-11 um eine Warnung der Gemeinde vor falscher Sicherheit (z. B. *R. F.
Collins*, Tradition 163; *Malherbe* 291; *Holtz* 210f.215f.; *Reinmuth* 149f.)
oder allgemein um eine paränetische Intention (*D. F. Watson*, Appropriation 74f.77; *T. D. Still*, Conflict 282; *F. Blischke*, Begründung 72-79; vgl.
T. Söding, Trias 75f.; *D. Luckensmeyer*, Eschatology 314-317), greift
wesentlich zu kurz. Das Gegenteil von falscher Sicherheit nimmt *C. R.
Nicholl*, Hope 73-79 an: Weil sie die Todesfälle in ihren Reihen (4,13) als
negative *prodigia* verstanden habe, ging in der Gemeinde die Angst um, am
Tag des Herrn plötzlich dem Zorngericht zu verfallen. Auch eine anfang-
hafte Gefährdung der Gemeinde, die aus einer grundsätzlichen Verunsicherung in Bezug auf ihre eschatologischen Vorstellungen und die
Glaubwürdigkeit der Erwartung des nahen Weltendes resultiert (vgl.
M. Konradt, Gericht 148-150; ferner *Haufe* 89.91.95), scheint mir unwahrscheinlich. – Das Problem dieser Konstruktionen besteht darin, dass
*Einzel*aussagen des Textes verallgemeinert und auf die Situation gespiegelt
werden. Der gesamte Duktus des Diskurses findet zu wenig Beachtung.

4 Mit *hymeis de* (»ihr aber«) stellt v.4 die Gemeinde in einen starken   **4**
Kontrast zu ihrer Umwelt, die dem göttlichen Gericht am Tag des
Herrn verfallen ist. Die erneute Anrede »Geschwister« unterstreicht diesen Kontrast. Die Existenzweise der Gemeinde beschreiben die Verfasser ab v.4 mit metaphorischen Sprachspielen, die die
Bildbereiche Licht/Finsternis und wachen/schlafen zur Anwendung bringen und damit die Denkstruktur des Textes prägen. Die
»Finsternis« in v.4 lenkt auf das Bildwort vom Dieb in der Nacht
zurück und überträgt die Vorstellung der Dunkelheit, in der man
nicht klar und weit sieht, auf das Verständnis der Wirklichkeit der
Welt, d.h. die, die nicht zur Gemeinde gehören, verstehen die
eschatologische Brisanz der Gegenwart nicht. Die Metaphorik von
Licht und Finsternis ist allgemein verständlich und verbreitet und in
vielfältigen Kontexten anwendbar (zu alttestamentlichen, frühjüdischen und urchristlichen Verwendungen vgl. *M. Konradt*, Gericht 158-161; Finsternis als ein Signum des endzeitlichen Tages
Jhwhs in Am 5,20; Joel 2,2; Zef 1,15). Die Gemeinde ist aber nicht
in der Finsternis, und daher kann sie auch der »Tag«, der sich im
Kontext auf den in v.2 eingeführten Tag des Herrn bezieht, nicht
wie ein Dieb überraschen. Den Kontrast zu v.3 unterstreicht die
ebenfalls zweigliedrige Satzstruktur von v.4: Der erste Satzteil

kennzeichnet mit »ihr aber« die Haltung der Gemeinde, während
der zweite mit konsekutivem *hina* (»so dass«) auf die eschatologische Folge ausblickt. Die Gemeinde gehört nicht, wie die sich in
Sicherheit wähnende Umwelt, der Sphäre der Finsternis an, und daher wird sie der wie ein Dieb kommende Tag des Herrn nicht in der
Nacht, das heißt unvorbereitet, heimsuchen.

Intention der Aussage ist die Vergewisserung des eschatologischen Status
der Gemeinde, keine Warnung oder Drohung im Blick auf das Gericht
(anders *R. Hoppe*, Tag 103 f.108). – Die Tendenz zur Abgrenzung verstärkt ThEv 21,5-7, wo das Bild vom Dieb mit der Wachsamkeit gegenüber dem Kosmos, der Welt, gedeutet wird (vgl. *C. Böttrich*, Gleichnis 49).

5 5 In v.5 wird die Existenz der Gemeinde nun positiv formuliert, indem die Adressaten als »Söhne des Lichtes« und »Söhne des Tages«
angesprochen werden. Dies liefert zugleich eine Begründung (*gar*/
denn) der vorangehenden Aussage. Die übertragene Verwendung
von *hyioi*/Söhne mit adnominalem Genitiv dient im Griechischen
als Umschreibung der Zugehörigkeit und ist wohl als Hebraismus
zu verstehen (vgl. BDR §162,6). Damit sind im antiken Sprachgebrauch Männer und Frauen in ihrer spezifischen Zugehörigkeit
zu einer bestimmten Wirklichkeit oder Existenzsphäre bezeichnet.
Die Zugehörigkeit zum Licht bzw. zum Tag gilt für alle Mitglieder
der Gemeinde, wie das betont vorangestellte *pantes*/alle signalisiert.
Eine Gruppendifferenzierung innerhalb der Gemeinde ist dabei ausgeschlossen. Beim »Licht« werden die Adressaten konkret an ihre
neue Existenz in der Zugehörigkeit zu Christus und zu Gott gedacht
haben. Als »Söhne des Lichtes« gehört die Gemeinde nicht in den
Bereich der Finsternis, also der Gottferne und Unkenntnis über den
eschatologischen Charakter der Gegenwart, wie sie die Umwelt aus-
zeichnen. Vergleichbar ist die Verwendung in einigen Schriften aus
Qumran, wo die eigene Gruppe als »Söhne des Lichtes« von den Außenstehenden, den »Söhnen der Finsternis«, abgegrenzt werden
(↗Tradition); das Syntagma war also schon bekannt (vgl. Lk 16,8;
Joh 12,36; Eph 5,8). Die vorliegende Formulierung intendiert damit
eine doppelte Pragmatik: die Vergewisserung der Zugehörigkeit
zum eschatologischen Weltbild und damit zur eigenen Gruppe und
die Abgrenzung gegenüber den Außenstehenden.

Die Abgrenzung richtet sich auf Nichtchristen, nicht auf angebliche ju-
daistische Gegner der vorwiegend heidenchristlichen Gemeinde, die die
Heidenchristen zur Konversion zum Judentum bringen wollen (so *S. Ru-*

zer, Christianity 488 f., der ohne Anhalt am Text die Gegner aus Gal 3 hier einliest).

Mit der (wohl situativ gebildeten) Erweiterung »Söhne des Tages« schaffen die Verfasser eine semantische Opposition zur »Nacht«, die als Haltung der Ungewissheit über das Kommen des Diebes gekennzeichnet war (v.2). Der »Tag« klingt im Kontext aber auch an den »Tag des Herrn« an und bedeutet so die Zugehörigkeit zu der Wirklichkeit, die durch den bald anbrechenden »Tag des Herrn« bestimmt ist.

Umstritten ist, ob sich »Söhne des Tages« auf den »Tag des Herrn« von v.2 bezieht und damit die Wirklichkeit des Heils, die Sicherheit der Hoffnung für die Gemeinde betont (*Holtz* 221.224 f.; vgl. *Wanamaker* 182; *Richard* 253; *J. Plevnik*, Paul 110; *R. F. Collins*, Tradition 167; *C. R. Nicholl*, Hope 58 f.), oder ob der »Tag« der Licht-Metaphorik entspricht und die Lebenssphäre der Christen bezeichnet (*M. Konradt*, Gericht 161-164). M.E. dominiert die Licht-Metaphorik, doch klingt auch der Bezug auf den »Tag des Herrn« an (vgl. auch *Best* 210; *Malherbe* 294; *D. Luckensmeyer*, Eschatology 298 f.).

In einem Neueinsatz verwenden die Verfasser nun die 1. Pers. Plural und schließen sich damit selbst mit den Adressaten zusammen. Was nun gesagt wird, gilt also generell für die christliche Existenz. Dabei führen sie die Bildwelt von Licht und Tag weiter, indem sie abgrenzend die Gegensätze dazu zur Sprache bringen. Syntaktisch liegt eine prädikative Verwendung des Genitivs der Zugehörigkeit *(nyktos* und *skotous)* vor: »wir gehören nicht zur Nacht und nicht zur Finsternis«. Nacht und Finsternis stehen für die von Unkenntnis über die eigentliche Lage der Welt geprägte Haltung der Nichtchristen, die in einer Unkenntnis Gottes wurzelt (vgl. 4,5; Finsternis meint *nicht* moralisch ein Leben in Sünde, gegen *Green* 235). Dieser Sphäre der Gottferne gehören die Christen gerade nicht an.

Röm 13,11-14 akzentuiert das Bildfeld anders: Die Nacht, die vorgerückt ist, meint dort die gegenwärtige Welt, die auf ihr kurz bevorstehendes Ende zuläuft, und der Tag ist primär die neue Zeit, die unmittelbar nahe ist, damit aber schon die Gegenwart betrifft; die Folgerungen sind stärker ethisch konnotiert. Gemeinsam ist die Intention, die Gegenwart der Christen eschatologisch zu bestimmen.

Die Metaphorik der Gegensätze Licht/Finsternis bzw. Tag/Nacht dient dazu, zwei konträre Existenzweisen deutlich zu machen, die

mit der tieferen Einsicht in die eigentliche Wirklichkeit der Welt
bzw. deren Unkenntnis verbunden sind. Zwei Wahrnehmungen
der Welt, zwei Identitäten und Existenzweisen werden scharf unterschieden. Diese Zugehörigkeiten werden in ihrer endzeitlich-
endgültigen Bedeutung profiliert, wenn sie am »Tag des Herrn«
über Heil und Unheil entscheiden. Damit wird auch die theologische Grundstruktur der Aussagen deutlich: Die vollendete »Rettung« der Christen bleibt eindeutig der Zukunft vorbehalten (1,10;
4,15-17; 5,2.9), doch die Gemeinschaft mit dem erweckten Christus,
die das Heil verbürgt (5,10), besteht schon jetzt und macht das Leben der Gemeinde bereits in der Gegenwart zur eschatologischen
Existenz.

6 6 Mit der Satzeinleitung *ara oun* (»also nun«) wird eine zusammen-
fassende Folgerung aus dem bisher Gesagten markiert: »also lasst
uns nun nicht schlafen wie die Übrigen, sondern lasst uns wachen
und nüchtern sein«. Die erörterten gegensätzlichen Grundhaltungen und Zugehörigkeiten werden mit semantisch verwandten Bildfeldern aufgenommen, durch den Prohibitiv und die Hortative der
Verben auf die Haltung der Adressaten bezogen und ihnen eindringlich zur Verwirklichung nahegelegt. Die Metaphorik des Wachens und der Nüchternheit ist in der christlichen Sprache bekannt
(↗Tradition) und bezeichnet eine reflektierte christliche Existenz,
die sich des baldigen Kommens des Tages des Herrn bewusst ist
und dementsprechend ihr Leben gestaltet, d. h. ihre eigene Weltsicht und ihre eigenen Werte lebt. Das Wachen (*grēgoreō*) akzentuiert dabei die Aufmerksamkeit, die Nüchternheit (*nēphō*) die klare
Erkenntnis. Die Metapher des Schlafens, die den »Übrigen« zuge-
wiesen wird (vgl. v.3 und 4,13), betont als Kontrast wieder den Gegensatz zu den Außenstehenden, deren Haltung dem Schlaf entspricht, weil ihnen die klare Einsicht fehlt und sie den kommenden
Tag des Herrn nicht erkennen.
Die Form des Hortativs schließt die Verfasser mit den Adressaten
zusammen und verdeutlicht so, dass die Haltung von Wachen und
Nüchternheit für die christliche Weltdeutung insgesamt charakteristisch ist, aber auch immer wieder der Bewusstmachung bedarf.
Etwaige Missstände in der Gemeinde sind damit also nicht angesprochen. Vielmehr intendiert die Gegenüberstellung die Vertiefung der christlichen Weltdeutung in ihrer eschatologischen
Tragweite, die am Ende über Heil und Unheil entscheidet. Dies impliziert eine kritisch-ablehnende Einschätzung der die Stadtgesellschaft dominierenden Weltdeutungen, die als vorläufig und letztlich
bedeutungslos erscheinen müssen. Die eschatologisch gegründete

Identität der Gemeinde wird gestärkt, weil sie sich ihrer einzigartigen Stellung in der Zugehörigkeit zu Christus bewusst sein darf;
eine »Statusvergewisserung« (*M. Konradt*, Gericht 165 f.) findet
statt.

7 Mit v. 7 setzt die Begründung der christlichen Existenz ein, die in   **7**
5,7-10 erörtert wird. Am Beginn steht ein Kontrast, der die Meta-
phorik des Schlafens und der Nüchternheit von v.6 weiterführt und
durch die Zuweisung des Schlafens und der Trunkenheit an die
Sphäre der »Nacht« verstärkt. Damit ist wieder die Existenzweise
der Außenstehenden negativ charakterisiert: Sie können die Brisanz
der gegenwärtigen Zeit nicht wahrnehmen, weil ihnen echte Einsicht und Aufmerksamkeit fehlt (Schlafen) und weil ihr Verstand
umnebelt ist und nicht klar erkennt (Trunkenheit).

Auch wenn in manchen paganen und frühjüdischen Texten Trunkenheit
eine ethische Komponente aufweist und mit unsittlichem, zügellosem Verhalten verbunden wird (z. B. Seneca, epist. 83,17-21; Spr 23,21.31-33; Sir
19,2 f.; 26,8; TestJud 13,6-14,8; 16,1-4; Philo, ebr. 22.27.29.220-222; vit.
cont. 40-47; Eph 5,18), klingt dieser Gesichtspunkt hier kaum an (anders
M. Konradt, Gericht 172; *Green* 237-239; *F. Blischke*, Begründung
73.79). Vielmehr steht der Gedanke der fehlenden Erkenntnis im Zentrum.

Die Sphäre der »Nacht« in ihrer Dunkelheit und Undurchschau-
barkeit kennzeichnet wieder (wie in v.5) die Situation der Gottferne, die der gesellschaftlich üblichen Weltdeutung verhaftet bleibt
und nicht tiefer sieht.

8 V. 8 leitet mit *hēmeis de* (»wir aber«) den Gegensatz zu dieser   **8**
Existenzweise ein. Damit begegnet die gleiche Struktur wie in 5,3-
5: Das Verhalten der Außenstehenden dient als Kontrastfolie
(v.3.7), auf der nach der Markierung einer scharfen Opposition mit
»ihr/wir aber« die Existenzweise der Christen positiv entfaltet wird
(v.4 f.8-10). Hier werden zwei Metaphern wieder aufgegriffen: »Wir
gehören zum Tag«, also zur Sphäre Gottes und des Lichts (v.5), und
»wir wollen nüchtern sein«, also die klare Einsicht in den eschatologischen Charakter der Wirklichkeit bewahren (v.6). Wieder
schließt der Hortativ »wir wollen nüchtern sein« Verfasser und
Adressaten zusammen und unterstreicht so die für alle Christen gel-
tende Bedeutung dieser Haltung.
Neu hinzu tritt erklärend die Bildwelt der Waffenausrüstung. Meine Übersetzung löst das Partizip *endysamenoi* (»angelegt habend«)
kausal auf, denn es erklärt und begründet, warum und wie »wir«
nüchtern sein können. Der Grund und die Ermöglichung besteht

in der angeeigneten christlichen Identität, metaphorisch in Brustpanzer *(thōrax)* und Helm *(perikephalaia)*, die die Christen als
solche angelegt haben. Grammatikalisch lässt sich der Aorist des
Partizips als gleichzeitig (indem wir anlegen) oder vorzeitig (da wir
angelegt haben) auflösen (BDR § 339), wobei im Kontext des Briefes die vorzeitige Version passender erscheint, da die Adressaten die
christliche Identität ja bereits angenommen haben.

Der Gebrauch von Rüstungsmetaphorik hat Vorbilder in Jes 59,17f. und
Weish 5,17-22, dort freilich in Bezug auf *Gottes* Eingreifen in die Geschichte. In Jes 59,17 findet sich der Vergleich mit Brustpanzer und »Helm
(perikephalaia) der Rettung«, die dem Ziel der Vergeltung dienen (Jes
59,17 als Vorlage betont *U. Mell*, Entstehungsgeschichte 192f.; dagegen
W. Weiß, Glaube 205f.). In Weish 5,17-22 stehen Schutzpanzer und An-
griffswaffen nebeneinander, wobei in 5,18 Brustpanzer und Helm *(korys)*
genannt sind. Eph 6,13-17 greift die Metaphorik in Bezug auf die Christen
auf. Allgemein von deren geistlichen Waffen spricht Paulus in 2 Kor 6,7;
10,3f.; Röm 6,13; 13,12.

Hier werden freilich nur militärische Rüstungsteile, die der Defen-
sive dienen, genannt. Sie passen in das weite Bildfeld des endzeitlichen Krieges Gottes mit der gottfeindlichen Welt, das das endzeitliche, apokalyptisch gedachte Szenario prägt. Die letzte, Gottes
Gerechtigkeit endgültig durchsetzende Schlacht wirft ihre Schatten
bereits in die eschatologisch verstandene Gegenwart der Christen
voraus, so dass sich die Gemeinde in Abgrenzung gegenüber den
Angriffen auf ihre Identität seitens der gottfeindlichen Gesellschaft
verteidigen muss. Diese Verteidigung bedeutet die Bewährung ihrer
christlichen Existenz. Dazu dienen ihr die Rüstungsteile, deren nähere Bestimmung auf die aus 1,3 bekannte Trias »Vertrauen, Liebe,
Erwartung« rekurriert und damit die Identität der Christen kom-
pakt zusammenfasst (↗ 1,3). Dabei werden dem Brustpanzer im Sinne eines Genitivus appositivus (BDR § 167,2) Vertrauen und Liebe
zugeordnet *(thōrax pisteōs kai agapēs)*, während der »Helm« die
»Erwartung der Rettung« verkörpert *(perikephalaia* ist Prädikats-
nomen und steht appositionell zu *elpis sōtērias)*. Die für die Gemeinde spezifische eschatologische Existenz wird durch die drei
Grundhaltungen Vertrauen, Liebe und Erwartung begrifflich konzentriert.

»Vertrauen« *(pistis)* meint eine Beziehung des festen Vertrauens auf
Gott, das die neue Identität der Gemeinde ausmacht und sich zugleich auf die Beziehung innerhalb der Gemeinde als Zusammenhalt
und Verlässlichkeit auswirkt. Dieses »Vertrauen« unterscheidet die

Gemeinde von der übrigen Stadtbevölkerung in Thessaloniki. »Liebe« *(agapē)* bezieht sich auf die interessierte, engagierte, ja leidenschaftliche Zuwendung zum anderen, die dem Aufbau und der Gestaltung von Gemeinde dient – und wiederum für das Selbstverständnis der Gemeinde prägend ist. Das Gewicht liegt, wie die Verteilung auf die Rüstungsteile ebenso zeigt wie die Näherbestimmung von *elpis* durch *sōtērias*, auf der »Erwartung der Rettung« (vgl. *T. Söding*, Trias 39 f.; *Holtz* 227). Diese auf der Basis des Christus-Ereignisses berechtigte Hoffnung auf Rettung (vgl. 1,10) macht die eschatologische Existenz der Christen, die im Mittelpunkt der Ausführungen von 5,1-11 steht, in besonderer Weise aus.

Die Waffenrüstung an sich schützt also nicht vor dem Zorngericht von v.9 (gegen *C. Eschner*, Gestorben I 138-142), sondern rüstet die Christen für das Leben *vor* dem Ende, für ihr Leben als eschatologische Existenz in Abgrenzung gegenüber der städtischen Umwelt und ihren Lebenskonzepten aus (vgl. 1,3).

9 f. Den für das christliche Selbstverständnis wesentlichen Aspekt **9 f.** der Rettung begründet v.9 f., eingeleitet mit *hoti* (denn), nun ausführlich. Den Grund bildet die Bestimmung Gottes, die auf einer Linie mit der Erwählung (1,4) und Berufung (2,12; 4,7; 5,24) durch Gott liegt: »Gott bestimmte *(etheto)* uns nicht zum Zorn, sondern zur Erlangung der Rettung durch unseren Herrn Jesus Christus«. Das Pronomen *hēmas* (»uns«) ist, den Gegensatz zu den Übrigen aus v.6 aufnehmend, betont vorangestellt. Die Formulierung »jemanden zu etwas bestimmen« *(tithesthai tina eis ti)* ist auch in LXX Ps 65,9; Mich (1,7;) 4,7; Jes 49,6; Jer 25,12 bezeugt (vgl. 1 Petr 2,8; Apg 13,47; dagegen ist das Verständnis von *C. Eschner*, Gestorben I 147 f. als »Wachen aufstellen« semantisch unbegründet). Gottes Bestimmung für die Seinen zielt auf die umfassende, endgültige Rettung, auf das Heil, das ihre ganze Existenz verwandelt und heil macht. Das endzeitliche Zorngericht Gottes stellt im Rahmen des apokalyptischen Weltbildes die negative Seite des »Tages des Herrn« dar und beschreibt das Ergehen der Nichtchristen (↗1,10). Wenn das Zorngericht über die gottfeindliche Welt kommt, sind die Christen jedoch davor bewahrt. Sie werden die »Rettung« vor dem Gericht erlangen, und zwar durch den Herrn Jesus Christus, der hier emphatisch in voller Titulierung wie am Briefbeginn in 1,1 genannt wird. Die Abgrenzung gegenüber den Anderen verstärkt die eschatologische Identität der Adressaten.

Die Verfasser sprechen freilich in einer komplexen Konstruktion von der Bestimmung »zur *peripoiēsis* der Rettung«.

Wie ist *peripoiēsis* zu übersetzen? *W. Bauer*, Wörterbuch 1310 gibt folgende Bedeutungen an: 1. Erhaltung, Bewahrung (2 Chr 14,12; TestSeb 2,8; Hebr 10,39); 2. Erwerben, Gewinnen (1 Thess 5,9; 2 Thess 2,14); 3. Besitz, Eigentum (Mal 3,17; Eph 1,14; 1 Petr 2,9) (vgl. auch *F. Passow*, Handwörterbuch II/1, 867). »Besitz« (so *Holtz* 228; *Rigaux* 570 f.) ist dabei zu statisch und drückt nicht aus, dass Rettung eine Handlung Gottes bzw. Christi darstellt. »Bewahrung« müsste voraussetzen, dass die Rettung jetzt schon vollendet ist und nur noch bewahrt werden muss (schon sprachlich schwierig: »zur Bewahrung zur Rettung« bei *T. Jantsch*, Gott 102 f.). »Erwerben« (*Müller* 196; vgl. *Marshall* 139 f.) betont die Aktivität des Menschen gegenüber Gottes Handeln zu stark. Weiter hilft der Verweis auf 2 Thess 2,14, da die dort gebrauchte Formulierung »berufen *eis peripoiēsin doxēs*« – unter der Annahme pseudepigrapher Verfasserschaft – *eis peripoiēsin sōtērias* aus 1 Thess 5,9 aufnimmt und verdeutlicht; dort bewährt sich die Übersetzung »Erlangung der Herrlichkeit«, da sie den Zukunftsaspekt festhält, ohne dass die Aktivität des Menschen in den Vordergrund tritt. Diese Konnotationen sind auch für die »Erlangung der Rettung« in 1 Thess 5,9 wesentlich (*Haufe* 97: »zum Erlangen«). Die Aktivität Gottes betont *C. Eschner*, Gestorben I 178 f.: »Überlebenverschaffen«. Doch diese Bedeutung von *peripoiēsis* ist lexikographisch nicht bezeugt, und der deutsche Begriff künstlich.

»Zur Erlangung der Rettung« stellt sowohl den Zukunftsaspekt der Rettung, des Heilwerdens heraus, als auch dessen Charakter als Gabe Gottes, die durch Christus vollzogen und vermittelt wird. Der Zustand endgültiger Rettung bleibt Gegenstand der Erwartung, doch prägt die Zuversicht, dass Gott die endgerichtliche Rettung schon für die Christen bestimmt hat, deren Existenz in der Gegenwart. Zwischen Bestimmung zur Rettung und Erlangung der Rettung vollzieht sich die eschatologische Existenz der Christen.

Dies impliziert keinen ethischen Imperativ an die Christen, als ob sie sich die Rettung erst verdienen bzw. an ihr mitwirken müssten. Sie ist ihnen vielmehr von Gott bereits bestimmt und durch Christus vermittelt (*dia* in Bezug auf die Heilsvermittlung Jesu auch in 1 Kor 15,57; 2 Kor 5,18; Röm 2,16; 5,1.9.11.21). Sie müssen die Zuwendung Gottes freilich annehmen, d. h. die Beziehung zu Gott leben, so dass auch keine Prädestination vorliegt. Eine Gerichtsdrohung als ethische Motivation für die Gemeinde (so *T. Jantsch*, Gott 103 f.; ferner *N. Wendebourg*, Tag 166 f.) ist keinesfalls im Blick, da im Kontext die *Außenstehenden* vom Zorngericht betroffen sind (5,3.6).

Die Aussage bedeutet pragmatisch eine Vergewisserung der jungen Gemeinde über ihre eschatologische Existenz und impliziert die Motivation, auch gegen den kulturellen Assimilationsdruck der Umwelt bei ihrer neuen Überzeugung zu bleiben und bewusst in der Beziehung zu Christus zu leben.

Die Präpositionalwendung »durch unseren Herrn Jesus Christus« bezieht man am besten auf die Satzaussage als ganze, näherhin auf das Verb *etheto* (mit *Holtz* 229), nicht nur auf »Erlangung der Rettung«, womit eine Einschränkung auf die Rettung durch Jesus beim Zorngericht vorläge (*Malherbe* 299; *∗M. Konradt*, Gericht 177). Denn die Bestimmung zur Rettung durch Gott steht schon vor dem Gerichtstag fest, und Jesu »Sterben für uns« (s. u.) bedeutet ebenfalls bereits Gottes rettende Zuwendung zu den Seinen.

V. 10 profiliert den Herrn Jesus Christus als Vermittler der göttlichen Heilszuwendung. Der Titel »Christus« (Messias) konnotiert auf seinem frühjüdischen Hintergrund den Gedanken des endzeitlichen Repräsentanten Gottes (↗1,1). Die an den Titel angeschlossene partizipiale Ergänzung *tou apothanontos hyper hēmōn* (»der für uns starb«, v.10a) greift auf eine urchristliche soteriologische Tradition zurück, die den Tod Jesu als Heilsereignis deutete (↗Tradition), und macht ihn zur theologischen Grundlage für die zu erwartende Erlangung der endzeitlichen Rettung und Christus-Gemeinschaft. Schon früh reflektierten die ersten Christen über Sinn und Bedeutung des für antikes Empfinden schändlichen Todes Jesu am Kreuz, und dass sie dieses Sterben als heilswirksam verstehen konnten, ließ den so gedeuteten Tod Jesu zu einem zentralen Aspekt urchristlicher Theologie werden. Wesentlich für das Verständnis ist die sprachlich so einfache Formulierung des Sterbens »für uns«, *für* die Seinen.

Das textkritische Problem in 5,10, ob die Präposition *hyper* (so im Text von NA[28]) oder *peri*, beide in der Bedeutung »für«, eher ursprünglich ist, lässt sich angesichts des Handschriftenbefunds schwer entscheiden. Den Ausschlag für *hyper* könnte die doch bessere Bezeugung und die Tatsache, dass die Verdrängung von *hyper* durch *peri* der griechischen Sprachentwicklung folgt und so die Variante erklärt, geben. Auch zeigt Paulus eine gewisse Vorliebe für *hyper*, und in den griechischen Formulierungen des »Sterbens für« überwiegt ebenfalls *hyper* (zum Befund vgl. *C. Eschner*, Gestorben I 186 f., die sich jedoch anders entscheidet).

In der hellenistischen Kultur war die Vorstellung, dass ein Mensch für einen anderen stirbt, um Unheil oder Tod von ihm abzuwenden oder ihn aus einer Situation des Unheils zu befreien, geläufig. Im antiken Freundschaftsideal bedeutete das »Sterben für« einen anderen die höchste Form der Liebe, die man einem Freund schenken kann. Das klassische Beispiel dafür bietet das Drama Alkestis des Euripides, in dem die gleichnamige Akteurin aus Liebe zu ihrem Gatten Admetos in den Tod geht, damit er leben kann (Belege bei *M. Wolter*, Paulus 104; *J. Schröter*, Sterben 272-274.282 f.). In Jesu Sterben »für« die Seinen wendet Gott ihnen seine heilschenkende Liebe zu, denn hinter dem Sterben seines Repräsentanten, des Christus, steht letztlich Gottes Liebe selbst (vgl. Röm 5,5-8). In Jesu Tod geschah also Gottes heilvolle, liebende Zuwendung zu den Seinen, womit die Rettung am Ende, bei der Parusie bzw. dem Tag des Herrn, verbürgt ist – was im Einklang mit 1 Thess 1,10; 4,14.17 steht. Im Kontext des Abschnitts 5,1-11 wird die Heilsbedeutung des Todes Jesu angewendet auf die Lebenssituation der Gemeinde in der Gegenwart: Die eschatologische Existenz der Gemeinde gründet in Jesu Sterben »für« die Seinen, in dem Gottes Heilszuwendung in einzigartiger, endgültiger Weise wirksam wurde (zur situativen Anwendung des Todes Jesu vgl. auch *H. Boers*, Christ 188-190).

Die Konzeption vom »Sterben für« einen anderen zur Abwendung von Unheil wurde in der griechisch-hellenistischen Kultur bevorzugt im Kontext von Kriegen (Sieg, Vermeidung bzw. Beendigung des Krieges), aber auch in Bezug auf andere nationale Notlagen oder den Ersatztod einer Person für eine andere verwendet (das Material präsentiert *C. Eschner*, Gestorben II, Übersicht 354 f.). Diese Konzeption des unheilabwehrenden Todes bietet m. E. den plausibelsten Hintergrund für die Deutung des Todes Jesu im NT und speziell in 1 Thess 5,10 (vgl. *C. Eschner*, Gestorben I 193 f.). Sie wird freilich in eschatologischer Perspektive angewendet auf die die Todesgrenze überwindende, endgültige und umfassende Rettung der Christen vor dem Hintergrund von Gericht und globaler Verwandlung aller Wirklichkeit in der Endzeit Gottes. Näherhin dürfte vor allem die Vorstellung vom Ersatztod leitend gewesen sein, interpretiert als persönliche, liebende Zuwendung Gottes zu den Seinen, die die eschatologische Rettung bewirkt und verbürgt (anders denkt *C. Eschner*, Gestorben I 195-197 für 5,10 an das apotropäische Sterben *vor* dem Kampf zur Erlangung des Sieges).
Die in dem traditionellen Bekenntnis von 4,14 zentrale Erweckung Jesu (»Jesus starb und auferstand«), die dort die theologische Basis für die Erweckungshoffnung der Christen bildete, greift 5,10 nicht auf. Die Verfasser stellen keine systematische Soteriologie dar, sondern wenden die als heilsbedeutend interpretierten Ereignisse der Christus-Geschichte (Tod, Erweckung) im Sinne ihres Briefanliegens an.

Der mit finalem *hina* (»damit«) angeschlossene Gliedsatz lenkt die alle Christen betreffende Rettung nochmals auf das spezifische Problem der Gemeinde von 4,13-18 zurück und formuliert die dort gefundene Lösung nun als Anwendung aus der Vorstellung von Jesu Heilstod. Dazu wird die Bildsprache von »Wachen« und »Schlafen«, die in den Sätzen davor Weisen der (Nicht-)Erkenntnis konnotierte und so Christen und Nichtchristen unterschied, nun offensichtlich neu metaphorisch gefüllt: leben bzw. tot sein. Der Wechsel ist durch den Hinweis auf das Sterben des Christus vorbereitet und fokussiert nun die beiden Gruppen von *Christen*, die in 4,13-18 differenziert wurden, nämlich die Mitglieder der Gemeinde, die bei Jesu Parusie noch leben bzw. schon verstorben sind. Der metaphorische Gebrauch von *grēgoreō* (»wachen«) für das Leben und *katheudō* (»schlafen«) für den Tod ist ungewöhnlich, aber vom Kontext, der vom Sterben Jesu für die Seinen sprach, vorbereitet und so für die Hörer/innen erkennbar (*katheudō* für den Todesschlaf findet sich in LXX Ps 87,6; Dan 12,2; Aischylos, Choephoroi 906; Platon, apol. 40cd; Plutarch, mor. 107d; semantisch schillernd Mt 9,24; das Simplex *heudō* in Homer, Il. 14,482 f.; Sophokles, Oedipus Coloneus 621 f.).

Der vorgeschlagene Wechsel in der Metaphorik von Wachen und Schlafen fügt sich stimmig in den Kontext (mit *S. Kim*, Jesus 228; **M. Konradt*, Gericht 178 f.; *Fee* 198 f.; *Green* 243 f.; *Haufe* 98; *Reinmuth* 152). Würde man die Semantik von 5,6.8 beibehalten, ginge der wesentliche Unterschied zwischen Christen und Außenstehenden verloren, wenn nun auch das »Schlafen«, die Unkenntnis der Christen gleichbedeutend mit ihrem »Wachen«, der eschatologischen Einsicht wäre (im Sinne des Heilsindikativs, des Heils allein aus Gnade, deutet *M. Lautenschlager*, Verhältnis: heilig bzw. nachlässig leben ist nicht mehr heilsentscheidend). Will man dann nicht die faktische Bedeutungslosigkeit des christlichen Lebenswandels in Kauf nehmen (was gegen 4,1-8 und 5,1-8 steht), muss man Auswege suchen wie die Implikation, dass eben andere Christen die »Schlafenden« wieder »wecken« müssen (so *J. P. Heil*, Asleep 466-470), oder wie die Betonung des Insider-Status der Gemeinde, demgegenüber die Wachsamkeit zurücktrete (so **D. Luckensmeyer*, Eschatology 306-313).

Der Rückgriff auf das Problem der Gemeinde von 4,13-18 wird neben der Gruppenaufteilung auch sprachlich deutlich: Das Adverb *hama* drückt hier wie in 4,17 die Gleichzeitigkeit der beiden genannten Gruppen aus, *syn autō zēsōmen* (»mit ihm leben«) die vollendete Gemeinschaft mit Christus (vgl. 4,17: *syn kyriō esometha*). Auch aus der Überzeugung von Jesu heilschenkendem Sterben »für

uns« geht also hervor, dass die christliche Hoffnung auf ein voll-
endetes Leben mit Christus die Verstorbenen keineswegs benachteiligt. Die eschatologische Existenz der Christen in der Gegenwart,
von der 5,1-9 handelte, findet ihr Ziel und ihre Erfüllung in der
nicht mehr verlierbaren Gemeinschaft mit Christus. Diese Erwartung ist für die eschatologische Identität der Gemeinde wesentlich.

Der Situationsbezug des Finalsatzes in v.10b bildet die naheliegende Erklärung. Sie schließt die allgemeinere Deutung, dass Jesu Sterben den Seinen die Teilhabe an der zukünftig-eschatologischen Lebensgemeinschaft
mit ihm eröffnet (betont bei *Holtz* 230 f.; *Müller* 197), nicht aus, sondern
wendet sie abschließend noch einmal auf das Problem der Gemeinde im
Blick auf ihre Verstorbenen an.

Das Ziel christlichen Lebens ist, wie schon in 4,17, durch die vollendete Gemeinschaft mit Jesus beschrieben. Der Rückgriff deutet
auch an, dass der Diskurs des zweiten Briefthemas, das christliche
Leben in der Endzeit, nun zum Abschluss kommt.

11   11 Der abschließende v.11 zieht, eingeleitet durch *dio*/deshalb, die
praktischen Konsequenzen aus den Darlegungen im Hinblick auf
die Gemeinde. Die Formulierung »redet einander zu« erinnert an
den Schlusssatz in 4,18. Wieder wird die Gemeinde zum gegenseitigen Zuspruch ermuntert, verstärkt durch die Aufforderung »baut
einer den anderen auf«. Das Bild des Aufbauens *(oikodomeō)*
stammt aus dem Bereich des Hausbaus und zielt auf die Stärkung
der Gemeinde gerade auch angesichts der kulturellen Dominanz
der sie umgebenden Stadtgesellschaft.

Das Bild vom gegenseitigen Erbauen der Gemeinde wird Paulus in späteren Briefen verstärkt verwenden (1 Kor 14,3-5.12.17.26; Röm 14,19; 15,2).
Der übertragene Gebrauch des »Bauens« auf soziale Einheiten liegt nahe
und wird auch sonst in antiker Sprache verwendet, vgl. (anders gelagert)
LXX Jer 1,10; 24,6; 38,4; 40,7; Ps 27,5; Sir 49,7. Philosophisch ist dagegen
individuell an die Fortschritte der Einzelnen gedacht, so bei Epiktet, dissertationes 2,15,8 f.; Plutarch, mor. 85 f.-86a; 320b (bei *Malherbe* 307).

Dabei ist mit »einer den anderen« die persönliche Zuwendung und
die Gegenseitigkeit dieses Prozesses des Erbauens hervorgehoben.
Am Ende des theologischen Diskurses der Missionare stehen die
Möglichkeiten und die Eigenverantwortung der Gemeinde selbst.
Die Adressaten sollen (und können!) ihre eschatologische Überzeugung, die der Briefdiskurs vergewissert und vertieft hat, selbst weiterdenken und anwenden. Die Vergewisserung der eigenen Über-

zeugung wird zur genuinen Aufgabe der Gemeinde. In ihrer Gemeinschaft findet die Auseinandersetzung darüber Raum, und die einzelnen Christ/innen stützen und stärken sich gegenseitig. Dieser Prozess gehört bereits zur Praxis des Gemeindelebens (»wie ihr ja auch tut«), doch die Tatsache, dass die Verfasser dies ausdrücklich herausstellen, dient dem Ansporn der Gemeinde, darin fortzufahren und die gegenseitige Bestärkung zu vertiefen.

Mit dieser Aufforderung an die Gemeinde, die ihr selbst die Umsetzung der eschatologischen Überzeugung in die Wirklichkeit ihres Lebens anvertraut, ist nicht nur das zweite Briefthema, sondern auch das Briefcorpus als Ganzes zu einem Abschluss gekommen.

3. Rhetorische Strategie

Mit den Ausführungen zum Leben vor dem »Tag des Herrn« wird die grundsätzliche Frage nach der Berechtigung der eschatologisch ausgerichteten Lebensweise der Gemeinde in Thessaloniki zum Thema (vgl. auch *M. Konradt*, Gericht 147 f.; zur Bildung von Gruppenidentität *D. Luckensmeyer*, Eschatology 305.315). Angesichts konkurrierender Weltdeutungen seitens ihrer städtischen Umwelt werden die eschatologische Identität und Überzeugung der Gemeinde ins Bewusstsein gerufen. Die Ausführungen dienen also der Selbstvergewisserung der Gemeinde.

Im Zentrum stehen dabei unterschiedliche Wahrnehmungen der Wirklichkeit der Welt und damit verbunden die existentielle Frage, welcher »Lebenssphäre« man eigentlich zugehört. Aus ihrer neuen Beziehung zu Christus besitzen die Christen eine tiefere, hinter die kulturell und politisch dominierende Weltdeutung blickende Erkenntnis der Absicht Gottes mit Welt und Geschichte, die auf die völlige Neugestaltung aller Wirklichkeit am »Tag des Herrn« hinausläuft. Damit ist aber die Vorläufigkeit und Endlichkeit aller anderen Sinnkonzeptionen erwiesen, und den Christen wird die Berechtigung und Bedeutung ihrer Überzeugung und ihrer Lebensgemeinschaft mit Christus neu bewusst: Sie können sich zu Recht als eschatologische Existenz verstehen. Die Verankerung im Christus-Ereignis verbürgt dabei die endzeitliche Heilsteilhabe der Christen.

Die Ausführungen sind auffallend stark metaphorisch geprägt, weil es ihnen um Wahrnehmungen der Wirklichkeit geht, die sich dem direkten Sehen der politischen und gesellschaftlichen Verhältnisse entziehen und eine alternative, »tiefere« Sichtweise erfordern. Dazu bietet die metaphorische Sprache die nötige Offenheit und animiert zugleich zur aufmerksamen und kritischen Beobachtung der Welt und zur persönlichen Aneignung und Füllung der Bilder, metaphorisch: zur Wachsamkeit.

Das Ziel ist die bewusste, reflektierte Abgrenzung der Gemeinde von der übrigen Stadtgesellschaft. So entlarvt das Bild vom Dieb in der Nacht die politische Sicherheit der römischen Gesellschaft als trügerisch und irrig. Das Bildfeld von Licht und Finsternis vermittelt abgrenzende Bewertungen: Die Außenstehenden leben in der Sphäre der Finsternis, da ihnen die Einsicht in den Willen Gottes fehlt, während die Christen der Sphäre des Lichtes und des Tages zugehören, weil sie an Gottes Einsicht in die Wirklichkeit der Welt teilhaben. Den Außenstehenden droht das Gericht, während die Christen berechtigt auf Rettung hoffen dürfen. Die Dichotomie der Bilder bewirkt eine Vergewisserung der unterscheidenden Bedeutung und des besonderen Status der Christen bei Gott.

Die Verantwortung der Gemeinde selbst für ihre neue eschatologische Existenz steht am Ende des Briefcorpus. Diese anzuregen, war die Intention der brieflichen Diskurse. Die selbständige Anwendung und Umsetzung in der eschatologisch orientierten Praxis ihres Alltags bleibt der Auftrag der Gemeinde.

Man wird einen Text wie 5,1-11 heute kaum lesen können, ohne über Reichweite und Grenzen einer eschatologischen Deutung der Gegenwart als einer Zeit, die für Christen bereits von der Heilszuwendung Gottes in Christus bestimmt ist und auf ihr endgültiges Ziel in der Vollendung durch Gott zuläuft, nachzudenken. Von einer »Naherwartung« wird man nach fast zweitausend Jahren Geschichte des Christentums kaum noch sprechen können. Die (apokalyptisch grundierte) Vorstellung, dass Gott in einem großen zukünftigen Finale in das Weltgeschehen eingreift, die Verhältnisse fundamental verwandelt und damit Gerechtigkeit schafft, stellt eine Herausforderung für unser geschichtliches, mehr noch für ein naturwissenschaftliches Denken dar, bedeutet aber gleichwohl eine Erinnerung an die bereits im Gottesbild Israels wurzelnde Überzeugung von Gottes Macht über Geschichte und Kosmos, die unverlierbares Heilsein als Überwindung von Not, Krankheit und Tod erst möglich macht. Ein Verständnis der (christlichen) Gegenwart als Zeit, die sich zwischen der Geschichte Jesu mit ihren Heilsereignissen von Tod und Erweckung und der endgültigen Herrschaft Gottes als umfassender Heilszeit erstreckt und davon grundsätzlich geprägt ist, bleibt als Aufgabe einer christlichen Weltdeutung wesentlich. Das Bewusstsein dieser Prägung fordert uns, ebenso wie die Christen der ersten Generation, zur Reflexion unseres christlichen Selbstverständnisses und zur Umsetzung in einer spezifischen Lebensweise christlicher Gemeinschaft heraus. Und es erfordert ebenso die kritische Wahrnehmung der gesellschaftlichen, politischen und kulturellen Werte, Strukturen und Prozesse, die heutige soziale Lebenswelten prägen. Das meint »Wachsamkeit« bzw. »Nüchternheit« für Christen heute. Als »Kinder des Lichts« wissen sie um ihre letzte Zugehörigkeit zu Christus, um ihre bereits lebendige Gemeinschaft mit Christus, die nicht an der Todesgrenze zerbricht, und verstehen so ihre Existenz als von Gott umfasst und mit Sinn gefüllt. Es bleibt die Aufgabe der Christen in der Welt, ein alternatives Weltbild in Erinnerung zu rufen, indem sie es selbst leben.

Der Briefschluss 1 Thess 5,12-28

Literatur: *M. Müller*, Vom Schluss zum Ganzen. Zur Bedeutung des paulinischen Briefkorpusabschlusses (FRLANT 172), Göttingen 1997; *I. Taatz*, Frühjüdische Briefe. Die paulinischen Briefe im Rahmen der offiziellen religiösen Briefe des Frühjudentums (NTOA 16), Freiburg (Schw.)/Göttingen 1991; *J. A. D. Weima*, Sincerely, Paul: The Significance of the Pauline Letter Closings, in: S. E. Porter/S. A. Adams (Hg.), Paul and the Ancient Letter Form (Pauline Studies 6), Leiden/Boston 2010, 307-345.

Folgt man den Gepflogenheiten antiken Briefschreibens, lässt sich 1 Thess 5,12-28 als Briefschluss bestimmen. Will man diesen weiter differenzieren, bietet sich idealtypisch eine an antiken Briefen gewonnene Zweiteilung in Epilog und Postskript an (zusammenfassend *H.-J. Klauck*, Briefliteratur 54). Der Epilog gibt Raum für Gesichtspunkte, die der Verfasser nach dem Hauptteil des Briefes im Blick auf seine Adressaten noch sagen möchte, wobei abschließende Mahnungen, Bemerkungen zum Akt des Schreibens selbst oder die Äußerung eines Besuchswunsches begegnen können. Das Postskript stellt dann das Ende der brieflichen Kommunikation dar, wenn Grüße ausgesprochen, übermittelt oder in Auftrag gegeben und Wünsche für das Wohlergehen der Adressaten geäußert werden. Manchmal hebt der Verfasser noch seine eigenhändige Unterschrift autorisierend hervor oder gibt das Datum der Abfassung des Briefes an.

Auf den Briefschluss in 1 Thess 5,12-28 angewandt, erscheint mir folgende Einteilung sinnvoll. Zum Epilog zähle ich die abschließenden Mahnungen in 5,12-22, die zunächst einzelne Anliegen kurz ansprechen und ab v.16 in eine Reihe äußerst knapper, parataktisch aneinander gereihter Imperativsätze übergehen, und den Segenswunsch (mit Treuespruch) in 5,23 f., der als fürsprechendes Gebet an den »Gott des Friedens« formuliert ist. Dieses Segensgebet verstehe ich in Entsprechung zur Danksagung an Gott im Proömium und ordne es daher dem Epilog zu. Da es in v.23 ein letztes Mal die Parusie des Herrn, das zentrale Motiv des ganzen Briefes, erwähnt, bedeutet es auch einen inhaltlichen Abschluss der Korrespondenz. Im Blick auf die späteren Paulusbriefe erscheint ein Friedenswunsch als gängiger Bestandteil des Briefschlusses (vgl. *J. A. D. Weima*, Sincerely 310 f.). Das Postskript besteht dann aus den Elementen Bitte der Verfasser um das Gebet der Gemeinde (5,25),

Grußauftrag (5,26), dringliche Bitte um Verlesung des Briefs (5,27) und abschließender Gnadenwunsch (5,28). Es bildet einen passenden und angemessenen Abschluss des gesamten Briefes.

Natürlich sind auch andere Zuordnungen der Briefelemente möglich. So beschränkt *H.-J. Klauck*, Briefliteratur 280 f. den Epilog auf das fürsprechende Gebet in 5,23 f. und versteht die Mahnungen von 5,12-22 als Abschluss des Briefcorpus (vgl. *Müller* 199.213). Ähnlich bestimmt *Malherbe* 308 f.336 f. 5,12-22 als letzten Teil der brieflichen Paränese und 5,23-28 als Briefschluss (vgl. *Green* 75 f.266). Als Abschluss der Paränese und damit nicht als Teil des Briefschlusses verorten den Gebetswunsch in 5,23 f. z. B. *Rigaux* 602-606; *Bruce* 164-166; *Holtz* 275; *Haufe* 99.107; *M. Müller*, Schluss 112-124. *Fee* 200 f. fasst 5,12-28 als »concluding matters« zusammen.

Der Briefschluss bietet im Rahmen geläufiger Formschemata ausreichend Raum für individuelle Gestaltung, den die Verfasser für ihr Briefanliegen auch zu nutzen wissen. So betreffen die Mahnungen in 5,12-22 noch einmal (nach 4,1-5,11) einzelne Aspekte des christlichen Lebenswandels, und die Hinweise auf die Heiligung der Adressaten und die Parusie des Herrn in 5,23 tragen zusammenfassenden Charakter im Rückblick auf zentrale Briefthemen (Berufung 1,4; 2,12; Heiligung 3,13; 4,3-8; Parusie 1,10; 2,19; 3,13; 4,15). Ein Beispiel für eine strukturell analoge Zusammenfassung des zentralen Briefthemas im Briefschluss bietet der Abschluss des in 2 Makk 1,10-2,18 wiedergegebenen Briefes führender Jerusalemer Juden an die Juden in Ägypten, wo die bestimmende eschatologische Hoffnung formuliert ist (2 Makk 2,17 f.; dazu *I. Taatz*, Briefe 41 f.). In seinen späteren Briefen zeigt Paulus, in Aufnahme und Abwandlung geläufiger antiker Formelemente des Briefschlusses, sowohl die Ausbildung typischer Abschlusswendungen (z. B. »der Gott des Friedens aber [sei] mit euch«, »die Gnade unseres Herrn Jesus Christus [sei] mit euch« als auch immer wieder briefspezifische Abweichungen (dazu *J. A. D. Weima*, Sincerely).

Der Epilog 5,12-24

12 Wir bitten euch aber, Geschwister, die sich Mühenden unter euch und euch Vorstehenden im Herrn und euch Anleitenden anzuerkennen, 13 und sie über die Maßen in Liebe wegen ihres Tuns zu schätzen. Lebt in Frieden untereinander!
14 Wir reden euch aber zu, Geschwister, leitet die Unordent-

lichen an, ermutigt die Kleinmütigen, bemüht euch um die Schwachen, habt Geduld gegenüber allen. 15 Seht (zu), dass nicht einer dem anderen Schlechtes mit Schlechtem vergelte, sondern verfolgt allezeit das Gute für einander und für alle. 16 Freut euch allezeit, 17 betet unablässig, 18 dankt in allem! Denn dies ist Gottes Wille im Christus Jesus für euch. 19 Den Geist unterdrückt nicht, 20 Prophetien schätzt nicht gering, 21 alles aber prüft, das Gute behaltet, 22 von jeder Gestalt des Bösen haltet euch fern! 23 Der Gott des Friedens selbst aber heilige euch vollkommen, und vollständig werde euer Geist und die Seele und der Leib bewahrt, untadelig bei der Ankunft unseres Herrn Jesus Christus. 24 Treu ist, der euch ruft; er wird es auch tun.

Literatur: E. Agosto, Paul and Commendation, in: J. P. Sampley (Hg.), Paul in the Greco-Roman World. A Handbook, Harrisburg 2003, 101-133; *J. M. G. Barclay*, Conflict in Thessalonica, CBQ 55 (1993) 512-530; *K. Berger*, Formen und Gattungen im Neuen Testament (UTB 2532), Tübingen 2005; *T. J. Burke*, Paul's New Family in Thessalonica, NT 54 (2012) 269-287; *R. F. Collins*, I Thess and the Liturgy of the Early Church (1980), in: ders., Studies on the First Letter to the Thessalonians (BEThL 66), Leuven 1984, 136-153; *ders.*, The Function of Paraenesis in 1 Thess 4.1-12; 5,12-22, EThL 74 (1998) 398-414; *G. Delling*, Geprägte partizipiale Gottesaussagen, in: ders., Studien zum Neuen Testament und zum hellenistischen Judentum, Göttingen 1970, 401-416; *V. P. Furnish*, Inside Looking Out: Some Pauline Views of the Unbelieving Public, in: Pauline Conversations in Context (FS C. J. Roetzel) (JSNT.S 221), London 2002, 104-124; *V. Gäckle*, Die Starken und die Schwachen in Korinth und in Rom (WUNT II/200), Tübingen 2004; *C. E. Glad*, Paul and Philodemus. Adaptability in Epicurean and Early Christian Psychagogy (NT.S 81), Leiden 1995; *N. K. Gupta*, Worship that Makes Sense to Paul. A New Approach to the Theology and Ethics of Paul's Cultic Metaphors (BZNW 175), Berlin/New York 2010; *A. von Harnack*, Kopos im frühchristlichen Sprachgebrauch, ZNW 27 (1928) 1-10; *M. Hengel*, Proseuche und Synagoge, in: Tradition und Glaube (FS K. G. Kuhn), Göttingen 1971, 157-184; *O. Merk*, 1 Thessalonicher 5,23.24. Eine exegetisch-theologische Besinnung, KuD 56 (2010) 62-68; *M. Müller*, Vom Schluss zum Ganzen. Zur Bedeutung des paulinischen Briefkorpusabschlusses (FRLANT 172), Göttingen 1997; *B. Oestreich*, Performanzkritik der Paulusbriefe (WUNT 296), Tübingen 2012; *W.-H. Ollrog*, Paulus und seine Mitarbeiter: Untersuchungen zu Theorie und Praxis der paulinischen Mission (WMANT 50), Neukirchen-Vluyn 1979; *S. Schreiber*, Arbeit mit der Gemeinde (Röm 16,6.12). Zur versunkenen Möglichkeit der Gemeindeleitung durch Frauen, NTS 46 (2000) 204-226; *ders.*, Friede trotz Pax Romana. Politische und sozialgeschichtliche Überlegungen zum Markusevangelium, in: F. Sedlmeier/T. Hausmanninger (Hg.), Inquire Pacem. Beiträge zu einer Theologie des Friedens (FS V. J. Dammertz), Augsburg 2004, 85-104; *W. C. van Unnik*, »Den Geist löschet nicht aus« (I Thessalonicher V 19), NT 10 (1968) 255-269; *J. A. D. Weima*, Sincerely, Paul: The Significance of the Pauline Letter Closings, in: S. E. Porter/S. A. Adams (Hg.), Paul and the Ancient Letter Form (Pauline Studies 6), Leiden/Boston 2010, 307-345; *G. P. Wiles*, Paul's Intercessory Prayers. The Significance of the Intercessory Prayer Passages in the Letters of St. Paul (MSSNTS 24), Cambridge 1974.

1. Analyse

Kontext, Form, Aufbau

Den Briefschluss (5,12-28) dominiert ein ausführlicher Epilog in 5,12-24. Er führt die Kommunikation des Briefes zum Abschluss, indem er die Behandlung der großen Briefthemen verlässt und einzelne Aspekte des Gemeindelebens, die den Missionaren wichtig scheinen, noch kurz anspricht. Die Mahnungen in 5,12-22 spiegeln die Sorge der Missionare um die junge Adressatengemeinde, und in einem fürbittenden Gebet in 5,23 f. vertrauen sie die Existenz und Beständigkeit der Gemeinde Gott an. 5,23 lässt sich formgeschichtlich als Segensgebet fassen, das man z. B. mit dem prominenten »Priestersegen« in Num 6,24-26 vergleichen kann (*Fee* 225: »benedictory prayer«; *K. Berger*, Formen 304: »Gebetswunsch«; vgl. *G. P. Wiles*, Prayers 45-71; anders *M. Müller*, Schluss 124-130: »konduktiver Gotteszuspruch«). Die Formulierung »der Gott des Friedens« (*ho theos tēs eirēnēs;* 5,23), meist verbunden mit einem einfachen »(sei) mit euch«, wird zu einem festen Formschema des Briefschlusses in den meisten Paulusbriefen (2 Kor 13,11; Phil 4,9; Röm 15,33; 16,20; vgl. 2 Thess 3,16; dazu *J. A. D. Weima*, Sincerely 311-313). In 1 Thess 5,23 wird der Segen freilich breiter ausgeführt und spiegelt zentrale Briefthemen: Lebenswandel, Heiligung, Parusie.

Eine briefliche Empfehlung, wie sie z. B. in Röm 16,1 f. für Phöbe ausgesprochen ist, wird in 5,12 f. nicht entfaltet (vgl. aber *E. Agosto*, Paul 111-115). Es fehlen konkrete Namen, und auch die Bitte selbst zielt nicht auf einen Vorteil der Leitenden, sondern auf das Zusammenleben der ganzen Gemeinde. Daher ist besser von Mahnungen zu sprechen.

Die Mahnungen in 5,12-22 lassen sich unter Berücksichtigung formaler Gliederungselemente noch einmal in drei Abschnitte unterteilen. 5,12 setzt ein mit »wir bitten euch aber« und der Anrede »Geschwister« *(adelphoi)*, und 5,14 beginnt in paralleler Struktur einen neuen Gedanken mit »wir reden euch aber zu« und der erneuten Anrede »Geschwister«. 5,16-22 sind davon wiederum formal abgesetzt durch eine Reihung auffallend kurzer, oft nur durch ein Satzglied erweiterter Imperative. Sie sind in zwei Dreiergruppen angeordnet, deren letztes Glied jeweils ergänzt wird (v.16-18.19-22). Nimmt man das als eigenes Element identifizierbare abschließende Segensgebet hinzu, ergibt sich eine Gliederung des Epilogs in vier Teile:

5,12 f.	Bitte um Anerkennung der »Sich-Mühenden« um die Gemeinde
5,14 f.	Zuspruch zur gegenseitigen Sorge, Unterstützung und Korrektur innerhalb der Gemeinde
5,16-22	Mahnungen für das geistliche Leben der Gemeinde
5,23 f.	Segensgebet in Bezug auf die Heiligung und Bewahrung der Gemeinde durch Gott

Tradition

Die Formulierung in 5,15 »dass nicht einer dem anderen Schlechtes mit Schlechtem vergelte« steht im Singular und klingt so nach einer allgemeinen Regel. Sie erinnert an das in der Tora festgelegte Ius talionis, dass Gleiches mit Gleichem vergolten werden soll, was eine Einschränkung von Rache und Vergeltung intendiert (Belege: Ex 21,23-25; Lev 24,19 f.; Dtn 19,21). Bereits im Frühjudentum stößt es freilich auf Kritik: Schlechtes soll gerade *nicht* mit Schlechtem vergolten werden, so in Spr 20,22; 24,29; Sir 28,1-7; JosAs 23,9; 28,10.14; 29,3 (mit ähnlichem Wortlaut wie in 1 Thess 5,15: »Schlechtes mit Schlechtem vergelten«); angedeutet TestBen 4,2 f.; nur innergemeindlich 1QS 10,17 f. (im Kontext 10,19-21). Die Jesus-Tradition überliefert in Fortführung frühjüdischer Ethik eine Durchbrechung des Ius talionis und Überbietung in der Feindesliebe (Mt 5,38-41.43 f./Lk 6,27-29). Traditionsgeschichtliche Nachklänge der frühjüdischen Diskussion bzw. dieser Jesus-Tradition können auch in die Briefliteratur Eingang gefunden haben, so neben 1 Thess 5,15 auch in Röm 12,17, wo es ganz ähnlich heißt: »vergeltet niemandem Schlechtes mit Schlechtem«, was eine positive Fortsetzung findet: »seid auf Gutes *(kala)* bedacht vor allen Menschen« (vgl. auch 1 Petr 3,9; ferner 1 Kor 6,7).

Auch in der griechischen Ethik findet sich die Auseinandersetzung um das

Prinzip der Vergeltung bzw. den Verzicht darauf. So soll der Philosoph eher Unrecht erleiden als vergelten, was freilich rational begründet wird (Epiktet, dissertationes 1,18,1-17; 1,28,7-10; Seneca, de ira 2,32,2f.; 2,34,1.5; 3,24,1f.; 3,27,1; weitere Belege bei *Malherbe* 321; vgl. Seneca, benef. 4,26,1; Plutarch, mor. 218a; schon Platon, rep. 334b-336a).

Die Mahnungen in 5,12-24 zeigen formale und inhaltliche Parallelen zu den paränetischen Abschnitten in Röm 12,9-21 und Phil 4,2-9 (dazu *S. Kim*, Paraenesis 110-118.137f.). Die Übereinstimmungen erklären sich freilich weniger durch ein festes paränetisches Formschema denn durch eine vergleichbare Lebenssituation junger Christus-Gemeinden, in der eine Festigung der christlichen Identität ebenso drängend ist wie die Einheit und der Zusammenhalt bei der konkreten Gestaltung des Gemeindelebens.

2. Kommentar

Mit Mahnungen, die ihre Sorge um die junge Gemeinde spiegeln, nähern sich die Missionare dem Ende ihres Briefes nach Thessaloniki. Die Mahnungen in 5,12-22, die den Epilog des Briefes bestimmen, beziehen sich auf typische Situationen im Leben einer neu gegründeten Christus-Gemeinde in einem hellenistisch-römisch geprägten Umfeld. Es geht nicht um problematische Einzelfälle, die der Korrektur bedürften, sondern um alltägliche Lebenssituationen, um das Zusammenleben als Gemeinde.

12f. Dabei bitten die Verfasser in 5,12f. die Adressaten zunächst, eine bestimmte Personengruppe anzuerkennen. Das Bitten (*erōtōmen*/wir bitten) ist ernst zu nehmen: Es resultiert aus der Beziehung letztlich gleichrangiger Partner. Der Infinitiv *eidenai* (von *oida:* »kennen, wissen«) ist hier im Sinne von »anerkennen« zu verstehen (vgl. Ignatius, Sm. 9,1; Aelius Aristides 35,35; in ähnlichem Kontext *epiginōskete* in 1 Kor 16,18). Das Anerkennen und auch das Wertschätzen in v.13 setzen voraus, dass bestimmte Personen bestimmte Funktionen in der Gemeinde regelmäßig ausüben. Unter Funktion verstehe ich dabei kein Amt und keine Stellung, sondern eine Tätigkeit oder Aufgabe im größeren Zusammenhang des Gemeindelebens. Auf einzelne Tätigkeiten deuten auch die Partizipformen hin, die im Unterschied zu Titeln keine festen Rollen oder Ämter bezeichnen. Es werden also zwei Gruppen differenziert (alle Geschwister und einige, die bestimmte Tätigkeiten ausüben), deren Grenzen jedoch noch durchlässig sind.

Die drei Partizipformen beschreiben, um welche Gruppe es sich handelt. Die erste, *kopiōntas*, die »Sich-Mühenden«, leitet sich vom Verb *kopiaō* ab, das eigentlich »müde sein/werden, ermatten, ermüden« bedeutet, dann auch »sich mühen, anstrengen, (schwer) arbeiten« (vgl. *F. Passow*, Handwörterbuch I/2, 1789, auch zum Substantiv *kopos*). In den Paulusbriefen kann damit die körperliche Arbeit des Paulus (1 Kor 4,12) und seine missionarische Verkündigung (1 Kor 15,10; Phil 2,16; Gal 4,11) bezeichnet werden (das Substantiv *kopos* zeigt eine größere Bedeutungsbreite, vgl. *S. Schreiber*, Arbeit 222 f.). Hier in 1 Thess 5,12 bezieht sich das »Mühen« aber klar auf eine Tätigkeit innerhalb und an der Gemeinde selbst, wie die präpositionale Bestimmung *en hymin* (unter euch) verdeutlicht. Zur genaueren Bestimmung der Semantik helfen die beiden anderen Partizipien, die mit explikativem *kai* (und, nämlich) angeschlossen sind und so das »Mühen« erläutern und konkretisieren. Auf die sprachliche Überordnung des »Mühens« und damit auf eine einzige Personengruppe mit verschiedenen Tätigkeitsbereichen deutet der bestimmte Artikel hin, der nur vor *kopiōntas* gesetzt ist, vor den beiden anderen Partizipien aber nicht wiederholt wird.

Anders sieht *W.-H. Ollrog*, Paulus 87 eine sprachliche Gleichordnung; *Müller* 200 erkennt »drei Gruppen«. *Malherbe* 311 ordnet die Funktionen wechselnden Personen zu.

Dem Partizip *proistamenous* liegt das Verb *proistēmi* zugrunde, das intransitiv mit Genitiv (*hymōn*/euch) im Sinne von »vorstehen, darüber gesetzt sein, regieren, beherrschen, leiten, verwalten« zu verstehen ist (*F. Passow*, Handwörterbuch II/1, 1121 f.; anders *Holtz* 243: Fürsorge für andere; vgl. *R. F. Collins*, Function 411; *Müller* 201; *Fee* 205 f.; *Malherbe* 313 f.). Ein Beispiel auf höchster politischer Ebene bietet eine Inschrift aus dem Jahr 117, nach der Markus Annius der Versammlung des makedonischen Koinon »vorsteht« (SIG³ 700, Z. 7). Die hier in v.12 vorausgehende Bitte um Anerkennung spricht für die Bedeutung »vorstehen«, die auch aus paganen Vereinen bekannt ist (*M. Hengel*, Proseuche 171). Durch das Personalpronomen *hymōn* ist das Vorstehen auf die ganze Gemeinde bezogen. In Röm 12,8 wird »Vorstehen« explizit als Charisma genannt (in 1 Tim 3,4 f.12; 5,17 steht *proistēmi* später im Kontext des Leitungsamtes). So erscheint das Vorstehen als charismatische Funktion der Leitung, Organisation und Repräsentanz der Gemeinde und umfasst vielleicht auch die Verteilung materieller Unterstützung an Bedürftige. Genauere Informationen geben die Verfasser nicht, wohl weil das Spektrum der Tätigkeiten breit und den Adressaten vertraut ist. Die Ergänzung »im Herrn« entspricht der charismatischen Begründung der Funktion. Sie hebt einerseits die Bedeutung des Vorstehens für die Existenz und Einheit der gesamten Gemeinde hervor und benennt andererseits das gemeinsame Fundament, auf dem die ganze Gemeinde und auch die Vorstehenden stehen: An den Herrn bleiben sie immer gebunden.

Das Verb *noutheteō*, von dem sich das dritte Partizip *nouthetountas* ableitet, meint eigentlich »ans Herz legen« und spricht den Verstand *(nous)*, die Einsicht an; entsprechend hat es die Bedeutungsbreite »warnen, ermahnen, erinnern, belehren, aufmerksam machen, zurechtweisen« (*F. Passow*, Handwörterbuch II/1, 366), was ich hier mit »anleiten« wiedergebe (vgl. 1 Kor 4,14; Röm 15,14). Auch das Anleiten ist durch das Personalpronomen *hymas* auf die ganze Gemeinde bezogen. Unter Anleitung können sowohl Tätigkeiten des Lehrens im Sinne der Weitergabe und Anwendung der urchristlichen Tradition (zur Verbindung mit der Lehre vgl. später Kol 3,16; auch 1,28), als auch Gespräche über die Praxis des Lebens als Christus-Gemeinde verstanden werden, wozu gegenseitige Kritik und Korrektur zählt. Als Charisma erscheint der weite Bereich des Lehrens – mit verschiedenen Begriffen – in 1 Kor 12,8.10; Röm 12,7 f.

Das Sich-Mühen, das durch Vorstehen und Anleiten konkretisiert wird, bezeichnet hier also charismatisch begründete Funktionen von Gemeindeleitung, die von mehreren Personen in der Gemeinde von Thessaloniki ausgeübt werden.

Es geht also weder, wie in der Forschung häufig angenommen, um Missionsarbeit (so *W.-H. Ollrog*, Paulus 71.75; *Malherbe* 311 f.), noch um »die mit persönlicher Mühe und Aufopferung verbundenen Leistungen der Armen- und Krankenpflege« (*Dobschütz* 216), noch um »diakonische und andere praktische Hilfeleistungen« (*Haufe* 101; vgl. **F. Blischke*, Begründung 80), noch um »jegliche(n) Einsatz um den Herrn und seine Gemeinde« (*Holtz* 242; vgl. *Müller* 200).

Die Funktionsträger wurden dabei nicht von den Missionaren oder der Gemeinde offiziell eingesetzt, vielmehr gehen die Tätigkeiten aus dem Leben der Gemeinde und den (vom Geist geschenkten) Begabungen einzelner Christ/innen hervor. Es liegt nahe, dass soziale Strukturen wie z.B. der Besitz eines etwas größeren Ladens, einer Handwerkerstube oder eines Hauses die Voraussetzungen geboten haben, um die Gemeinde in das eigene Haus einzuladen.

Dann wird der Hausvater oder die Hausmutter auch die Versammlung organisiert und den Vorsitz übernommen haben. Erste »Rollen« innerhalb der Gemeinde bilden sich aus (dazu *R. Börschel*, Konstruktion 271 f.). Beispiele dafür bieten das Haus des Stephanas in 1 Kor 16,15 f. und das Ehepaar Priska und Aquila, die einer Hausgemeinde vorstehen (1 Kor 16,19; Röm 16,3-5). Gebunden waren Funktionen der Leitung freilich an solche sozialen Verhältnisse nicht.

Vielleicht finden sich in den frühen Gemeinden auch bereits Strukturen in Analogie zum römischen Klientelwesen, bei dem ein (zumeist der Elite zugehöriger) Patron eine Schar von Klienten zum gegenseitigen Nutzen um sich sammelte: Bot der Patron Schutz, Unterstützung und soziale Beziehungen, gaben ihm die Klienten politischen Rückhalt in der Stadt. Für die ersten Gemeinden wird man dies wegen des Fehlens von Mitgliedern aus der städtischen Elite nur rudimentär annehmen können. Doch wer zumindest über einen gewissen sozialen Status und relativen Wohlstand verfügte, kann für andere eingetreten sein. Ein Beispiel bietet die in Röm 16,1 f. empfohlene Frau Phoebe, die sowohl in der Gemeinde von Kenchreä (Korinth) als *diakonos* wirkte, als auch zugunsten des Paulus und anderer als *prostatis* (Patronin) fungierte.

Wieder begegnen wir dem Phänomen früher christlicher Sprachentwicklung. Das Verb *kopiaō* befindet sich auf dem Weg, zu einem geprägten Terminus für die (charismatisch fundierte) Funktion der Gemeindeleitung zu werden (dazu *S. Schreiber*, Arbeit). Als weitere Station auf diesem Weg liest sich 1 Kor 16,15-18, wo Paulus die Gemeinde in Korinth zur Unterordnung unter das Haus des Stephanas ermahnt und dieses in seiner Leitungsfunktion mit »jedem Mitarbeitenden und Sich-Mühenden« zusammenschließt. Die Leitung liegt also in den Händen mehrerer Personen, im Fall des Stephanas-Hauses sogar einer ganzen »Familie«, wozu selbstverständlich auch Frauen und Sklaven zu zählen sind. Dass auch hier die Leitungsfunktion charismatisch begründet ist, geht aus der Formulierung, sie ordneten »sich selbst« in den Dienst der Gemeinde ein, hervor. Sie stellen also ihre Begabungen der Gemeinde zur Verfügung. Die Begabungen Einzelner werden in 1 Kor 12,4-11.28-30 theologisch als Gaben des Geistes, Charismen, gedeutet, so dass die entsprechende Begabung als Kriterium für Leitungsfunktionen hervortritt. Dieser Autorität korrespondiert die freiwillige Akzeptanz durch die Gemeinde. In Röm 16,6.12 grüßt Paulus (unter anderem) vier Frauen, deren »Sich-Mühen« um die Gemeinde (16,6: *eis hymas/* für euch) er explizit betont. Dass gerade auch Frauen Leitungsfunktionen übernehmen, ist für die Gemeinde in Thessaloniki ebenfalls keineswegs ausgeschlossen.

Von einem »Amt« innerhalb der Gemeinde kann man bei Paulus noch nicht sprechen, denn auch wenn es sich um eine bestimmte Personengruppe mit charakteristischen und regelmäßigen Funktionen handelt, fehlt eine rechtliche Struktur und institutionelle Bestellung (oder Ordination) als »Amtsträger«. Zugrunde liegt das charismatische Modell, bei dem eine spezifische Begabung die Ausübung einer entsprechenden Tätigkeit, die aus der konkreten Situation erwächst, begründet (vgl. *S. Schreiber*, Arbeit 220; ferner *Holtz* 247 f.; anders noch *A. von Harnack*, *Kopos* 8-10). Daher werden in der sprachlich offenen Form von Partizipien *Tätigkeiten* benannt, noch keine Substantive als Amtsbezeichnungen verwendet (vgl. *Holtz* 246 f.). – Etwa zwei Generationen nach Paulus erläutert 1 Tim 5,17 – genau umgekehrt wie in 1 Thess 5,12 – das »Vorstehen« *(proistēmi)* durch das »Sich-Mühen« *(kopiaō)*, speziell in der Lehre. Die Lehre wird zu *dem* wesentlichen Bestandteil der Gemeindeleitung, die in den Pastoralbriefen durch Ordination (1 Tim 5,22; vgl. 4,14; 2 Tim 1,6) und Vergütung (1 Tim 5,17) als Amt erscheint und die Bezeichnungen »Ältester« oder »Episkopos« trägt. – Eine Identifizierung der »Vorstehenden« aus 1 Thess 5,12 mit »Presbytern« (so *Rigaux* 577) ist daher anachronistisch, ebenso der Gedanke einer »Hierarchie« (»a hierarchy of brothers«, so *T. J. Burke*, Family 234; vgl. ebd. 239.244; *ders.*, Paul's New Family 280-285; *C. E. Glad*, Paul 209). Auch eine soziale Inszenierung des Unterschieds »zwischen Leitenden und einfachen Gemeindegliedern« durch Ehrenplätze und eine bestimmte Sitzordnung, wie sie *B. Oestreich*, Performanzkritik 193-195 annimmt, wird den Verhältnissen der jungen Gemeinde nicht gerecht.

Die Funktionen des Gemeindeleitens sind für die Existenz der Gemeinde grundlegend wichtig. Daher bitten die Verfasser in 5,13a die Gemeinde nicht nur um Anerkennung, sondern auch um besondere Wertschätzung der Sich-Mühenden: Man soll sie »über die Maßen in Liebe wegen ihres Tuns schätzen«. Das Verb *hēgeomai* bezeichnet in diesem Zusammenhang eine Einschätzung (»meinen, glauben, halten für«, vgl. *F. Passow*, Handwörterbuch I/2, 1325), doch legt der Kontext den äußerst positiven Charakter der Einschätzung fest. Aus dieser Aufforderung wird deutlich, dass in der Gemeinde keine hierarchischen Strukturen vorliegen, die Gehorsam gegenüber Amtsträgern verlangen würden, sondern freiwillig übernommene Funktionen innerhalb der Gemeinde. Diese sind auf den Respekt und die Wertschätzung der ganzen Gemeinde angewiesen und können ohne deren Zustimmung nichts bewirken. Ihre Autorität kommt ihnen aus ihrer Tätigkeit selbst zu, und wegen ihres Tuns verdienen sie Anerkennung, Akzeptanz und Wertschätzung – in urchristlicher Sprache: »Liebe« *(agapē)*. Man kann diese Liebe als eine Form der »Geschwisterliebe« von 4,9f. verstehen (**T. Söding*, Trias 93). Die (Geist-)Begabung zur »Leitung« realisiert sich in der Ausübung der Tätigkeit, die so zum Qualifikationsmerkmal der Leitenden wird. Weil deren Tun dazu hilft, die Gemeinde an ihre spezifische Lebensperspektive zu erinnern und sie darin anzuleiten, ihr den organisatorischen Rahmen für ihre Zusammenkünfte zu geben und die Unterstützung Bedürftiger zu ermöglichen, soll die Gemeinde die Bedeutung ihres »Mühens« anerkennen und in hohem Maße wertschätzen. Dabei wird die ausdrückliche Unterstützung, die der Brief denen, die sich in Leitungsfunktionen engagierten, leistet, in pragmatischer Perspektive dazu beigetragen haben, diese zu ermutigen, sie in ihren Aufgaben zu bestärken und umgekehrt ein positives Ansehen bei der Gemeinde zu fördern (vgl. *B. Oestreich*, Performanzkritik 194).

Die Funktionen organisatorischer und theologischer »Leitung« bilden sich erst aus, und einzelne Personen scheinen sich dabei besonders engagiert zu haben. Das kann bisweilen zu Misstrauen und Ablehnung durch andere in der Gemeinde führen. Im Alltag kann es leicht zu Meinungsverschiedenheiten kommen, und die gegenseitige Akzeptanz von »Leitenden« und anderen Gemeindeteilen kann beeinträchtigt werden. Daher mahnen die Verfasser in 5,13b die Gemeinde, untereinander in Frieden zu leben (vgl. die Formulierung in Mk 9,50; auch 2 Kor 13,11).

Die textkritische Überlieferung ist gespalten zwischen *en heautois* (untereinander) und *en autois* (mit ihnen [sc. den Leitenden]). Mit NA[28] bevorzuge ich die erste Lesart als die im Kontext (Anerkennung der Leitenden) schwierigere *(lectio difficilior)*, die Variante lässt sich als Klärung verstehen und spiegelt bereits stärker »hierarchische« Strukturen: Die anderen sollen mit den Leitenden in Frieden leben. Die offene Gemeindestruktur von 1 Thess fordert jedoch *gegenseitiges* Streben nach Frieden: *Alle* müssen sich in gleicher Weise darum bemühen.

Die Mahnung richtet sich an »leitende« und andere Christen in gleicher Weise. Friede als Qualität des Gemeindelebens meint grundlegend den Verzicht auf Streit, Konkurrenz und Feindseligkeiten innerhalb der Gemeinde (dazu *S. Schreiber*, Friede). In der politischen Sprache Roms herrscht dann Friede, wenn kein Krieg geführt wird. Auf der Basis des jüdischen Verständnisses von Frieden, das auf das ganzheitliche Wohlergehen von Land und Mensch zielt (hebräisch *schalom;* vgl. nur Lev 26,3-6; Jes 45,7; Ps 85), dürfte hier noch mehr gemeint sein: Die Gemeinde kann auf der gemeinsamen Basis der Zugehörigkeit zu Christus Wege zur Einheit und zu einem Zusammenleben, das die Akzeptanz und Wertschätzung des anderen in den Vordergrund stellt, finden. Sie kann aktiv die Überwindung gegenseitiger Aggression, die Einschränkung eigener Dominierungswünsche und die Gestaltung innergemeindlicher Kommunikation betreiben. Die Anerkennung der Sich-Mühenden trägt zu diesem Frieden bei.

Die wenigen Hinweise in 5,12 f., aus denen wir auf Funktionen charismatischer Gemeindeleitung schließen können, geben einen kleinen Einblick in die Situation einer noch sehr jungen, zahlenmäßig kleinen und gesellschaftlich marginalen Christus-Gruppe im 1. Jh. Sie besitzt keine gesellschaftlich vorgegebenen und von einer übergeordneten Instanz geregelten Amtsstrukturen, die sie lediglich umzusetzen hätte. Vielmehr muss sie die konkrete Gestaltung ihrer inneren Organisation erst finden, einer Organisation, die ihrem Anspruch und ihrem Selbstverständnis als *ekklēsia* (1,1) gerecht wird. Die Begabungen und faktisch ausgeübten Tätigkeiten einzelner Frauen und Männer bilden den Ausgangspunkt, um diese als Funktionsträger hervortreten zu lassen, die freilich der Verankerung innerhalb der Gemeinschaft, der Anerkennung und Wertschätzung bedürfen. Aus ihren Tätigkeiten gewinnen sie ihre Autorität, und dieser entspricht die Anerkennung der Gemeinde. Wichtig ist die Beobachtung, dass mit der Tätigkeit von Funktionsträgern gerade keine Auslagerung wesentlicher Gemeindefunktionen auf Einzelne vorliegt: Gegenseitiger Zuspruch und Erbauung (4,18; 5,11), Anleitung der Unordentlichen, Ermutigung der Kleinmütigen und Bemühung um die Schwachen (5,14) bleiben Aufgaben der ganzen Gemeinde.

Getragen wird das innergemeindliche Gefüge von der bleibenden Beziehung der Gemeinde zu den Missionaren, die ihre Existenz begründeten. Diese Beziehung, die den ersten Briefteil prägte, und die mit ihr verbundene neue Überzeugung der jungen Gemeinde bildet die verlässliche Basis für die eigene Gestaltung des innergemeindlichen Lebens.

Erst eine spätere Reflexion wird darin das »apostolische« Fundament der Kirche erkennen, das ihr Wesen bleibend bestimmt (betont bei *Holtz* 249 f.). Einen ersten Schritt dazu stellen die pseudepigraphischen Paulusbriefe dar, die Paulus-Tradition zugleich festhalten und fortschreiben.

14f. 14 f. Die Aufforderung in v.14 beginnt mit der gleichen Satzstruktur wie v.12 und steht damit parallel dazu: Eine Verbalphrase drückt den Zuspruch der Absender (3. Pers. Pl.) an die Gemeinde aus (*parakaloumen de hymas*/wir reden euch aber zu; vgl. 4,1); es folgt die Anrede »Geschwister«, bevor das Anliegen formuliert wird. Damit ist klar, dass wieder die Gemeinde als ganze angesprochen und kein Wechsel der Adressatengruppe signalisiert ist. Es handelt sich also nicht um spezielle Mahnungen an Gemeindeleiter/innen (gegen *Friedrich* 248; **T. J. Burke*, Family 233 f.241; *B. Oestreich*, Performanzkritik 191-193). Die kurzen Imperativ-Sätze haben nicht mehr eine bestimmte Personengruppe zum Objekt (wie in v.12 die »Sich-Mühenden«), sondern einzelne Haltungen und Gemütszustände, die im christlichen Alltag eintreten können. Angesprochen sind *typische* Haltungen und Zustände, die grundsätzlich bei jedem Mitglied der Gemeinde sporadisch auftreten können, z.B. als Folge von gesellschaftlicher Ablehnung und Diskriminierung angesichts der Konversion (↗Exkurs 3), aber auch von persönlichen Frustrationen mit dem neuen Lebensentwurf, wenn sich etwa hohe Erwartungen nicht erfüllten. Die Substantive, die diese Haltungen bzw. Zustände beschreiben, bleiben allgemein, um das Typische zu markieren.

Zuerst werden *ataktoi* genannt, hier mit »Unordentliche« übersetzt. Das Adjektiv *ataktos* bedeutet »ungeordnet, regellos, verworren«; es kann verwendet werden in Bezug auf Soldaten, die nicht in Reih und Glied bzw. in der Schlachtordnung stehen, oder sozial-politisch für diejenigen, die sich nicht an die bürgerliche Ordnung halten, die unruhig, aufrührerisch sind, auch für Leute, die sich ausschweifend und unmäßig verhalten (*F. Passow*, Handwörterbuch I/1, 429). Eine Inschrift aus dem etwa eine Tagesreise von Thessaloniki entfernt gelegenen Beröa (Mitte 2. Jh. v.Chr.) regelt im Rahmen einer Ordnung für das Gymnasium die Strafmaßnahmen, die der Gymnasiarch gegenüber *ataktountes* – Knaben, die ungehorsam sind, sich nicht an die Ordnung halten – durchführen soll (SEG 261, B. 22.99; vgl. New Docs 2, Nr. 82). Da aus dem Kontext der innergemeindliche Bezug der Aufforderung hervorgeht, sind mögliche Verhaltensweisen innerhalb der Gemeinde angesprochen, die der »neuen Lebensordnung« in Christus – wie sie im Brief besonders in 4,1-12 thematisiert ist – nicht entsprechen und so in der Gemeinde für Unruhe sorgen. Die Instanz, die solche »Unordnung« feststellt, sind andere Christ/innen in der Gemeinde (eine übergeordnete Instanz, die über »richtig« und »falsch« entscheidet, existiert nicht), und sie sollen die, die – metaphorisch – »aus dem Takt geraten« sind, zu einer guten christlichen Lebenspraxis »anleiten«. Dabei verwendet v.14 das gleiche Verb *noutheteō* wie in v.12: Alle sollen sich also gegenseitig, wo dies erforderlich ist, »anleiten«, auf Fehler und Versäumnisse hinweisen, mögliche Verhaltensänderungen und Wege aufzeigen und besprechen. Dies ist kein Privileg der Vorstehenden. Die Gemeinde, in der noch keine festen Ordnungsstrukturen und rechtlichen Regelungen das Leben bestimmen, ist auf diskursive Verhandlung des rechten Verhaltens in ihrem Kreis angewiesen.

Im Zusammenhang mit 4,11 wurden die »Unordentlichen« häufig als Leute in der Gemeinde bestimmt, die ihre geregelte Erwerbsarbeit aufgegeben haben. Ihre »innere Erregung« angesichts der neuen Glaubenserfahrung habe sie aus der bisherigen Ordnung des Lebens aussteigen und in »aktivistische Maßlosigkeit« geraten lassen, was den notwendigen Lebenserhalt durch Arbeit in Frage stelle (so *Holtz* 251 f.; vgl. *Marshall* 151; *Müller* 205; *Malherbe* 317; *Green* 253; *T. J. Burke*, Family 228.242; *Fee* 209 f.; dagegen *Witherington* 162; ↗ 4,11; zugespitzt auf völlige Ablehnung normalen Alltagsverhaltens bei *R. Jewett*, Correspondence 102-105). Doch ist eine Konzentration der Aussage auf eine solche Personengruppe in 5,14 nicht einmal angedeutet, so dass Nachlässigkeit im Berufsleben nur eine unter vielen Möglichkeiten darstellt, wo Verletzungen der in der Gemeinde geltenden Ordnung stattfinden können. Und ein eschatologisch bedingter Übereifer Einzelner (für die Mission?) wird in 1 Thess nirgends erkennbar (↗ 1,3.7). – Der spätere Text 2 Thess 3,6-13, der sich offenkundig auf 1 Thess rückbezieht (1 Thess 2,1.13; 3,4; 4,11; 5,13 f.; die Wortgruppe *atakt-* findet sich im NT nur in 1 Thess 5,14 und 2 Thess 3,6.7.11) und tatsächlich das Aufgeben eines geregelten Erwerbslebens durch einzelne Christen problematisiert, illustriert nicht die Aussage von 1 Thess 4,11; 5,14, sondern wendet sie auf eine spätere Lebenssituation an. – Die Annahme, die *ataktoi* bewirkten Störungen beim Gottesdienst, liest *R. Ascough*, Associations 181 f. auf der Basis antiker Vereinsregelungen in 1 Thess 5,14 ein.

Die *oligopsychoi* (Kleinmütigen) sind die, deren Seele, Lebensmut *(psychē)* gering, klein *(oligos)* geworden ist, also diejenigen, deren Freude, Kraft, Ausdauer und Mut in ihrer neuen christlichen Lebensweise geschwunden ist, was z.B. angesichts äußerer Anfeindungen durch die paganen Mitbewohner nicht überraschen dürfte. Sie sind auf die Unterstützung und Ermutigung durch andere in der Gemeinde angewiesen, und wiederum ist es Sache der ganzen Gemeinde, diese zu »ermutigen« *(paramytheomai;* schon in 2,12).

Zum Begriff *oligopsychos* vgl. LXX Jes 25,5; 35,4; 54,6; 57,15, wo Gott selbst zur Ursache für die Ermutigung seines Volkes wird (im Sinne von fehlendem Selbstbewusstsein verwendet Aristoteles, eth. Nic. 4,3,3-7 den Begriff). Konkrete Fälle von Kleinmut in der Gemeinde werden nicht genannt und können auch nicht »rekonstruiert« werden (z.B. in Bezug auf das Problem von 4,13-18). Die unsichere Lebenssituation als solche kann immer wieder Anlass für Entmutigung sein, wie die Missionare aus ihrer Erfahrung wissen.

Nicht ganz scharf von den *oligopsychoi* getrennt, werden noch die *asthenes* (Schwachen) genannt, was sich auf körperliche, geistige oder soziopolitische Schwäche beziehen kann (vgl. *F. Passow*, Handwörterbuch I/1, 413), also Krankheit, Ermüdung, Mutlosigkeit, Armut und Unvermögen umfasst. Die Bandbreite dieser Bedeutungen ist wohl bewusst offen gehalten, um vielfältige Formen von Verhältnissen und Zuständen Einzelner, die der Unterstützung bedürfen, bezeichnen zu können. Um sie muss sich die Gemeinde »bemühen«, gleichsam an ihnen »festhalten« (zu *antechomai* vgl. auch Mt 6,24/Lk 16,13; Tit 1,9). Die Aufforderung sensibilisiert die, denen es in der Gemeinde (vergleichsweise) gut geht, dafür, geistige und soziale Not und Bedürftigkeit aller Art innerhalb der Gemeinde wahrzunehmen und ihr mit Aufmerksamkeit und Unterstützung zu begegnen.

Nichts deutet darauf hin, dass die Gruppenbildung hinter 1 Kor 8 und Röm 14 f., bei der »Starke« und »Schwache« in der Gemeinde differierende Positionen gegenüber den jüdischen Speisegeboten vertreten, hier eingelesen werden darf. Auch auf »sittlich Schwache« mit sexualethischer Konnotation (*Haufe* 103) weist nichts hin. »Schwache« in sozialer Hinsicht meint z.B. 1 Kor 1,26-29; 11,30; vgl. 9,22; 2 Kor 11,29. *Green* 254 deutet auf niederen sozialen Status (Sklaven oder *liberti*). Diese sind tatsächlich auf die Unterstützung durch andere in der Gemeinde angewiesen (vgl. *V. Gäckle*, Starken 50).

Die Aufzählung schließt mit der Aufforderung, »Geduld gegenüber allen zu haben«. »Alle« bezieht sich im Kontext der Imperativ-Sätze auf die Gemeinde als ganze, nicht auf alle Menschen (vgl. *Holtz* 250; gegen *Rigaux* 584). In vielen Fragen des konkreten christlichen Alltagslebens muss die Gemeinde ihren Weg erst finden und aushandeln, immer wieder müssen die einen die anderen unterstützen, beraten und auch in die Kritik nehmen. Die einen, denen die veränderte Lebensweise leichter fällt oder die unter besseren Bedingungen leben, müssen Rücksicht nehmen auf die anderen, die aus unterschiedlichen Gründen damit nicht Schritt halten können oder wollen. Letztlich handelt es sich um Prozesse der Bildung und Konstituierung von Gemeindeidentität, die Zeit und immer neue diskursive Anläufe benötigen. Daher erinnern die Missionare die Gemeinde daran, »Geduld« miteinander zu haben, »langmütig zu sein« *(makrothymeite)*.

Vergleichbar sind 1 Kor 13,4, wo »die Liebe geduldig/langmütig ist *(makrothymei)*«, und Gal 5,22, wo »Geduld« *(makrothymia)* als eine Frucht des Geistes erscheint. Wörter vom Stamm *makrothym-* werden im außerbiblischen Griechisch selten verwendet, gewinnen aber in LXX Bedeutung, wo sie Gottes Langmut mit seinem Volk bezeichnen (Ex 34,6: *makrothymos;* Ps 102,8; Joel 2,13; vgl. bei Paulus Röm 2,4; auch 9,22). Spr 16,32; 17,27; Sir 5,11 empfehlen Langmut als Haltung für die Lebensführung des weisen Menschen (zum Begriff *Malherbe* 320).

Die sich anschließende Aufforderung beginnt mit dem Imperativ »seht zu« und bezieht sich im Kontext weiter auf innergemeindliche Beziehungen. Dieser Kontext spricht dagegen, hinter der Aufforderung eine Situation zu behaupten, in der Mitglieder der Gemeinde an städtischen Mitbewohnern Vergeltung für angetanes Unrecht üben (so aber *J. M. G. Barclay,* Conflict 520-525; **C. S. de Vos,* Church 160 f.167 f.; **T. J. Burke,* Family 229 f.247; *Green* 255). Solches Handeln, das für den Frieden in der Stadt bedrohlich wäre, die Behörden auf den Plan rufen würde und daher gravierende Folgen für die Existenz der Gemeinde hätte, ist im geschichtlichen Umfeld unwahrscheinlich und müsste im Text deutlich angesprochen sein. Ein simples »mirror-reading« wird den sozialen Gegebenheiten nicht gerecht. Die in jüdischer Tradition (↗ Analyse) stehende Formulierung »dass nicht einer dem anderen Schlechtes mit Schlechtem vergelte« klingt sehr allgemein, trifft aber einen zentralen Punkt: die Vergebungsbereitschaft innerhalb der Gemeinde. Die junge Gemeinde stellte keine uniforme Größe dar, sondern versammelte unterschiedliche Menschen mit verschiedenen Vorstellungen und Erwartungen, die nun eng zusammenleben und aufeinander angewiesen sind. Das Aushandeln des gemeindlichen Miteinanders bringt unvermeidbar kleinere oder größere Verwerfungen mit sich, und es kann nicht ausbleiben, dass Einzelne sich verletzt oder missachtet fühlen. Die Lösung dafür, die das Zusammenleben sichert, besteht in der gegenseitigen Bereitschaft zur Vergebung, im Verzicht darauf, dem anderen Schlechtes mit Schlechtem zu vergelten (*Malherbe* 321 f. beschränkt dies auf Ermahnungen). Über den Verzicht auf Vergeltung hinausgehend lenken die Verfasser den Blick auf eine positive Motivation innergemeindlichen Miteinanders, die ganz zielgerichtet (»verfolgt«) und umfassend (»allezeit«) gemeint ist: »verfolgt allezeit das Gute für einander und für alle«. Das gute Handeln am anderen wird zum Ziel des Gemeindeethos, das mit Einsatz und Engagement zu erstreben ist.

Das Ziel, das »Gute« zu tun, ein sittlich gutes Leben zu führen, war in der Ethik hellenistisch-römischer Philosophie weit verbreitet (↗4,3-8). Auch das Verb *diōkein* als Streben im Sinne des ethischen Verhaltens wurde häufig benutzt (Belege bei *W. Bauer*, Wörterbuch 404; vgl. Phil 3,12-14; Röm 9,30f.). Mit der Ausrichtung am »Guten« kann also ein ethisches Prinzip aufgerufen werden, das die Gemeinde mit ihrer Umwelt verbindet – wobei zu bestimmen bleibt, worin das Gute besteht. Hier ist es am Wohl des anderen in der Gemeinde orientiert. Auch in der jüdischen Ethik kann das »Gute« als Zielvorgabe genannt sein (z.B. LXX Ps 33,15; 36,27; 52,2.4 [negativ]; Sir 17,7; 1QS 1,2; 4,26; 1QSa 1,10f.). Paulus greift es wiederholt auf (z.B. Gal 6,10; Röm 2,10; 12,2.21).

Am Ende der Aufforderung steht die Ausweitung der Zielvorgabe des Guten auf »alle«, also auch auf außerhalb der Gemeinde stehende Christen und pagane Stadtbewohner. Die radikal am Guten ausgerichtete ethische Haltung der christlichen Gemeinde gilt prinzipiell über den Binnenraum der Gemeinde hinaus für alle Menschen, mit denen sie Gemeinschaft pflegt – auch und gerade wenn sie von deren Seite nicht nur Gutes erfährt (vgl. *V. P. Furnish*, Inside 111f.). Sie vermag damit zugleich ein wesentliches ethisches Prinzip der paganen Welt zu erfüllen (vgl. Röm 12,17).

16-22 **16-22** Die Reihung kurzer Imperativsätze in 5,16-22 weist die Adressaten auf Aspekte des geistlichen Lebens hin. Dabei lassen sich zwei Dreiergruppen erkennen, deren letztes Glied jeweils erweitert ist. Als erste Gruppe werden die geistlichen Vollzüge Freude, Gebet und Dank hervorgehoben (v.16-18a). Der Hinweis auf den Willen Gottes in v.18b schließt diese Dreiergruppe ab und stellt eine kleine Zäsur dar. Es folgen als zweite Gruppe Geistäußerungen, Prophetien und die Prüfung dieser Phänomene (v.19-21a). Die Prüfung wird in v.21b.22 sowohl nach der positiven als auch nach der negativen Seite hin entfaltet; die beiden vom gleichen Wortstamm abgeleiteten Verben *katechete* (»behaltet«) und *apechesthe* (»haltet euch fern«) entsprechen sich dabei antithetisch (Paronomasie). All dies dürfte der Gemeinde grundsätzlich bekannt sein (und bedarf daher auch keiner umfangreichen Ausführung), doch ist das geistliche Leben so wesentlich für die Existenz der Gemeinde, dass die Verfasser es im Epilog des Briefes stichwortartig einspielen.

Dabei ist der Kontext des geistlichen Lebens keineswegs auf den Gottesdienst der Gemeinde beschränkt (so aber *Fee* 202.214; vgl. *Malherbe* 328), sondern für den gesamten Vollzug christlicher Existenz als Einzelne und als Gemeinde offen.

In einem inneren Zusammenhang steht die erste Imperativ-Gruppe in 5,16-18, die Aufforderung, sich allezeit zu freuen, unablässig zu beten und in allem zu danken. Die verbale Formulierung lässt nicht an abstrakte Vorstellungen, sondern an lebendige Vollzüge denken. Sich-Freuen, Beten und Danken stellen grundlegende geistliche Haltungen dar, die das Leben der Gemeinde dauerhaft prägen, wie die adverbialen Bestimmungen »allezeit«, »unablässig« und »in allem« signalisieren.

»In allem« *(en panti)* meint in jeder Situation (nicht »für alles« – das wäre *peri pantos*), wobei der temporale Aspekt mitklingt (mit *Haufe* 105; anders *Holtz* 257). Dafür spricht die Reihung der adverbialen Bestimmungen. Mit *en panti* kann das ganze Leben, der ganze Lebensvollzug umfasst sein (vgl. 1 Kor 1,5; 2 Kor 4,8; 6,4; 7,5.11.16; 8,7; 9,8.11; 11,6.9).

Das *Sich-Freuen* entspringt dem Bewusstsein, auf der Basis des Heilsereignisses in Christus in einer neuen Gottesbeziehung und als Gemeinde Christi zu leben (vgl. 5,9f.). Insofern trägt es eschatologischen Charakter und weist bereits auf die Vollendung bei Gott voraus (vgl. 1,6; 3,9; Phil 1,25; Röm 12,12; 14,17; 15,13; als Aufforderung auch 2 Kor 13,11; Phil 3,1; 4,4). *Beten* ist der lebendige Vollzug dieser Gottesbeziehung (vgl. 1,2; Röm 12,12), der im Rahmen personaler Gemeinschaft Gott anerkennt, anspricht und ehrt. Die Haltung des *Dankens*, der Dankbarkeit ergibt sich als logische Folge aus dem Bewusstsein, von Gott gerettet zu sein. Die Gemeinde an sich verdankt ihre Existenz Gott und seinem Heilshandeln in Christus. Auch Danken stellt eine Form des Gebets und damit des Vollzugs der Gottesbeziehung dar (verbunden auch in 1,2; Phil 4,6). Dass die Gemeinde »in allem« danken soll, redet keiner weltfremden Ignoranz der tatsächlichen, für die Gemeinde häufig schwierigen oder gar bedrohlichen Verhältnisse innerhalb ihrer städtischen Mitwelt das Wort, sondern weiß sich der Einsicht verpflichtet, dass allen Bedrängnissen der Charakter des Vorläufigen eignet und sie nur ein Durchgangsstadium bedeuten. Der begründende Nominalsatz in v.18b, »denn dies (ist) Gottes Wille im Christus Jesus für euch«, bekräftigt, dass diese geistliche Beziehung und Zugehörigkeit zu Gott dem Willen Gottes entspricht, des Gottes, der sich im

»Christus« (Messias), seinem Repräsentanten, den Seinen (»für euch«) offenbart und rettend zugewandt hat.

Vom »Willen Gottes« sprach bereits 4,3 und verband ihn dort mit der »Heiligung« der Gemeinde (↗4,3). Das erläuternde *gar* (denn) in 5,18b deutet an, dass sich das Demonstrativpronomen *touto* hier zurückbezieht auf die drei vorangehenden Aufforderungen zum geistlichen Leben. Es umfasst aber in der Sache indirekt auch das Folgende (*Malherbe* 330 bezieht zurück auf das Danken und zugleich voraus auf die Prophetie, untergewichtet damit aber die jeweiligen Zusammenhänge).

Die zweite Imperativ-Gruppe in v.19-22 bringt als Teil des geistlichen Lebens Äußerungen des Geistes in der Gemeinde zur Sprache, zunächst mit der Mahnung: »den Geist unterdrückt nicht!« Bereits 1,5 setzt voraus, dass der heilige Geist bei der Verkündigung des Evangeliums in Thessaloniki in der Gemeinde wirksam war, und 4,8 weiß von der Gabe des heiligen Geistes als Ermöglichung der Beziehung zu Gott und der neuen Lebensweise der Gemeinde. Speziell dieser Geist Gottes ist auch hier gemeint (mit bestimmtem Artikel: *to pneuma*/der Geist). Genauere Informationen über Geistphänomene in der Gemeinde gibt der Brief nicht. Ausführlicher kommen die »Geistesgaben« in ihrer ganzen Breite später in 1 Kor 12,1-11.28-30 zur Sprache. Dort wird klar, dass sich der göttliche Geist in verschiedenen Phänomenen innerhalb der Gemeinde äußern kann. Die verschiedenen Begabungen, die Einzelne im Leben der Gemeinde zum Einsatz bringen, werden als »Gaben des Geistes« (Charismen) gedeutet. Diese umfassen ein breites Spektrum von Weisheits- und Erkenntnisrede über Heilungen und Krafttaten bis zu Prophetie und der ekstatischen Zungenrede (1 Kor 12,8-10), aber auch Hilfeleistung und die Gabe der Organisation und Leitung (12,28). Sie alle dienen dem Zusammenleben und der Einheit der Gemeinde. Die knappe Aufforderung in 1 Thess 5,19 umfasst alle in der Gemeinde von Thessaloniki vorhandenen Geist-Begabungen, die für das christliche Leben und den Aufbau der Gemeinde eingesetzt werden (gegen *Malherbe* 331, der auf die Prophetie einschränkt). Entscheidend für das Gemeindeleben ist, diese wahrzunehmen und ihnen Raum zu geben, sie »nicht zu unterdrücken«. Damit ist jeder und jede Einzelne aufgefordert und ermutigt, seine/ihre eigenen Begabungen zu sehen, ihnen Raum zu geben und sie für die Gemeinde einzusetzen. Das Verb *sbennymi* bezieht sich im antiken Gebrauch häufig auf Leidenschaften bzw. Erscheinungen, die vom Inneren des Menschen ausgehen und von ihm »unter-

drückt, beruhigt« werden können (vgl. *W. Bauer*, Wörterbuch
1491; *F. Passow*, Handwörterbuch II/2, 1387 f.; *W. C. van Unnik*,
Geist 261 f.265-268; zur aktiven Förderung des »Geistes« bzw. der
prophetischen Rede ruft Röm 12,11 bzw. 1 Kor 14,39 auf). Geist-
begabungen sind wesentlich für den Aufbau der Gemeinde und
sollen daher geschätzt und gefördert, nicht unterdrückt werden –
sowohl bei sich selbst als auch bei anderen.

Nichts deutet darauf hin, dass mit v.19-22 irgendwelche Missstände in der
Gemeinde beim Umgang mit Geistphänomenen korrigiert werden sollen.
Ohne Anhalt am Text liest z. B. *Fee* 218 f. von dem späteren Text 2 Thess
2,1 f. her ekstatische Tendenzen im Gottesdienst ein, die der Anpassung
bedürfen.

Eigens hervorgehoben als eine bestimmte Erscheinungsform des
Geistes (*F. W. Horn*, Angeld 129 f.) wird in v.20 die Geistesgabe
der Prophetie, wörtlich im Plural »Prophetien«, d. h. prophetisches
Reden. Es gehört im antiken Kontext in den weiten Bereich der
göttlichen Inspiration (↗Exkurs 6). Die urchristliche Prophetie
zählt in 1 Kor 12,10 zu den Gaben des Geistes und trägt nach 1 Kor
14,1-33 in besonderer Weise zum Aufbau der Gemeinde bei. In
1 Kor 12,28 erscheinen daher die Propheten als zweite numerisch
hervorgehobene Gruppe nach den Aposteln und vor den Lehrern,
denn ihr Wirken ist für die Existenz der Gemeinde von grundlegender Bedeutung. Prophetisches Reden spricht das Denken und Verstehen des Menschen an und unterliegt dem Einfluss des Verstandes
(1 Kor 14,19.32). Auf dem Hintergrund der prophetischen Tradition Israels ist an eine von Gott (im Geist) gegebene Inspiration gedacht, die dem Propheten den Willen Gottes offenbart und damit
die Lebenssituation Israels erschließt. Der Prophet ist mit seinem
eigenen Verstehen in diesen Prozess einbezogen (vgl. Am 3,1-8;
8,1 f.; Mich 3,8). Prophetisches Reden deutet die tieferen Gründe
des Menschen und der Wirklichkeit und eröffnet so ein von Gott
geleitetes Verständnis der Welt und des eigenen Lebens. Entsprechend charakterisiert 1 Kor 14,25 die prophetische Rede (in Bezug
auf einen Außenstehenden): »das Verborgene seines Herzens wird
offenbar«. Daher bezieht sie sich in erster Linie auf die Gegenwart
und sagt weniger die Zukunft voraus (anders *Müller* 211 f.). Nach
Joel 3,1 f. wird die Prophetie zu einem besonderen Kennzeichen der
eschatologischen Zeit Gottes, wenn nämlich alle »Söhne und Töch-
ter« Israels prophetisch reden (zitiert in Apg 2,17 f.). In ihrer Funktion der eschatologischen Weltdeutung trägt die Prophetie wesent-

lich zum Verständnis des neuen Lebens in Christus bei. Sie dient der Erbauung, Ermunterung und Belehrung der Gemeinde in aktuellen Situationen (1 Kor 14,3.31). Daher darf sie in der Gemeinde nicht »gering geschätzt« werden.

Aus dieser allgemeinen Aufforderung darf man nicht auf eine konkrete Situation schließen, etwa dass die Gemeinde prophetischen Worten keine Geltung einräumte (so *Holtz* 260); dass sie Prophetie, einer philosophischen Skepsis folgend, generell ablehnte (*Green* 260-264); dass ein Konflikt zwischen Gemeindeleitern und Propheten bestand (**R. Jewett*, Correspondence 175 f.); oder dass Paulus seine Warnung vor Falschprophetie in 5,3 nicht auf alle prophetischen Äußerungen über das Ende übertragen wissen will (so *Malherbe* 323; vgl. schon *Marxsen* 72; ↗ 5,3). Die Aufforderung unterstreicht vielmehr die Bedeutung der Prophetie für die Gemeinde und ermuntert dazu, diese Begabung auch einzubringen. Dabei muss nicht an bestimmte Personen gedacht sein, die dauerhaft als Propheten wirken, sondern in allen Gemeindegliedern können sporadisch prophetische Begabungen auftreten, die ernst zu nehmen sind.

Eng verbunden mit der Prophetie ist nach v.21 die Prüfung von »allem«. Das *de* signalisiert dabei den Rückbezug von *panta* (»alles«) auf den unmittelbar vorausgehenden Imperativsatz zur Prophetie (mit *Holtz* 261; *Haufe* 106; auf alle Geistäußerungen bezieht *Rigaux* 592) und zugleich dessen Einschränkung: Auch die prophetische Rede steht unter dem Vorbehalt menschlicher Begrenztheit (vgl. 1 Kor 13,8 f.). Sie bedarf in besonderer Weise der Prüfung und damit der Aneignung: Als Verstandesäußerung ist sie für den Diskurs innerhalb der Gemeinde bestimmt, und daher müssen die anderen in der Gemeinde sie auch beurteilen.

1 Kor 14,29 spricht vom Beurteilen *(diakrinō)* prophetischer Rede (vgl. später 1 Joh 4,1). Nach 1 Kor 12,10 ist auch die »Unterscheidung der Geister«, die der Prophetie unmittelbar folgt, ein Charisma. Das Verb *dokimazō* (»prüfen«) verwendet Paulus in späteren Briefen noch öfter, wenn er die Prüfung christlicher Lebenshaltung bzw. -praxis anspricht (1 Kor 11,28; 2 Kor 13,5; Gal 6,4; Röm 14,22). – Zu beachten ist, dass nicht Personen überprüft werden (etwa ob sie »echte« Propheten sind, vgl. Mt 7,15-20; Did 11,3-12,5), sondern *Inhalte* prophetischer Rede!

Das Ergebnis der Prüfung ist grundsätzlich offen. Die anderen müssen sich die prophetisch geäußerten Einsichten selbst zu eigen machen, sofern sie für ihr Leben und Verstehen hilfreich sind. Die Grundlage für ihr Urteil bildet ihr Wissen um das neue christliche Ethos, das ihnen die Missionare vermittelt haben, und ihre eigene

Erfahrung mit der Existenz als Christus-Anhänger/innen. Wenn sie eine prophetische Äußerung auf ihr eigenes Leben anwenden, dann »behalten sie das Gute *(to kalon)*«. Andernfalls dürfen sie sich jedoch auch kritisch zur prophetischen Äußerung verhalten und sie von ihrem eigenen Verstehen her diskutieren und ablehnen. Dann folgen sie der Aufforderung: »von jeder Gestalt *(eidos)* des Bösen *(poneron)* haltet euch fern«. Sie entscheiden selbst, wo sie Distanz halten müssen, was dem Einzelnen und der Gemeinde als ganzer schadet, sie zurückwirft und beeinträchtigt. Und in dieser Entscheidung reflektieren sie zugleich, wie sich Gottes guter Wille für sie konkret umsetzen lässt (vgl. 4,3; 5,18). Die Wendung »jede Gestalt des Bösen« bedeutet eine Verallgemeinerung und lässt die konkrete Gestalt des Bösen offen (*pan eidos ponērias* auch in Josephus, ant. 10,37). Die Gemeinde hat selbst ihr Urteil zu fällen.

Eidos meint hier eher das Aussehen, die konkrete Gestalt, als die allgemeine Form oder Gattung/Art (*F. Passow*, Handwörterbuch I/2, 783). Die in den Begriffen *to kalon* (das Gute, Schöne) und *to poneron* (das Schlechte, Übel) gesetzte Antithetik dient in Am 5,14 f. LXX dazu, das Gute als den Willen Gottes und damit als Orientierung für die Lebensgestaltung Israels hervorzuheben (vgl. 2 Kor 13,7; Röm 12,17). In Ijob 1,1.8 begegnet eine ähnliche Formulierung: Ijob »hielt sich fern von jeder bösen Tat«, was bedeutet, dass Ijob ganz im Sinne Gottes lebt und Gottes Willen verwirklicht. – Die antithetische Struktur in v.21 f. spricht dafür, *poneron* ebenso wie *to kalon* als Substantiv zu lesen (anders *Fee* 222 f.: »every evil form«).

Nicht übersehen werden darf, dass in 1 Thess 5,22 nicht einzelne Personen als »böse« abgestempelt werden, sondern unpersönlich das Böse oder Übel angesprochen wird. Nicht Gruppenbildung oder gar Ausschluss, sondern die Unterscheidung weiterführender, dem Willen Gottes entsprechender Haltungen steht im Fokus. Wieder zeigt sich die offene Struktur der Gemeinde, in der die Prophetie und ihre Beurteilung in Spannung zueinander stehen können und keine übergeordnete Instanz existiert, die der Gemeinde die Entscheidung abnehmen könnte. Die Einzelnen müssen ihr Verständnis und ihre Position im Diskurs gemeinsam aushandeln, wobei die Prophetie als Äußerung des Geistes besondere Wertschätzung verdient. Aber selbst sie ist – als menschliche Äußerung – nicht über jede Kritik erhaben! Es ist gerade dieser Prozess ernsthaften gemeinsamen Suchens, der die Gemeinde näher an den Willen Gottes heranführen kann.

Exkurs 6: Antike Mantik und urchristliche Prophetie

Literatur: M. Ebner, Die Stadt als Lebensraum der ersten Christen. Das Urchristentum in seiner Umwelt I (GNT 1/1), Göttingen 2012; *H.-J. Klauck*, Die religiöse Umwelt des Urchristentums I (KStTh 9/1), Stuttgart 1995; *C. Oesterheld*, Göttliche Botschaften für zweifelnde Menschen. Pragmatik und Orientierungsleistung der Apollon-Orakel von Klaros und Didyma in hellenistisch-römischer Zeit (Hypomnemata 174), Göttingen 2008; *V. Rosenberger*, Griechische Orakel. Eine Kulturgeschichte, Darmstadt 2001; *J. Rüpke*, Die Religion der Römer. Eine Einführung, München 2001; *W. C. van Unnik*, »Den Geist löschet nicht aus« (I Thessalonicher V 19), NT 10 (1968) 255-269.

Das prophetische Reden gewinnt zusätzliches Profil im Kontext der in der hellenistisch-römischen Kultur geläufigen Mantik (Überblick bei *J. Rüpke*, Religion 219-222; *H.-J. Klauck*, Umwelt 147-169), wie sie besonders in Orakelstätten wie Delphi, Korope oder Didyma gepflegt wurde (dazu *V. Rosenberger*, Orakel; *C. Oesterheld*, Botschaften; *M. Ebner*, Stadt 306-329). Dabei wollen Menschen ihre eigenen Entscheidungen durch den Willen der Götter absichern. Ein Klient sucht göttliche Antwort in einer bestimmten Lebenssituation und tritt mit einer konkreten Frage an das Orakel heran (z. B. ob man ein bestimmtes Haus kaufen soll oder ob man der Vater des Kindes ist, das eine Frau erwartet). Dabei ist die Vorstellung eines Mediums (oder Propheten) entscheidend, das, häufig in einem ekstatischen bzw. enthusiastischen Zustand, göttliche Inspiration erfährt. Plutarch hält in Bezug auf das Orakel in Delphi fest, dass das Medium, die Pythia, von aus der Erde aufsteigendem *pneuma*, einem unterirdischen Dampf oder Hauch (in der Stoa der feinste, weltgestaltende Urstoff), die Inspiration erfährt (Plutarch, de Pyth. or. 402bc; de def. or. 432de.438c; vgl. Cicero, div. 1,38.114 f.; Strabon 9,3,5). Dies bewirkt den Zustand des »Enthusiasmos«, also einer Einwohnung des Göttlichen, in dem das Medium prophezeien kann. Das Eindringen des *pneuma* überwindet die Schwelle, die das Bewusstsein – den Verstand, dessen Vorsicht sonst die Inspiration unterdrückt *(katasbennymi)* – vom Unbewussten trennt, wie Plutarch gemäß antiker Psychologie reflektiert (de def. or. 432c-f) (vgl. *W. C. van Unnik*, Geist 265-268; *Malherbe* 335 f.; *M. Ebner*, Stadt 317). Die im Zustand der Inspiration geäußerten Worte oder Laute des Mediums galten als Ausweis des Willens des Orakelgottes, mussten jedoch durch einen Interpreten gedeutet werden, um verständlich und sagbar zu werden. Häufig hat man freilich ganz praktisch an ein einfaches Losorakel zu denken, das eine Ja/Nein-Antwort erteilte.

Auch bei der prophetischen Rede der ersten Christen handelt es sich um eine Form der Inspiration, und sprachlich ist auch hier das *pneuma* genannt (und das Verb *sbennymi*). Dabei handelt es sich aber nicht um eine Naturkraft, sondern um den personal gedachten Geist Gottes, und dieser äußert sich nicht in ekstatischen Zuständen, sondern betrifft primär den Verstand des prophetisch Inspirierten, der auch die Oberhand über die prophetische Äußerung behält (1 Kor 14,15.19.32). Prophetie ist nicht exklusiv an Spezialisten gebunden, sondern kann prinzipiell jedem Christen zuteil werden. Medium und Interpret fallen dabei zusammen, so dass der Prophet oder die Prophetin mit verständlichen Äußerungen direkt auf konkrete Lebenssituationen eingehen kann. Auch hier steht die Suche nach dem göttlichen Willen und nach den richtigen Entscheidungen zum Gelingen des Lebens im Vordergrund, doch die konkreten Inhalte können, ja sollen von der Gemeinde diskutiert und beurteilt werden. Der göttliche Wille wird im Miteinander der Auslegung erkannt. Damit reflektiert die Inspiration christlicher Propheten zwar die verbreitete mantische Praxis der antiken Kultur, erhält aber eine für die christlichen Gemeinden charakteristische Ausprägung.

23 f. Die Mahnungen und damit der Epilog des Briefes schließen mit einem Segensgebet für die Adressaten. Nun tritt Gott als Subjekt des Handelns in den Fokus (den Blickwechsel unterstützt die Partikel *de*). Die Mahnungen für das Zusammenleben als Gemeinde werden umfasst und getragen vom Vertrauen auf Gott. Das Segensgebet öffnet die Perspektive und fasst die grundlegende Intention des ganzen Briefes in einem Satz zusammen: das gelungene Leben und die Beständigkeit als Christus-Gemeinde. Diese werden jetzt ganz dem Wirken Gottes anheimgestellt. Mit den Anspielungen auf den Lebenswandel und die Heiligung der Gemeinde sowie auf die Parusie des Herrn greifen die Verfasser Themen auf, die besonders im zweiten Teil des Briefcorpus wichtig waren (4,1-5,11). Aber auch die Berufung der Adressaten (1,4; 2,12; 4,7) kommt erneut in den Blick. Das Segensgebet erfüllt eine eigene Brieffunktion und deutet nicht auf liturgische Verwendung (vgl. *M. Müller*, Schluss 112-117; anders *R. F. Collins*, Liturgy 140-142).

Der Satz in v.23 ist, seiner Funktion des feierlichen Abschlusses entsprechend, kunstvoll konstruiert: Nach der Nennung Gottes ist der Satz kon-

23 f.

zentrisch aufgebaut, wobei im Zentrum die beiden durch ihren Gleich-
klang (Anapher) hervorgehobenen, prädikativ verwendeten (und daher
adverbial übersetzten) Adjektive *holoteleis* (vollkommen) und *holoklēron*
(vollständig) stehen. Den äußeren Rahmen bilden die beiden Verben *hagiasai* (heilige) und *tērētheiē* (werde bewahrt). Dazwischen stehen die
Briefadressaten als Objekt des Handelns Gottes, im ersten Fall repräsentiert durch das Pronomen *hymas* allein, im zweiten durch die umfassende
anthropologische Charakterisierung Geist, Seele und Leib, das Adverb
»untadelig« und den Horizont der Parusie Christi. Damit erhält der Satz
ein Achtergewicht, das die Bewahrung des ganzen Menschen im Blick auf
die Parusie akzentuiert. – Es bestehen Ähnlichkeiten zum Gebetswunsch
in 3,11-13: Anrede »Gott selbst aber«, Verben im Optativ, Begriffe »untadelig« und »Heiligkeit/heilig«, Parusie des Herrn. Sie ergeben sich aus der
Funktion des Abschlusses, der jeweils zentrale Aspekte vorausgehender
Briefteile aufgreift.

Gott selbst ist Subjekt des Segens, der Bitte in Bezug auf Heiligung
und Bewahrung der Adressaten (im Optativ Aorist: *hagiasai*/heili-
ge; *tērētheiē*/werde bewahrt). Anders als in 3,11 (Gott und der Herr
genannt) ist hier stärker theozentrisch formuliert. Die indirekte Anrede »der Gott des Friedens selbst aber«, die an der Stelle einer direkten Du-Anrede steht, korrespondiert dem Friedenswunsch im
Präskript des Briefes (1,1) und basiert auf dem Gedanken, dass
Friede, d.h. ganzheitliches Wohlergehen (*schalom;* dazu auch
*T. Jantsch, Gott 45-48), Gottes guter Absicht mit den Menschen
und speziell mit der angeschriebenen Christus-Gemeinde entspricht. Auf diesen Gott darf die Gemeinde vertrauen, und daher
richten auch die Verfasser ihre Bitte an ihn.

Der Wunsch, Gott »heilige euch vollkommen«, greift die Ausführungen zur Heiligung der Gemeinde aus 4,3-8 auf, legt aber nun das
Gelingen und die Vollendung der heiligen, also Gott entsprechenden Existenz ganz in die Hand Gottes. Heiligsein meint ein Leben
aus der Beziehung zu Gott, die von Gott her ihre besondere Qualität empfängt (vgl. 3,13). Insofern ist davon die gegenwärtige Existenz der Gemeinde betroffen (anders **M. Bohlen*, Communio 142:
erst bei der Parusie; vgl. aber 1 Kor 1,2; 6,11; Röm 15,16). Heiligen
und Berufen (v.24) stehen in einem engen Zusammenhang als Ausweis des Heilshandelns Gottes (in LXX stehen *hagiazein* und *kalein*
häufig parallel; vgl. *G. Delling*, Gottesaussagen 409). Wenn nichts
mehr zwischen Gott und Mensch steht, wenn der Mensch ganz
aus der Beziehung zu Gott lebt, ist das Heiligsein »vollkommen«.
Darin liegt eine eschatologische Dimension: Die Gemeinde in Thessaloniki darf sich bewusst machen, dass sie sich auf dem Weg in die

unmittelbare und unverlierbare Gemeinschaft mit Gott befindet, die Gott selbst herbeiführen wird (die Unversehrtheit des Opfers im Kult klingt hier nicht an; gegen *Witherington* 172 f.; *N. K. Gupta*, Worship 55-60).

Das Segensgebet profiliert hier – wie allein schon seine Form nahelegt – das »Heiligen« nicht als Forderung der Ethik, sondern als Handeln Gottes in der Beziehung zum Menschen (vgl. *E. D. Schmidt*, Heilig 356-358; das ethische Handeln des Menschen integrieren *Holtz* 264; *Green* 267 f.; *F. Blischke*, Begründung 90-92; *M. Vahrenhorst*, Sprache 135). Die Beziehungsdimension prägt schon Stellen wie Lev 11,44 f.; 19,2; 20,7 f.26; 22,32, die Gottes Heiligsein mit dem Heiligsein des Volkes Israel verbinden, damit aber das Halten der Satzungen Gottes motivieren. Das geschieht hier in 5,23 nicht. – Ich bezweifle, dass die begriffliche Differenzierung zwischen »Heilig*ung*« (*hagiasmos* – Vorgang; 4,3-8) als gegenwärtiger Prozess und »Heilig*keit*« (*hagiosynē* – Zustand; 3,13) als Zukunftsgut der Vollendung dem Gemeindeverständnis des 1 Thess entspricht (so aber *E. D. Schmidt*, Heilig 395; *M. Bohlen*, Communio 142-144, im Zusammenhang mit der Beobachtung, dass die Gemeinde, anders als in späteren Paulusbriefen, in 1 Thess nicht als »die Heiligen«/*hoi hagioi* bezeichnet wird). Beides sind Beziehungsbegriffe, die die *gegenwärtige* Existenz der Gemeinde bereits *in eschatologischer Qualität* aus der Beziehung zu Gott beschreiben. Der Zukunft bleibt das *vollkommene* Heiligsein (5,23) vorbehalten.

Die Verbindung zum zweiten Segenswunsch wird durch *kai* hergestellt. Weil beide Wünsche unterschiedliche Aspekte akzentuieren – die Beziehung zu Gott (Heiligen) und die Existenz des Menschen (Bewahren) –, verstehe ich das *kai* nicht epexegetisch (wie z. B. *Malherbe* 338). Beide Wünsche intendieren das Wohlergehen der Gemeinde, setzen aber andere Akzente.

Der zweite Segenswunsch richtet sich auf die vollständige Bewahrung des ganzen Menschen, der dazu in seinen wesentlichen Bestandteilen umschrieben wird: Geist, Seele und Körper.

Hinter der Dreiteilung Geist, Seele und Leib steht keine systematisch reflektierte Anthropologie. Bereits das *pneuma* kann im hebräischen Menschenbild die Lebenskraft, den Willen und das Bewusstsein des Menschen und damit den ganzen Menschen umfassen (so, auch im Briefschluss, Gal 6,18; Phil 4,23; Phlm 25). Aber auch *psychē* und *sōma* werden zusammen als Bezeichnung des ganzen Menschen gebraucht (z. B. 2 Makk 7,37; 14,38; 15,30; Weish 1,4; 8,20; Philo, leg. all. 3,62; cher. 128; det. pot. ins. 19; agric. 46.152; TestSim 2,5; 4,8 f.; TestDan 3,2; LAB 16,3; 43,7; Josephus, bell. 1,429 f.; 3,102.362.378; 4 Makk 10,4); Weish 9,15 greift die platonische Auffassung vom Leib, der die Seele beschwert, auf (Platon, Phaed. 81c; vgl.

Philo, som. 1,147.181; Josephus, bell. 1,84; 2,154 f.). In 4 Makk 11,11 stehen *pneuma* und *sōma* zusammen (vgl. Weish 2,2-4; TestNaph 2,2; bei
Paulus 1 Kor 5,3; 7,34; Röm 8,10.13). In 1 Thess 2,8 steht *psychē* für das
ganze Leben der Verfasser. Hier in 5,23 werden alle drei Elemente vereint,
um die Ganzheit des Menschen zu betonen (vgl. *O. Merk*, 1 Thessalonicher 66; **F. W. Horn*, Angeld 131).

Angesichts aller tatsächlichen und denkbaren Gefährdungen, denen
die Gemeinde in ihrer städtischen Umwelt ausgesetzt ist, gewinnt
der Wunsch um vollständige Bewahrung seine Aussagekraft. »Vollständig« ist sie dann, wenn sie den ganzen Menschen in seiner kör-
perlich-sozialen und geistig-seelischen Dimension umfasst. Auch
hier steht wieder die Motivation zum Vertrauen auf Gott, von dem
sich die Gemeinde berufen weiß, und zum Durchhalten der neuen
Lebensweise als Gemeinde im Hintergrund. Für das Selbstverständnis der Gemeinde ist es wesentlich, dass sie ihre Existenz in
eschatologischem Licht erfasst, und so markiert erneut (nach 2,19;
3,13; 4,15) die Parusie des Herrn das endzeitliche Ziel christlichen
Lebens. Die Formulierung mit der Präposition *en* »bei *(en)* der Ankunft« hebt das am Ende der Zeit erwartete Ziel des Heilshandelns
Gottes an der Gemeinde hervor. Bei diesem Ereignis »untadelig« zu
sein, betrifft nicht nur die Haltung der Gemeinde (»the ethical/mo-
ral dimension« überbetont *Fee* 229), sondern ist in erster Linie Bitte
an Gott. Wie in dem Gebetswunsch in 3,13 ist damit das Ethos, die
gesamte Existenz in der Beziehung zu Christus und im Blick auf die
Parusie umfasst. Die Parusie impliziert kein Gerichtshandeln Gottes, bei dem sich die Christen erst noch verantworten müssten, sondern bedeutet die Ankunft des Herrn als Auftakt der Rettung, der
endzeitlichen Heilsgemeinschaft mit dem Herrn (vgl. 4,17).
Das Segensgebet schließt in v.24 mit der Versicherung: »Treu (ist),
der euch ruft; er wird es auch tun«. Formal betrachtet steht der Satz
dort, wo das Gebet auch mit einem einfachen *amēn* hätte enden
können. Er erfüllt ebenso die Funktion der Bekräftigung und des
Ausdrucks von Vertrauen. Betont vorangestellt steht das Adjektiv
pistos, das hier eindeutig mit »treu« zu übersetzen ist (↗Exkurs 2).
Das Motiv der Treue Gottes (vgl. 1 Kor 1,9; 10,13; 2 Kor 1,18)
bringt Gottes Verlässlichkeit für die Seinen zum Ausdruck und begründet so Vertrauen gegenüber Gott, dessen Heilshandeln die Gemeinde selbst erfahren durfte. Es stellt die theologische Grundlage
für das Segensgebet in v.23 dar.

In Dtn 7,9 wird z. B. die Treue Gottes als Treue zu seinem Bund und Gnade für diejenigen, die ihn lieben und seine Gebote halten, expliziert (vgl. PsSal 14,1), und Dtn 32,4 spricht vom »Gott der Treue«. In Ps 144,13 LXX steht Gottes Treusein in seinen Worten parallel zu seinem Heiligsein in seinen Werken. Jes 49,7 verbindet Treue Gottes und Erwählung.

Gott ist der »Rufende«. Die Berufung der Adressaten durch Gott ist Ausweis seiner Treue. Diesen Ruf thematisierten bereits 2,12 (eschatologische Berufung) und 4,7 (Berufung in Heiligung), so dass damit die besondere Erwählung (1,4), Annahme und Beanspruchung der Gemeinde durch Gott erinnert wird. Die Verfasser sind sich im Vertrauen auf Gott sicher, dass Gott ihrem Gebetswunsch entsprechen wird: »er wird es auch tun«. Damit mündet der ganze Brief in die Motivation zum Vertrauen auf Gott, der die Gemeinde in die Existenz gerufen hat und sie beständig begleitet. Dieses Vertrauen prägt ihre Beziehung zu Gott und kann sie durch alle inneren und äußeren Anfechtungen hindurch, die ihre Lebenssituation als Minderheit in einer hellenistisch-römisch dominierten Stadt mit sich bringt, in ihrer neuen christlichen Identität bewahren.

3. Rhetorische Strategie

Die Kommunikation des vorliegenden Briefes hat eine bestimmte Richtung. Die Gründer der jungen Gemeinde in Thessaloniki wenden sich im Brief an die Gemeinde, um die durch ihre Abwesenheit unterbrochene Beziehung fortzusetzen. Wenn der Brief vorgelesen wird, sind sie in der Gemeindeversammlung virtuell gegenwärtig. Wie sich Eltern aus der Ferne um ihre Kinder sorgen (vgl. 2,7.11), so sorgen sich die Missionare um ihre junge Gemeinde, denn sie wissen um mögliche Zweifel, Verunsicherungen und Konflikte, die angesichts sozialer Prozesse der Distanzierung und Entfremdung auftreten und denen die Konvertitengruppe unweigerlich ausgesetzt ist. Die am Ende eines antiken Briefes geläufigen Mahnungen drücken diese Sorge um die Gemeinde aus, und gerade in dieser Sorge werden die Missionare bei der Gemeinde präsent und nehmen Anteil an ihrem Leben. Die Beziehung zwischen Missionaren und Gemeinde wird aktualisiert und die Gemeinde erfährt erneute Zuwendung. Zugleich sind die Mahnungen von der Autorität getragen, die die Missionare als Erstverkünder und Gemeindegründer besitzen. Vergleichbar sind die Mahnungen mit denen in Röm 12,9-21: Auch sie blicken auf die Situation kleiner Christus-Gruppen in einem dominierenden hellenistisch-römischen Lebensumfeld und erfüllen die Funktion, zu einer der christlichen Überzeugung entsprechenden Gestaltung des Gemeindelebens beizutragen.

Die in der antiken Philosophie erörterten Techniken rationaler Seelenführung (Psychagogie), die *Malherbe* 323-327 als Hintergrund hervorhebt, zeigen tatsächlich nur wenig Analogien zu den Aufforderungen in 1 Thess 5,12-15.

Die Mahnungen erinnern an wichtige Gesichtspunkte gemeindlichen Lebens: die Anerkennung von charismatisch begründeten Leitungsfunktionen, die besondere Sorge um Verunsicherte und Benachteiligte, die Bereitschaft zur gegenseitigen Vergebung und das geistliche Leben als Vollzug der neuen Gottesbeziehung, womit auch Dimensionen religiöser Erfahrung aufgenommen sind. Die noch ganz offenen Strukturen und Organisationsformen der Gemeinde bringen es mit sich, dass Prozesse des Aushandelns, des gemeinsamen Suchens nach dem richtigen Weg erforderlich sind. Gerade so erkennt die Gemeinde den Willen Gottes. Die Gemeinde selbst erscheint dabei als Träger der Verantwortung und der Kompetenz in Bezug auf die Gestaltung des Gemeindelebens (vgl. *F. Blischke*, Begründung 84). Innerhalb der Gemeinde beginnt ein sozialer Entwicklungsprozess, bei dem die Gemeinde Eigenständigkeit gegenüber den Gründern und ein eigenes Selbstbewusstsein gewinnt, was sich in ersten Schritten der Selbstorganisation spiegelt (vgl. *R. Börschel*, Konstruktion 274 f.). Für diese geschichtliche Situation der Gemeinde in Thessaloniki in der Mitte des 1. Jh. sind die Mahnungen gestaltet, und dort finden sie ihre Relevanz.

Das kann uns daran erinnern, dass die Gemeinde und später die Kirche immer nur in einer geschichtlichen Gestalt existiert, die nie überzeitlich festgeschrieben sein kann und daher stets an ihren Anfängen orientiert neu auszurichten und für jede Zeit adäquat zu entwickeln ist. Dieses Bewusstsein und der Mut, daraus strukturelle Konsequenzen zu ziehen, wären angesichts der Tatsache unterschiedlicher Richtungen auch heute für die Kirche wichtig, um sie vor Einseitigkeit in der Auslegung des Christlichen zu bewahren, einer Einseitigkeit, die immer andere ausschließt.

Das die Mahnungen abschließende Segensgebet nimmt die Beziehung der Absender zur Gemeinde in ihre Beziehung zu Gott hinein und illustriert damit den eigentlichen Grund, aus dem sowohl die Missionare als auch die Gemeinde leben.

Das Postskript 5,25-28

25 Geschwister, betet [auch] für uns. 26 Grüßt alle Geschwister mit dem heiligen Kuss. 27 Ich beschwöre euch beim Herrn, dass der Brief allen Geschwistern vorgelesen wird. 28 Die Gnade unseres Herrn Jesus Christus (sei) mit euch.

Literatur: S. Alkier, Der 1. Thessalonicherbrief als kulturelles Gedächtnis, in: G. Sellin/F. Vouga (Hg.), Logos und Buchstabe: Mündlichkeit und Schriftlichkeit im Judentum und Christentum der Antike (TANZ 20), Tübingen 1997, 175-194; *R. F. Collins*, »… that this letter be read to all the brethren.«, in: ders., Studies on the First Letter to the Thessalonians (BEThL 66), Leuven 1984, 365-370; *M. Ebner*, Der christliche Kanon, in: ders./S. Schreiber (Hg.), Einleitung in das Neue Testament (KStTh 6), Stuttgart ²2013, 9-52; *W. Klassen*, The Sacred Kiss in the New Testament. An Example of Social Boundary Lines, NTS 39 (1993) 122-135; *H.-J. Klauck*, Hausgemeinde und Hauskirche im frühen Christentum (SBS 103), Stuttgart 1981; *A. F. J. Klijn*, Die syrische Baruch-Apokalypse, in: JSHRZ V/2, Gütersloh 1976, 103-191; *H. Koskenniemi*, Studien zur Idee und Phraseologie des griechischen Briefes bis 400 n. Chr. (AASF.B 102,2), Helsinki 1956; *B. Oestreich*, Leseanweisungen in Briefen als Mittel der Gestaltung von Beziehungen (1 Thess 5.27), NTS 50 (2004) 224-245; *S. Schreiber*, Paulus als Briefschreiber. Vom Absender zum Adressaten, in: F. W. Horn (Hg.), Paulus Handbuch, Tübingen 2013, 136-141; *A. Standhartinger*, Art. Kuss II. Heiliger Kuss im Neuen Testament, in: RGG⁴ 4 (2001), 1907; *K. Thraede*, Ursprünge und Formen des »Heiligen Kusses« im frühen Christentum, JAC 11/12 (1968/69) 124-180; *J. A. D. Weima*, Sincerely, Paul: The Significance of the Pauline Letter Closings, in: S. E. Porter/ S. A. Adams (Hg.), Paul and the Ancient Letter Form (Pauline Studies 6), Leiden/Boston 2010, 307-345; *ders.*, Neglected Endings. The Significance of the Pauline Letter Closings (JSNT.S 101), Sheffield 1994; *J. L. White*, Light from Ancient Letters, Philadelphia 1986.

1. Textkritik

Das *kai* (auch) in 5,25 ist textkritisch unsicher und wird daher in NA²⁸ in eckige Klammern gesetzt. Die Bezeugung in den Handschriften ist geteilt, wobei mit P³⁰, B, D* und den Minuskeln 33, 1739, 2464 gewichtige Zeugen für den Text, das *kai*, sprechen. Vielleicht lässt sich die Auslassung so erklären, dass einige Abschreiber den damit ausgesagten Rückbezug auf das Segensgebet in 5,23 f. vermeiden wollten, damit nicht der Eindruck entsteht, der Apostel Paulus bittet ebenfalls um Heiligung und Bewahrung. Dies wäre mit dem Apostelbild späterer Jahrhunderte nicht gut zu vereinbaren.

2. Analyse

Kontext, Aufbau und Form

Das Postskript schließt einen antiken Brief ab und gestaltet das Ende der Kommunikation, wofür dem Briefautor ein Repertoire geprägter Formen zur Verfügung steht. Dazu zählen z. b. das Über-
mitteln von Grüßen, Wünsche für das Wohlergehen der Adressaten
und Details der Briefabfassung (wie Unterschrift oder Datum).
Nachdem der Epilog in 5,23 f. mit einem Segensgebet für die Adressaten einen feierlichen Abschluss fand, kommt im Postskript in
5,25-28 die Beziehung zwischen Absendern und Adressaten noch
einmal explizit zum Ausdruck. Dass die Verfasser dabei die Adressaten zuerst um ihr Gebet bitten, korrespondiert dem vorangehenden Segensgebet, kehrt aber die Struktur um: Jetzt sollen die Thessaloniker für die Missionare beten. Das Postskript besteht aus vier
einzelnen Elementen:

5,25	Bitte der Verfasser um das Gebet der Gemeinde
5,26	Grußauftrag
5,27	Dringliche Bitte um Verlesung des Briefs vor allen Geschwistern
5,28	Abschließender Gnadenwunsch

Grußaufträge, die über die Adressaten vermittelt werden sollen und
diese in der 2. Person ansprechen (*aspasai*, »grüße [den N.]«), stellen eine in antiken Briefen häufig verwendete Möglichkeit der Beziehungspflege dar (**H.-J. Klauck*, Briefliteratur 39 f.52; *J. A. D.
Weima*, Endings 41; in neutestamentlichen Briefen 1 Kor 16,20;
2 Kor 13,12; Phil 4,21; Röm 16,13-16; Kol 4,15; 2 Tim 4,19; Tit 3,15;
Hebr 13,24; 1 Petr 5,14; 3 Joh 15). Hier in 5,25 erfährt die antike
Briefpraxis eine bezeichnende Variation: Die Mitglieder der Gemeinde sollen die Grüße der Absender untereinander weitergeben,
womit sie sich gegenseitig grüßen, was ihre Binnenkommunikation
stärkt und sicherstellt, dass alle von dem eingetroffenen Brief erfahren (anders *Malherbe* 341 f.: *andere* Christen sollen gegrüßt
werden). In Verbindung mit der modalen Bestimmung »mit dem
heiligen Kuss« wird die gegenseitige Grußausrichtung zu einem typischen Bestandteil des Briefschlusses in den späteren Paulusbriefen
(1 Kor 16,20; 2 Kor 13,12; Röm 16,16; ohne den Kuss Phil 4,21).
Nicht ausgeschlossen ist dabei die Ausrichtung der Grüße von Paulus, Silvanus und Timotheus auch gegenüber Christen anderer Gemeinden, mit denen die Christen in Thessaloniki Kontakte pflegen,

um so das Netz der Beziehungen zwischen Gemeinden und Gemeindegründern lebendig zu halten.

Im Gegensatz zu späteren Paulusbriefen fehlen Grüße aus der Gemeinde, in der sich die Verfasser gerade aufhalten (1 Kor 16,19 f.; 2 Kor 13,12; Phil 4,21 f.; Phlm 23 f.; Röm 16,21-23). Man kann vermuten, dass die Missionare noch ganz am Anfang ihres Korinth-Besuches stehen und dort noch keine Gemeinde gegründet haben (↗ Einleitung 2.3). Weil Grüße anderer fehlen, liegt der Akzent zugleich ganz auf der Beziehung der Missionare zu ihrer Gemeinde.

Auch für die Bitte um Verlesung des Briefes in 5,27 finden sich antike Parallelen. Gedacht ist wohl an ein wiederholtes Vorlesen, weil nicht immer alle Mitglieder der Gemeinde gleichzeitig anwesend sein können, so dass die Kenntnisnahme aller sichergestellt ist. Dahinter steht aber noch mehr. Platon fordert einmal dazu auf: »Diesen Brief müsst ihr drei, am liebsten alle zusammen oder, wenn dies nicht möglich ist, wenigstens zu zweit, miteinander lesen, sooft als das möglich ist« (Platon, epist. 6 = 323c; vgl. *H.-J. Klauck*, Briefliteratur 281). Das wiederholte Lesen stellt eine intensive Rezeption des Schreibens sicher und fördert die Freundschaft der Adressaten untereinander. Die gemeinsame Aneignung des Briefinhalts will auch das Ende des fiktiven Briefes Baruchs in syrBar 86,1 f. fördern: »Darum – wenn ihr den Brief empfangen werdet, dann lest ihn vor in euren Versammlungen mit Sorgfalt. Und denkt darüber nach, besonders aber in den Tagen eurer Fasten« (Übersetzung: *A. F. J. Klijn*, Baruch-Apokalypse 184). Die intensive Lektüre vertieft zugleich die Beziehung zwischen Absender und Adressaten, wie 86,3 reflektiert: »Gedenkt an mich beim Lesen dieses Briefes, so wie ich auch an euch in ihm gedenke – allezeit«.
Der Schlussgruß eines Briefes lautet im Griechischen üblicherweise *errōso* (wörtlich »Sei stark!«, im Sinne von »Lebe wohl!«; lateinisch *vale*), im Plural *errōsthe* (so in Apg 15,29). Als vor allem in Bittbriefen verwendete Alternative konnte man auch *eutychei* (»Sei erfolgreich!«, »Sei glücklich!«) schreiben. Erweiterungen und Variationen sind möglich (dazu *H.-J. Klauck*, Briefliteratur 39; *H. Koskenniemi*, Studien 151-154). So kann im 1. Jh. auch ein Wunsch für die Gesundheit des Adressaten am Ende, meist nach den Grüßen, stehen, wobei manchmal der Begriff *sōteria* (hier Heil, Wohlergehen, Gesundheit) begegnet (vgl. *H. Koskenniemi*, Studien 71 f.133 f.; *J. L. White*, Light 200-202). Die Absender ersetzen die üblichen Formeln in 5,28 durch den spezifisch christlich geprägten Gruß

»Die Gnade unseres Herrn Jesus Christus (sei) mit euch!«. Darin kann der bekannte Gesundheitswunsch aufgenommen sein (anders bringt *Malherbe* 343 das Segensgebet von 5,23 f. mit dem Gesundheitswunsch in Verbindung). In der dreiteiligen Form, die den Wunschinhalt, den Geber der Gnade und deren Adressaten nennt, wird der Gnadenwunsch zur Praxis in allen späteren Paulusbriefen (mit kleinen Variationen in 1 Kor 16,23; 2 Kor 13,13; Phil 4,23; Phlm 25; Gal 6,18; Röm 16,20; vgl. 2 Thess 3,18; Offb 22,21). Zu ergänzen ist ein im Optativ gedachtes Verb, das den Wunschcharakter ausdrückt (vgl. auch *J. A. D. Weima*, Sincerely 343). Die *charis* (Gnade) als besondere Gabe des Herrn für die Christen korrespondiert dabei dem Gnaden- und Friedenswunsch im Präskript (1,1; zu Christus als Geber der Gnade vgl. 2 Kor 8,9; 12,9; Gal 1,6; 5,4).

3. Kommentar

25 25 Der Neueinsatz, mit dem das Postskript des Briefschlusses beginnt, wird durch die vorangestellte Anrede »Geschwister« und den asyndetischen Anschluss an den Epilog hörbar. Zum letzten Mal erfolgt nun die im Brief so häufige Anrede der Adressaten als »Geschwister«. Im Postskript findet der im Brief vermittelte Kontakt seinen formgerechten Abschluss. Die dabei üblichen Elemente dienen dazu, die gemeinsame Beziehung festzuhalten. Mit der Bitte um das Gebet der Adressaten eröffnen die Absender einen kleinen Einblick in ihre Lebenssituation, in der auch sie des fürbittenden Gebetes bedürfen. Wie sie für die Gemeinde beten (1,2; 3,9.12 f.; 5,23 f.), so wünschen sie auch deren Gebet für sich. Darin besitzt das textkritisch unsichere *kai* (auch) seine sachliche Berechtigung (gegen *Holtz* 271). Da sie der Gemeinde in ihrer Rolle als Missionare, als Verkünder des Evangeliums unter den Völkern, schreiben, dürfte sich der Gebetswunsch inhaltlich auf diese Rolle beziehen.

Eine Gebetsbitte äußert Paulus auch am Ende des Römerbriefs, dort freilich in einem konkreten Anliegen, nämlich der Sorge vor einem Scheitern der Übergabe der Kollekte in Jerusalem (Röm 15,30-32; zum Gebet der Gemeinde für Paulus vgl. auch 2 Kor 1,11; Phil 1,19; Phlm 22).

Hatten die Verfasser zum Abschluss des Epilogs in 5,23 f. ein Segensgebet für die Adressaten formuliert, so stellen sie sich nun selbst in die Position derer, die um das Gebet bitten. Die Gegenseitigkeit der gemeinsamen Beziehung, die stärker ist als das Gefälle der Autorität und des Vorrangs, die die Missionare als solche besitzen, findet darin einen sprechenden Ausdruck. Zudem wird deutlich, dass die gemeinsame Beziehung nicht in der Gegenseitigkeit aufgeht, sondern ihren eigentlichen Grund in der Beziehung zu Gott findet. Über alle Grenzen der Trennung hinweg bleiben die Missionare und die junge Gemeinde über ihre im Gebet konkretisierte Gottesbeziehung miteinander in Verbindung.

Die im Gebet akzentuierte Gemeinsamkeit der Beziehung im Glauben an Gott und Christus hält *R. Börschel*, Konstruktion 320 fest. Anders sieht *Holtz* 271 durch das Gebet die Abhängigkeit der Gemeinde von ihrem Gründer betont.

26 An die Gebetsbitte schließt sich – der Brieform entsprechend – ein Grußauftrag an. Er enthält die an die Gemeinde als ganze gerichtete Bitte der Verfasser, ihre Grüße innerhalb der Gemeinde weiterzugeben. Die Aufforderung bezieht sich nicht nur auf die Grußpraxis innerhalb der Gemeinde, sondern integriert die Briefabsender als Grüßende in den Raum der Gemeinde (gegen *Holtz* 272; mit *J. Bickmann*, Kommunikation 152 f.). Das steht hinter der Formulierung »grüßt alle Geschwister« (und auch in späteren Briefen, wenn es heißt: »grüßt einander«, so 1 Kor 16,20; 2 Kor 13,12; Röm 16,16; 1 Petr 5,14). Die gegenseitige Grußausrichtung innerhalb der Gemeinde (und darüber hinaus) trägt die Beziehung der Absender zu den Adressaten in die Beziehungen der Gemeinde untereinander hinein und aktualisiert dadurch beide Beziehungsstrukturen. Die Beziehungen bleiben lebendig, und das Gemeinschaftsgefühl wird gestärkt.

Die Bestimmung »mit dem heiligen Kuss« charakterisiert die Art des Grüßens. Der Kuss dient in der Antike als vertrauter, unter Verwandten und Freunden gepflegter Begrüßungs- bzw. Verabschiedungsgestus.

Alttestamentlich-frühjüdische Belege bieten z. B. Gen 27,26 f.; 29,11.13; 31,28; 32,1; 33,4; 45,15; 48,10; 50,1; Ex 4,27; 18,7; Rut 1,9.14; 2 Sam 14,33; 15,5; 19,40; 20,9; 1 Kön 19,20; Tob 5,17; 10,12; 3 Makk 5,49; TestRub 1,5; TestSim 1,2; TestDan 7,1; TestBen 1,2; JosAs 4,1.5; 18,3; 22,9; Josephus, bell. 7,391; im Neuen Testament Mk 14,45; Lk 7,45; 15,20; 22,47; Apg 20,37 (vgl. *J. A. D. Weima*, Sincerely 330 f.; *E. D. Schmidt*, Heilig 363 f.; pagane Belege [die dem öffentlichen Kuss häufig kritisch gegenüberstehen] bei *W. Klassen*, Kiss 126-128). Spezifischer kann der Gestus des Küssens in Gen 33,4; 45,15; 2 Sam 14,33; Josephus, ant. 8,387; Lk 15,20 als Zeichen

26

der Versöhnung innerhalb der Familie verwendet werden. – Weil die Praxis des mit einem Kuss verbundenen Grußes in der Antike bekannt war, ist die Vermutung von *T. D. Still*, Conflict 240.244, die Umwelt hätte die Gemeinde, die den heiligen Kuss austauscht, sexueller Freizügigkeit verdächtigt, unwahrscheinlich.

Der Kuss innerhalb der Gemeinde dient im gesellschaftlichen Kontext als Ausdruck der engen Zusammengehörigkeit und Einheit, wie sie unter Mitgliedern einer Familie, unter »Geschwistern« – so die geläufige Anrede der Briefadressaten – gegeben sein sollte (vgl. *Malherbe* 341) und über gesellschaftliche Statusgrenzen hinweg reicht. Daher wird der Kuss als Gestus, der den Gruß begleitet, auch in den Christus-Gemeinden geläufig, worauf die entsprechende Aufforderung in mehreren Briefschlüssen hinweist (1 Kor 16,20; 2 Kor 13,12; Röm 16,16; 1 Petr 5,14).
Die Besonderheit des Gruß-Kusses wird durch die Bezeichnung als »heiliger Kuss« semantisch abgebildet. Das Adjektiv »heilig« grenzt diesen Kuss von der paganen Praxis unter Familien und Freunden bzw. vom erotischen Kuss ab. Der »heilige« Kuss wird zu einem Zeichen der *ekklēsia*, der Gemeinschaft, die ihre Existenz aus der Berufung Gottes und der Beziehung zu Gott versteht. In der festen Zugehörigkeit zu Gott ist ihr Leben geheiligt (vgl. 3,13; 4,3-8; 5,23; dazu *M. Bohlen*, Communio 101; *M. Vahrenhorst*, Sprache 200; *K. Thraede*, Ursprünge 133). Daraus erwächst eine enge Zusammengehörigkeit in der von Gott erwählten Gemeinschaft, die sich im heiligen Kuss zeichenhaft äußert. Da in der Christus-Gemeinde Menschen unterschiedlicher sozialer Herkunft vereint und übliche gesellschaftliche Rollenmuster relativiert sind, wird der Ausdruck der Einheit besonders aussagekräftig. Der heilige Kuss fungiert als Zeichen des Friedens untereinander und im Falle von Konflikten auch der Versöhnung miteinander, wobei das Zeichen zur entsprechenden Haltung herausfordert. Der heilige Kuss trägt damit zur Vergewisserung der eigenen Identität der Gemeinde und zur Abgrenzung nach außen bei (vgl. *W. Klassen*, Kiss 132-134; *M. Bohlen*, Communio 102). Die spezifische Gemeinschaft der *ekklēsia* findet im Gruß mit dem heiligen Kuss erfahrbaren Ausdruck.

Die primäre soziale Interaktion besteht also im Grüßen, das durch den Kuss intensiviert wird. Die Qualifizierung als »heiliger« Kuss spezifiziert diesen im christlichen Sinne. Das Attribut »heilig« kann damit nicht für einen Sitz im Leben des heiligen Kusses in der liturgischen Feier der ersten Christen ausgewertet werden (mit *K. Thraede*, Ursprünge 125-131; *M. Bohlen*, Communio 101). Aber auch »die performative Vermittlung wesentlicher christlicher Glaubensinhalte« im Gruß, ein »eschatologischer Ausblick durch Erinnerung an das Wiederkommen Christi« als Element des Gruß-Kusses und eine »*quasi-sakramentale* Qualität« (so *E. D. Schmidt*, Heilig 370 f., kursiv im Original) scheinen mir eine Überinterpretation des Gestus darzustellen. Fern liegt ebenso die Vorstellung einer pneumatischen Kraftübertragung durch den heiligen Kuss (so aber *A. Standhartinger*, Kuss).

27 Die Praxis, den Brief in einer Versammlung der Gemeinde von Thessaloniki laut vorzulesen, erscheint als vorausgesetzte Form seiner Bekanntgabe. Vorlesen bildete in der Antike eine geläufige Form der Rezeption von Geschriebenem (z. B. Epiktet, dissertationes 3,23,6; Diodorus Siculus 15,10,2; vgl. Offb 1,3; auch 2 Kor 1,13; Eph 3,4; Kol 4,16). Durch das Vorlesen des Briefes erhalten potentiell alle Adressaten, auch die des Lesens Unkundigen, rasch und gleichzeitig Zugang zu seinen Inhalten.
Die Formulierung in v.27 enthält mehrere Auffälligkeiten. Zunächst wird der Plural der Verfasser verlassen und die 1. Person Singular verwendet (wie in 2,18; 3,5). Damit meldet sich am Ende des Briefes noch einmal der Hauptabsender Paulus zu Wort (↗ Einleitung 3.1). Nach dem weitgehend gemeinsam verantworteten Diktat des Gesamtbriefes bringt Paulus vor dem abschließenden Gnadenwunsch noch ein eigenes Anliegen zur Sprache. Zum Verfassen von Briefen griff man in der Antike üblicherweise auf professionelle Schreiber zurück, denen man den Brief diktieren konnte. Häufig setzte dann der Autor einen eigenhändigen Schlussgruß unter den fertigen Brief (*S. Schreiber*, Briefschreiber 137; bei Paulus in 1 Kor 16,21; Gal 6,11; Phlm 19). Dieser Praxis könnte Paulus hier folgen, und er hätte dann die Gelegenheit genutzt, sein Anliegen einer intensiven Rezeption des Briefes zur Sprache zu bringen. Will man nicht annehmen, dass er nur einen Gedanken nachholt, der beim gemeinsamen Abfassen des Briefes vergessen wurde, macht er sich als führende Gestalt des Missionsteams und Hauptgesprächspartner der Gemeinde noch einmal eigens hörbar. Auch dies dient der Stärkung der Beziehung zur Gemeinde.
Auffällig erscheint sodann die von Paulus massiv vorgetragene Bitte, den vorliegenden Brief allen Geschwistern vorlesen zu lassen. Das selten belegte Kompositum *enorkizō* bedeutet, wie das Simplex *horkizō*, »beschwören« und wird mit doppeltem Akkusativ konstruiert (*horkizō tina ti:* »jemanden bei etwas beschwören«; so in Mk 5,7; Apg 19,13; dazu *W. Bauer*, Wörterbuch 540). Die Bitte erhält durch dieses Verb große Dringlichkeit, und ihre Bedeutung

wird überdies durch den Zusatz »beim Herrn« hervorgehoben. Paulus betont damit die Verantwortung der Gemeinde vor der höchsten Instanz, dem Herrn, für die Verlesung des Briefes vor allen Geschwistern. Die Frage stellt sich, warum Paulus hier die Briefrezeption mit so starken Worten anmahnt. Der Text gibt keinen Hinweis darauf, dass Paulus die konkrete Sorge leitete, der Brief könnte einem Teil der Gemeinde vorenthalten werden, also dass etwa diejenigen, an die der Brief auf der Außenseite des Beschreibmaterials (einer kleinen Papyrusrolle oder einiger Blätter) adressiert war, ihn nur in einem kleinen Kreis zirkulieren lassen könnten.

Von Spaltungen in der Gemeinde, die dazu hätten führen können, dass der Brief nur einer Teilgruppe vorgelesen wird, gingen *Dibelius* 27 und *Friedrich* 251 aus (vgl. *Rigaux* 605; mit Bezug auf die »Unordentlichen« von 5,14 *Bruce* 135; *Haufe* 112). *Fee* 233 denkt an eine Autorisierung der Gemeindeleiter gegenüber den »Unordentlichen«. Doch für solche Oppositionen finden wir keine Hinweise im Brief. *H.-J. Klauck*, Hausgemeinde 35 nimmt eine Verlesung in mehreren Hausgemeinden an (vgl. *Malherbe* 345). Für die Existenz mehrerer eigenständiger Hausgemeinden dürfte die Gemeinde freilich noch zu klein gewesen sein. Eine Verlesung im Gottesdienst vermuten z. B. *Bruce* 134; *Holtz* 274; *Wanamaker* 208 f.; *Witherington* 177. Es kann jedoch auch an eine Versammlung der Gemeinde allein zum Zweck der Briefverlesung gedacht werden. *R. F. Collins*, letter 366 f. will das Lesen des Briefes im Gottesdienst sogar in den Rang einer biblischen Schriftlesung erhoben sehen (vgl. *Müller* 220 f.; *Green* 272). Das nimmt freilich viel spätere Überlegungen zum Kanon vorweg, denn für die ersten Christen blieben die heiligen Schriften Israels theologisch und auch »liturgisch« grundlegend und gültig. Erst um die Mitte des 2. Jh. ist ein Verständnis von Jesusworten in Analogie zur »Schrift« belegt (Barn 4,14; 2 Clem 2,4; vgl. *M. Ebner*, Kanon 33-35). Wenn *S. Alkier*, Gedächtnis, die Schriftlichkeit des Briefes als Stiftung des kulturellen Gedächtnisses der christlichen Erinnerungsgemeinschaft liest, greift er weit über die konkrete Rezeptionssituation in Thessaloniki hinaus.

Die drängende Bitte um Verlesung des Briefes erhält ihre Bedeutung durch die Satzergänzung im Dativ »allen Geschwistern«, die betont am Ende steht. Damit spiegelt sie den drängenden Wunsch des Paulus nach einer intensiven Rezeption des Briefes in Thessaloniki (Beispiele ↗2.). Sie artikuliert das Anliegen, dass der Brief tatsächlich allen Gemeindegliedern bekannt wird, auch wenn einzelne bei der einen oder anderen Versammlung nicht teilnehmen. In pragmatischer Hinsicht zielt sie auf eine mehrmalige Verlesung des Briefes, die dazu beiträgt, Inhalte genauer aufzunehmen und Diskussionen innerhalb der Gemeinde Raum zu geben.

Dagegen spricht nicht, dass der (einen AcI mit *tēn epistolēn* bildende) Infinitiv *anagnōsthēnai* im Aorist steht, der die *Einmaligkeit* des Vorlesens andeute. Denn zum einen kann sich das im Aorist zu hörende Moment des konkreten Falles auf die Ankunft und Verlesung des Briefes beziehen, selbst wenn diese öfter geschieht, im Gegensatz zu einer beständigen, z. B. wöchentlichen Verlesung. Zum anderen besteht im Griechischen des 1. Jh. eine schriftstellerische Freiheit, den schärferen Ton des Aorist dem milderen des Präsens vorzuziehen, ohne einen temporalen Unterschied zu bezeichnen (BDR §335 mit §338).

Durch die Einbeziehung des »Herrn«, in dem die Gemeinde und die Briefabsender miteinander verbunden sind, wird die Verlesung des Briefes zu einem wiederholten Akt dieser Verbundenheit. Indirekt werden damit auch wieder das Miteinander und die Einheit innerhalb der Gemeinde gestärkt, die ohne Unterschiede an der Beziehung mit den Missionaren partizipiert und Zugang zu den Informationen des Briefes erhält (vgl. *B. Oestreich*, Leseanweisungen 235 f.243-245; schon *Schlatter* 35). Schließlich dokumentiert die Bitte das Engagement des Paulus für jeden Einzelnen und jede Einzelne in der Gemeinde (vgl. 2,11), von denen ihm niemand gleichgültig ist und mit denen er auch nach der räumlichen Trennung verbunden ist. Paulus bleibt mit der Gemeinde im Gespräch, und um dies zu gewährleisten, wirft er seine Autorität als Gemeindegründer in die Waagschale und fordert die Verlesung des Briefes vor allen in der Gemeinde.

Paulus kann damit rechnen, in der Gemeinde Autorität zu besitzen (vgl. *R. Börschel*, Konstruktion 326, die »im Brief eine asymmetrische verbale Kommunikation« feststellt), weiß aber auch, dass diese von der Gemeinde neu akzeptiert und angenommen werden muss, um für den Aufbau der Gemeindeidentität wirksam zu werden.

28 Der Schlussgruß weicht vom üblichen antiken Briefschema ab (↗ 2.) und bedient sich einer für die Christus-Anhänger charakteristischen, ihre neue theologische Überzeugung zum Ausdruck bringenden Formulierung: »Die Gnade unseres Herrn Jesus Christus (sei) mit euch«. Der Gnadenwunsch nimmt den Begriff *charis* aus dem Briefpräskript wieder auf (↗ 1,1) und bringt damit die heilmachende göttliche Zuwendung zum Ausdruck, die die Verfasser der Gemeinde wünschen und zusprechen. Die Zentralgestalt, an der sich die neue Gottesbeziehung festmacht, ist für die junge Gemeinde Jesus, dessen Bedeutung durch die Titel *kyrios* (Herr) und *christos* (Messias) in bekannter Weise ausgedrückt wird. Der mit seiner Erweckung in die Gegenwart Gottes erhöhte und in himmlischer Vollmacht herrschende »Herr« Jesus kann die Gnade schenken. Als »Christus« wird er als Gottes Repräsentant erkannt, hinter dem Gottes Vollmacht und Gnade stehen. Auf die unmittelbare Gemeinschaft mit ihm bei seiner endgültigen »Ankunft« blickt die Gemeinde aus und gründet darin wesentlich ihre Identität (1,10; 2,19; 3,13; 4,15; 5,23). Mit dem als Schlussgruß formulierten umfassenden Wunsch, dass der Herr seine Gnade der jungen Gemeinde zuwende, beschließen die Verfasser ihren Brief.